L'orientalisme

Edward W. Said

L'orientalisme

L'Orient créé par l'Occident

TRADUIT DE L'ANGLAIS (ÉTATS-UNIS)
PAR CATHERINE MALAMOUD

PRÉFACE DE L'AUTEUR (2003)
TRADUITE PAR SYLVESTRE MEININGER

PRÉFACE À L'ÉDITION FRANÇAISE
DE TZVETAN TODOROV

POSTFACE DE L'AUTEUR
TRADUITE PAR CLAUDE WAUTHIER

Éditions du Seuil

Titre original : *Orientalism*
© Edward W. Said, 1978, 1995 et 2003
TOUS DROITS RÉSERVÉS

Éditeur original : Penguin Books
ISBN original : 0-141-18742-5

ISBN : 978-2-7578-5307-8
(ISBN : 978-2-02-005602-1, 1ʳᵉ publication en langue française)

© Éditions du Seuil, 1980, pour la traduction française,
1997, pour la traduction de la postface
et 2005, pour la présente édition.
© *Le Monde diplomatique*, 2004, pour la traduction de la préface.

Il y a neuf ans, j'ai écrit une postface à L'Orientalisme[1] *: j'y insistais non seulement sur les nombreuses
polémiques suscitées par le livre depuis sa parution en
1978, mais aussi sur le fait que mon étude des représentations de « l'Orient » était de plus en plus sujette à des
interprétations erronées. Que ma réaction soit désormais
plus proche de l'ironie que de la colère montre que l'âge
est en train de me rattraper. La mort récente de mes deux
mentors intellectuels, politiques et personnels, Eqbal
Ahmad et Ibrahim Abou-Lughod[2], m'a apporté tristesse et
résignation, mais aussi une volonté opiniâtre d'avancer.*

Mon autobiographie, À contre-voie[3], *décrit les mondes
étranges et contradictoires dans lesquels j'ai grandi et*

1. *L'Orientalisme. L'Orient créé par l'Occident*, Seuil, Paris, 1997,
pour l'édition française.
2. NDÉ. Né en Inde en 1933, décédé en 1999 au Pakistan, Eqbal
Ahmad, professeur de relations internationales et de sciences politiques, a lié sa vie aux luttes de libération de nombreux peuples, de
l'Algérie à la Palestine, en passant par le Vietnam. Né en 1929, décédé
en 2001, Ibrahim Abou-Lughod s'était engagé très jeune dans la
bataille pour l'indépendance de la Palestine. Diplômé de sciences
politiques, il est l'auteur de nombreux livres, dont *The Transformation
of Palestine* ; *Palestinian Rights : Affirmation and Denial* ; *Profile of
the Palestinian People* et *The Arab-Israeli Confrontation of June
1967 : An Arab Perspective*.
3. Le Serpent à plumes, Paris, 2002.

donne une idée des influences que j'ai subies au cours de ma jeunesse en Palestine, en Égypte et au Liban. Mais ce récit s'arrête avant le début de mon engagement politique, qui commence en 1967, après la guerre des Six Jours. L'Orientalisme *est bien plus proche des tumultes de l'histoire contemporaine. Il s'ouvre sur une description, écrite en 1975, de la guerre civile au Liban – qui s'achèvera en 1990. Et pourtant la violence et les bains de sang continuent jusqu'à ce jour. Le processus de paix lancé à Oslo a échoué, la seconde Intifada a éclaté, et les Palestiniens subissent de terribles souffrances en Cisjordanie réoccupée comme dans la bande de Gaza.*

Le phénomène des attentats-suicides est apparu, avec toutes ses conséquences hideuses, non moins atroces et apocalyptiques que les événements du 11 septembre 2001 et leurs suites : les guerres déclenchées contre l'Afghanistan et l'Irak. Alors que j'écris ces lignes, l'occupation impériale illégale de l'Irak par les États-Unis et la Grande-Bretagne se poursuit, avec des effets terribles. Tout cela est censé faire partie d'un « choc des civilisations », interminable, implacable et irréversible. Je m'inscris en faux contre cette idée.

J'aimerais pouvoir affirmer que la compréhension générale qu'ont les Américains du Proche-Orient, des Arabes et de l'islam a un peu progressé. Ce n'est malheureusement pas le cas. Pour de nombreuses raisons, la situation semble bien meilleure en Europe. Aux États-Unis, le durcissement des positions, l'emprise grandissante des généralisations condescendantes et des clichés triomphalistes, la domination d'un pouvoir brutal allié à un mépris simpliste pour les dissidents et pour « les autres » se sont reflétés dans le pillage et la destruction des bibliothèques et des musées irakiens.

Nos leaders et leurs valets intellectuels semblent incapables de comprendre que l'histoire ne peut être effacée comme un tableau noir, afin que « nous » puissions y écrire notre propre avenir et imposer notre mode de vie aux peuples « inférieurs ».

Stupéfiante inconscience des communicateurs

On entend souvent de hauts responsables à Washington, ou ailleurs, parler de redessiner les frontières du Proche-Orient, comme si des sociétés aussi anciennes et des populations aussi diverses pouvaient être secouées comme des cacahuètes dans un bocal. C'est pourtant souvent arrivé avec l'« Orient », cette construction quasi mythique tant de fois recomposée depuis l'invasion de l'Égypte par Napoléon à la fin du XVIIIᵉ siècle. Chaque fois, les innombrables sédiments de l'histoire, les récits sans fin, l'étourdissante diversité des cultures, des langues et des individualités, tout cela est balayé, oublié, relégué dans le désert comme les trésors volés à Bagdad et transformés en fragments privés de tout sens.

Selon moi, l'histoire est faite par les hommes et les femmes, mais elle peut également être défaite et réécrite, à coups de silences, d'oublis, de formes imposées et de déformations tolérées, de telle sorte que « notre » Est, ou notre « Orient », devienne vraiment « nôtre », que nous puissions le posséder et le diriger. Je dois redire que je n'ai pas de « véritable » Orient à défendre. En revanche, j'ai le plus grand respect pour la capacité qu'ont ces peuples à défendre leur propre vision de ce qu'ils sont et de ce qu'ils veulent devenir.

Des attaques massives, d'une agressivité planifiée, ont été lancées contre les sociétés arabes et musulmanes contemporaines, accusées d'arriération, d'absence de démocratie et d'indifférence pour les droits des femmes. Au point de nous faire oublier que des notions telles que la modernité, les Lumières et la démocratie ne sont en aucun cas des concepts simples et univoques que chacun finirait toujours par découvrir, tels les œufs de Pâques cachés dans son jardin. L'inconscience stupéfiante de ces jeunes communicateurs arrogants, qui parlent au nom de la politique étrangère sans posséder la moindre notion vivante (ni la moindre connaissance du langage des gens ordinaires), a fabriqué un paysage aride, prêt à accueillir la construction par la puissance américaine d'un ersatz de libre « démocratie » de marché. Inutile de connaître l'arabe, le fārsi ou même le français pour pontifier sur l'effet domino de la démocratie dont le monde arabe aurait le plus grand besoin.

La volonté de comprendre d'autres cultures à des fins de coexistence et d'élargissement de son horizon n'a rien à voir avec la volonté de dominer. Cette guerre impérialiste – concoctée par un petit groupe de responsables américains non élus et menée contre une dictature du tiers-monde déjà dévastée, pour des raisons idéologiques liées à une volonté de domination mondiale, de contrôle sécuritaire et de mainmise sur des ressources raréfiées – est certainement une des catastrophes intellectuelles de l'histoire, notamment parce qu'elle a été justifiée et précipitée par des orientalistes qui ont trahi leur vocation de chercheurs. Des experts du monde arabe et musulman comme Bernard Lewis[1] et Fouad Ajami ont exercé une influence majeure sur le Pentagone et le Conseil national de sécurité de M. George W. Bush : ils ont aidé les faucons à penser avec des idées aussi grotesques que l'« esprit arabe », *ou le* « déclin séculaire de l'islam ».

---

1. NDÉ. Engagé de longue date dans la lutte contre le « danger islamiste », Bernard Lewis a par ailleurs été condamné en France en 1995 pour avoir nié la réalité du génocide arménien.

Actuellement, les librairies américaines sont remplies de volumes épais aux titres tapageurs évoquant le lien entre « islam et terrorisme », l'« islam mis à nu », la « menace arabe » et autre « complot musulman », écrits par des polémistes politiques prétendant tirer leurs informations d'experts ayant soi-disant pénétré l'âme de ces étranges peuplades orientales. Ces bellicistes ont bénéficié du renfort des chaînes de télévision CNN et Fox News, ainsi que d'une myriade de radios évangélistes et conservatrices, de tabloïds et même de journaux respectables, tous occupés à recycler les mêmes généralités invérifiables afin de mobiliser l'« Amérique » contre les démons étrangers.

Sans cette impression soigneusement entretenue que ces peuplades lointaines ne sont pas comme « nous » et n'acceptent pas « nos » valeurs, clichés qui constituent l'essence du dogme orientaliste, la guerre n'aurait pas pu être déclenchée. Tous les puissants se sont entourés de tels chercheurs à leur solde, les conquérants hollandais de la Malaisie et de l'Indonésie, les armées britanniques en Inde, en Mésopotamie, en Égypte et en Afrique de l'Ouest, les contingents français en Indochine et en Afrique du Nord. Ceux qui conseillent le Pentagone et la Maison Blanche usent des mêmes clichés, des mêmes stéréotypes méprisants, des mêmes justifications pour l'utilisation de la puissance et de la violence. « Après tout, répète le chœur, ces gens ne comprennent que le langage de la force. » *À ces conseillers s'ajoute, en Irak, une véritable armée d'entrepreneurs privés à qui tout sera confié, de la publication des livres d'école à la rédaction de la Constitution et la refonte de la vie politique, jusqu'à la réorganisation de l'industrie pétrolière.*

Chaque nouvel empire prétend toujours être différent de ceux qui l'ont précédé, affirme que les circonstances sont exceptionnelles, que sa mission consiste à civiliser, à établir l'ordre et la démocratie, et qu'il n'utilise la force qu'en dernier recours. Le plus triste est qu'il se trouve toujours des intellectuels pour trouver des mots doux et parler d'empires bienveillants ou altruistes.

Vingt-cinq ans après la parution de mon livre, l'orientalisme nous force à nous demander si l'impérialisme moderne a jamais disparu, ou s'il ne perdure pas en fait depuis l'entrée de Bonaparte en Égypte, il y a deux siècles. On a dit aux Arabes et aux musulmans que la victimologie et l'insistance sur les déprédations de l'empire ne représentaient qu'un moyen de fuir leurs propres responsabilités actuelles. « Vous avez échoué, vous vous êtes trompés », *affirme l'orientaliste contemporain.*

Tout commence avec Bonaparte, continue avec le développement des études orientales et la conquête de l'Afrique du Nord ; des recherches du même type se développent au Vietnam, en Égypte, en Palestine et, au début du xxe siècle, avec la lutte pour le contrôle du pétrole et des territoires dans le Golfe, en Irak, en Syrie, en Palestine et en Afghanistan. Puis ce sera l'avènement des différents nationalismes anticoloniaux, à travers la brève période des indépendantismes progressistes, l'ère des coups d'État militaires, les insurrections, les guerres civiles, les fanatismes religieux, les combats irrationnels et le retour de la brutalité absolue contre les derniers groupes d'« indigènes ». Chacune de ces phases suscitera sa vision faussée de l'Autre, ses images réductionnistes et ses polémiques stériles.

Briser les chaînes de l'esprit

Avec L'Orientalisme, *je voulais m'appuyer sur la critique humaniste afin d'élargir les champs de lutte possibles et de remplacer par une pensée et une analyse plus profondes, sur le long terme, les brefs éclats de colère irraisonnée qui nous emprisonnent. Ce que je tente ainsi de faire, je l'ai appelé « humanisme », un mot que, têtu, je continue à utiliser malgré son rejet méprisant par les critiques postmodernes sophistiqués.*

Par humanisme, je pense d'abord à la volonté qui poussait William Blake[1] à briser les chaînes de notre esprit afin d'utiliser celui-ci à une réflexion historique et raisonnée. L'humanisme est également entretenu par un sentiment de communauté avec d'autres chercheurs, d'autres sociétés et d'autres époques : il n'existe pas d'humaniste à l'écart du monde. Chaque domaine est lié à tous les autres, et rien de ce qui se passe dans le monde ne saurait rester isolé et pur de toute influence extérieure. Nous devons traiter de l'injustice et de la souffrance, mais dans un contexte largement inscrit dans l'histoire, la culture et la réalité socio-économique. Notre rôle est d'élargir le champ du débat.

Au cours des trente-cinq dernières années, j'ai passé une bonne partie de ma vie à défendre le droit du peuple palestinien à l'autodétermination, mais j'ai toujours essayé de le faire en prenant pleinement en compte le peuple juif et ses souffrances, des persécutions au génocide. Ce qui compte le plus à mes yeux, c'est que la lutte pour l'égalité entre Israël et la Palestine ne doit avoir qu'un objectif humain, à savoir la coexistence, et non la poursuite de l'élimination et du rejet.

Ce n'est pas un hasard si j'ai montré que l'orientalisme et l'antisémitisme moderne ont des racines communes.

---

1. NDÉ. Longtemps considéré comme fou, l'écrivain anglais William Blake (1757-1827) a laissé une œuvre littéraire et philosophique d'une grande richesse, orientée vers la reconquête de l'unité de l'être humain. Pour lui, Dieu n'existe que dans l'homme. Dénonciateur de la morale chrétienne, qui fonde à son avis l'esclavage moral, économique et politique dont l'homme est victime, il lutte pour une liberté dont l'imagination lui semble le principal instrument.

Pour tout intellectuel indépendant, élaborer des modèles de rechange aux dogmes étroits et simplificateurs fondés sur l'hostilité mutuelle qui prévalent au Proche-Orient et ailleurs depuis trop longtemps constitue donc une nécessité vitale.

Humaniste œuvrant dans le domaine de la littérature, je suis assez vieux pour avoir reçu, il y a quarante ans, un enseignement en littérature comparée dont les idées fondatrices remontent à l'Allemagne de la fin du XVIIIᵉ et du début du XIXᵉ siècle. Il faut aussi rappeler la contribution fondamentale de Giambattista Vico, le philosophe et philologue napolitain dont les idées anticipent celles de penseurs allemands comme Herder et Wolf – elles sont reprises par Goethe, Humboldt, Dilthey, Nietzsche, Gadamer, et, enfin, par les grands philologues du XXᵉ siècle, Erich Auerbach, Leo Spitzer et Ernst Robert Curtius.

Pour les jeunes de la génération actuelle, la philologie évoque une science aussi antique que surannée, alors qu'elle est la plus fondamentale et la plus créatrice des méthodes d'interprétation. L'exemple le plus admirable en est l'intérêt de Goethe pour l'islam et en particulier pour le poète Hafiz – cette passion dévorante l'amènera à écrire le West-östlicher Diwan *et influencera ses idées sur la* Weltliteratur *(littérature du monde), l'étude de toutes les littératures du monde comme une symphonie totale que l'on pourrait comprendre théoriquement comme préservant l'individualité de chaque œuvre sans pour autant perdre de vue l'ensemble.*

Ironiquement, notre monde globalisé avance vers cette standardisation, cette homogénéité que les idées de Goethe visaient justement à empêcher. Dans son essai Philologie der Weltliteratur *publié en 1951, Erich Auerbach mit en garde contre cette évolution au début de cette période de l'après-guerre qui marqua aussi l'avènement de la guerre froide. Son grand livre* Mimésis *– publié à Berne en 1946, mais écrit pendant la guerre, alors qu'il était réfugié à Istanbul où il enseignait les langues romanes – se voulait comme le testament de la diversité et de la réalité représentées dans la littérature occidentale, d'Homère à Virginia Woolf. En relisant l'essai de 1951, on comprend néanmoins que le grand livre d'Auerbach était un hymne à une époque où on analysait les textes en termes philologiques, de manière concrète, sensible et intuitive ; une époque où l'érudition et la maîtrise sans faille de plusieurs langues contribuaient à la compréhension dont Goethe se faisait le champion avec sa propre compréhension de la littérature islamique.*

Cette connaissance des langues et de l'histoire était indispensable, mais jamais suffisante, tout comme, par exemple, la simple accumulation de faits ne constitue pas une méthode adaptée pour saisir ce que représente un auteur comme Dante. La principale exigence de l'approche philologique dont Auerbach comme ses prédécesseurs parlaient et qu'ils essayaient de pratiquer consistait à pénétrer de manière subjective et empathique dans la matière vivante du texte à partir de la perspective de son temps et de son auteur (Einfühlung).

Incompatible avec l'éloignement ou l'hostilité à l'égard d'un autre temps et d'une culture différente, la philologie appliquée à la Weltliteratur *impliquait un esprit profondément humaniste se déployant avec générosité et – si je peux utiliser ce mot – hospitalité. L'esprit du chercheur doit toujours faire activement, en lui-même, une place à l'Autre étranger. Et cette action créatrice d'ouverture à l'Autre, qui sinon reste étranger et distant, est la dimension la plus importante de la mission du chercheur.*

En Allemagne, tout cela sera bien sûr ébranlé, puis détruit par le national-socialisme. Après la guerre, remarque tristement Auerbach, la standardisation des idées, la spécialisation de plus en plus grande des connaissances rétrécirent progressivement les possibilités de ce genre de travail d'investigation et d'enquête inlassables dont il était le représentant. Plus déprimant encore, depuis la mort d'Auerbach en 1957, et l'idée et la pratique de la recherche humaniste ont perdu de leur centralité. Au lieu de lire, au vrai sens du terme, nos étudiants sont constamment distraits par le savoir fragmentaire disponible sur Internet et diffusé par les médias de masse.

Et il y a plus grave. L'éducation est aujourd'hui menacée par les orthodoxies nationalistes et religieuses propagées par les médias, qui se concentrent de manière ahistorique et sensationnaliste sur les guerres électroniques lointaines, lesquelles donnent aux spectateurs une impression de « précision chirurgicale » et masquent ainsi les terribles souffrances et destructions engendrées par la guerre moderne. En démonisant un ennemi inconnu auquel elles accolent l'étiquette « terroriste » afin d'entretenir la colère de l'opinion, les images médiatiques focalisent trop l'attention et peuvent être facilement manipulées en période de crise et d'insécurité, comme après les attentats du 11 septembre.

En tant qu'Américain et Arabe, je dois demander au lecteur de ne jamais sous-estimer le type de vision simpliste du monde qu'une poignée de civils travaillant au Pentagone a fabriqué pour définir la politique américaine dans l'ensemble des mondes arabe et musulman. La terreur, la guerre préventive et les changements de régimes imposés, rendus possibles par le budget militaire le plus important de l'histoire, y sont les seules idées débattues sans fin par des médias qui produisent des prétendus « experts » pour justifier la ligne générale du gouvernement. La réflexion, la discussion, l'argumentation rationnelle, les principes moraux fondés sur la vision laïque selon laquelle les êtres humains font leur propre histoire, tout cela a été remplacé par des idées abstraites qui glorifient l'exception américaine, ou occidentale, nient l'importance du contexte et considèrent les autres cultures avec mépris.

Un discours mondial laïque et rationnel

Peut-être le lecteur m'accusera-t-il de me livrer à des transitions trop abruptes entre l'interprétation humaniste et la politique extérieure, en affirmant notamment qu'une société technologiquement avancée, qui, avec une puissance sans précédent, possède à la fois Internet et le chasseur F-16, doit, en définitive, être dirigée par de formidables experts technico-politiques comme M. Donald Rumsfeld ou M. Richard Perle. Mais ce que nous avons perdu en chemin, c'est le sens de la densité et de l'interdépendance de la vie humaine, qui ne pourra jamais être ni réduit à une formule, ni écarté comme hors sujet.

Voilà un aspect du débat global. Dans les pays arabes et musulmans, la situation n'est guère meilleure. Comme l'a montré la journaliste Roula Khalaf dans un excellent essai[1], la région a glissé dans un antiaméricanisme qui montre peu de compréhension pour ce qu'est vraiment la société américaine. Incapables d'influer sur l'attitude des États-Unis à leur égard, les gouvernements consacrent toute leur énergie à réprimer et à contrôler leur population. D'où la montée du ressentiment, de la colère et d'imprécations impuissantes qui ne contribuent pas à ouvrir des sociétés dans lesquelles la vision laïque de l'histoire humaine et du développement a été balayée par les échecs et les frustrations ainsi que par un islamisme

---

1. *The Financial Times*, Londres, 4 septembre 2002.

fondé sur l'apprentissage par cœur et l'effacement de tout ce qui est perçu comme d'autres formes concurrentes de connaissance moderne.

La disparition progressive de la tradition islamique de l'ijtihad[1] ou d'interprétation personnelle a été un des désastres culturels majeurs de notre époque, qui a entraîné la disparition de toute pensée critique et de toute confrontation individuelle avec les questions posées par le monde contemporain.

Je ne prétends pas que le monde culturel a simplement régressé, d'un côté en tombant dans un néo-orientalisme agressif, de l'autre par une intolérance absolue. Fin août 2002, le sommet des Nations unies à Johannesburg, malgré toutes ses limites, a révélé l'émergence d'une vaste zone de préoccupation globale commune, annonçant l'apparition d'une « circonscription électorale planétaire » à même de donner un nouveau souffle à la notion souvent galvaudée d'un seul monde. Mais, là encore, il faut admettre que nul ne peut connaître l'extraordinaire unité complexe de notre monde globalisé, même si le caractère de plus en plus intégré de chacune de ses parties rend désormais difficile l'isolement de l'une d'elles.

Les terribles conflits évoqués ici, qui rassemblent les populations sous des bannières faussement unificatrices comme « l'Amérique », « l'Occident » ou « l'islam » et inventent des identités collectives pour des individus qui sont en fait très différents ne peuvent pas continuer leurs ravages. Il faut s'y opposer. Face à eux, nous disposons toujours de nos capacités interprétatives rationnelles, héritage de notre éducation humaniste. Il ne s'agit pas là d'une piété sentimentale nous enjoignant de revenir aux valeurs traditionnelles et aux classiques, mais bien de

---

1. NDÉ. Effort d'élaboration juridique à partir du Coran et des Hadīth (paroles et actes de Mahomet et de ses compagnons).

renouer avec la pratique d'un discours mondial laïque et rationnel.

L'esprit critique n'obéit pas à l'injonction de rentrer dans les rangs pour partir en guerre contre un ennemi officiel ou l'autre. Loin d'un choc des civilisations préfabriqué, nous devons nous concentrer sur un lent travail en commun de cultures qui se chevauchent, empruntent les unes aux autres et cohabitent de manière bien plus profonde que ne le laissent penser des modes de compréhension réducteurs et inauthentiques. Mais cette forme de perception plus large exige du temps, des recherches patientes et toujours critiques, alimentées par la foi en une communauté intellectuelle difficile à conserver dans un monde fondé sur l'immédiateté de l'action et de la réaction.

L'humanisme se nourrit de l'initiative individuelle et de l'intuition personnelle, et non d'idées reçues et de respect de l'autorité. Les textes doivent être lus comme des productions qui vivent dans l'histoire de manière concrète.

Enfin et surtout, l'humanisme est notre seul, je dirais même notre dernier rempart contre les pratiques inhumaines et les injustices qui défigurent l'histoire de l'humanité. Nous disposons désormais du très encourageant champ démocratique représenté par le cyberespace, ouvert à tous, à une échelle que ni les générations précédentes ni aucun tyran, aucune orthodoxie n'auraient jamais pu imaginer. Les manifestations mondiales qui ont précédé la guerre contre l'Irak n'auraient jamais pu devenir une réalité sans l'existence d'autres communautés présentes dans le monde entier, irriguées par une information différente, conscientes des enjeux environnementaux, des droits humains comme des aspirations libertaires qui nous rassemblent tous sur cette petite planète.

Edward W. Said.

Un discours est, certes, déterminé par ce sur quoi il porte ; mais à côté de ce contenu évident il en est un autre, parfois inconscient et presque toujours implicite, qui lui vient de ses utilisateurs : auteurs et lecteurs, orateurs et public. Affirmer cette dualité ne revient pas à opposer l'objectif et le subjectif, ou le collectif et l'individuel : même si la personnalité subjective y est pour quelque chose, c'est plutôt à un ensemble de positions, d'attitudes et d'idées partagées par la collectivité à un moment de son histoire qu'on a affaire quand on examine la pression des sujets parlants et interprétants sur la formation des discours. Cet ensemble, nous l'appelons aujourd'hui idéologie *; et l'étude de la production du discours par le dispositif idéologique permet d'établir la parenté entre textes que sépare par ailleurs leur forme : la même idéologie sera à l'œuvre dans des écrits littéraires, des traités scientifiques et des propos politiques.*

L'Orientalisme d'Edward W. Saïd part de ce cadre méthodologique, pour soumettre à l'analyse un type de discours dans notre société. Un discours propre en fait à toute société, mais dont les formes permettent de caractériser une civilisation : le discours qu'elle tient sur l'autre.

Le champ eût été trop vaste s'il avait fallu l'embrasser dans son entier. Saïd en a donc choisi un seul segment mais qui est particulièrement intéressant, significatif, *riche : il a opté pour l'*autre *extérieur plutôt qu'intérieur (à la différence d'un Hans Mayer qui a consacré son* Aussenseiter *aux femmes, homosexuels et juifs* dans *notre société) ; de tous les* autres *extérieurs il en a choisi un : l'Oriental, et il s'est même concentré sur l'une de ses versions, l'homme du Proche- et du Moyen-Orient, musulman et arabe ; de tous les discours il n'a retenu que les plus révélateurs, ceux tenus en France, en Angleterre et aux États-Unis ; et il s'est limité à une seule époque (mais elle est évidemment essentielle) : le dix-neuvième et le vingtième siècle. Ce sont là des restrictions importantes, et pourtant elles ne diminuent pas vraiment la portée de son analyse : il est facile de voir au prix de quels ajustements elle pourrait s'appliquer à d'autres temps, à d'autres espaces. C'est même cette spécificité du discours de Saïd qui en assure, paradoxalement, la généralité.*

*L'histoire du discours sur l'*autre *est accablante. De tout temps les hommes ont cru qu'ils étaient mieux que leurs voisins ; seules ont changé les tares qu'ils imputaient à ceux-ci. Cette dépréciation a deux aspects complémentaires : d'une part, on considère son propre cadre de référence comme étant unique, ou tout au moins normal ; de l'autre, on constate que les autres, par rapport à ce cadre, nous sont inférieurs. On peint donc le portrait de l'autre en projetant sur lui nos propres faiblesses ; il nous est à la fois semblable et inférieur. Ce qu'on lui a refusé avant tout, c'est d'être* différent *: ni inférieur ni (même) supérieur, mais autre, justement. La condamnation d'autrui s'accommode aussi bien du modèle social hiérarchique (les barbares assimilés deviennent esclaves) que de la démocratie et de l'égalitarisme : les autres nous sont inférieurs parce qu'on les juge, dans le meilleur des cas, par les critères qu'on s'applique à soi-même.*

Le discours esclavagiste, puis colonialiste (dont l'orientalisme est un éloquent exemple), n'est pas le simple effet d'une réalité économique, sociale et politique, il en est aussi une des forces motrices : partie, et non seulement image. L'idéologie est le tourniquet qui permet aux discours et aux actes de se prêter main-forte, et L'Orientalisme *raconte un chapitre des destins croisés du Pouvoir et du Savoir. Napoléon lit les orientalistes avant d'occuper l'Égypte, et l'un des résultats les plus palpables de cette invasion est un immense travail philologique et descriptif. La science des Français devait être bonne puisque les armées françaises triomphent ; leur domination est justifiée (à leurs propres yeux) parce que leur civilisation est supérieure et leur science bonne. Dire à quelqu'un : « Je possède la vérité sur toi » n'informe pas seulement sur la nature de mes connaissances, mais instaure entre nous un rapport où « je » domine et l'*autre *est dominé.* Comprendre *signifie à la fois, et pour cause, « interpréter » et « inclure » : qu'elle soit déforme passive (la compréhension) ou active (la représentation), la connaissance permet toujours à celui qui la détient la manipulation de l'autre ; le maître du discours sera le maître tout court. Est-ce un hasard si, d'une part, il y a un discours orientaliste en Occident mais aucun discours « occidentaliste » en Orient, et si, de l'autre, c'est justement l'Occident qui a dominé l'Orient ?*

Le concept est la première arme dans la soumission d'autrui – car il le transforme en objet (alors que le sujet ne se réduit pas au concept) ; délimiter un objet comme « l'Orient » ou« l'Arabe » est déjà un acte de violence. Ce geste est si lourd de signification qu'il neutralise en fait la valeur du prédicat qu'on ajoutera : « l'Arabe est paresseux » est un énoncé raciste, mais « l'Arabe est travailleur » l'est presque tout autant ; l'essentiel est de pouvoir ainsi parler de « l'Arabe ». Les actes du savant ont ici une portée politique inévitable (la même chose est vraie, à des degrés différents, de toute connaissance historique) ; et, de ce fait l'objet du livre de Saïd devient la politique de la science. À son tour, L'Orientalisme *est explicitement engagé dans un combat, mais son mérite est de nous faire voir que ne sont pas moins fortement engagés les savants et les érudits qui, naguère comme aujourd'hui, se croient au-dessus de tout choix idéologique.*

On aura compris que le livre ne traite pas seulement de l'histoire de la science ou de la littérature mais de notre actualité la plus brûlante et commune – car notre destin est inséparable de celui des autres, *et donc aussi du regard que nous portons sur eux et de la place que nous leur réservons. Ces autres « extérieurs » sont chez nous, et ils s'appellent « travailleurs immigrés », ou bien au-delà de nos frontières, mais tout proches, et portent le nom de « puissances pétrolières ». Lorsque nous votons, par députés interposés, une loi raciste contre ces ouvriers, lorsque nous crions au scandale parce que le prix de l'essence augmente, nous empruntons, sciemment ou non, les pas du grand discours orientaliste, et nous en retrouvons vite les arguments. La seule différence – mais n'est-ce pas elle justement qui provoque le scandale ? – est que les « Orientaux » n'acceptent plus toujours l'image que nous leur proposons d'eux, ni déjouer loyalement le jeu dans lequel nous sommes à la fois partenaires et auteurs des règles.*

L'Orientalisme *ne résout pas toutes les questions qu'il pose. Il refuse l'entité « Orient » mais ne nous dit pas si la civilisation islamique (ou égyptienne, ou indienne, etc.) ne possède pas certains traits différents de la civilisation occidentale (et si oui, lesquels). Il condamne la compréhension assimilatrice et impérialiste pratiquée par la science officielle, mais ne nous apprend pas s'il existe une compréhension différente, où l'autre n'est pas réduit et soumis au même. Il fustige l'intolérance des hommes à l'égard des « barbares » mais ne nous enseigne pas comment concilier l'impératif moral « soyez tolérants » avec la constatation historique : « les hommes ne l'ont jamais été » ; il ne nous indique pas la voie d'une nouvelle morale lucide, non utopiste.*

Mais c'est peut-être le propre du savoir tel que le voudrait Saïd : plutôt que de nous enfermer dans les réponses, il maintient salutairement les questions*.

Tzvetan Todorov.

NB. Cette préface accompagnait la première édition française parue en 1980.

* *Le texte de* L'Orientalisme *publié ici diffère légèrement de l'original anglais, car il a été adapté en vue du public français : quelques développements (concernant notamment la scène américaine) sont supprimés, quelques explications ajoutées. Toutes les omissions sont signalées par [...]. L'index a été limité aux seuls noms propres.*

Ils ne peuvent se représenter eux-mêmes ; ils doivent être représentés.

Karl Marx, *Le Dix-huit Brumaire de Louis Bonaparte.*

L'Orient est une carrière.

Benjamin Disraeli, *Tancred.*

Introduction

I

Séjournant à Beyrouth pendant la terrible guerre civile de 1975-1976, un journaliste français dit avec tristesse de la ville basse éventrée : « Elle avait semblé autrefois faire partie [...] de l'Orient de Chateaubriand et de Nerval[1]. » Pour ce qui est du lieu, il a bien raison, dans la mesure, du moins, où c'est un Européen qui est en cause. L'Orient a presque été une invention de l'Europe, depuis l'Antiquité lieu de fantaisie, plein d'êtres exotiques, de souvenirs et de paysages obsédants, d'expériences extraordinaires. Cet Orient est maintenant en voie de disparition : il a été, son temps est révolu. Cela semble peut-être sans importance que des Orientaux soient eux-mêmes en jeu de quelque manière, que, à l'époque de Chateaubriand et de Nerval déjà, des Orientaux aient vécu là et qu'aujourd'hui ce soient eux qui souffrent : l'essentiel, pour le visiteur européen, c'est la représentation que l'Europe se fait de l'Orient et de son destin présent, qui ont l'un et l'autre une signification toute particulière, nationale, pour le journaliste et pour ses lecteurs français.

---

1. Thierry Desjardins, *Le Martyre du Liban*, Paris, Plon, 1976, p. 14.

La position des Américains n'est pas tout à fait la même : pour eux, l'Orient a des chances d'être associé bien plutôt à l'Extrême-Orient (Chine et Japon pour l'essentiel). Pour leur part, les Français et les Anglais – et, dans une moindre mesure, les Allemands, les Russes, les Portugais, les Italiens et les Suisses – possèdent une longue tradition de ce que j'appellerai l'*orientalisme*, qui est une manière de s'arranger avec l'Orient fondée sur la place particulière que celui-ci tient dans l'expérience de l'Europe occidentale. L'Orient n'est pas seulement le voisin immédiat de l'Europe, il est aussi la région où l'Europe a créé les plus vastes, les plus riches et les plus anciennes de ses colonies, la source de ses civilisations et de ses langues, il est son rival culturel et il lui fournit l'une des images de l'Autre qui s'impriment le plus profondément en lui. De plus, l'Orient a permis de définir l'Europe (ou l'Occident) par contraste : son idée, son image, sa personnalité, son expérience. Rien de cet Orient n'est pourtant purement imaginaire. L'Orient est partie intégrante de la civilisation et de la culture *matérielles* de l'Europe. L'*orientalisme* exprime et représente cette partie, culturellement et même idéologiquement, sous forme d'un mode de discours, avec, pour l'étayer, des institutions, un vocabulaire, un enseignement, une imagerie, des doctrines et même des bureaucraties coloniales et des styles coloniaux. Comparée à cela, la compréhension américaine de l'Orient paraît bien plus floue ; les récentes aventures japonaise, coréenne, indochinoise doivent pourtant donner aux Américains une sensibilité « orientale » plus raisonnable et plus réaliste. Bien plus, cette intelligence de l'Orient doit être à la mesure de l'influence politique et économique croissante exercée par les États-Unis dans cette région que l'on appelle le Proche-ou le Moyen-Orient.

Il doit être clair pour le lecteur (et on s'efforcera de le montrer dans les pages qui suivent) que, par *orientalisme*, j'entends plusieurs choses qui, à mon avis, dépendent l'une de l'autre. L'acception la plus généralement admise de ce mot est universitaire : cette étiquette est en effet attachée à bon nombre d'institutions d'enseignement supérieur. Est un orientaliste toute personne qui enseigne, écrit ou fait des recherches sur l'Orient en général ou dans tel domaine particulier – cela vaut aussi bien pour l'ethnologue que pour le sociologue, l'historien, le philologue –, et sa discipline est appelée orientalisme. Il est vrai que le terme d'orientalisme est moins en faveur aujourd'hui chez les spécialistes que celui d'*études orientales* ou d'*études d'aires culturelles (area studies)*, à la fois parce qu'il est trop vague ou trop général et parce qu'il connote l'attitude du colonialisme européen du dix-neuvième et du début du vingtième siècle, qui administrait ces pays en les dominant. Néanmoins, on écrit des livres, on tient des congrès dont le thème central est « l'Orient », sous l'autorité de l'orientalisme ancienne ou nouvelle manière. De fait, même s'il n'est plus ce qu'il était, l'orientalisme survit dans l'université à travers ses doctrines et ses thèses sur l'Orient et les Orientaux.

À cette première tradition universitaire, dont la fortune, les transmigrations, spécialisations et transformations font pour une part l'objet de cette étude, se rattache une conception plus large de l'orientalisme : style de pensée fondé sur la distinction ontologique et épistémologique entre « l'Orient » et (le plus souvent) « l'Occident ». C'est ainsi que de très nombreux écrivains, parmi lesquels figurent des poètes, des romanciers, des philosophes, des théoriciens de la politique, des administrateurs d'empire, sont partis de cette distinction fondamentale pour composer des théories élaborées, des épopées, des romans, des descriptions de la société et des exposés politiques traitant de l'Orient, de ses peuples et coutumes, de son « esprit », de sa destinée, etc. Dans cet orientalisme peuvent trouver place par exemple Eschyle et Victor Hugo, Dante et Karl Marx. Un peu plus avant dans cette introduction, je traiterai des problèmes méthodologiques que l'on rencontre dans un « domaine » défini de manière aussi large.

Il y a un échange continuel entre l'orientalisme au sens universitaire et l'orientalisme de l'imaginaire ; et, depuis la fin du dix-huitième siècle, c'est une circulation considérable, tout à fait disciplinée, peut-être même réglée. J'en arrive ainsi au troisième sens de l'orientalisme, qui est défini de manière plus historique et plus matérielle que les deux autres. Prenant comme point de départ, très grossièrement, la fin du dix-huitième siècle, on peut décrire et analyser l'orientalisme comme l'institution globale qui traite de l'Orient, qui en traite par des déclarations, des prises de position, des descriptions, un enseignement, une administration, un gouvernement : bref, l'orientalisme est un style occidental de domination, de restructuration et d'autorité sur l'Orient. La notion de discours définie par Michel Foucault dans *L'Archéologie du savoir* et dans *Surveiller et Punir* m'a servi à caractériser l'orientalisme. Je soutiens que, si l'on n'étudie pas l'orientalisme en tant que discours, on est incapable de comprendre la discipline extrêmement systématique qui a permis à la culture européenne de gérer – et même de produire – l'Orient du point de vue politique, sociologique, militaire, idéologique, scientifique et imaginaire pendant la période qui a suivi le siècle des Lumières. Bien plus, l'orientalisme a une telle position d'autorité que je crois que personne ne peut écrire, penser, agir en rapport avec l'Orient sans tenir compte des limites imposées par l'orientalisme à la pensée et à l'action. Bref, à cause de l'orientalisme, l'Orient n'a jamais été, et n'est pas un sujet de réflexion ou d'action libre. Cela ne veut pas dire que c'est l'orientalisme qui détermine unilatéralement ce qui peut être dit sur l'Orient, c'est tout le réseau d'intérêts inévitablement mis en jeu (donc toujours impliqué) chaque fois qu'il est question de cette entité particulière, « l'Orient ». De quelle manière ? C'est ce que je tente de faire voir dans ce livre. Je m'efforce aussi de montrer que la culture européenne s'est renforcée et a précisé son identité en se démarquant d'un Orient qu'elle prenait comme une forme d'elle-même inférieure et refoulée.

Du point de vue de l'histoire et de la culture, il y a une différence aussi bien quantitative que qualitative entre l'engagement franco-britannique en Orient et – jusqu'à la prépondérance américaine, après la Seconde Guerre mondiale – celui de toutes les autres puissances européennes et atlantiques. Par conséquent, parler de l'orientalisme, c'est parler essentiellement, mais non exclusivement, d'une entreprise de civilisation, anglaise et française, d'un projet qui comporte des domaines aussi disparates que l'imagination elle-même, la totalité de l'Inde et du Levant, les textes et les pays de la Bible, le commerce des épices, les armées coloniales et une longue tradition d'administrateurs coloniaux, un impressionnant corpus de textes savants, d'innombrables « experts » en matière d'orientalisme, un corps professoral orientaliste, un déploiement complexe d'idées « orientales » (despotisme oriental, splendeur orientale, cruauté orientale, sensualité orientale), de nombreuses sectes, philosophies, sagesses orientales domestiquées pour l'usage interne des Européens – on peut prolonger cette liste presque à l'infini. Bref, l'orientalisme provient d'une affinité particulière de l'Angleterre et de la France pour l'Orient (jusqu'aux premières années du dix-neuvième siècle, ce terme n'a désigné en fait que l'Inde et les pays bibliques). Du début du dix-neuvième siècle à la fin de la Seconde Guerre mondiale, la France et l'Angleterre ont dominé l'Orient et l'orientalisme ; depuis la guerre, l'Amérique a dominé l'Orient et l'aborde comme l'ont fait auparavant la France et l'Angleterre. C'est cette affinité, d'une grande fécondité, même si elle montre toujours la force supérieure de l'Occident (anglais, français ou américain), qui est à l'origine du vaste corpus de textes que j'appelle orientalistes.

Je dois dire tout de suite que si j'ai examiné un très grand nombre de livres et d'auteurs, il y en a bien plus que j'ai dû purement et simplement laisser de côté. Ma thèse ne s'appuie ni sur un catalogue exhaustif de textes traitant de l'Orient ni sur une collection clairement délimitée d'écrits, d'auteurs et d'idées formant ensemble le canon oriental : j'ai fait un autre choix méthodologique, dont l'armature est, d'une certaine manière, l'ensemble des généralisations historiques que j'ai présentées dans cette introduction et que je vais maintenant analyser plus en détail.

II

J'ai commencé par faire l'hypothèse que l'Orient n'est pas un fait de nature inerte. Il n'est pas simplement là, tout comme l'Occident n'est pas non plus simplement là. Nous devons prendre au sérieux l'importante observation de Vico : les hommes font leur propre histoire, ce qu'ils peuvent connaître, c'est ce qu'ils ont fait, et l'appliquer aussi à la géographie : en tant qu'entités géographiques et culturelles à la fois – sans parler d'entités historiques –, des lieux, des régions, des secteurs géographiques tels que « l'Orient » et « l'Occident » ont été fabriqués par l'homme. C'est pourquoi, tout autant que l'Occident lui-même, l'Orient est une idée qui a une histoire et une tradition de pensée, une imagerie et un vocabulaire qui lui ont donné réalité et présence en Occident et pour l'Occident. Les deux entités géographiques se soutiennent ainsi et, dans une certaine mesure, se reflètent l'une l'autre.

Cela dit, il paraît raisonnable de faire quelques réserves. En premier lieu, on aurait tort de conclure que l'Orient était *essentiellement* une idée, ou une construction de l'esprit ne correspondant à aucune réalité. Quand Disraeli écrivait dans son roman *Tancred* : l'Orient est une carrière, il voulait dire qu'à s'intéresser à l'Orient les jeunes et brillants Occidentaux se découvriraient une passion dévorante ; il ne faut pas lui faire dire que l'Orient est *seulement* une carrière pour les Occidentaux. Il y a eu – et il y a – des cultures et des nations dont le lieu est à l'est : leur vie, leur histoire, leurs coutumes possèdent une réalité brute qui dépasse évidemment tout ce qu'on peut en dire en Occident. C'est là un fait que cette étude de l'orientalisme ne peut guère commenter, elle ne peut que le reconnaître tacitement. Ici, ce qui me retient au premier chef, ce n'est pas une certaine correspondance entre l'orientalisme et l'Orient, mais la cohérence interne de l'orientalisme et de ses idées sur l'Orient (l'Orient en tant que carrière), en dépit, ou au-delà, ou en l'absence, de toute correspondance avec un Orient « réel » : l'assertion de Disraeli sur l'Orient se réfère principalement à cette cohérence fabriquée, à cette véritable constellation d'idées qui est le phénomène essentiel s'agissant de l'Orient, et non pas à sa pure et simple existence, pour citer Wallace Stevens.

Deuxième réserve : on ne peut comprendre ou étudier à fond des idées, des cultures, des histoires sans étudier en même temps leur force, ou, plus précisément, leur configuration dynamique. Croire que l'Orient a été créé – ou, selon mon expression, « orientalisé » – et croire que ce type d'événements arrive simplement comme une nécessité de l'imagination, c'est faire preuve de mauvaise foi. La relation entre l'Occident et l'Orient est une relation de pouvoir et de domination : l'Occident a exercé à des degrés divers une hégémonie complexe, comme le montre nettement le titre de l'ouvrage classique de K. M. Panikkar, *L'Asie et la Domination occidentale*[1]. L'Orient a été orientalisé non seulement parce qu'on a découvert qu'il était « oriental » selon les stéréotypes de l'Européen moyen du dix-neuvième siècle, mais encore parce qu'il *pouvait être rendu* oriental. Prenons par exemple la rencontre de Flaubert avec une courtisane égyptienne, rencontre qui devait produire un modèle très répandu de la femme orientale : celle-ci ne parle jamais d'elle-même, elle ne fait jamais montre de ses émotions, de sa présence ou de son histoire. C'est *lui* qui parle pour elle et qui la représente. Or il est un étranger, il est relativement riche, il est un homme, et ces faits historiques de domination lui permettent non seulement de posséder physiquement Kuchuk Hanem, mais de parler pour elle et de dire à ses lecteurs en quoi elle est « typiquement orientale ». Ma thèse est que la situation de force entre Flaubert et Kuchuk Hanem n'est pas un exemple isolé ; elle peut très bien servir de prototype au rapport de forces entre l'Orient et l'Occident et au discours sur l'Orient que celui-ci a permis.

Cela nous amène à faire une troisième réserve. Il ne faut pas croire que la structure de l'orientalisme n'est rien d'autre qu'une structure de mensonges ou de mythes qui seront tout bonnement balayés quand la vérité se fera jour. Pour ma part, je pense que l'orientalisme a plus de valeur en tant que signe de la puissance européenne et atlantique sur l'Orient qu'en tant que discours véridique sur celui-ci (ce qu'il prétend être, sous sa forme universitaire ou savante). Néanmoins, ce que nous devons respecter et tenter de saisir, c'est la solide texture du discours

---

1. K. M. Panikkar, *Asia and Western Dominance*, Londres, George Allen and Unwin, 1959 (trad. fr. : *L'Asie et la Domination occidentale du XVe siècle à nos jours*, Paris, Éd. du Seuil, 1956).

orientaliste, ses liens très étroits avec les puissantes institutions socio-économiques et politiques et son impressionnante vitalité. Après tout, un système d'idées capable de se maintenir comme sagesse transmissible (par les académies, les livres, les congrès, les universités, les bureaux des Affaires étrangères) depuis l'époque d'Ernest Renan, c'est-à-dire la fin des années 1840, jusqu'à nos jours aux États-Unis, doit être quelque chose de plus redoutable qu'une pure et simple série de mensonges. Par conséquent, l'orientalisme n'est pas une création en l'air de l'Europe, mais un corps de doctrines et de pratiques dans lesquelles s'est fait un investissement considérable pendant de nombreuses générations. À cause de cet investissement continu, l'Orient a dû passer par le filtre accepté de l'orientalisme en tant que système de connaissances pour pénétrer dans la conscience occidentale ; ce même investissement a rendu possibles – en fait, rendu vraiment productifs – les jugements, qui, formulés au départ dans l'orientalisme, ont proliféré dans la culture générale.

Gramsci développe une utile distinction analytique entre société civile et société politique : la première consiste en associations volontaires (ou du moins rationnelles et non coercitives), comme les écoles, les familles, les syndicats, la seconde en institutions étatiques (l'armée, la police, la bureaucratie centrale) dont le rôle, en politique, est la domination directe. La culture, bien sûr, fonctionne dans le cadre de la société civile, où l'influence des idées, des institutions et des personnes s'exerce non par la domination mais par ce que Gramsci appelle le consensus. Dans une société qui n'est pas totalitaire, certaines formes culturelles prédominent donc sur d'autres, tout comme certaines idées sont plus répandues que d'autres ; la forme que prend cette suprématie culturelle est appelée *hégémonie* par Gramsci, concept indispensable pour comprendre quelque chose à la vie culturelle de l'Occident industriel. C'est l'hégémonie, ou plutôt les effets de l'hégémonie culturelle, qui donne à l'orientalisme la constance et la force dont j'ai parlé. L'orientalisme n'est jamais bien loin de ce que Denys Hay a appelé l'idée de l'Europe [1], notion collective qui nous définit, « nous » Européens, en face de tous « ceux-là » qui sont non européens ; on peut bien soutenir que le trait essentiel de la culture européenne est précisément ce qui l'a rendue hégémonique en Europe et hors d'Europe : l'idée d'une identité européenne supérieure à tous les peuples et à toutes les cultures qui ne sont pas européens. De plus, il y a l'hégémonie des idées européennes sur l'Orient, qui répètent elles-mêmes la supériorité européenne par rapport à l'arriération orientale, l'emportant en général sur la possibilité pour un penseur plus indépendant, ou plus sceptique, d'avoir une autre opinion.

De manière constante, la stratégie de l'orientalisme est fonction de cette supériorité *de position* qui n'est pas rigide et qui place l'Occidental dans toute espèce de rapports avec l'Orient sans jamais lui faire perdre la haute main. Et pourquoi en aurait-il été autrement, en particulier pendant la période de l'extraordinaire suprématie de l'Europe, de la fin de la Renaissance à nos jours ? L'homme de science, l'érudit, le missionnaire, le commerçant, le soldat étaient en Orient ou réfléchissaient sur l'Orient parce qu'*ils pouvaient y être*, y réfléchir, sans guère rencontrer de résistance de la part de l'Orient. Sous l'en-tête général de la connaissance de l'Orient, et sous le parapluie de l'hégémonie occidentale, à partir de la fin du dix-huitième siècle a émergé un Orient complexe, bien adapté aux études académiques, aux expositions dans les musées, à la reconstruction par les bureaux coloniaux, à l'illustration théorique de thèses anthropologiques, biologiques, linguistiques, raciales et historiques sur

---

1. Denys Hay, *Europe : The Emergence of an Idea*, Édimbourg, Edinburgh Univ. Press, 1968.

l'humanité et l'univers, par exemple des théories économiques et sociologiques sur le développement, la révolution, la personnalité culturelle, le caractère national ou religieux. De surcroît, la prise en compte par l'imagination des choses de l'Orient était plus ou moins exclusivement fondée sur une conscience occidentale souveraine ; de sa position centrale indiscutée émergeait un monde oriental, conforme d'abord aux idées générales de ce qu'était un Oriental, puis à une logique détaillée gouvernée non seulement par la réalité empirique, mais par toute une batterie de désirs, de répressions, d'investissements et de projections. Nous pouvons citer de grands ouvrages orientalistes faisant preuve d'une véritable science, comme la *Chrestomathie arabe* de Silvestre de Sacy ou *Account of the Manners and Customs of the Modern Egyptians* d'Edward William Lane, mais il nous faut aussi remarquer que les idées sur les races de Renan ou de Gobineau participaient du même mouvement, ainsi que beaucoup de romans pornographiques victoriens (voir l'analyse que fait Steven Marcus de « The Lustful Turk [1] »).

Et pourtant, on ne doit pas cesser de se demander ce qui compte le plus dans l'orientalisme : est-ce le groupe d'idées générales l'emportant sur la masse des matériaux – idées qui, on ne peut le nier, sont traversées de doctrines sur la supériorité européenne, de différentes sortes de racisme, d'impérialisme et autres, de vues dogmatiques sur l'Oriental comme une espèce d'abstraction idéale et immuable –, ou les œuvres si diverses produites par un nombre presque inimaginable d'auteurs qu'on pourrait prendre pour des cas particuliers, individuels, de l'écrivain traitant de l'Orient ? D'une certaine manière, ces deux branches de l'alternative, la générale et la

---

1. Steven Marcus, *The Other Victorians : A Study of Sexuality and Pornography in Mid-Nineteenth Century England*, 1966 ; rééd. New York, Bantam Books, 1967, p. 200-219.

particulière, ne sont en réalité que deux points de vue sur le même matériau : dans un cas comme dans l'autre, on a affaire à des pionniers tels que William Jones, à de grands artistes tels que Nerval ou Flaubert. Pourquoi donc n'utiliserait-on pas les deux points de vue, simultanément ou l'un après l'autre ? À se maintenir systématiquement à un niveau de description soit trop général, soit trop spécifique, n'y a-t-il pas un danger évident de distorsion (du même type, précisément, que celle à laquelle a toujours été porté l'orientalisme académique) ? Je crois que deux défauts sont à craindre : la distorsion et l'imprécision, pour mieux dire l'espèce d'imprécision que produisent une généralisation trop dogmatique et une focalisation trop positiviste. J'ai tenté d'étudier trois des principaux aspects de ma propre réalité actuelle, qui indiquent, me semble-t-il, comment se tirer de ces difficultés de méthode et de point de vue ; ces difficultés peuvent obliger, dans le premier cas, à rédiger un texte grossièrement polémique ou d'un niveau de description si général que cela n'en vaut pas la peine, ou, dans le deuxième cas, à écrire une série atomisée d'analyses détaillées en perdant ainsi toute trace des lignes de force qui sous-tendent le domaine et lui donnent sa puissance particulière. Comment alors reconnaître l'individualité et la mettre en accord avec son contexte général et hégémonique qui n'est, certes, ni passif ni purement dictatorial ?

III

Je vais maintenant expliciter brièvement les trois aspects de ma réalité actuelle auxquels j'ai fait allusion, pour que l'on comprenne bien ce qui m'a conduit à faire ces recherches et à écrire ce livre.

1. *La distinction entre savoir pur et savoir politique.* Il est très facile de prétendre que le savoir touchant à Shakespeare ou à Wordsworth n'est pas politique tandis que celui qui traite de la Chine contemporaine ou de l'Union soviétique l'est. Ma spécialité, par formation et par profession, est d'être un « humaniste », c'est-à-dire que les « humanités » ou sciences humaines sont mon domaine et qu'il est, par conséquent, improbable que mon activité professionnelle comporte quoi que ce soit de politique. Je sais bien que l'usage que je fais de ces termes et de ces étiquettes manque de nuances, mais la vérité générale de ce que j'indique ici est largement reconnue. On estime qu'écrire sur Wordsworth ou éditer Keats n'a pas la moindre implication politique : en effet, il semble que ces activités n'ont pas d'effet politique direct sur la réalité quotidienne, tandis que l'économie soviétique, par exemple, est un domaine de recherches surdéterminé, et auquel le gouvernement s'intéresse ; les études et les hypothèses du chercheur seront reprises par les politiciens, les services gouvernementaux, les économistes travaillant dans différentes institutions, les experts des services de renseignements. On peut encore élargir cette distinction entre les « humanistes » et ceux dont le travail a des implications, ou une signification politiques, si l'on dit que la couleur idéologique du premier n'a pour la politique qu'une importance fortuite (bien qu'elle puisse avoir beaucoup de poids pour ses collègues qui lui reprochent son stalinisme, son fascisme ou son libéralisme trop facile), tandis que l'idéologie du second fait corps avec son matériau – l'économie, la politique et la sociologie sont bien des sciences idéologiques dans les universités américaines –, et il est donc généralement admis qu'elle est « politique ».

La majeure partie du savoir produit actuellement en Occident (je parle surtout des États-Unis) est soumise à une limitation déterminante, à savoir qu'il soit scientifique,

41

universitaire, impartial, au-dessus des opinions doctrinales partisanes ou étroites. Il n'y a peut-être rien à reprocher, en théorie, à cette ambition, mais, en pratique, la
réalité fait bien plus problème. Personne n'a jamais
trouvé comment détacher l'homme de science des choses
de la vie, de son implication (consciente ou inconsciente)
dans une classe, dans un ensemble de croyances, dans
une position sociale ou du simple fait d'être membre
d'une société. Tout cela continue à peser sur son activité
professionnelle, même si ses recherches et leurs fruits
s'efforcent tout naturellement d'atteindre une relative
liberté par rapport aux inhibitions et aux restrictions
imposées par la réalité quotidienne brute. En effet, il
existe bien quelque chose comme le savoir, qui est plutôt
moins partial que l'individu qui le produit, tout empêtré
et distrait par les circonstances de sa vie. Cependant, ce
savoir n'est pas pour autant non politique.

Les discussions sur la littérature et la philologie classique sont-elles chargées de signification politique, ont-
elles une signification politique immédiate ? J'ai tenté
ailleurs de traiter de manière détaillée cette vaste question[1]. Ce qui m'intéresse maintenant, c'est de faire sentir
comment le consensus libéral selon lequel le « vrai »
savoir est fondamentalement non politique (et, à l'inverse, qu'un savoir ouvertement politique n'est pas un
« vrai » savoir) voile les conditions politiques organisées
fortement, encore qu'obscurément, qui prévalent dans la
production du savoir. C'est difficile à comprendre aujour-
d'hui, alors que l'étiquette de « politique » est utilisée
pour discréditer tout travail qui ose violer le protocole
d'une objectivité prétendument suprapolitique. Nous

---

1. Voir le chapitre « Criticism between Culture and System », de
mon livre *The World, the text and the critic*, Cambridge, Harvard
Univ. Press, 1983.

pouvons dire d'abord que la société civile reconnaît une gradation dans l'importance politique des différents domaines du savoir. On accorde une certaine importance politique à un domaine s'il est possible de le traduire directement en termes d'économie ; mais bien plus si ce domaine a une affinité avec des sources reconnues de pouvoir dans la société politique. C'est ainsi qu'une recherche sur le potentiel énergétique de l'URSS dans le long terme et ses effets sur sa puissance militaire sera vraisemblablement subventionnée aux États-Unis par le Département d'État et obtiendra par la suite une sorte de statut politique, auquel ne peut prétendre une étude sur les premières œuvres romanesques de Tolstoï financée en partie par une fondation privée. Ces deux recherches font pourtant partie de ce que la société civile reconnaît comme un seul et même domaine, les études russes, même si le premier chercheur est un économiste conservateur et le second un spécialiste progressiste de l'histoire littéraire. Ce que je veux dire, c'est que « la Russie » comme thème général a une priorité politique sur des distinctions plus fines, « économie », « histoire littéraire », parce que la société politique au sens de Gramsci pénètre des zones de la société civile telles que l'université et les sature de significations qui la concernent directement.

Je ne veux pas insister davantage sur tout cela en restant sur le terrain de la théorie : il me semble qu'on peut démontrer la valeur et la crédibilité de mon propos en étant bien plus concret, par exemple à la manière de Noam Chomsky, quand il étudie la connexion instrumentale entre la guerre du Vietnam et le concept d'érudition objective tel qu'il a été utilisé pour couvrir des recherches militaires subventionnées par l'État[1]. Or, parce que la Grande-

---

1. Principalement dans ses livres *American Power and the New Mandarins : Historical and Political Essays*, New York, Pantheon

Bretagne, la France et maintenant les États-Unis sont des puissances impériales, leur société politique communique à leur société civile un sens de l'urgence, une imprégnation politique directe, pourrait-on dire, partout et chaque fois que des questions se rapportant à leurs intérêts impériaux à l'étranger sont en jeu. Je pense, par exemple, que l'on peut dire, sans craindre d'être démenti, qu'en s'intéressant à l'Inde ou à l'Égypte un Anglais de la fin du dix-neuvième siècle ne perdait jamais de vue le fait qu'il s'agissait de colonies britanniques. Dire cela peut sembler tout autre chose que de dire que tout le savoir universitaire sur l'Inde et sur l'Égypte est de quelque manière teinté et impressionné, violé, par le fait politique brut – et pourtant c'est *ce que je dis* dans cette étude de l'orientalisme. Car, s'il est vrai que pour aucune production de savoir en sciences humaines on ne peut ignorer ou négliger le fait que son auteur est aussi un sujet humain, déterminé par les circonstances de sa vie, il doit être vrai aussi qu'un Européen ou un Américain qui étudie l'Orient ne peut refuser de reconnaître la principale circonstance de *sa* réalité, à savoir qu'il se heurte à l'Orient en premier lieu en tant qu'Européen ou Américain, ensuite en tant qu'individu. Et être un Européen ou un Américain dans ces conditions, ce n'est pas du tout un fait sans conséquence : cela signifiait et cela signifie encore que l'on a la conscience, même vague, d'appartenir à une puissance qui a des intérêts bien précis en Orient, et, chose plus importante encore, d'appartenir à une partie de la terre qui a des rapports historiques avec l'Orient depuis pratiquement les temps homériques.

Ainsi exprimées, ces réalités politiques sont encore trop peu définies et trop générales pour être vraiment intéres-

---

Books, 1969 (trad. fr. : *L'Amérique et ses nouveaux mandarins*, Paris, Éd. du Seuil, 1971), et *For Reasons of State*, New York, Pantheon Books, 1973.

santes. Chacun les acceptera sans nécessairement accepter
pour autant le fait qu'elles ont pu compter beaucoup pour
Flaubert, par exemple, lorsqu'il écrivait *Salammbô*, ou
pour H.A.R. Gibb lorsqu'il écrivait *Modern Trends in
Islam*. L'ennui, c'est qu'il y a trop d'écart entre le fait
massif, déterminant, tel que je l'ai décrit, et les détails de
la vie quotidienne qui régissent la discipline minutieuse à
laquelle on s'astreint quand on écrit un roman ou un texte
érudit. Mais, si nous refusons d'emblée que les faits
« massifs » comme la domination impériale s'appliquent
de manière mécanique et déterministe dans des matières
aussi complexes que la culture et les idées, un type
d'études intéressant commencera à se dessiner devant
nous. Je pense, pour ma part, que l'intérêt de l'Europe,
puis de l'Amérique pour l'Orient était certes d'ordre politique, comme le montrent certains faits historiques évidents que j'ai exposés ici, mais que la culture a créé cet
intérêt ; c'est son action dynamique, jointe à de brutales
raisons politiques, économiques et militaires, qui a fait de
l'Orient cet objet varié et complexe qu'il est évidemment
dans le domaine que j'appelle orientalisme.

L'orientalisme n'est donc pas un simple thème ou
domaine politique reflété passivement par la culture,
l'érudition ou les institutions ; il n'est pas non plus une
collection vaste et diffuse de textes sur l'Orient ; il ne
représente pas, il n'exprime pas quelque infâme complot
impérialiste « occidental » destiné à opprimer le monde
« oriental ». C'est plutôt la *distribution* d'une certaine
conception géo-économique dans des textes d'esthétique,
d'érudition, d'économie, de sociologie, d'histoire et de
philologie ; c'est l'*élaboration* non seulement d'une distinction géographique (le monde est composé de deux
moitiés inégales, l'Orient et l'Occident), mais aussi de
toute une série d'« intérêts » que non seulement il crée,
mais encore entretient par des moyens tels que les

découvertes érudites, la reconstruction philologique, l'analyse psychologique, la description de paysages et la description sociologique ; il *est* (plutôt qu'il n'exprime) une certaine *volonté* ou *intention* de comprendre, parfois de maîtriser, de manipuler, d'incorporer même, ce qui est un monde manifestement différent (ou autre et nouveau) ; surtout, il est un discours qui n'est pas du tout en relation de correspondance directe avec le pouvoir politique brut, mais qui, plutôt, est produit et existe au cours d'un échange inégal avec différentes sortes de pouvoirs, qui est formé jusqu'à un certain point par l'échange avec le pouvoir politique (comme dans l'*establishment* colonial ou impérial), avec le pouvoir intellectuel (comme dans les sciences régnantes telles que la linguistique, l'anatomie comparées, ou l'une quelconque des sciences politiques modernes), avec le pouvoir culturel (comme dans les orthodoxies et les canons qui régissent le goût, les valeurs, les textes), la puissance morale (comme dans les idées de ce que « nous » faisons et de ce qu'« ils » ne peuvent faire ou comprendre comme nous). En fait, ma thèse est que l'orientalisme est – et non seulement représente – une dimension considérable de la culture politique et intellectuelle moderne et que, comme tel, il a moins de rapports avec l'Orient qu'avec « notre » monde.

Et puisque l'orientalisme est un fait culturel et politique, il n'existe donc pas dans un espace vide, dénué d'archives ; bien au contraire, je pense qu'on peut montrer que ce qui est pensé, dit ou même fait à propos de l'Orient se détermine dans un cadre précis que l'on peut appréhender intellectuellement. Ici encore, on peut remarquer toutes sortes de nuances et de raffinements dans la façon dont les pressions superstructurelles massives s'exercent sur les détails de la composition, les faits de textualité. La plupart des humanistes, je crois, sont parfaitement satisfaits de l'idée que les textes existent dans des contextes, qu'il y a une intertextualité, que la pression des conventions, des générations précédentes et des styles rhétoriques limite ce que Walter Benjamin a appelé un jour « l'exploitation du producteur au nom d'un principe, la "créativité" », principe selon lequel le poète est supposé avoir accouché par lui-même de son œuvre, tirée de son pur esprit [1]. On répugne cependant à admettre que les contraintes politiques, institutionnelles et idéologiques s'exercent de la même manière sur l'auteur en tant qu'individu. Un humaniste estimera qu'il est intéressant, pour bien interpréter Balzac, de savoir que, dans *La Comédie humaine*, il a été influencé par le conflit entre Geoffroy Saint-Hilaire et Cuvier, mais il aura vaguement l'impression que l'influence du même ordre exercée par les théories monarchistes profondément réactionnaires rabaisse son « génie » et ne mérite donc pas d'être étudiée aussi sérieusement. De même – comme Harry Bracken s'est acharné à le montrer –, des philosophes vont discuter de Locke, de Hume et de l'empirisme sans jamais tenir compte du fait qu'il y a une relation explicite, chez ces écrivains classiques, entre leurs doctrines « philosophiques » et la théorie raciale, la justification de l'esclavage et des arguments en faveur de l'exploitation coloniale [2]. Ce sont des procédés très courants qui permettent à l'érudition contemporaine de conserver sa pureté.

Il se peut bien que la plupart des tentatives faites pour plonger le nez de la culture dans la boue de la politique

---

1. Walter Benjamin, *Charles Baudelaire : A Lyric Poet in the Era of High Capitalism*, Londres, New Left Books, 1973, p. 71 (original : *Charles Baudelaire. Ein Lyriker im Zeitalter des Hochkapitalismus*, Francfort-sur-le-Main, Suhrkamp, 1969, p. 76).

2. Harry Bracken, « Essence, Accident and Race », *Hermathena* 116 (hiver 1973), p. 81-96.

aient été grossièrement iconoclastes ; il se peut aussi que l'interprétation sociale de la littérature dans mon domaine propre ne soit pas allée de pair avec les immenses avancées techniques de l'analyse textuelle détaillée. Mais on ne peut esquiver le fait que les études littéraires en général, et les théoriciens marxistes américains en particulier, ne se sont pas donné la peine de combler la lacune entre le niveau superstructurel et le niveau fondamental dans l'érudition historique textuelle ; à une autre occasion, je suis allé jusqu'à dire que l'*establishment* littéraire et culturel dans son ensemble a déclaré hors jeu l'étude sérieuse de l'impérialisme et de la culture[1]. Car l'orientalisme nous confronte directement à cette question – à savoir, reconnaître que l'impérialisme politique gouverne un domaine entier des études, de l'imagination et des institutions savantes – de telle sorte que c'est une impossibilité intellectuelle et historique de l'éviter. Cependant, il restera toujours l'échappatoire éternelle : dire qu'un spécialiste des études littéraires et un philosophe, par exemple, ont été formés respectivement pour la littérature et la philosophie, et non pour la politique et l'analyse idéologique. Autrement dit, l'argument du spécialiste peut bloquer avec une grande efficacité la perspective qui est plus vaste et, à mon avis, plus sérieuse du point de vue intellectuel.

Il me semble ici qu'on peut donner une réponse simple en deux parties, du moins dans la mesure où il s'agit d'étudier l'impérialisme et la culture (ou l'orientalisme). En premier lieu, tous les écrivains du dix-neuvième siècle, ou presque (et c'est vrai en gros pour les écrivains des époques antérieures), étaient extraordinairement conscients du fait de l'empire : c'est un sujet qui n'a pas été très bien étudié, mais un spécialiste moderne de l'ère

1. Dans une interview publiée par la revue *Diacritics* 6, n° 3 (automne 1973), p. 38.

victorienne admettra rapidement que des héros de la culture libérale, John Stuart Mill, Matthew Arnold, Carlyle, Newman, Macaulay, Ruskin, George Eliot et même Dickens avaient des opinions bien définies sur la race et l'impérialisme, qu'on peut facilement retrouver dans leurs écrits. C'est ainsi que même un spécialiste doit finir par admettre que Mill, par exemple, a écrit claire-ment dans *On Liberty* et dans *Representative Government* que ses idées ne peuvent s'appliquer à l'Inde (après tout, il a été fonctionnaire à l'India Office pendant une bonne partie de sa vie) parce que les Indiens sont inférieurs par leur civilisation, sinon par leur race. On trouve des para-doxes du même genre chez Marx, comme j'essaie de le montrer dans ce livre.

En second lieu, ce n'est pas du tout la même chose de croire que la politique, sous la forme de l'impérialisme, pèse sur la production littéraire, l'érudition, les théories sociales et l'écriture de l'histoire, et d'affirmer que la culture est de ce fait abaissée ou dénigrée. Bien au contraire : toute ma thèse consiste à dire que nous com-prendrons mieux la persistance et la longévité de sys-tèmes hégémoniques saturants tels que la culture si nous reconnaissons que leurs contraintes internes sur les écri-vains et les penseurs sont *productives* et non unilaté-ralement inhibitrices. C'est cette idée que Gramsci, certainement, et Foucault, et Raymond Williams, chacun à sa manière, ont essayé d'illustrer. Rien qu'une page ou deux de Williams sur « les utilisations de l'Empire » dans *The Long Revolution* nous en apprennent plus sur la richesse culturelle du dix-neuvième siècle que bien des volumes d'analyses textuelles hermétiques[1].

---

1. Raymond Williams, *The Long Revolution*, Londres, Chatto and Windus, 1961, p. 66-67.

C'est pour cela que j'étudie l'orientalisme comme un échange dynamique entre les auteurs individuels et les vastes entreprises politiques formées par les trois grands empires – le britannique, le français, l'américain – sur le territoire intellectuel et imaginaire desquels les écrits ont été produits. Ce qui m'intéresse le plus, comme homme de science, ce n'est pas la vérité politique brute, mais le détail, de même que ce qui nous intéresse chez quelqu'un comme Lane, ou Flaubert, ou Renan, ce n'est pas la vérité indiscutable (pour lui) que les Occidentaux sont supérieurs aux Orientaux, mais le témoignage fortement élaboré et modulé qu'en donnent les détails de son œuvre à l'intérieur du très vaste espace frayé par cette vérité. Par exemple, si les *Manners and Customs of Modern Egyptians* d'Edward William Lane sont un classique de l'observation historique et anthropologique, c'est à cause de leur style, de leurs détails si intelligents et si brillants et non parce qu'ils sont le simple reflet de la supériorité raciale de leur auteur.

Voici donc le genre de questions politiques que pose l'orientalisme : quels sont les autres types d'énergies intellectuelle, esthétique, savante et culturelle qui ont participé à l'élaboration d'une tradition impérialiste comme la tradition orientaliste ? Comment la philologie, la lexicographie, l'histoire, la biologie, les théories politiques et économiques, la composition de romans et de poésie lyrique ont-elles servi à la conception du monde carrément impérialiste de l'orientalisme ? Quels sont les changements, les modulations, les raffinements, les révolutions même qui se sont produits dans l'orientalisme ? Quelle est la signification de l'originalité, de la continuité, ou de l'individualité, dans ce contexte ? Comment l'orientalisme se transmet-il ou se reproduit-il d'une époque à l'autre ? Enfin, comment pouvons-nous traiter le phénomène culturel et historique de l'orientalisme comme une sorte d'*œuvre humaine voulue* – et non comme une simple ratiocination dans le vide – dans toute sa complexité historique, tous ses détails, et toute sa valeur, sans perdre de vue en même temps l'alliance entre le travail culturel, les tendances politiques, l'État et les réalités spécifiques de la domination ? Guidée par des préoccupations de ce genre, une étude humaniste peut s'attaquer de manière responsable à la politique et à la culture. Mais cela ne veut pas dire que cette étude établit une régie immuable concernant les relations entre science et politique. Ma thèse est que toute recherche humaniste doit formuler la nature de cette relation dans le contexte spécifique de son étude, de son sujet et de ses circonstances historiques.

2. *La question méthodologique.* Dans un ouvrage précédent, j'ai consacré bien des réflexions et des analyses à montrer combien il était important pour la méthode, en matière de sciences humaines, de trouver et de formuler une première étape, un point de départ, un principe initial[1]. La principale leçon que j'ai apprise et essayé de présenter est qu'il n'existe rien qui ressemble à un point de départ purement et simplement donné ou facile à se procurer : dans tout projet de recherche, il faut débuter de manière à *rendre possible* ce qui doit découler de ce début. Jamais je n'ai éprouvé la difficulté de cette règle avec une conscience aussi claire (avec quel succès ou quel échec, je ne saurais vraiment le dire) que dans mon étude de l'orientalisme.

L'idée de commencer, en fait l'acte de commencer implique nécessairement un acte de délimitation par lequel on prélève quelque chose dans une grande masse

---

1. Dans mon livre *Beginnings : Intentions and Method*, New York, Basic Books, 1975.

de matière, par lequel on le sépare de cette masse, par lequel on fait qu'il représente, qu'il soit, un point de départ, un commencement : pour celui qui étudie les textes, cette conception d'une délimitation inaugurale est ce que Louis Althusser appelle la *problématique*, une unité déterminée spécifique d'un texte ou d'un groupe de textes, qui est quelque chose à quoi l'analyse a donné naissance[1]. Cependant, dans le cas de l'orientalisme (à l'inverse des textes de Marx, qu'étudie Althusser), il ne s'agit pas simplement de trouver le point de départ, ou la problématique, mais aussi de désigner les textes, les auteurs, les périodes qui conviennent le mieux à l'étude.

Il me semble que cela n'avait aucun sens de tenter d'écrire une histoire-récit encyclopédique de l'orientalisme, d'abord parce que si mon principe directeur avait dû être l'« idée européenne de l'Orient », la matière à traiter aurait été pratiquement illimitée ; en deuxième lieu, parce que le modèle narratif en lui-même ne convenait pas à mes intentions descriptives et politiques ; en troisième lieu, parce que des ouvrages comme *La Renaissance orientale* de Raymond Schwab, *Die Arabischen Studien in Europa bis in den Anfang des 20. Jahrhunderts* de Johann Fück et, plus récemment, *The Matter of Araby in Medieval England* de Dorothee Metlitzki[2], sont déjà des travaux encyclopédiques sur certains aspects du contact de l'Europe et de l'Orient, qui modifient la tâche du critique, dans le contexte politique et intellectuel que j'ai esquissé.

1. Louis Althusser, *Pour Marx*, Paris, Maspero, 1965, p. 59-63.

2. Raymond Schwab, *La Renaissance orientale*, Paris, Payot, 1950 ; Johann W. Fück, *Die Arabischen Studien in Europa bis in den Anfang des 20. Jahrhunderts*, Leipzig, Otto Harrassowitz, 1955 ; Dorothee Metlitzki, *The Matter of Araby in Medieval England*, New Haven, Conn., Yale Univ. Press, 1977.

Restait le problème de ramener de très épaisses archives à des dimensions maniables et, ce qui est plus important, de faire ressortir quelque chose qui soit de la nature d'un ordre intellectuel dans ce groupe de textes, sans pour autant suivre un ordre aveuglément chronologique. Mon point de départ a donc été la perception qu'ont eue les Anglais, les Français et les Américains de l'Orient au sens global du terme, l'arrière-plan historique et intellectuel qui l'a rendue possible, ses qualités et ses caractéristiques.

Pour des raisons que je vais expliquer à présent, j'ai limité cet ensemble de questions, déjà limité (mais encore démesurément vaste), à la perception qu'ont eue les Anglais, les Français et les Américains qui ont vécu dans le monde arabe et le monde islamique, lesquels ont, à eux deux, représenté l'Orient pendant presque un millénaire. Cela a éliminé d'emblée, semble-t-il, une grande partie de l'Orient – l'Inde, le Japon, la Chine, et d'autres parties de l'Extrême-Orient – non parce que ces régions ne sont pas importantes (elles le sont, évidemment), mais parce qu'on peut étudier la perception européenne du Proche-Orient ou de l'islam indépendamment de sa perception de l'Extrême-Orient.

Pourtant, à certaines périodes de cette histoire générale de l'intérêt de l'Europe pour l'Orient, on ne peut s'occuper de régions particulières, l'Égypte, la Syrie, l'Arabie, sans étudier aussi comment l'Europe s'était engagée dans des parties plus lointaines, les principales étant la Perse et l'Inde : le lien entre l'Égypte et l'Inde en donne un exemple frappant pour l'Angleterre du dix-huitième et du dix-neuvième siècle. On peut comprendre de la même façon le rôle des Français dans le déchiffrement du Zend-Avesta, le rôle prédominant de Paris comme centre des études sanscrites durant les dix premières années du dix-neuvième siècle ; et n'oublions pas que si Napoléon s'est intéressé à l'Orient, c'est parce qu'il était conscient du rôle joué par les Anglais en Inde : tous ces intérêts pour l'Extrême-Orient ont eu une influence directe sur l'intérêt que la France a pris pour le Proche-Orient, l'islam et les Arabes.

La Grande-Bretagne et la France ont dominé la Méditerranée orientale à partir de la fin du dix-septième siècle. Mon étude de cette domination et de cet intérêt systématique ne rend cependant pas justice a) à l'importante contribution fournie à l'orientalisme par l'Allemagne, l'Italie, la Russie, l'Espagne et le Portugal ; b) au fait que la révolution dans les études bibliques, stimulée par des pionniers intéressants à différents titres, comme l'évêque Lowth, Eichhorn, Herder et Michaelis, a donné une impulsion marquante à l'étude de l'Orient au dix-huitième siècle.

En premier lieu, j'ai dû centrer rigoureusement mon travail sur les matériaux anglo-français, puis américains, parce qu'il me semblait indiscutable que non seulement l'Angleterre et la France ont été des pionniers dans l'Orient proprement dit, et dans les études orientales, mais qu'elles ont conservé ces positions d'avant-garde grâce aux deux plus grands réseaux coloniaux de l'histoire avant le vingtième siècle ; en Orient, les Américains se sont glissés, depuis la Seconde Guerre mondiale – tout à fait consciemment, je pense –, dans les trous que s'étaient creusés les deux puissances européennes. Et puis, je crois que par leur véritable qualité, leur cohérence, leur masse, les écrits anglais, français et américains sur l'Orient ont surpassé les travaux, incontestablement très importants, faits en Allemagne, en Italie, en Russie et ailleurs. Mais je crois aussi que les démarches capitales dans l'érudition orientaliste ont d'abord été faites soit en Angleterre, soit en France, puis ont été perfectionnées par des Allemands. Silvestre de Sacy, par exemple, n'a pas seulement été le premier orientaliste européen moderne et professionnel, qui a travaillé sur l'islam, la littérature arabe, la religion druse et la Perse sassanide ; il a aussi été le maître de Champollion et de Franz Bopp, fondateur de la linguistique comparée allemande. On peut faire valoir les mêmes droits d'antériorité puis de prédominance pour William Jones et Edward William Lane.

En second lieu – et cela compense amplement les faiblesses de mon étude de l'orientalisme –, d'importants travaux ont été publiés récemment sur l'arrière-plan des études bibliques, jusqu'au début de ce que j'ai appelé l'orientalisme moderne. Le meilleur de ces travaux, celui qui apporte la lumière la plus vive, est le remarquable *« Kubla Khan » and the Fall of Jérusalem* de E. S. Shaffer [1], une étude indispensable des origines du romantisme et de l'activité intellectuelle qui a étayé une bonne part de ce qu'on trouve chez Coleridge, Browning et George Eliot. Jusqu'à un certain point, l'ouvrage de Shaffer développe les grandes lignes fournies par Schwab, en articulant les matériaux pertinents que l'on peut trouver chez les spécialistes allemands des textes bibliques et en les utilisant pour lire, d'une manière intelligente et toujours intéressante, les œuvres de trois grands écrivains anglais. Ce livre manque cependant d'un certain sens du tranchant politique aussi bien qu'idéologique que les écrivains français et anglais qui m'occupent principalement ont donné à l'orientalisme ; en outre, ce que ne fait pas Shaffer, j'essaie d'élucider les développements ultérieurs de l'orientalisme aussi bien universitaire que littéraire : d'une part, le lien entre l'orientalisme anglais et l'orientalisme français, de l'autre, la montée d'un impérialisme d'inspiration nettement coloniale. Je souhaite encore

---

1. E. S. Shaffer, *« Kubla Khan » and The Fall of Jerusalem : The Mythological School in Biblical Criticism and Secular Literature, 1770-1880*, Cambridge, Cambridge Univ. Press, 1975.

montrer comment tous ces thèmes déjà existants se reproduisent plus ou moins dans l'orientalisme américain après la Seconde Guerre mondiale.

Néanmoins, mon étude peut présenter un aspect trompeur : à part quelques références occasionnelles, je n'étudie pas de manière exhaustive les progrès faits par les savants allemands après la période inaugurale dominée par Silvestre de Sacy. Tout travail qui cherche à faire comprendre l'orientalisme universitaire et qui ne porte guère d'attention à des savants tels que Steinthal, Max Müller, Becker, Goldziher, Brockelmann, Nöldeke – pour n'en citer qu'une poignée – mérite des reproches, et je m'en fais. Je regrette particulièrement de ne pas mieux tenir compte du grand prestige scientifique qu'ils ont apporté à l'érudition allemande au milieu du dix-neuvième siècle ; George Eliot a dénoncé les savants britanniques insulaires qui les ignoraient : je pense à l'inoubliable portrait qu'elle fait de Mr. Casaubon dans *Middlemarch*[1]. [...]

George Eliot n'a pas tort quand elle donne à entendre qu'aux environs de 1830, époque où se passe son roman, l'érudition allemande a totalement atteint sa position prééminente en Europe. Mais, à aucun moment pendant les deux premiers tiers du dix-neuvième siècle, celle-ci n'a vu se développer une association étroite entre les orientalistes et un intérêt *national* prolongé, soutenu, en Orient. En Allemagne, il n'y a rien eu qui corresponde à la présence anglo-française en Inde, au Levant, en Afrique du Nord. Bien plus, l'Orient allemand était presque exclusivement un Orient érudit, ou du moins classique : il a servi

1. George Eliot, *Middlemarch : A Study of Provincial Life*, 1872 ; rééd. Boston, Houghton Mifflin Co., 1956, p. 164 (trad. fr. : *Middlemarch, étude de la vie de province*, Paris, Calmann-Lévy, 1890).

de sujet à la poésie lyrique, à des œuvres d'imagination, à des romans même, mais il n'a jamais été réel comme l'Égypte et la Syrie ont été réelles pour Chateaubriand, Lane, Lamartine, Burton, Disraeli ou Nerval. Ce n'est pas sans raison que les deux œuvres allemandes les plus célèbres sur l'Orient, le *Westöstlicher Diwan (Divan occidental-oriental)* de Goethe et *Über die Sprache und Weisheit der Indier (Essai sur la langue et la philosophie des Indiens)* de Friedrich Schlegel ont pour origine respectivement une croisière sur le Rhin et des heures passées dans les bibliothèques parisiennes. L'œuvre de l'érudition allemande a été de raffiner et de perfectionner des techniques s'appliquant à des textes, à des mythes, à des idées et à des langues recueillis presque littéralement en Orient par l'Angleterre et la France impériales.

Cependant, ce que l'orientalisme allemand a eu de commun avec l'orientalisme anglo-français, puis l'orientalisme américain, c'est une espèce d'*autorité* sur l'Orient à l'intérieur de la culture occidentale. Cette autorité doit être en grande partie le sujet de toute description de l'orientalisme, et c'est le cas ici. Le nom même d'*orientalisme* suggère le style sérieux, voire même pesant, d'un expert ; quand je l'applique aux sciences sociales américaines modernes (ce n'est pas l'utilisation classique de ce terme, puisque ces chercheurs ne s'appellent pas eux-mêmes orientalistes), c'est pour attirer l'attention sur la manière dont les experts sur les questions du Moyen-Orient peuvent encore faire fond sur les vestiges de la position intellectuelle qu'avait l'orientalisme dans l'Europe du dix-neuvième siècle.

L'autorité n'a rien de mystérieux, ni de naturel. Elle est formée, irradiée, disséminée ; elle est instrumentale, elle est persuasive ; elle a un statut, elle établit les canons du goût, les valeurs ; elle est pratiquement indiscernable de certaines idées auxquelles elle donne la dignité du vrai et de traditions, de perceptions qu'elle forme, transmet, reproduit. Par-dessus tout, l'autorité peut, en fait doit, être analysée. Tous ces attributs de l'autorité s'appliquent à l'orientalisme, et une bonne partie de ce que je fais dans cette étude est de décrire et l'autorité historique de l'orientalisme et les personnes qui font autorité dans l'orientalisme.

Pour cette étude de l'autorité, mes principaux outils méthodologiques sont ce qu'on peut appeler la *localisation stratégique*, qui est une manière de décrire la position de l'auteur d'un texte par rapport au matériau oriental sur lequel il écrit, et la *formation stratégique*, qui est une manière d'analyser la relation entre les textes et la façon dont des groupes de textes, des types de textes, des genres de textes même, acquièrent de la masse, de la densité et un pouvoir de référence. J'utilise simplement cette notion de stratégie pour définir le problème rencontré par tout écrivain traitant de l'Orient : comment l'appréhender, comment l'approcher, comment éviter d'être vaincu ou submergé par sa sublimité, son étendue, ses terribles dimensions. Celui qui écrit sur l'Orient doit définir sa position vis-à-vis de celui-ci : traduite dans son texte, cette localisation comprend le genre de ton narratif qu'il adopte, le type de structures qu'il construit, l'espèce d'images, de thèmes, de motifs qui circulent dans son texte – qui tous s'ajoutent à des façons délibérées de s'adresser au lecteur, de saisir l'Orient et enfin de le représenter ou de parler en son nom. Rien de tout cela ne se passe dans l'abstrait, cependant. Tout écrivain parlant de l'Orient (et c'est vrai même d'Homère) suppose un précédent oriental, une connaissance préalable de l'Orient auxquels il se réfère et sur lesquels il s'appuie. De plus, tout ouvrage sur l'Orient *s'associe* à d'autres ouvrages, à des publics, à des institutions, à l'Orient lui-même. L'ensemble des relations entre les ouvrages, les publics et certains aspects particuliers de l'Orient constitue donc une formation analysable – par exemple, la relation entre les études philologiques, les anthologies de textes tirés de la littérature orientale, les récits de voyages, les fictions orientales – dont la présence dans le temps, dans le discours, dans les institutions (écoles, bibliothèques, bureaux des affaires étrangères) lui donne force et autorité.

J'espère avoir fait comprendre clairement que mon souci de l'autorité n'entraîne pas l'analyse de ce qui est enfoui dans le texte orientaliste, mais plutôt l'analyse de sa surface, de son extériorité par rapport à ce qu'il décrit. Je pense qu'on n'insiste jamais trop sur cette idée. L'orientalisme repose sur l'extériorité, c'est-à-dire sur ce que l'orientaliste, poète ou érudit, fait parler l'Orient, le décrit, éclaire ses mystères pour l'Occident. L'Orient ne le concerne jamais que comme cause première de ce qu'il dit. Ce qu'il dit et ce qu'il écrit, du fait que c'est dit ou écrit, a pour objet d'indiquer que l'orientaliste est en dehors de l'Orient, à la fois comme fait existentiel et comme fait moral. Le principal produit de cette extériorité est évidemment la représentation : dès *Les Perses* d'Eschyle, l'Orient cesse d'être une altérité lointaine et souvent menaçante pour s'incarner en des figures relativement familières (pour Eschyle, un chœur de femmes asiatiques en deuil). L'immédiateté dramatique de la représentation des *Perses* voile le fait que le public regarde une mise en scène très artificielle de ce dont un non-Oriental a fait un symbole de tout l'Orient.

Mon analyse du texte orientaliste met donc l'accent sur le témoignage, nullement invisible, donné par ces représentations en tant que représentations, non en tant que descriptions « naturelles » de l'Orient. On trouve ce témoignage d'une manière tout aussi marquée dans les textes qu'on pourrait dire véridiques (histoires, analyses philologiques, traités politiques) que dans ceux qui se reconnaissent comme artistiques (c'est-à-dire ouvertement de fiction). Il faut considérer le style, les figures du discours, le plan, les procédés narratifs, les conditions historiques et sociales, et *non* l'exactitude de la représentation ni sa fidélité à quelque grand original. L'extériorité de la représentation est toujours gouvernée par une version ou une autre du truisme : si l'Orient pouvait se représenter lui-même, il le ferait ; puisqu'il ne le peut pas, la représentation fait le travail, pour l'Occident, et, faute de mieux, pour le pauvre Orient. « *Sie können sich nicht vertreten, sie müssen vertreten werden* », comme l'écrit Marx dans *le Dix-huit Brumaire de Louis Bonaparte*.

J'ai une autre raison d'insister sur l'extériorité : je crois qu'il faut dire clairement, à propos du discours culturel et des échanges à l'intérieur d'une culture, que ce qui est couramment mis en circulation par ceux-ci n'est pas la « vérité », mais des représentations. Il est à peine nécessaire de démontrer encore une fois que la langue elle-même est un système fortement organisé et codé qui met en œuvre de nombreux procédés pour exprimer, indiquer, échanger des messages et des informations, représenter, etc. Dans tout exemple de langue écrite, pour le moins, il n'y a rien qui soit une présence donnée, mais tout y est *re-présence*, ou représentation. La valeur, l'efficacité, la force, la vérité apparente d'une assertion écrite sur l'Orient reposent très peu sur l'Orient en tant que tel et ne peuvent en dépendre instrumentalement. Au contraire, l'assertion écrite est une présence pour le lecteur du fait qu'elle a exclu, déplacé, rendu superflu « l'Orient » comme *chose réelle*.

Ainsi, tout l'orientalisme tient lieu de l'Orient, et s'en tient à distance : que l'orientalisme ait le moindre sens dépend plus de l'Occident que de l'Orient, et l'on est directement redevable de ce sens à différentes techniques occidentales de représentation qui rendent l'Orient visible, clair, et qui font qu'il est « *là* » dans le discours qu'on tient à son sujet. Ces représentations s'appuient pour leurs effets sur des institutions, des traditions, des conventions, des codes d'intelligibilité, et non sur un Orient lointain et amorphe.

Les représentations que l'on se faisait de l'Orient avant le dernier tiers du dix-huitième siècle diffèrent de celles que l'on s'en est faites après (à savoir celles qui appartiennent à ce que j'appelle l'orientalisme moderne) en ce que leur domaine s'est énormément étendu au cours de cette dernière période. Il est vrai qu'après William Jones et Anquetil-Duperron, après l'expédition d'Égypte de Bonaparte, l'Europe s'est mise à connaître l'Orient de manière plus scientifique, à y vivre avec une autorité et une discipline plus grandes qu'elle ne l'avait jamais fait. Mais ce qui a compté pour elle, c'est la portée plus grande et le perfectionnement plus poussé de ses techniques pour recevoir l'Orient. Quand, au tournant du dix-huitième siècle, l'Orient révèle définitivement l'âge de ses langues – remontant ainsi plus haut dans le temps que la généalogie divine de l'hébreu –, c'est un groupe d'Européens qui le découvre, qui transmet à d'autres savants et conserve cette découverte dans une science nouvelle : la philologie indo-européenne. Une science, nouvelle et puissante, est née, destinée à examiner l'Orient linguistique et, avec elle, comme l'a montré Foucault dans *Les Mots et les Choses*, tout un réseau d'intérêts scientifiques connexes. D'une manière comparable, William Beckford, Byron, Goethe et Hugo ont restructuré l'Orient par leur art et fait voir ses couleurs, ses lumières, ses peuples grâce à leurs images, leurs rythmes et leurs motifs. L'Orient « réel » a tout au plus provoqué la vision d'un écrivain, il l'a très rarement guidée.

L'orientalisme a plus répondu à la culture qui l'a produit qu'à son objet putatif, lui aussi produit par l'Occident.

Ainsi, l'histoire de l'orientalisme présente à la fois une cohérence interne et un ensemble fortement articulé de relations avec la culture dominante qui l'entoure. Par conséquent, j'essaie par mes analyses de montrer quelles sont la forme de ce domaine et son organisation interne, quels sont ses pionniers, ses autorités patriarcales, ses textes canoniques, ses idées doxologiques, ses figures exemplaires, ses épigones, ses commentateurs et ses autorités nouvelles ; j'essaie aussi d'expliquer comment l'orientalisme a emprunté des « idées-forces », des doctrines et des tendances culturelles et a souvent été inspiré par elles. C'est ainsi qu'il y eut (et qu'il y a) un Orient linguistique, un Orient freudien, un Orient spenglérien, un Orient darwinien, un Orient raciste, etc. Cependant, il n'y a jamais eu d'Orient pur, ou non conditionné ; de même qu'il n'y a jamais eu de forme non matérielle de l'orientalisme, moins encore quelque chose d'innocent qui soit une « idée » de l'Orient.

Je me distingue, par cette conviction sous-jacente et par ses conséquences méthodologiques, des chercheurs qui ont étudié l'histoire des idées. En effet, les points d'accentuation, l'allure performative et surtout l'efficience matérielle des assertions du discours orientaliste sont possibles dans des circonstances que toute histoire hermétique des idées tend à négliger complètement. Sans ces accentuations et cette efficience matérielle, l'orientalisme ne serait qu'une idée comme une autre, alors qu'il est et qu'il a été bien plus que cela. C'est pourquoi je me propose d'examiner, non seulement des ouvrages savants, mais aussi des œuvres littéraires, des pamphlets politiques, des articles de journaux, des récits de voyages, des études religieuses et philologiques. Autrement dit, je me suis placé dans une perspective hybride qui est en gros historique et « anthropologique », étant donné que je crois que tous les textes sont liés au monde, sont des œuvres de circonstance, dans des conditions différentes, bien sûr, selon le genre et la période historique.

Cependant, je me sépare de Michel Foucault, à l'œuvre de qui je dois beaucoup, sur un point : je crois en l'influence déterminante d'écrivains individuels sur le corpus des textes, par ailleurs collectif et anonyme, constituant une formation discursive telle que l'orientalisme. L'unité du vaste ensemble de textes que j'analyse vient pour une part du fait qu'ils se réfèrent souvent les uns aux autres : l'orientalisme est après tout un système de citations d'ouvrages et d'auteurs. Les *Manners and Customs of the Modern Egyptians* de Lane ont été lues et citées par des hommes aussi différents que Nerval, Flaubert et Richard Burton. Ce livre faisait autorité, et, pour qui écrivait ou pensait à l'Orient – pas seulement à l'Égypte –, il était impératif de l'utiliser : quand Nerval reproduit mot pour mot des passages des *Modern Egyptians*, il fait appel à l'autorité de Lane pour décrire des scènes de la vie villageoise syrienne, et non égyptienne. Lane possède cette autorité, il est cité à propos et hors de propos parce que l'orientalisme a été capable d'en faire un texte de référence. Cependant, on ne peut comprendre ce caractère chez Lane sans comprendre aussi les traits particuliers de *son* texte ; c'est également vrai pour Renan, Silvestre de Sacy, Lamartine, Schlegel et pour tout un groupe d'écrivains importants. Foucault croit qu'en général le texte ou l'auteur individuel compte très peu ; l'expérience me montre qu'il n'en est pas ainsi dans le cas de l'orientalisme (et peut-être nulle part ailleurs). Par conséquent, je procède dans mes analyses par explications de textes dans le but de révéler la dialectique entre le texte ou l'écrivain individuel et la formation collective complexe à laquelle l'œuvre en question est une contribution.

Cependant, bien qu'il comprenne un vaste choix d'écrivains, ce livre est encore loin d'être une histoire complète ou un compte rendu général de l'orientalisme. Je suis bien conscient de cette insuffisance. C'est grâce à la richesse de son tissu si serré que l'orientalisme a pu durer et servir dans la société occidentale : tout ce que j'ai fait, c'est de décrire des parties de ce tissu à certains moments et je me suis contenté de suggérer l'existence d'un tout plus vaste, détaillé, marqué de personnages, de textes et d'événements passionnants. Je me suis fait une raison en pensant que ce livre n'est qu'un acompte et j'espère que des savants et des critiques auront envie d'en écrire d'autres. Une étude générale sur l'impérialisme et la culture reste à écrire ; il faudrait approfondir la question des liens entre orientalisme et pédagogie, celle de l'orientalisme italien, hollandais, allemand et suisse, celle de la dynamique entre érudition et fiction, celle de la relation entre les conceptions administratives et la discipline intellectuelle. La tâche la plus importante serait peut-être d'entreprendre des recherches sur ce qui remplace actuellement l'orientalisme, de se demander comment l'on peut étudier d'autres cultures et d'autres populations dans une perspective qui soit libertaire, ni répressive ni manipulatrice. Mais il faudrait alors repenser tout le problème complexe du savoir et du pouvoir. Voilà des tâches qui, chose embarrassante, n'ont pas été menées à terme dans cette étude.

Deuxième observation, qui est peut-être une manière de me flatter : j'ai rédigé ce travail en pensant à plusieurs catégories de lecteurs. À ceux qui s'intéressent à la littérature et à la critique littéraire, l'orientalisme offre un magnifique exemple des relations qui existent entre société, histoire et textualité ; de plus, le rôle joue par l'Orient dans la culture de l'Occident met l'orientalisme en rapport avec l'idéologie, la politique et la logique du pouvoir, sujets qui, à mon avis, sont pertinents pour la communauté littéraire. En pensant à ceux qui étudient aujourd'hui l'Orient, des chercheurs universitaires à ceux qui inspirent la politique, j'avais deux desseins : l'un est de leur présenter leur généalogie intellectuelle, l'autre de critiquer les présupposés souvent indiscutés sur lesquels ils fondent une grande partie de leur travail, en espérant susciter ainsi des discussions. Le lecteur qui n'est pas un spécialiste trouvera dans cette étude des sujets qui retiennent toujours l'attention, liés non seulement à la façon dont l'Occident conçoit et traite l'Autre, mais encore au rôle singulièrement important joué par la culture occidentale dans ce que Vico appelait le monde des nations. Enfin, cette étude propose aux lecteurs de ce qu'on appelle le tiers monde une étape vers la compréhension, non pas tellement de la politique occidentale et du monde non occidental dans cette politique, mais de la force du discours culturel occidental, force qu'on croit souvent à tort n'être que décorative ou relevant de la superstructure. J'espère avoir illustré la redoutable structure de la domination culturelle et montré, tout particulièrement aux peuples qui furent colonisés, les dangers et les tentations d'appliquer cette structure pour eux et pour les autres.

J'ai divisé ce livre en trois parties et onze chapitres, dans le but de faciliter l'exposé autant que possible. La première partie, « Le domaine de l'orientalisme », dessine un grand cercle autour de tous les aspects du sujet, pour les analyser en termes de temps et d'expériences historiques aussi bien qu'en termes de motifs philosophiques et politiques. La deuxième partie, « L'orientalisme structuré et restructuré », a pour objet de retracer le développement de l'orientalisme moderne en suivant, en gros, la chronologie et en décrivant un ensemble de procédés communs aux œuvres de poètes, d'artistes et de savants de quelque importance. La troisième partie, « L'orientalisme aujourd'hui », commence là où s'arrête la précédente : aux alentours de 1870. C'est l'époque de la grande expansion coloniale en Orient, qui culmine avec la Seconde Guerre mondiale. Le dernier chapitre de cette troisième partie montre comment l'hégémonie passe des mains des Anglais et des Français à celles des Américains : je tente d'y esquisser les réalités intellectuelles et sociales de l'orientalisme américain d'aujourd'hui.

3. *La dimension personnelle.* Dans ses *Cahiers de prison*, Gramsci dit : « Le point de départ de l'élaboration critique est la conscience de ce qui est réellement, c'est-à-dire un "connais-toi toi-même" en tant que produit du processus historique qui s'est déroulé jusqu'ici et qui a laissé en toi-même une infinité de traces, reçues sans bénéfice d'inventaire. C'est un tel inventaire qu'il faut faire pour commencer[1]. »

Mon investissement personnel dans cette étude vient en grande partie du fait que, en grandissant dans deux colonies anglaises, j'ai compris que j'étais un « Oriental ». Dans ces colonies (la Palestine et l'Égypte), puis aux États-Unis, toute mon éducation a été occidentale, et pourtant ce sentiment ancien et profond a persisté. En étudiant l'orientalisme, j'ai essayé de bien des manières de faire l'inventaire des traces laissées en moi, sujet oriental, par la culture dont la domination a été un facteur si puissant dans la vie de tous les Orientaux. C'est pourquoi j'ai dû centrer mon attention sur l'Orient islamique. Ce n'est pas à moi de juger si ce que j'ai réalisé est bien l'inventaire que prescrit Gramsci, mais j'ai bien senti combien il était important d'avoir conscience d'essayer de le faire. J'ai tenté, tout au long de mon travail, avec toute la rigueur et la rationalité dont j'ai été capable, de conserver un esprit

---

1. Antonio Gramsci, *Cahiers de prison. Cahiers 10, 11, 12 et 13*, Paris, Gallimard, 1978, p. 176 (original : *Quaderni del Carcere*, éd. Valentino Gerratana, Turin, Einaudi, 1975, 2, p. 1363).

critique, ainsi que d'utiliser les instruments de recherche historique humanistes et culturels dont mon éducation m'a rendu l'heureux bénéficiaire. Rien de tout cela, malgré tout, ne m'a fait perdre le contact avec la réalité culturelle d'un Oriental, avec l'implication personnelle qui me constitue comme tel.

Les circonstances historiques qui permettent une telle étude sont assez complexes, et je ne peux que les énumérer schématiquement. Tous ceux qui ont vécu en Occident, en particulier aux États-Unis depuis les années cinquante, seront passés par une ère d'extraordinaire turbulence dans les relations Est-Ouest. Il n'a pu leur échapper que « l'Est » a toujours signifié danger et menace pendant cette période, qu'il désigne l'Orient traditionnel ou la Russie. Dans les universités, l'organisation d'un nombre croissant de programmes et d'instituts étudiant les aires culturelles *(area studies)* a fait de l'étude savante de l'Orient une branche de la politique nationale. Les affaires publiques, aux États-Unis, comportent un intérêt sain pour l'Orient, autant pour son importance stratégique et économique que pour son exotisme traditionnel. Si le monde est devenu directement accessible au citoyen occidental qui vit à l'âge de l'électronique, l'Orient aussi s'est rapproché de lui, et c'est maintenant moins un mythe qu'un lieu où s'enchevêtrent des intérêts occidentaux, spécialement américains.

L'un des aspects du monde de l'électronique « postmoderne » est le renforcement des stéréotypes qui décrivent l'Orient. La télévision, les films, toutes les ressources des média ont fait entrer de force l'information dans des moules de plus en plus standardisés. Pour ce qui est de l'Orient, la standardisation et la formation de stéréotypes culturels ont renforcé l'emprise de la démonologie de « l'Orient mystérieux » qui était, au dix-neuvième siècle, du domaine de l'université et de l'imagination. Ce n'est nulle part aussi vrai que dans la manière d'appréhender le Proche-Orient. Trois facteurs ont contribué à faire de la perception, même la plus simple, des Arabes et de l'islam quelque chose de fortement politisé, presque de démagogique : a) l'histoire des préjugés populaires antiarabes et anti-islamiques en Occident, qui se reflète immédiatement dans l'histoire de l'orientalisme ; b) la lutte entre les Arabes et le sionisme israélien, ses effets sur les juifs américains ainsi que, plus généralement, sur la culture libérale et la masse de la population ; c) l'absence presque totale de la moindre attitude culturelle qui permette soit de s'identifier aux Arabes et à l'islam, soit d'en discuter sans passion. Il est à peine nécessaire d'ajouter que, parce que actuellement on associe à tel point le Moyen-Orient et la politique des grandes puissances, l'économie du pétrole et la dichotomie simpliste entre Israël, épris de liberté et démocratique, et les mauvais Arabes, totalitaires et terroristes, on n'a que de faibles chances de savoir clairement de quoi l'on parle lorsqu'il s'agit du Proche-Orient ; ce qui ne manque pas d'être déprimant.

L'une des raisons qui m'ont poussé à écrire ce livre est mon expérience personnelle de ce sujet. La vie d'un Palestinien arabe en Occident, en particulier en Amérique, est décourageante. Il y rencontre un consensus presque unanime sur le fait que, politiquement, il n'existe pas ; quand on veut bien accepter son existence, il est soit un gêneur, soit un Oriental. Le filet de racisme, de stéréotypes culturels, d'impérialisme politique, d'idéologie déshumanisante qui entoure l'Arabe ou le musulman est réellement très solide, et tout Palestinien en vient à le ressentir comme un châtiment que lui réserve spécialement le sort. C'est encore pire lorsqu'il remarque qu'aucun de ceux qui, aux États-Unis, sont impliqués du fait de leurs fonctions dans le Proche-Orient – c'est-à-dire aucun orientaliste – ne s'est jamais sincèrement identifié avec les Arabes, que ce soit d'un point de vue culturel ou politique ; il y a bien eu des identifications à certains niveaux, mais elles n'ont jamais pris la forme « acceptable » de l'identification des libéraux américains avec le sionisme, et elles ont trop souvent présenté la tare fondamentale d'être associées soit à des intérêts politiques et économiques discrédités (arabisants des compagnies pétrolières et du Département d'État, par exemple), soit à la religion.

Pour moi, le nœud de savoir et de pouvoir qui crée « l'Oriental » et en un sens l'oblitère comme être humain n'est donc pas une question exclusivement universitaire ; c'est cependant une question *intellectuelle* qui a une importance très évidente. J'ai été capable de mettre en œuvre mes préoccupations humanistes et politiques pour analyser et décrire un sujet très concret, la naissance, le développement et la consolidation de l'orientalisme. On suppose trop souvent que la littérature et la culture sont politiquement et même historiquement innocentes ; cela m'a toujours semblé faux, et l'étude que j'ai faite de l'orientalisme m'a convaincu (et convaincra, je l'espère, mes collègues en littérature) que société et culture littéraire ne peuvent être comprises et étudiées qu'ensemble. En outre, et par une logique presque inévitable, je me suis trouvé en train d'écrire une histoire rattachée par un lien mystérieux et secret à l'antisémitisme occidental. Que l'antisémitisme et, comme je l'ai montré pour sa branche islamique, l'orientalisme se ressemblent très étroitement, c'est une vérité historique, culturelle et politique qu'il suffit de mentionner à un Palestinien arabe pour que l'ironie qu'elle implique soit parfaitement comprise. Mais j'espère aussi avoir contribué ici à une meilleure compréhension de la manière dont la domination culturelle a opéré. Si cela peut encourager un nouveau rapport avec l'Orient, en fait éliminer complètement « l'Orient » et « l'Occident », nous aurons fait quelques pas dans le processus de ce que Raymond Williams a appelé le « désapprentissage » de « l'esprit spontané de domination [1] ».

1. Raymond Williams, *Culture and Society, 1780-1950*, Londres, Chatto and Windus, 1958, p. 376.

1

LE DOMAINE DE L'ORIENTALISME

[...] le génie inquiet et ambitieux des Européens [...] impatients d'employer les nouveaux instruments de leur puissance [...].

Jean-Baptiste-Joseph Fourier,
Préface historique (1809) à la *Description de l'Égypte*.

Connaître l'Oriental

Le 13 juin 1910, Arthur James Balfour fit un discours à la Chambre des communes sur « les problèmes que nous avons à résoudre en Égypte ». « Ils ne sont, dit-il, pas du tout de la même espèce que ceux qui touchent l'île de Wight ou l'arrondissement ouest du Yorkshire. » Il parlait avec l'autorité d'un homme depuis longtemps membre du Parlement, ancien secrétaire privé de lord Salisbury, ancien secrétaire d'État pour l'Irlande, ancien secrétaire d'État pour l'Écosse, ancien Premier ministre, vétéran de bien des crises, de bien des réalisations et changements en politique étrangère. Pendant sa participation aux affaires de l'Empire, la souveraine que servait Balfour avait été proclamée, en 1876, impératrice des Indes ; il avait été particulièrement bien placé, dans des positions où il avait une grande influence, pour suivre les guerres contre les Zoulous et les Afghans, l'occupation anglaise de l'Égypte en 1882, la mort du général Gordon au Soudan, l'incident de Fachoda, la bataille d'Omdurman, la guerre des Boers, la guerre russo-japonaise. De plus, sa remarquable supériorité sociale, l'étendue de ses connaissances et de son intelligence – il pouvait écrire aussi bien sur Bergson que sur Haendel, sur le théisme que sur le golf –, son éducation à Eton et au Trinity College de Cambridge, et son apparente maîtrise des affaires impériales, tout cela donnait la plus grande autorité à sa déclaration aux Communes.

Mais il y avait autre chose encore dans le discours de Balfour, du moins dans la présentation si didactique et si morale qu'il trouvait nécessaire de lui donner. En effet, certains députés contestaient la nécessité de « l'Angleterre en Égypte », sujet d'un livre enthousiaste écrit par Alfred Milner en 1892 ; mais ici, il était question de l'occupation de l'Égypte autrefois profitable, qui était devenue source de difficultés depuis la montée du nationalisme égyptien : la présence persistante de l'Angleterre en Égypte n'était plus si facile à défendre. La tâche de Balfour était donc d'informer et d'expliquer.

Rappelant le défi de J. M. Robertson, député de Tyneside, Balfour reprit à son compte la question posée par celui-ci : « De quel droit prenez-vous cet air de supériorité vis-à-vis de gens que vous choisissez d'appeler des Orientaux ? » Le choix du terme « Oriental » était le choix canonique d'un mot employé par Chaucer et Mandeville, par Shakespeare, Dryden, Pope et Byron. Il désignait l'Asie, ou l'Est, géographiquement, moralement, culturellement. Si l'on parlait en Europe d'une personnalité orientale, d'une atmosphère orientale, d'un conte oriental, du despotisme oriental ou d'un mode de production oriental, on était compris. Marx avait employé ce mot, et maintenant Balfour ; son choix était facile à comprendre et n'appelait pas le moindre commentaire.

Je ne prends aucune attitude de supériorité. Mais je leur demande [à Robertson et à tous ceux] [...] qui ont la connaissance même la plus superficielle de l'histoire de bien vouloir regarder en face les problèmes qui se posent à un homme d'État anglais lorsqu'il est placé en situation de suprématie sur de grandes races comme celles de l'Égypte et de pays de l'Orient. Nous connaissons mieux la civilisation égyptienne que celle de tout autre pays, nous la connaissons de manière plus intime ; nous en savons plus sur elle. Elle dépasse la mesquine portée de l'histoire de notre race, qui se perdait encore dans la préhistoire alors que la civilisation égyptienne avait déjà passé son âge d'or. Considérez tous les pays d'Orient. Ne parlez pas de supériorité ou d'infériorité.

Deux grands thèmes ressortent de ces remarques et de ce qui va suivre : le savoir et le pouvoir, thèmes baconiens. Lorsque Balfour justifie la nécessité de l'occupation de l'Égypte par les Anglais, la suprématie est associée dans son esprit à « notre » savoir sur l'Égypte, elle ne l'est pas principalement à la puissance militaire ou économique. Pour Balfour, savoir signifie prendre une vue d'ensemble sur une civilisation, de son origine à son âge d'or et à son déclin – et naturellement aussi *avoir les moyens de le faire*. Savoir veut dire s'élever au-dessus des contingences actuelles, sortir de soi pour atteindre ce qui est étranger et lointain. L'objet de ce savoir est par nature exposé à l'épreuve de la vérification ; c'est un « fait » qui, s'il se développe, s'il se modifie ou se transforme comme le font fréquemment les civilisations, est cependant ontologiquement stable. Connaître ainsi un tel objet, c'est le dominer, c'est avoir autorité sur lui, et autorité ici signifie que « nous » « lui » refusons l'autonomie (au pays oriental), puisque nous le connaissons et qu'il existe, en un sens, tel que nous le connaissons.

Pour Balfour, le savoir qu'a l'Angleterre de l'Égypte est l'Égypte, et le fardeau de ce savoir fait apparaître comme mesquines des questions telles que celles d'infériorité et de supériorité. Balfour ne met jamais en doute la supériorité anglaise ni l'infériorité égyptienne, ce sont pour lui des faits acquis lorsqu'il décrit les conséquences du savoir.

En tout premier lieu, examinons les faits en cause. Les nations occidentales, dès qu'elles émergent dans l'histoire, font preuve des débuts de ces capacités de *self-government* […] parce qu'elles ont des mérites propres […]. Vous pouvez parcourir toute l'histoire des Orientaux, dans les régions qu'on appelle au sens large l'Est, et vous ne trouverez pas trace de *self-government*. Tous leurs grands siècles – et ils ont été grands – se sont produits sous le despotisme, sous un gouvernement absolu. Toutes leurs grandes contributions à la civilisation – et elles ont été grandes – se sont faites sous cette forme de gouvernement. Les conquérants ont succédé aux conquérants, les dominations ont suivi les dominations, mais vous n'avez jamais vu, dans toutes les révolutions du sort et de la fortune, l'une de ces nations établir de son propre mouvement ce que nous appelons, d'un point de vue occidental, « *self-government* ». C'est un fait. Ce n'est pas une question de supériorité ou d'infériorité. Je suppose qu'un vrai sage oriental dirait que la tâche de gouverner, que nous avons prise sur nous en Égypte et ailleurs, n'est pas une tâche digne d'un philosophe – qu'il s'agit de basses besognes, de besognes inférieures, de faire ce qu'il y a à faire.

Puisque ces faits sont des faits, Balfour doit alors passer au point suivant de son argumentation :

Est-ce un bien pour ces grandes nations – j'admets leur grandeur – que ce gouvernement absolu soit exercé par nous ? Je pense que c'est un bien. Je pense que l'expérience montre qu'ils ont ainsi, de loin, un gouvernement meilleur que tous ceux qu'ils ont eus au cours de l'histoire du monde, et qui n'est pas seulement un avantage pour eux, mais, sans aucun doute, un avantage pour toute la civilisation occidentale […] Nous ne sommes pas en Égypte simplement dans l'intérêt des Égyptiens, bien que nous y soyons dans leur intérêt ; nous y sommes aussi dans l'intérêt de l'Europe dans son ensemble.

Balfour ne présente aucun témoignage montrant que les Égyptiens et les «races auxquelles nous avons affaire» apprécient ou même comprennent le bien que leur fait l'occupation coloniale. Il ne lui vient pourtant pas à l'esprit de laisser l'Égyptien parler pour lui-même, puisqu'il est à prévoir que tout Égyptien susceptible de parler sera plutôt «l'agitateur qui cherche à créer des difficultés» que le bon indigène qui ferme les yeux sur les «difficultés» de la domination étrangère. Et ainsi, après avoir réglé les problèmes éthiques, Balfour se tourne enfin vers les problèmes pratiques. «Si c'est notre affaire de les gouverner, qu'ils nous montrent ou non de la gratitude, qu'ils se rappellent vraiment et authentiquement ou non toutes les privations dont nous avons soulagé la population [Balfour ne compte pas du tout comme l'une de ces privations la privation, ou du moins l'ajournement indéterminé, de l'indépendance égyptienne] et sans qu'ils imaginent vivement tous les avantages que nous leur avons donnés; si c'est notre devoir, comment l'accomplir?» L'Angleterre exporte «ce qu'elle a de mieux dans ces pays». Ces administrateurs désintéressés font leur travail «parmi des dizaines de milliers de personnes appartenant à une autre religion, à une autre race, à une autre discipline, à des conditions de vie différentes». La tâche de gouverner est possible, pour eux, parce qu'ils se sentent soutenus dans leur pays par un gouvernement qui approuve ce qu'ils font. Cependant,

aussitôt que les populations indigènes ont le sentiment instinctif que ceux à qui ils ont affaire n'ont pas derrière eux la puissance, l'autorité, la sympathie, l'appui plein et entier du pays qui les a envoyés, ces populations perdent tout ce sens de l'ordre qui est le véritable fondement de leur civilisation, tout comme nos administrateurs perdent tout ce sens du pouvoir et de l'autorité qui est le véritable fondement de tout ce qu'ils peuvent faire pour le bien de ceux au milieu desquels ils ont été envoyés.

La logique de Balfour est intéressante ici, surtout parce qu'elle est parfaitement cohérente avec les prémisses de son discours. L'Angleterre connaît l'Égypte, l'Égypte est ce que connaît l'Angleterre ; l'Angleterre sait que l'Égypte ne peut avoir de *self-government* ; l'Angleterre le confirme en occupant l'Égypte ; pour les Égyptiens, l'Égypte est ce que l'Angleterre a occupé et gouverne maintenant ; l'occupation étrangère devient donc « le fondement réel » de la civilisation égyptienne contemporaine ; l'Égypte a besoin, exige en fait, l'occupation anglaise. Mais si la toute particulière intimité qui existe entre le gouverneur et l'Égypte gouvernée est troublée par les doutes du Parlement, alors « l'autorité de ce qui [...] est la race dominante – et qui, je crois, devrait rester la race dominante – a été sapée ». Ce n'est pas seulement le prestige anglais qui en souffre ; « il est vain pour une poignée de fonctionnaires britanniques – aussi brillants que vous voulez, possédant toutes les qualités de caractère, le génie que vous pouvez imaginer – il leur est impossible de mener à bien en Égypte la grande tâche qui leur a été imposée, non seulement par nous, mais par le monde civilisé »[1].

1. Ce passage du discours d'Arthur James Balfour à la Chambre des communes et ceux qui le précèdent sont tirés de : Great Britain, *Parliamentary Debates* (Commons), 5ᵉ série, 17 (1970), p. 1140-1146. Voir aussi A. P. Thornton, *The Imperial Idea and its Enemies : A Study in British Power*, Londres, MacMillan and Co., 1959, p. 357-360. Balfour a fait ce discours pour défendre la politique d'Eldon Gorst en Égypte ; cette politique est étudiée dans Peter John Dreyfus Mellini, « Sir Eldon Gorst and British Imperial Policy in Egypt », Stanford Univ., 1971 (Ph. D. dissertation, non publiée).

Si on le considère comme un exercice de rhétorique, le discours de Balfour est intéressant par la manière dont il joue le rôle de différents personnages et les représente. Il y a évidemment « l'Anglais », pour lequel il emploie le pronom « nous » en y mettant tout son poids d'homme d'élite et de pouvoir, qui estime qu'il est un représentant de ce que l'histoire de son pays a produit de mieux. Balfour peut aussi parler au nom du monde civilisé, de l'Occident, et du corps relativement peu nombreux de fonctionnaires coloniaux en Égypte. S'il ne parle pas directement pour les Orientaux, c'est parce que après tout ils parlent une autre langue ; il sait pourtant ce qu'ils ressentent parce qu'il connaît leur histoire, la confiance qu'ils ont en des hommes tels que lui, et ce qu'ils espèrent. Cependant, il parle pour eux : parce que ce qu'ils diraient, si on leur demandait leur avis et qu'ils soient capables de le donner, n'apporterait qu'une confirmation bien superflue à ce qui est d'ores et déjà évident : ils sont une race sujette, dominée par une race qui les connaît, et qui sait ce qui est bon pour eux mieux qu'ils ne pourraient eux-mêmes le savoir. Leurs grandes époques appartiennent au passé ; ils n'ont d'utilité dans le monde actuel que parce que les Empires puissants et modernes les ont effectivement sortis de leur misérable déclin pour en faire les habitants réadaptés de colonies productives.

L'Égypte, en particulier, fournit un excellent argument, et Balfour se rend très bien compte que, comme membre du Parlement, il a le droit de parler de l'Égypte d'aujourd'hui au nom de l'Angleterre, de l'Occident, de la civilisation occidentale. En effet, l'Égypte n'est pas une colonie comme les autres : elle est une justification de l'impérialisme occidental ; elle était, jusqu'à son annexion par l'Angleterre, un exemple presque classique d'arriération orientale ; elle va faire le triomphe du savoir et du pouvoir britanniques. Entre 1882, année où l'Angleterre occupa l'Égypte et mit fin à la révolte nationaliste du colonel Arabi, et 1907, le représentant de l'Angleterre en Égypte, le maître de l'Égypte, était Evelyn Baring (appelé aussi « Over-Baring », l'Arrogant), lord Cromer. Le 30 juillet 1907, c'est Balfour qui propose à la Chambre des communes de lui accorder cinquante mille livres au moment de sa retraite, en récompense de services rendus en Égypte. Cromer *a fait* l'Égypte, dit Balfour :

> Tout ce qu'il a touché, il l'a réussi [...]. Les services rendus par lord Cromer pendant ces vingt-cinq dernières années ont élevé l'Égypte du fond de la dégradation sociale et économique jusqu'à la position, absolument unique, à mon avis, qu'elle a aujourd'hui parmi les nations orientales, par sa prospérité financière et morale [1].

Balfour ne se hasarde pas à dire comment se mesure la prospérité morale de l'Égypte. Les exportations britanniques vers l'Égypte étaient égales à celles vers l'Afrique tout entière : indication d'une manière de prospérité financière pour l'Égypte et l'Angleterre prises ensemble (quoique inégalement répartie). Mais ce qui compte vraiment, c'est la tutelle ininterrompue et totale exercée par l'Occident sur un pays oriental ; des savants, missionnaires, hommes d'affaires, soldats et professeurs qui ont préparé et mis en œuvre l'occupation jusqu'à de hauts fonctionnaires comme Cromer et Balfour, qui, à leurs propres yeux, étaient ceux qui créaient, dirigeaient et parfois même forçaient l'ascension de l'Égypte depuis sa déréliction orientale jusqu'à la prééminence unique qui était maintenant la sienne.

---

1. Denis Judd, *Balfour and the British Empire : A Study in Imperial Evolution, 1874-1932*, Londres, MacMillan and Co., 1968, p. 286. Voir aussi p. 292 : en 1926 encore, Balfour parlait de l'Égypte – sans ironie – comme d'une « nation indépendante ».

Comme le dit Balfour, le succès britannique en Égypte est exceptionnel, mais il n'est pas du tout inexplicable ni irrationnel. Les affaires égyptiennes ont été dirigées suivant une théorie générale exprimée et par Balfour, dans ses remarques générales sur la civilisation orientale, et par Cromer, dans sa gestion des affaires courantes en Égypte. Le point important, de 1900 à 1910, c'est que cette théorie a servi, et de façon stupéfiante. Le raisonnement, réduit à sa forme la plus simple, est clair, précis, facile à suivre. Il y a les Occidentaux et il y a les Orientaux. Les uns dominent, les autres doivent être dominés, c'est-à-dire que leur pays doit être occupé, leurs affaires intérieures rigoureusement prises en main, leur sang et leurs finances mis à la disposition de l'une ou l'autre des puissances occidentales. Le fait que Balfour et Cromer aient été capables, comme nous allons bientôt le voir, de dépouiller si brutalement l'humanité pour la réduire à des essences culturelles et raciales n'est pas, de leur part, le signe d'une méchanceté particulière. Cela montre plutôt à quel point cette doctrine générale va dans le sens du courant au moment où ils la mettent en pratique – et combien elle est efficace.

Les thèses de Balfour sur les Orientaux se réclament d'une universalité objective ; Cromer, lui, parle spécifiquement des Orientaux comme de ce qu'il a eu à gouverner ou à administrer, d'abord en Inde, puis pendant les vingt-cinq années passées en Égypte qui ont fait de lui le plus grand proconsul de l'Empire britannique. Les « Orientaux » de Balfour sont les « races sujettes » de Cromer, thème d'un long essai publié dans l'*Edinburgh Review* de janvier 1908. Une fois de plus, c'est la connaissance des races sujettes ou des Orientaux qui rend leur administration facile et pleine de profits : le savoir donne le pouvoir, un pouvoir plus grand demande plus de savoir, etc., selon une dialectique d'« information et de contrôle » de plus en plus profitable. L'idée de Cromer est que l'Empire britannique ne se défera pas tant que seront mis en échec le militarisme et l'égoïsme commercial, dans la métropole, et les « institutions libres », dans la colonie (en tant qu'elles s'opposent au gouvernement britannique « conforme à la morale chrétienne »). Parce que si, selon Cromer, la logique est quelque chose « dont l'Oriental est tout à fait disposé à ignorer l'existence », il n'est pas bon de le gouverner en lui imposant des mesures ultra-scientifiques ou en l'obligeant par la force à accepter la logique ; la bonne méthode consiste à comprendre ses limites et à « s'efforcer de trouver, dans la satisfaction de la race inférieure, un trait d'union plus fort entre ceux qui gouvernent et ceux qui sont gouvernés ».

Dissimulée partout derrière la pacification de la race sujette se trouve la puissance impériale ; son efficacité vient plus de son aptitude raffinée à comprendre et de ses manifestations peu fréquentes que de ses soldats, de ses percepteurs brutaux, de sa force sans retenue. En un mot, l'Empire doit être sage ; il doit tempérer sa cupidité par le manque d'égoïsme et son impatience par une discipline souple.

> Pour être plus explicite, voici ce que cela signifie lorsqu'on dit que l'esprit commercial doit être mis sous un certain contrôle : en traitant avec des Indiens, ou des Égyptiens ou des Shilluks ou des Zoulous, la première question est de considérer ce que ces peuples, qui sont tous, du point de vue national, *in statu pupillari*, estiment être le plus dans leur intérêt ; bien que ce point demande une sérieuse réflexion. Mais il est essentiel que, dans chaque cas particulier, la décision soit prise en nous référant principalement à ce que, à la lumière de la connaissance et de l'expérience occidentales tempérées par des considérations locales, nous estimons en toute conscience valoir mieux pour la race sujette, et sans nous référer à un quelconque avantage réel ou supposé qui

pourrait en revenir à l'Angleterre en tant que nation ou, ce qui arrive plus souvent, à des intérêts particuliers représentés par une ou plusieurs classes influentes anglaises. Si la nation britannique, prise dans son ensemble, garde à l'esprit ce principe et exige sérieusement qu'il soit appliqué, bien que nous ne puissions pas créer un patriotisme proche de celui qui est fondé sur l'affinité de la race ou la communauté de la langue, nous pouvons peut-être encourager une allégeance cosmopolite fondée sur le respect qui est toujours accordé aux talents supérieurs et à la conduite désintéressée et sur la gratitude provenant et des faveurs accordées et de celles à venir. On peut espérer, de toute façon, que l'Égyptien hésitera avant de confier son destin à quelque futur Arabi [...]. Le sauvage d'Afrique centrale lui-même peut en fin de compte apprendre à chanter un hymne en l'honneur d'Astraea Redux telle que la représente le fonctionnaire anglais qui lui refuse le gin mais qui lui rend justice. En outre, le commerce y gagnera[1].

Dans quelle mesure le dirigeant doit-il accorder une « considération sérieuse » aux propositions de la race sujette ? L'opposition de Cromer au nationalisme égyptien l'illustre bien ; des institutions indigènes libres, l'absence d'occupation étrangère, une souveraineté nationale capable de se défendre elle-même, ces exigences qui n'avaient rien d'étonnant ont été constamment rejetées par Cromer ; il affirmait sans ambiguïté que « l'avenir réel de l'Égypte [...] n'est pas dans la direction d'un nationalisme étroit, qui n'embrasserait que ceux qui sont originaires d'Égypte [...] mais plutôt dans celle d'un cosmopolitisme plus large[2] ». Les races sujettes n'ont pas la connaissance infuse de ce qui est bon pour elles. Pour

---

1. Evelyn Baring, lord Cromer, *Political and Literary Essays, 1908-1913*, 1913 ; rééd. Freeport, N.Y., Books for Libraries Press, 1969, p. 40, 53, 12-14.
2. *Ibid.*, p. 171.

la plupart, elles sont orientales, et Cromer connaît fort bien leur caractère, puisqu'il en a eu l'expérience et en Inde et en Égypte. Pour lui, ce qui est commode avec les Orientaux, c'est que, bien que dans des conditions quelque peu différentes ici ou là, les gouverner est presque partout la même chose[1]. Ceci, naturellement, parce que les Orientaux sont presque partout à peu près les mêmes.

Maintenant, nous touchons enfin, après ces longs travaux d'approche, au cœur du savoir essentiel, à la fois universitaire et pratique, que Cromer et Balfour ont hérité d'un siècle d'orientalisme occidental moderne, savoir portant sur les Orientaux, leur race, leur caractère, leur culture, leur histoire, leurs traditions, leur société et leurs possibilités. Ce savoir est réel, et Cromer croit l'avoir utilisé en gouvernant l'Égypte. Bien plus, ce savoir a été mis à l'épreuve et il est invariable, puisque les « Orientaux » sont, pour les besoins de la pratique, une essence platonicienne que tout orientaliste (ou tout dirigeant) peut examiner, comprendre et exposer. Ainsi, au chapitre 34 de son ouvrage en deux volumes *Modern Egypt*, magistral récit de son expérience et de son succès, Cromer énonce une sorte de canon personnel de la sagesse orientale :

> Sir Alfred Lyall m'a dit un jour : « La précision est odieuse à l'esprit oriental. Un Anglo-Indien ne doit jamais oublier cette maxime. » Ce manque de précision, qui dégénère facilement en fausseté, est en réalité le caractère principal de l'esprit oriental. L'Européen fait des raisonnements serrés ; il expose les faits sans ambiguïté ; il est naturellement logicien, même s'il n'a pas étudié la logique ; il est sceptique par

---

1. Roger Owen, « The Influence of Lord Cromer's Indian Experience on British Policy in Egypt, 1883-1907 », in *Middle Eastern Affairs, Number Four : St. Antony's Papers Number 17*, éd. Albert Hourani, Londres, Oxford Univ. Press, 1965, p. 109-139.

nature et demande des preuves avant d'accepter la justesse d'une proposition : son intelligence bien entraînée travaille comme le rouage d'une mécanique. L'esprit de l'Oriental, d'autre part, de même que ses vues pittoresques, manque au plus haut point de symétrie. Sa manière de raisonner est pleine de laisser-aller. Bien que les anciens Arabes aient acquis au plus haut point la science de la dialectique, leurs descendants manquent singulièrement de faculté logique. Ils sont souvent incapables de tirer les conclusions les plus évidentes de prémisses simples dont ils peuvent accepter la validité. Essayez d'obtenir un pur et simple énoncé de fait de n'importe quel Égyptien. Ses explications seront en général prolixes et manqueront de clarté. Il se contredira probablement une demi-douzaine de fois avant d'arriver à la fin de l'histoire. Il s'effondrera souvent si on le soumet au moindre interrogatoire.

Il décrit ensuite les Orientaux ou les Arabes comme crédules, « dénués d'énergie et d'initiative », très adonnés à la « flatterie servile », à l'intrigue, à la ruse et à la méchanceté envers les animaux ; les Orientaux ne peuvent marcher sur la route ou sur le trottoir (leurs esprits désordonnés n'arrivent pas à comprendre ce que l'intelligent Européen saisit immédiatement : les routes et les trottoirs sont faits pour y marcher), les Orientaux sont des menteurs invétérés, ils sont « léthargiques et soupçonneux » et s'opposent en tout à la clarté, à la droiture et à la noblesse de la race anglo-saxonne[1].

1. Evelyn Baring, lord Cromer, *Modern Egypt*, New York, MacMillan Co., 1908, 2, p. 146-167. Pour un point de vue anglais sur la politique anglaise en Égypte totalement opposé à celui de Cromer, voir Wilfrid Scawen Blunt, *Secret History of the English Occupation of Egypt : Being a Personal Narrative of Events*, New York, Alfred A. Knopf, 1922. Discussion intéressante de l'opposition égyptienne à la domination anglaise dans Mounah A. Khouri, *Poetry and the Making of Modern Egypt, 1882-1922*, Leyde, E. J. Brill, 1971.

Cromer ne fait pas d'effort pour cacher que, pour lui, les Orientaux n'ont jamais rien été d'autre que le matériau humain sur lequel il a gouverné dans les colonies anglaises. « Comme je ne suis qu'un diplomate et un administrateur, dont l'étude propre est aussi l'homme, mais en tant qu'il s'agit de le gouverner, dit Cromer, [...] je me contente de noter le fait que, d'une manière ou d'une autre, l'Oriental agit, parle et pense en général exactement à l'opposé de l'Européen[1]. » Les descriptions de Cromer sont bien sûr fondées en partie sur l'observation directe, bien qu'ici et là il se réfère aux autorités orthodoxes de l'orientalisme (en particulier Ernest Renan et Constantin de Volney) pour appuyer ses vues. Il s'en remet aussi à l'avis de ces autorités quand il s'agit d'expliquer pourquoi les Orientaux sont tels qu'ils sont. Il ne doute pas un instant que *tout* savoir sur l'Oriental confirmera ses vues qui sont, à en juger par sa description de l'Égyptien s'effondrant lors d'un interrogatoire, que l'Oriental est coupable. Son crime : l'Oriental est un Oriental ; et cette tautologie est très communément acceptable, comme l'indique le fait qu'elle peut être écrite sans même faire appel à la logique ou à la symétrie d'esprit des Européens. C'est ainsi que toute déviation à partir de ce qui est considéré comme la norme du comportement oriental est perçue comme contre nature : le dernier rapport annuel envoyé d'Égypte par Cromer proclame, par conséquent, que le nationalisme égyptien est « une idée toute nouvelle » et « une plante de provenance exotique plutôt qu'indigène[2] ».

Nous aurions tort, je crois, de sous-estimer le réservoir de connaissance reçue, les codes de l'orthodoxie orienta-

1. *Modern Egypt*, *op. cit.*, 2, p. 164.
2. Cité par John Marlowe, *Cromer in Egypt*, Londres, Elek Books, 1970, p. 271.

liste auxquels Cromer et Balfour se réfèrent tout le temps dans leurs écrits et dans leur attitude politique. Dire simplement que l'orientalisme était une rationalisation de la règle coloniale, c'est ignorer à quel point celle-ci était justifiée par l'orientalisme par avance, et non après coup.

Les hommes ont toujours divisé le monde en régions distinctes, que les distinctions soient réelles ou imaginaires. Il a fallu des années, des siècles même pour établir la démarcation absolue entre Orient et Occident que Balfour et Cromer acceptent avec une telle satisfaction. Il y a eu, bien sûr, d'innombrables voyages de découverte, il y a eu des contacts commerciaux et guerriers. Mais en outre, depuis le milieu du dix-huitième siècle, les relations entre l'Est et l'Ouest ont comporté deux éléments principaux. L'un est que l'Europe possède un savoir systématique croissant sur l'Orient, savoir renforcé aussi bien par le fait colonial que par un intérêt général pour ce qui est autre et inhabituel, exploité par les sciences nouvelles : ethnologie, anatomie comparative, philologie et histoire ; bien plus, à ce savoir systématique s'est ajoutée une masse considérable d'œuvres littéraires produites par des romanciers, des poètes, des traducteurs et des voyageurs de talent.

L'autre trait marquant de ces relations est que l'Europe a toujours été en position de force, pour ne pas dire de domination. On ne peut pas trouver d'euphémisme pour exprimer ce fait ; on peut, il est vrai, le déguiser ou l'atténuer, comme lorsque Balfour reconnaît la « grandeur » des civilisations orientales. Mais la relation essentielle, sur le terrain politique, culturel et même religieux, a été considérée – en Occident, c'est ce qui nous concerne ici – comme un rapport entre partenaires fort et faible.

Bien des termes ont été utilisés pour exprimer ce rapport : Balfour et Cromer, de manière caractéristique, en employaient plusieurs. L'Oriental est déraisonnable, dépravé (déchu), puéril, « différent » ; l'Européen est ainsi raisonnable, vertueux, mûr, « normal ». Mais pour rendre ce rapport plus vivant, on soulignait toujours le fait que l'Oriental vivait dans un monde à lui, différent mais complètement organisé, un monde avec ses propres frontières nationales, culturelles et épistémologiques et ses principes de cohérence interne. Cependant, ce qui donnait au monde de l'Oriental son intelligibilité et son identité n'était pas le résultat de ses propres efforts, mais plutôt toute la série complexe de manipulations intelligentes permettant à l'Occident de caractériser l'Orient. C'est ainsi que les deux traits des rapports culturels que j'ai exposés se rejoignent. Le savoir sur l'Orient, parce qu'il est né de la force, *crée* en un sens l'Orient, l'Oriental et son monde. Dans le langage de Cromer et de Balfour, l'Oriental est dépeint comme quelque chose que l'on juge (comme dans un tribunal), quelque chose que l'on étudie et décrit (comme dans un curriculum), quelque chose que l'on surveille (comme dans une école ou une prison), quelque chose que l'on illustre (comme dans un manuel de zoologie). Dans chaque cas, l'Oriental est *contenu* et *représenté* par des structures dominantes. D'où proviennent-elles ?

La force culturelle n'est pas quelque chose dont on puisse aisément parler ; l'un des objets de ce livre est d'illustrer, d'analyser l'orientalisme considéré comme exercice de force culturelle, et de se poser des questions sur ce sujet. En d'autres termes, mieux vaut ne pas se risquer à émettre des idées générales à propos d'une notion aussi vague, et en même temps aussi importante, avant d'avoir analysé beaucoup de matériel. Mais on peut dire ceci d'emblée : au dix-neuvième et au vingtième siècle, en Occident, on est parti de l'hypothèse que l'Orient avec tout ce qu'il contient, s'il n'était pas évidemment inférieur à l'Occident, avait néanmoins besoin d'être étudié et rectifié par lui. L'orientalisme est donc une science de l'Orient qui place les choses de l'Orient dans une classe, un tribunal, une prison, un manuel, pour les analyser, les étudier, les juger, les surveiller ou les gouverner.

Pendant les premières années du vingtième siècle, des hommes comme Balfour et Cromer ont pu dire ce qu'ils ont dit, comme ils l'ont dit, parce qu'une tradition orientaliste remontant plus haut que le dix-neuvième siècle leur fournissait des mots, des images, une rhétorique et des figures pour le dire. Pourtant, l'orientalisme renforçait et était renforcé par la certitude que l'Europe, ou l'Occident, dominait la plus grande partie de la surface du globe. La période pendant laquelle les institutions et le contenu de l'orientalisme se sont tellement développés a coïncidé exactement avec celle de la plus grande expansion européenne : de 1815 à 1914, l'empire colonial direct de l'Europe est passé de 35 % de la surface de la terre à 85 % [1]. Tous les continents ont été touchés, mais surtout l'Afrique et l'Asie.

Les deux principaux empires, l'anglais et le français, ont été dans certains cas alliés et partenaires, dans d'autres rivaux et hostiles. En Orient, des rives orientales de la Méditerranée à l'Indochine et à la Malaisie, leurs possessions coloniales et leurs sphères d'influence impériale, ou bien étaient adjacentes, ou bien se chevauchaient, et ont souvent été objet de disputes. Mais c'est au Proche-Orient, dans les pays du Proche-Orient arabe,

1. Harry Magdoff, « Colonialism (1763-c. 1970) », *Encyclopaedia Britannica*, 15ᵉ éd., 1974, p. 893-894. Voir aussi D. K. Fieldhouse, *The Colonial Empires : A Comparative Survey from the Eighteenth Century*, New York, Delacorte Press, 1967, p. 178 (trad. fr. : *Les Empires coloniaux à partir du XVIIIᵉ siècle*, Paris-Montréal, Bordas, 1973).

dont l'islam définissait, à ce qu'on supposait, les caractères culturels et raciaux, que les Britanniques et les Français se sont rencontrés et ont rencontré « l'Orient » avec
le plus d'intensité, de familiarité et de complexité. Pendant une bonne partie du dix-neuvième siècle, comme l'a
dit lord Salisbury en 1881, leurs vues communes sur
l'Orient ont posé des problèmes embrouillés : « Quand
vous avez un allié fidèle qui est disposé à intervenir dans
un pays où vous avez de grands intérêts en jeu, trois voies
vous sont ouvertes. Vous pouvez renoncer, ou prendre
une position de monopole, ou partager. Renoncer, c'était
placer la France en travers de notre route de l'Inde.
Prendre une position de monopole, c'était risquer de très
près la guerre. Aussi avons-nous décidé de partager[1]. »

Et ils ont partagé ; comment, c'est ce que nous allons
voir maintenant. Ce qu'ils ont partagé, cependant, ce n'est
pas seulement le terrain, ou le profit, ou la souveraineté,
c'est cette espèce de pouvoir intellectuel que j'ai appelé
l'orientalisme. Celui-ci a été dans un certain sens la bibliothèque, les archives des informations généralement et
même unanimement reçues. Ce qui relie ces archives est
une famille d'idées[2] et un ensemble unifiant de valeurs
qui ont prouvé de différentes manières leur efficacité. Ces
idées expliquent le comportement des Orientaux ; elles
leur donnent une mentalité, une généalogie, une atmosphère ; plus encore, elles permettent aux Européens de
traiter les Orientaux, et même de les voir, comme un phénomène doué de caractéristiques régulières.

1. Cité dans Afaf Lutfi al-Sayyid, *Egypt and Cromer : A Study in
Anglo-Egyptian Relations*, New York, Frederick A. Praeger, 1969,
p. 3.

2. On trouve cette phrase dans Ian Hacking, *The Emergence of
Probability : A Philosophical Study of Early Ideas about Probability,
Induction and Statistical Inference*, Londres, Cambridge Univ. Press,
1975, p. 17.

Mais, comme tout ensemble d'idées durables, les concepts orientalistes ont influencé ceux qu'on appelle Orientaux aussi bien que ceux qu'on appelle Occidentaux ou Européens ; bref, l'orientalisme est mieux saisi comme un ensemble de contraintes et de limites de la pensée que comme une doctrine positive. Si l'essence de l'orientalisme est l'indéracinable distinction faite entre la supériorité occidentale et l'infériorité orientale, nous devons nous préparer à noter comment, dans son développement et son histoire ultérieurs, l'orientalisme a approfondi et même renforcé cette distinction. Quand il est devenu d'usage courant pour la Grande-Bretagne, au cours du dix-neuvième siècle, de mettre à la retraite ses administrateurs en Inde et ailleurs dès l'âge de cinquante-cinq ans, une étape a été franchie dans le raffinement de l'orientalisme ; il n'a jamais été permis à un Oriental de voir vieillir et dégénérer un Occidental, il n'a jamais été nécessaire pour un Occidental de se voir reflété dans les yeux de la race sujette autrement que comme un jeune représentant du Raj, vigoureux, rationnel et toujours vigilant[1].

Les idées orientalistes ont pris un certain nombre de formes différentes au dix-neuvième et au vingtième siècle. En premier lieu, l'Europe possédait, héritée de son passé, une vaste littérature traitant de l'Orient. Une des particularités de la fin du dix-huitième siècle et du début du dix-neuvième, période où nous plaçons le début de l'orientalisme moderne, c'est qu'il s'est produit, selon l'expression d'Edgar Quinet[2], une Renaissance orientale. Tout à coup, une génération de penseurs, d'hommes

1. V.G. Kiernan, *The Lords of Human Kind : Black Man, Yellow Man and White Man in an Age of Empire*, Boston, Little, Brown and Co., 1969, p. 55.
2. Edgar Quinet, *Le Génie des religions*, in *Œuvres complètes*, Paris, Pagnerre, 1857, p. 55-74.

politiques, d'artistes a pris une conscience nouvelle de l'Orient, de la Chine à la Méditerranée, due en partie à la découverte et à la traduction de textes orientaux, sanscrits, zends ou arabes, mais aussi à une perception nouvelle de la relation entre l'Orient et l'Occident.

Pour mon propos, le ton de la relation entre le Proche-Orient et l'Europe a été donné par l'invasion de l'Égypte par Bonaparte en 1798, invasion qui a été de bien des manières un modèle d'appropriation vraiment scientifique d'une culture par une autre apparemment plus forte. En effet, l'occupation de l'Égypte a mis en train entre l'Est et l'Ouest des processus qui dominent encore aujourd'hui nos perspectives culturelles et politiques. Et l'expédition de Bonaparte, avec son grand monument collectif d'érudition, la *Description de l'Égypte*, a fourni la scène, le décor de l'orientalisme, puisque l'Égypte et, ensuite, les autres pays islamiques ont été pris comme champ d'études sur le vif, laboratoire, théâtre du savoir occidental effectif sur l'Orient. Je reviendrai un peu plus loin sur cette aventure napoléonienne.

Avec des expériences comme celle-ci, l'Orient, en tant que corpus de connaissances pour l'Occident, s'est modernisé, et cette deuxième forme est l'orientalisme du dix-neuvième et du vingtième siècle. Dès le début de la période que je vais examiner, les orientalistes ont eu partout l'ambition de formuler leurs découvertes, leurs expériences, leurs aperçus dans des termes modernes, de mettre leurs idées sur l'Orient en contact étroit avec les réalités de leur temps. Par exemple, Renan a exposé, en 1848, ses recherches linguistiques sur les langues sémitiques dans un style qui tire beaucoup de son autorité de la grammaire comparée, de l'anatomie comparée et des théories raciales de l'époque, ce qui a donné du prestige à son orientalisme et, revers de la médaille, rendu l'orientalisme vulnérable – il l'est resté – aux courants de pensée passagèrement en vogue en Occident, comme à ceux qui ont eu une influence plus sérieuse, de l'utopisme à l'impérialisme. Mais, comme beaucoup de sciences naturelles et de sciences humaines, il a eu ses « paradigmes » de recherche, ses propres sociétés savantes, son propre *establishment*. Tout au long du dix-neuvième siècle, ce domaine a pris énormément de prestige et ses institutions : Société asiatique, Royal Asiatic Society, Deutsche Morgenländische Gesellschaft et American Oriental Society ont acquis une grande réputation et une large influence ; en même temps, le nombre de chaires d'études orientales a augmenté dans toute l'Europe, les moyens de diffusion de l'orientalisme se sont ainsi accrus. Les périodiques orientalistes, à commencer par les *Fundgraben des Orients* (1809), ont multiplié la masse de connaissances et le nombre de spécialités différentes.

Cependant, une petite part seulement de cette activité et bien peu de ces institutions ont existé et se sont épanouies librement, parce que, sous sa troisième forme, l'orientalisme a imposé des limites à la pensée concernant l'Orient. À cette époque, même les écrivains les plus doués d'imagination, des hommes comme Flaubert, Nerval ou Scott, ont été gênés dans ce qu'ils pouvaient ressentir ou écrire à propos de l'Orient. En effet, l'orientalisme est en fin de compte une vision politique de la réalité, sa structure accentue la différence entre ce qui est familier (l'Europe, l'Occident, « nous ») et ce qui est étranger (l'Orient, « eux »). Cette vision a, d'une certaine manière, créé, puis servi les deux mondes ainsi imaginés : les Orientaux vivent dans leur monde, « nous » dans le nôtre ; cette vision et la réalité matérielle se soutiennent, se font fonctionner l'une l'autre. Une certaine liberté dans les rapports est toujours le privilège de l'Occidental ; parce que sa culture est plus forte, il peut pénétrer le grand mystère asiatique, comme disait

Disraeli, se colleter avec lui, lui donner forme. Cependant, on n'a pas remarqué jusqu'ici le vocabulaire restreint de ce privilège et les limites relatives de cette vision. Ce que je veux montrer, c'est que la réalité orientaliste est à la fois inhumaine et persistante. Sa délimitation, aussi bien que ses institutions et son influence universelle, s'est maintenue jusqu'à présent.

Mais comment l'orientalisme fonctionnait-il, comment fonctionne-t-il ? Comment peut-on le décrire tout ensemble comme phénomène historique, mode de pensée, problème contemporain et réalité matérielle ? Considérons encore une fois Cromer, qui a été un technocrate accompli de l'Empire, mais aussi un bénéficiaire de l'orientalisme ; il peut nous fournir des rudiments de réponse. Dans « The Government of Subject Races », il s'attaque au problème suivant : comment la Grande-Bretagne, nation d'individus, peut-elle administrer un vaste empire en obéissant à un certain nombre de principes directeurs ? Il oppose le « fonctionnaire local », qui connaît en spécialiste le monde indigène et possède en même temps une individualité anglo-saxonne, à l'autorité centrale qui est à Londres. Le premier peut « traiter des sujets d'intérêt local d'une manière qui a pour effet de compromettre, ou même de mettre en danger les intérêts de l'Empire. L'autorité centrale est en état de parer aux dangers qui en découlent ». Pourquoi ? Parce que cette autorité peut « assurer le fonctionnement harmonieux des différentes parties de la machine » et « doit tenter, dans la mesure du possible, de réaliser les circonstances qui accompagnent le gouvernement des dépendances[1] ». Cette manière de parler est vague et sans attrait, mais l'idée n'est pas difficile à saisir. Cromer a la vision d'un siège de pouvoir situé à l'ouest et d'une vaste machine

1. *Political and Literary Essays, op. cit.*, p. 35.

englobante rayonnant vers l'est, soutien de l'autorité centrale mais commandée par elle. Ce que les bras de la machine lui apportent comme nourriture en Orient – matériel humain, richesse matérielle, que sais-je encore – est élaboré par elle, puis converti en davantage de puissance. Le spécialiste effectue la traduction immédiate de la simple matière orientale en substance utile : par exemple, l'Oriental devient une race sujette, un cas de mentalité « orientale », tout ceci pour renforcer l'« autorité » dans la métropole. Les « intérêts locaux » sont des intérêts particuliers de l'orientaliste, l'« autorité centrale » est l'intérêt général de la société impériale dans son ensemble. Ce que Cromer voit très précisément est l'administration du savoir par la société, le fait que le savoir – même très spécialisé – est en premier lieu réglé par les préoccupations locales d'un spécialiste, puis par les préoccupations générales d'un système social d'autorité. Les effets réciproques des intérêts locaux et centraux sont enchevêtrés, mais certainement pas dus au hasard.

Prenons le cas particulier de Cromer administrateur impérial : il dit que « le sujet propre de son étude est aussi l'homme ». Quand Pope proclamait que le sujet propre de l'étude de l'humanité était l'homme, il voulait dire tous les hommes, y compris « le pauvre Indien » ; tandis que, chez Cromer, « aussi » nous rappelle que certains hommes, comme les Orientaux, peuvent être isolés comme sujets de l'étude propre. L'étude propre – dans ce sens – des Orientaux est l'orientalisme, séparé de façon appropriée des autres formes du savoir, mais en fin de compte utile (parce que fini) à la réalité matérielle et sociale qui enferme à chaque instant tout le savoir, soutient le savoir et lui donne son utilité. Un ordre de souveraineté est posé entre l'Est et l'Ouest, une dérisoire chaîne des êtres à laquelle Kipling a donné un jour la forme la plus claire :

Mule, cheval, éléphant, ou bœuf de trait, il obéit à son conducteur, et le conducteur à son sergent, et le sergent à son capitaine, et le capitaine à son commandant, et le commandant à son colonel, et le colonel à son général de brigade commandant trois régiments, et le général de brigade à son général, qui obéit au vice-roi, qui est serviteur de l'impératrice [1].

Cette monstrueuse chaîne de subordination a beau être fabriquée solidement, le « fonctionnement harmonieux » de Cromer a beau être dirigé avec vigueur, l'orientalisme aussi peut exprimer la force de l'Occident et la faiblesse de l'Orient – telles que les voit l'Occident. Cette force et cette faiblesse sont tout autant partie intégrante de l'orientalisme que des conceptions qui découpent le monde en grandes divisions générales, en entités qui coexistent dans un état de tension produit par ce qu'on croit être une différence radicale.

Parce que c'est cela la principale question intellectuelle soulevée par l'orientalisme. Peut-on diviser la réalité humaine – en effet, la réalité humaine semble authentiquement être divisée – en cultures, histoires, traditions, sociétés, races même, différant évidemment entre elles, et continuer à vivre en assumant humainement les conséquences de cette division ? Par là, je veux demander s'il y a quelque moyen d'éviter l'hostilité exprimée par la division des hommes, peut-on dire, entre « nous » (les Occidentaux) et « eux » (les Orientaux). Car ces divisions sont des idées générales dont la fonction, dans l'histoire et à présent, est d'insister sur l'importance de la distinction entre certains hommes et certains autres, dans une intention qui d'habitude n'est pas particulièrement louable.

1. Voir Jonah Raskin, *The Mythology of Imperialism*, New York, Random House, 1971, p. 40.

Quand on utilise des catégories telles qu'Oriental et Occidental à la fois comme point de départ et comme point d'arrivée pour des analyses, des recherches, pour la politique (c'est ainsi qu'elles ont été employées par Balfour et Cromer), cela a d'ordinaire pour conséquence de polariser la distinction : l'Oriental devient plus oriental, l'Occidental plus occidental, et de limiter les contacts humains entre les différentes cultures, les différentes traditions, les différentes sociétés. Bref, depuis le début de l'histoire moderne jusqu'à l'heure actuelle, l'orientalisme, en tant que forme de pensée traitant de l'étranger, a présenté de façon caractéristique la tendance regrettable de toute science fondée sur des distinctions tranchées, qui est de canaliser la pensée dans un compartiment, « Ouest » ou « Est ». Parce que cette tendance occupe le centre même de la théorie, de la pratique et des valeurs orientalistes telles qu'on les trouve en Occident, le sens du pouvoir occidental sur l'Orient est accepté sans discussion comme vérité scientifique.

Une ou deux illustrations actuelles devraient éclairer cette observation. Il est naturel pour les hommes au pouvoir de prendre de temps à autre un aperçu général du monde auquel ils ont affaire. Balfour le faisait souvent. Notre contemporain Henry Kissinger le fait aussi ; il l'a rarement fait avec plus de franchise explicite que dans son essai « Domestic Structure and Foreign Policy ». Le drame qu'il dépeint est un vrai drame dans lequel les États-Unis doivent régler leur conduite dans le monde sous la pression de forces intérieures, d'une part, et de réalités extérieures, de l'autre. Pour cette seule raison, le discours de Kissinger doit établir une polarité entre les États-Unis et le monde ; en outre, il est évident qu'il parle consciemment comme un porte-parole autorisé de la principale puissance occidentale, placée par l'histoire récente et la réalité présente en face d'un monde qui n'accepte pas facilement son pouvoir et sa domination. Kissinger a l'impression que les États-Unis peuvent avoir moins de difficultés à traiter avec l'Occident industriel et développé qu'avec le monde en voie de développement. D'ailleurs, les relations actuelles entre les États-Unis et ce qu'on appelle le tiers monde (qui comprend la Chine, l'Indochine, le Proche-Orient, l'Afrique et l'Amérique latine) sont manifestement un ensemble de problèmes épineux, ce que Kissinger lui-même ne peut cacher.

Dans cet essai, la méthode de Kissinger suit ce que les linguistes appellent l'opposition binaire : c'est-à-dire qu'il montre qu'il existe deux styles en politique étrangère (le prophétique et le politique), deux types de techniques, deux périodes, etc. Quand, à la fin de la partie historique de son raisonnement, il se trouve confronté au monde actuel, il le divise ainsi en deux moitiés, les pays développés et les pays en voie de développement. La première moitié, l'Occident, « est profondément imprégnée de l'idée que le monde réel est extérieur à l'observateur, que le savoir consiste à relever et classer des données avec toute la précision possible ». La preuve qu'en donne Kissinger est la révolution newtonienne, qui n'a pas eu lieu dans le monde en voie de développement : « Les cultures qui ont échappé au premier choc de la pensée newtonienne ont conservé l'idée essentiellement prénewtonienne que le monde réel est presque complètement *intérieur* à l'observateur. » Par conséquent, ajoute-t-il, « la réalité empirique a, pour beaucoup déjeunes nations, une signification différente de celle qu'elle a pour l'Occident parce que, d'une certaine manière, elles ne sont jamais passées par le processus de sa découverte [1] ».

1. Henry A. Kissinger, *American Foreign Policy*, New York, W. W. Norton and Co., 1974, p. 48 *sq*.

Kissinger n'a pas besoin, comme le fait Cromer, de citer sir Alfred Lyall à propos de l'impossibilité pour l'Oriental d'être précis ; son argument est suffisamment indiscutable pour ne demander aucune validation particulière : nous avons eu notre révolution newtonienne, ils ne l'ont pas eue. Comme penseurs, nous valons mieux qu'eux. Bien : les lignes de démarcation sont tracées à peu près de la même manière, finalement, que pour Balfour et Cromer. Pourtant, soixante ans au moins se sont écoulés entre les impérialistes britanniques et Kissinger. Nombre de guerres et de révolutions ont montré de façon concluante que le style prophétique prénewtonien, que Kissinger associe à la fois aux pays en voie de développement « imprécis » et à l'Europe d'avant le congrès de Vienne, n'est pas toujours sans porter ses fruits. D'ailleurs, à la différence de Balfour et de Cromer, Kissinger se sent donc obligé de considérer avec respect cette vision prénewtonienne, puisqu'« elle présente une grande souplesse en face de la tourmente révolutionnaire actuelle ». C'est le devoir des hommes du monde post-newtonien (réel) que de « construire un ordre international *avant* qu'une crise ne l'impose comme une nécessité » ; en d'autres termes, il *nous* reste à trouver le moyen de maîtriser le monde en voie de développement. Cela ne ressemble-t-il pas beaucoup à la vision qu'avait Cromer d'une machine au fonctionnement harmonieux, destinée en fin de compte à servir une autorité centrale, qui s'oppose au monde en voie de développement ?

Kissinger ne connaît peut-être pas la généalogie du fonds de savoir sur lequel il tire, lorsqu'il découpe le monde d'après les conceptions de la réalité prénewtonienne et post-newtonienne. Mais cette distinction est identique à la distinction orthodoxe faite par les orientalistes, qui sépare les Orientaux des Occidentaux ; comme la distinction de l'orientalisme, celle de Kissinger ne va pas sans faire appel à des valeurs, malgré la neutralité apparente de son ton. Ainsi, des expressions telles que « prophétique », « précision », « intérieur », « réalité empirique » et « ordre » se retrouvent çà et là dans toute sa description ; elles désignent soit des vertus pleines d'attraits, familières, désirables, soit des défauts menaçants, bizarres, désordonnés. Et l'orientaliste traditionnel, comme nous allons le voir, et Kissinger conçoivent la différence entre les cultures, premièrement, comme créant un front qui les sépare et, deuxièmement, comme invitant l'Occident à contrôler, maîtriser, sinon gouverner l'Autre (grâce à son savoir et à son pouvoir d'accommodation supérieurs). Il n'est pas besoin de rappeler à présent avec quels résultats et à quel prix considérable ces divisions militantes ont été maintenues.

Une autre illustration se raccorde nettement – peut-être trop nettement – à l'analyse de Kissinger. Dans son numéro de février 1972, l'*American Journal of Psychiatry* a publié une étude de Harold W. Glidden, ancien membre du Bureau of Intelligence and Research, du Département d'État ; le titre de l'article (« The Arab World », le monde arabe), son ton et son contenu indiquent un tour d'esprit très caractéristique d'un orientaliste. Pour faire un portrait psychologique, en quatre pages sur deux colonnes, de plus de cent millions de personnes, couvrant une période de 1 300 ans, Glidden cite exactement quatre sources : un livre récent sur Tripoli, un numéro du journal égyptien *Al Ahram*, le périodique *Oriente Moderno* et un ouvrage écrit par le célèbre orientaliste Majjid Khadduri. Cet article vise à dévoiler « le fonctionnement interne du comportement arabe » qui, de *notre* point de vue, est « aberrant », mais est « normal » pour les Arabes. Après cet heureux début, on nous dit que les Arabes mettent l'accent sur la conformité ; que les Arabes vivent dans une culture de la honte dont le « système de prestige » implique la possibilité d'attirer disciples et clients (en à-côté, on nous dit que « la société arabe repose et a toujours reposé sur un système de relations client-patron ») ; que les Arabes ne peuvent fonctionner que dans des situations conflictuelles ; que le prestige est uniquement fondé sur la capacité de dominer les autres ; qu'une culture de la honte – partant, l'islam lui-même – considère la vengeance comme une vertu (ici, Glidden cite triomphalement l'*Ahram* du 29 juin 1970 pour montrer qu'« en 1969 [en Égypte] sur 1 070 cas de meurtres où les coupables ont été arrêtés, 20 % avaient pour cause un désir d'effacer la honte, 30 % un désir de réparer des torts réels ou imaginaires et 31 % un désir de vengeance de sang ») ; que si, d'un point de vue occidental, « la seule chose raisonnable pour les Arabes est de faire la paix […] pour les Arabes la situation n'est pas gouvernée par une logique de ce type, car l'objectivité n'est pas une valeur dans le système arabe ».

Glidden continue, maintenant avec plus d'enthousiasme : « il est remarquable que, tandis que le système de valeurs arabe exige une solidarité absolue à l'intérieur du groupe, il encourage en même temps entre ses membres une espèce de rivalité qui détruit cette solidarité » ; dans la société arabe, seul « le succès compte » et « la fin justifie les moyens » ; les Arabes vivent « naturellement » dans un monde « caractérisé par l'anxiété qui s'exprime par une suspicion et un manque de confiance généralisés, ce qu'on a appelé une hostilité sans contour *(free-floating)* » ; « l'art du subterfuge est très développé dans la vie arabe, de même que dans l'Islam lui-même » ; le besoin de vengeance des Arabes l'emporte sur tout, sans lui les Arabes ressentiraient une honte « destructrice de leur moi ». Ainsi donc, si « les Occidentaux placent la paix à un niveau très élevé sur l'échelle des valeurs » et si « nous avons une conscience très développée de la valeur du temps », cela n'est pas vrai des Arabes. « En réalité », nous dit-on, « dans la société tribale arabe (où sont nées les valeurs arabes), la lutte, non la paix, était l'état de choses normal parce que les razzias étaient l'un des deux principaux soutiens de l'économie ». L'objet de cette enquête savante est tout bonnement de montrer comment, sur les échelles de valeurs occidentale et orientale, « la disposition relative des éléments est toute différente ». CQFD [1].

C'est ici l'apogée de la confiance en soi orientaliste. À toute idée générale purement et simplement énoncée est reconnue la dignité de la vérité ; toute liste théorique d'attributs orientaux est appliquée au comportement des Orientaux dans le monde réel. D'un côté il y a les Occidentaux, de l'autre les Arabes-Orientaux ; les premiers sont (nous citons sans ordre) raisonnables, pacifiques, libéraux, logiques, capables de s'en tenir aux vraies valeurs, ils ne sont pas soupçonneux par nature ; les seconds n'ont aucun de ces caractères. De quelle vue collective et cependant détaillée sur l'Orient sont issues ces assertions ? Quelles compétences particulières, quelles pressions de l'imagination, quelles institutions et quelles traditions, quelles forces culturelles produisent une ressemblance si nette entre les descriptions de l'Orient que l'on trouve chez Cromer, Balfour et chez les hommes d'État nos contemporains ?

1. Harold W. Glidden, « The Arab World », *American Journal of Psychiatry* 128, n° 8 (févr. 1972), p. 984-988.

II

La géographie imaginaire
et ses représentations :
orientaliser l'Oriental

L'orientalisme est à strictement parler un domaine de l'érudition. On considère que son existence formelle a commencé, dans l'Occident chrétien, avec la décision prise par le concile de Vienne, en 1312, de créer une série de chaires de langues « arabe, grecque, hébraïque et syriaque à Paris, Oxford, Bologne, Avignon et Salamanque[1] ». En rendant compte de l'orientalisme, cependant, il faut non seulement considérer l'orientaliste professionnel et son activité, mais aussi la notion même d'un domaine de recherches fondé sur une unité géographique, culturelle, linguistique et

---

1. R. W. Southern, *Western Views of Islam in the Middle Ages*, Cambridge, Mass., Harvard Univ. Press, 1962, p. 72, Voir aussi Francis Dvornik, *The Ecumenical Councils*, New York, Hawthorn Books, 1961, p. 65 *sq.* (trad. fr. : *Histoire des conciles*, Paris, Éd. du Seuil, 1962, p. 83) : « D'un intérêt tout spécial est le onzième canon qui décide la création, auprès des principales universités, de chaires d'hébreu, de grec, d'arabe et de chaldéen. La suggestion venait de Raymond Lulle pour qui l'étude de l'arabe était le meilleur moyen de convertir les Arabes. Bien que le canon n'ait eu que peu de résultats pratiques en raison de la pénurie de professeurs de langues orientales, son acceptation par le concile montre le progrès en Occident de l'idée missionnaire. Déjà, Grégoire X espérait la conversion des Mongols, et des franciscains, poussés par le zèle missionnaire, avaient pénétré au cœur de l'Asie. Ces espérances ne devaient pas se réaliser : l'esprit missionnaire ne s'en développait pas moins. » Voir aussi Johann W. Fück, *Die Arabischen Studien in Europa bis in den Anfang des 20. Jahrhunderts, op. cit.*

ethnique appelée l'Orient. Les domaines sont, bien entendu, fabriqués. Ils acquièrent cohérence et solidité avec le temps, parce que des savants se consacrent d'une manière ou d'une autre à ce qui semble une discipline généralement acceptée. Mais il va sans dire qu'un domaine de recherches est rarement défini aussi simplement que le prétendent ses partisans les plus convaincus, qui sont d'ordinaire des érudits, des professeurs, des spécialistes, etc. Un domaine peut d'ailleurs changer si complètement, même dans les disciplines les plus traditionnelles, philologie, histoire ou théologie, qu'il est presque impossible de donner une définition « passe-partout » de son thème. C'est certainement vrai de l'orientalisme, pour des raisons qui ont un certain intérêt.

Parler d'une spécialisation scientifique comme d'un « domaine » géographique est, dans le cas de l'orientalisme, bien révélateur, puisque personne ne va imaginer un domaine symétrique, l'« occidentalisme ». L'attitude particulière, originale même, de l'orientalisme apparaît tout de suite. Car, bien que de nombreuses disciplines savantes impliquent une prise de position vis-à-vis d'un matériau *humain*, peut-on dire (un historien s'occupe du passé des hommes d'un point de vue privilégié situé dans le présent), il n'existe pas d'analogue véritable à cette prise de position fixe, plus ou moins totalement géographique, vis-à-vis de réalités sociales, linguistiques, politiques et historiques très diverses. Le classiciste, le spécialiste des langues romanes, l'américaniste même, ont pour centre d'intérêt une portion relativement modeste du monde, non une bonne moitié de celui-ci. Mais l'orientalisme est un domaine qui a une ambition géographique considérable. Et puisque les orientalistes se sont traditionnellement occupés des choses de l'Orient (un spécialiste du droit islamique, tout autant qu'un spécialiste des dialectes chinois ou des religions de l'Inde, est considéré comme un orientaliste par des personnes qui se disent elles-mêmes orientalistes), nous devons nous habituer à l'idée que l'une des caractéristiques majeures de l'orientalisme est sa taille énorme, indéterminée, qui s'accompagne d'une capacité presque infinie de subdivision : amalgame déroutant de flou impérial et de détails précis.

Tout cela décrit l'orientalisme en tant que discipline universitaire. L'« isme » d'orientalisme souligne la spécificité de cette discipline. Son développement historique a eu pour règle une portée croissante, non une plus grande sélectivité. Les orientalistes de la Renaissance, comme Erpenius et Guillaume Postel, étaient d'abord des spécialistes des pays de la Bible, quoique Postel se vantât d'être capable de traverser toute l'Asie jusqu'à la Chine sans avoir besoin d'interprète. À tout prendre, les orientalistes ont été, jusqu'au milieu du dix-huitième siècle, des érudits bibliques, des savants qui étudiaient les langues sémitiques, des spécialistes de l'islam, ou encore, parce que les jésuites avaient ouvert la voie des études chinoises, des sinologues. Toute l'étendue de l'Asie moyenne n'a été conquise par l'orientalisme qu'à la fin du dix-huitième siècle, lorsque Anquetil-Duperron et sir William Jones ont été capables de comprendre et de faire connaître les extraordinaires richesses de l'avestique et du sanscrit. Vers le milieu du dix-neuvième siècle, l'orientalisme était devenu le plus vaste trésor imaginable.

Deux indices montrent excellemment cet éclectisme nouveau et triomphant. On peut trouver le premier dans la description encyclopédique de l'orientalisme, entre 1765 et 1850 à peu près, que donne Raymond Schwab dans son livre *la Renaissance orientale*[1]. Tout à fait en dehors des

---

1. *La Renaissance orientale, op. cit.* Voir aussi V.-V. Barthold, *La Découverte de l'Asie. Histoire de l'orientalisme en Europe et en Russie*, Paris, Payot, 1947, et les pages sur ce sujet dans Theodor

découvertes scientifiques sur les choses de l'Orient que de savants spécialistes faisaient en Europe pendant cette période, il y a eu la véritable épidémie d'*orientalia* qui a affecté les plus grands poètes, essayistes et philosophes de l'époque. Schwab estime que le mot « oriental » désigne une passion d'amateur et de professionnel pour tout ce qui est asiatique ; ce mot était un merveilleux synonyme d'exotique, de mystérieux, de profond, de séminal ; c'est une transposition plus récente vers l'est d'un enthousiasme du même ordre ressenti par l'Europe pour l'Antiquité grecque et latine au début de la Renaissance. En 1829, Hugo fait de ce changement une orientation : « Au siècle de Louis XIV on était helléniste, maintenant on est orientaliste[1]. » L'orientaliste du dix-neuvième siècle était donc soit un savant (sinologue, islamisant, spécialiste de l'indo-européen), soit un enthousiaste de talent (Hugo dans *les Orientales*, Goethe dans le *Divan occidental-oriental*) ou les deux (Richard Burton, Edward Lane, Friedrich Schlegel).

Le second indice qui montre combien l'orientalisme était devenu englobant depuis le concile de Vienne se trouve dans les chroniques du dix-neuvième siècle qui décrivent le domaine lui-même. La plus complète est *Vingt-sept Ans d'histoire des études orientales* de Jules Mohl[2], journal de bord en deux volumes qui note tout ce qui s'est produit de remarquable dans l'orientalisme

---

Benfey, *Geschichte des Sprachwissenschaft und Orientalischen Philologie in Deutschland*, Munich, Gottafschen, 1869. Pour un contraste instructif : James T. Monroe, *Islam and The Arabs in Spanish Scholarship*, Leyde, E. J. Brill, 1970.

1. Victor Hugo, *Œuvres poétiques*, éd. Pierre Albouy, Paris, Gallimard, 1964, I, p. 580.

2. Jules Mohl, *Vingt-sept Ans d'histoire des études orientales. Rapports faits à la Société asiatique de Paris de 1840 à 1867*, Paris, Reinwald, 1879-1880 (2 vol.).

entre 1840 et 1867. Mohl était secrétaire de la Société asiatique de Paris, et, pendant un peu plus de la première moitié du dix-neuvième siècle, Paris a été la capitale du monde orientaliste (et celle du dix-neuvième siècle, selon Walter Benjamin). Le poste de Mohl était on ne peut plus central dans le domaine de l'orientalisme. Mohl a fait entrer dans les « études orientales » presque tout ce qu'ont produit les savants européens concernant l'Asie pendant ces vingt-sept années. Ses entrées ne concernent bien sûr que des publications, mais l'ampleur du matériel publié intéressant les orientalistes est impressionnante. L'arabe, d'innombrables dialectes indiens, l'hébreu, le pehlvi, l'assyrien, le babylonien, le mongol, le chinois, le birman, le mésopotamien, le javanais : les travaux philologiques considérés comme orientalistes sont presque innombrables. Plus encore, les études orientalistes couvrent apparemment tout, de l'édition et de la traduction des textes aux études numismatiques, anthropologiques, archéologiques, sociologiques, économiques, historiques, littéraires et culturelles dans toutes les civilisations connues de l'Asie et de l'Afrique du Nord, anciennes et modernes. L'*Histoire des orientalistes de l'Europe du XIIᵉ au XIXᵉ siècle* (1868-1870) de Gustave Dugat[1] se limite aux personnalités dominantes, mais la variété des sujets représentés n'est pas moins grande que chez Mohl.

Un tel éclectisme a néanmoins ses points aveugles. Pour la plupart, les orientalistes universitaires se sont intéressés à la période classique de la langue ou de la société qu'ils étudiaient. Ce n'est que très tard dans le siècle, avec, comme seule exception marquante, l'Institut d'Égypte de Napoléon, que l'attention s'est portée sur

---

1. Gustave Dugat, *Histoire des orientalistes de l'Europe du XIIᵉ au XIXᵉ siècle*, Paris, Adrien Maisonneuve, 1868-1870 (2 vol.).

l'étude universitaire de l'Orient moderne ou contemporain. Bien plus, l'Orient étudié était à tout prendre un univers textuel ; l'impact de l'Orient se produisait par l'intermédiaire de livres et de manuscrits et non, comme l'influence de la Grèce sur la Renaissance, par l'intermédiaire d'œuvres plastiques, comme les sculptures et les poteries. Le rapport même entre orientalistes et Orient était textuel, à tel point qu'on raconte de certains orientalistes allemands du début du dix-neuvième siècle qu'ils ont été complètement guéris de leur goût orientaliste par le premier coup d'œil jeté sur une statue indienne à huit bras [1].

Lorsqu'un savant orientaliste voyageait dans le pays de sa spécialité, c'était toujours bardé d'inébranlables maximes abstraites concernant la « civilisation » qu'il avait étudiée ; rares ont été les orientalistes qui se sont intéressés à autre chose qu'à prouver la validité de ces « vérités » moisies en les appliquant, sans grand succès, à des indigènes incompréhensifs, donc dégénérés. En fin de compte, le pouvoir et la visée même de l'orientalisme ont produit non seulement une bonne somme de savoir exact et positif sur l'Orient, mais encore une espèce de savoir de deuxième ordre – dissimulé dans des lieux tels que le conte « oriental », la mythologie du mystérieux Orient, l'idée que les Asiatiques sont impénétrables – ayant sa vie propre, ce que V. G. Kiernan a justement appelé « le rêve éveillé collectif de l'Europe à propos de l'Orient [2] ». Cela a eu un heureux résultat : bon nombre d'écrivains importants du dix-neuvième siècle ont été passionnés d'orientalisme ; je crois qu'il est parfaitement légitime de parler de l'orientalisme comme d'un genre

1. Cf. René Girard, *L'Orient et la Pensée romantique allemande*, Paris, Didier, 1963, p. 112.
2. *The Lords of Human Kind*, *op. cit.*, p. 131.

littéraire, représenté par des œuvres de Hugo, de Nerval, de Goethe, de Flaubert, de Fitzgerald et d'autres. Cependant, un travail de ce genre s'accompagne inévitablement d'une mythologie flottante de l'Orient, un Orient qui ne dérive pas seulement d'attitudes contemporaines et de préjugés populaires, mais aussi de ce que Vico appelait la suffisance des nations et des érudits. J'ai déjà mentionné l'usage politique fait de ce matériel au vingtième siècle.

Il est peu probable aujourd'hui qu'un orientaliste se désigne lui-même comme tel, bien moins qu'à toute époque, ou presque, précédant la Seconde Guerre mondiale. Ce qualificatif, pourtant, est toujours utile, par exemple lorsque des universités maintiennent en activité des programmes, des départements de langues orientales ou de civilisations orientales. Il y a une « faculté » orientale à Oxford et un département d'études orientales à Princeton. En 1959 encore, le gouvernement britannique a chargé une commission d'« examiner les progrès faits par les universités dans les domaines des études orientales, slaves, de l'Europe de l'Est, africaines […] et de considérer et de donner des conseils sur des propositions de développements nouveaux [1] ». Il semble que le sens si large du mot « oriental » n'ait pas gêné le rapport Havter – c'est le nom qu'il a pris lorsqu'il a paru en 1961 –, sens que les universités américaines trouvent elles aussi commode. En effet, le plus grand nom de la recherche islamique anglo-américaine, H.A.R. Gibb, préférait se qualifier d'orientaliste plutôt que d'arabisant. Tout « classiciste » qu'il était, il pouvait se servir de l'horrible néologisme *area study* (études des aires culturelles) pour désigner l'orientalisme, manière de montrer que les *area studies* et l'orientalisme

---

1. University Grants Committee, *Reports of the Sub-Committee on Oriental, Slavonic, East European and African Studies*, Londres, Her Majesty's Stationery Office, 1961.

n'étaient après tout que des intitulés géographiques inter-changeables[1]. Mais je crois que c'est une façon naïve de masquer des relations bien plus intéressantes entre savoir et géographie, relations que je vais étudier rapidement.

Malgré la distraction que lui causent des désirs vagues, des impulsions, des images, il semble que l'esprit formule avec persistance ce que Lévi-Strauss a appelé une science du concret[2]. [...] L'ordre dont l'esprit a besoin est atteint grâce à une classification rudimentaire ; mais il y a tou-jours une part d'arbitraire dans la manière de concevoir les distinctions entre les objets ; ces objets mêmes, quoi-qu'ils semblent exister objectivement, n'ont souvent qu'une réalité fictive. Des gens qui habitent quelques arpents vont tracer une frontière entre leur terre et ses alentours immédiats et le territoire qui est au-delà, qu'ils appellent « le pays des barbares ». Autrement dit, la pra-tique universelle qui consiste à désigner dans son esprit un espace familier comme le « nôtre » et un espace qui ne l'est pas comme le « leur », est une manière de faire des distinctions géographiques qui *peuvent être* totalement arbitraires. J'emploie ici le mot « arbitraire » parce que la géographie imaginaire du type « notre pays – le pays des barbares » ne demande pas que ces derniers reconnaissent la distinction. Il « nous » suffit de tracer ces frontières dans notre esprit, ainsi « ils » deviennent « eux », et leur territoire comme leur mentalité sont désignés comme dif-férant des « nôtres ». Dans une certaine mesure, les socié-tés modernes et les sociétés primitives semblent ainsi obtenir négativement un sens de leur identité. Un Athé-nien du cinquième siècle se sentait probablement aussi

---

1. H. A. R. Gibb, *Area Studies Reconsidered*, Londres, School of Oriental and African Studies, 1964.
2. Voir Claude Lévi-Strauss, *La Pensée sauvage*, Paris, Plon, 1962, chap. 1 à 7.

non barbare qu'il se sentait positivement athénien. Les frontières géographiques accompagnent de manière prévisible les frontières sociales, ethniques et culturelles. Cependant, il arrive souvent que nous nous sentions non étrangers à cause d'une idée très peu rigoureuse de ce qui est « là-bas », à l'extérieur de notre propre territoire. Toutes sortes de suppositions, d'associations et de fictions semblent se presser dans l'espace non familier, qui est à l'extérieur du nôtre.

Bachelard a analysé ce qu'il a appelé la poétique de l'espace[1]. L'intérieur d'une maison, dit-il, donne une impression d'intimité, de secret, de sécurité, réelle ou imaginaire, à cause des expériences qui viennent à paraître appropriées à cet intérieur. L'espace objectif d'une maison, ses recoins, ses corridors, sa cave, ses pièces, est moins important, de loin, que ce dont elle est chargée poétiquement et qui est d'habitude une qualité ayant un caractère imaginatif ou figuratif que nous pouvons nommer et éprouver : une maison peut être hantée, on peut s'y sentir chez soi, ou en prison, elle peut être magique. L'espace acquiert ainsi un sens émotionnel et même rationnel, par une espèce de processus poétique qui fait que les lointaines étendues, vagues et anonymes, se chargent de signification, pour nous, ici.

Le même processus se produit quand on a affaire au temps. Une grande partie de ce que nous associons à des périodes telles que « il y a très longtemps », « au commencement » ou « à la fin des temps », et même de ce que nous en savons, est poétique, fabriqué. Pour un historien de l'Égypte du Moyen Empire, « il y a très longtemps » a un sens très clair, mais même ce sens ne dissipe pas totalement la qualité imaginative, presque de fiction, que

---

1. Gaston Bachelard, *La Poétique de l'espace*, Paris, Presses universitaires de France, 1957.

l'on sent cachée dans un temps très différent et loin du nôtre. Il n'y a aucun doute, en effet, que la géographie et l'histoire imaginaires aident l'esprit à rendre plus intense son sentiment intime de lui-même en dramatisant la distance et la différence entre ce qui est proche et ce qui est très éloigné. Ce n'est pas moins vrai de l'impression que nous avons souvent, que nous nous serions sentis mieux « chez nous » au seizième siècle ou à Tahiti.

Il ne sert à rien, cependant, de prétendre que tout ce que nous savons sur le temps et sur l'espace, ou plutôt l'histoire et la géographie, relève plus que tout de l'imagination. Il existe une histoire positive, une géographie positive qui peuvent se targuer de résultats remarquables en Europe et aux États-Unis. Les érudits en savent plus aujourd'hui sur le monde, son passé et son présent qu'à l'époque de Gibbon, par exemple. Mais cela ne veut pas dire qu'ils savent tout ce qu'il y a à savoir, ni, ce qui est plus important, que ce qu'ils savent a effectivement dissipé la connaissance géographique et historique imaginaire dont j'ai parlé. Nous n'avons pas besoin de décider ici si un savoir imaginaire de ce genre imprègne l'histoire et la géographie ou s'il les dépasse d'une certaine manière ; qu'il nous suffise de dire, pour le moment, qu'il est là comme quelque chose qui est *en plus* de ce qui apparaît comme du savoir simplement positif.

En Europe, dès l'origine ou presque, l'Orient est une idée qui dépasse ce que l'on en connaît empiriquement. Jusqu'au dix-huitième siècle au moins, comme R. W. Southern l'a montré avec tant d'élégance, l'Europe avait une intelligence fondée sur l'ignorance (complexe) d'une des formes de la culture orientale, la culture islamique[1]. Car la notion d'Orient semble toujours avoir attiré des associations d'idées qui n'étaient déterminées ni par l'ignorance pure ni

1. *Western Views of Islam, op. cit.*, p. 14.

par la seule information. En effet, certaines associations avec l'Est – ni tout à fait ignorantes ni tout à fait informées – semblent toujours s'être rassemblées autour de la notion d'un Orient.

Considérons d'abord la démarcation entre l'Orient et l'Ouest, déjà audacieuse à l'époque de *L'Iliade*. Deux des qualités associées à l'Orient qui tirent le plus à conséquence apparaissent dans *Les Perses* d'Eschyle, la plus ancienne des pièces athéniennes qui subsistent, et dans *Les Bacchantes* d'Euripide, la toute dernière de celles-ci. Eschyle décrit le sentiment de désastre qui accable les Perses quand ils apprennent que leurs armées, conduites par le roi Xerxès, ont été défaites par les Grecs. Le chœur chante l'ode :

> Oui, l'heure est venue où l'Asie entière gémit de se sentir vider. Xerxès les a emmenés, hélas ! Xerxès les a perdus, hélas ! Xerxès a tout conduit follement, hélas ! Xerxès et ses galiotes marines ! Ah pourquoi Darios fut-il, lui, un roi si clément aux siens, Darios, l'archer, le chef aimé de Susiane[1] ?

Ce qui compte ici, c'est que l'Asie parle grâce à l'imagination de l'Europe, qui est dépeinte comme victorieuse de l'Asie, cet « autre » monde hostile, au-delà des mers. À l'Asie sont attribués les sentiments du vide, de la perte et du désastre : prix dont semblent être payés les défis que l'Orient lance à l'Occident ; et aussi cette plainte : dans un passé glorieux, l'Asie était plus brillante, elle était elle-même victorieuse de l'Europe.

Dans *les Bacchantes*, qui est peut-être le plus asiatique de tous les drames athéniens, Dionysos est explicitement

---

1. Eschyle, *Les Perses*, texte établi et traduit par Paul Mazon, Paris, Les Belles Lettres, 1931, p. 81.

mis en relation avec ses origines asiennes et avec les excès étrangement menaçants des mystères orientaux. Penthée, roi de Thèbes, est tué par sa mère Agavé et les autres bacchantes. Parce qu'il a défié Dionysos en ne reconnaissant ni son pouvoir ni sa qualité divine, Penthée est ainsi horriblement puni, et la pièce se termine par une reconnaissance générale du terrible pouvoir de ce dieu excentrique. Des commentateurs modernes des *Bacchantes* n'ont pas manqué de remarquer l'extraordinaire portée de ses effets intellectuels et esthétiques ; un détail historique ne leur a pas échappé : Euripide « a sûrement été influencé par le nouvel aspect qu'ont dû prendre les cultes dionysiaques à la lumière des religions extatiques étrangères de Bendis, de Cybèle, de Sabazios, d'Adonis et d'Isis, qui se sont introduites en provenance d'Asie Mineure et du Levant et ont balayé le Pirée et Athènes pendant les années de frustration et d'irrationalité croissante de la guerre du Péloponnèse [1] ».

Les deux aspects de l'Orient qui l'opposent à l'Occident dans l'une et l'autre de ces deux pièces vont rester par la suite les motifs essentiels de l'imaginaire géographique européen. Une ligne de partage est tracée entre les deux continents. L'Europe est puissante et capable de s'exprimer, l'Asie est vaincue et éloignée. Eschyle *représente* l'Asie, la fait parler par la bouche de la vieille reine des Perses, la mère de Xerxès. C'est l'Europe qui articule l'Orient ; cette mise en forme est la prérogative, non d'un montreur de marionnettes, mais d'un authentique créateur

1. Euripides, *The Bacchae*, trans. Geoffroy S. Kirk, Englewood Cliffs, N. J., 1970, p. 3. Euripide, *Les Bacchantes*, in *Théâtre complet III*, trad. par H. Berguin et Georges Duclos. On trouvera une étude plus détaillée de la distinction Europe-Orient chez Santo Mazzarino, *Fra oriente e occidente : Ricerche di storia greca arcaica*, Florence, La nuova Italis, 1947, et Denys Hay, *Europe : The Emergence of an Idea*, Édimbourg, Edinburgh Univ. Press, 1968.

dont le pouvoir de donner vie représente, anime, constitue l'espace d'au-delà des frontières familières, espace qui, autrement, serait silencieux et dangereux. Il existe une analogie entre l'orchestre d'Eschyle qui renferme le monde asiatique tel que le dramaturge le conçoit et l'enveloppe savante d'érudition orientaliste qui, elle aussi, se tiendra ferme dans la vaste et amorphe mollesse asiatique pour la soumettre à un examen parfois sympathique mais toujours dominateur.

Deuxièmement, il y a le motif de l'Orient comme danger insinuant. La rationalité est minée par le caractère « excessif » de l'Orient, qui oppose son mystérieux attrait aux valeurs qui semblent être la norme. La différence qui sépare l'Est de l'Ouest est symbolisée par la dureté avec laquelle Penthée repousse d'abord les bacchantes hystériques. Quand, plus tard, il devient lui-même un bacchant, il est tué non pas tant pour avoir cédé à Dionysos que pour avoir mal évalué sa menace au départ. La leçon que veut donner Euripide est rendue plus dramatique par la présence dans la pièce de Cadmus et de Tirésias, sages vieillards qui se rendent compte que la « souveraineté » seule ne gouverne pas les hommes [1] ; ils disent que le jugement est là, pour appréhender correctement la force des puissances étrangères et pour s'en accommoder avec habileté. Par la suite, les mystères orientaux seront pris au sérieux, surtout parce qu'ils défient l'esprit rationnel de l'Occident d'exercer de manière nouvelle son ambition et son pouvoir permanent.

Mais une grande division comme celle qui partage l'Ouest de l'Orient conduit à en faire de plus fines, en particulier lorsque les entreprises normales de la civilisation provoquent des activités en direction de l'extérieur, telles que voyages, conquêtes, expériences nouvelles.

---

1. Euripide, *Les Bacchantes*.

Chez les géographes et les historiens de Rome et de la Grèce antiques, des personnages publics comme César, les orateurs et les poètes contribuaient au fonds de science taxonomique traditionnelle qui séparait l'un de l'autre races, régions, nations et esprits ; une bonne partie de tout cela était à usage interne, et son existence servait à prouver que les Romains et les Grecs étaient supérieurs à toute autre espèce de peuple. Mais l'intérêt pour l'Orient avait sa propre tradition de classification et de hiérarchie. Dès le deuxième siècle avant Jésus-Christ au moins, aucun voyageur, aucun potentat occidental tournant ses regards vers l'Est et ambitieux ne pouvait ignorer qu'Hérodote, l'historien, le voyageur, le chroniqueur à la curiosité inépuisable, et Alexandre, le roi guerrier, le conquérant scientifique, étaient déjà passés par là. L'Orient était donc subdivisé en contrées déjà connues, parcourues, conquises par Hérodote et Alexandre et leurs épigones, et contrées qui n'avaient pas encore été connues, parcourues, conquises. La chrétienté a achevé cette détermination des principales sphères de l'Orient : il y avait le Proche-Orient et l'Extrême-Orient, un Orient familier appelé par René Grousset « l'empire du Levant[1] » et un Orient inédit.

L'Orient alternait donc dans la géographie de l'esprit entre un Ancien Monde auquel on retournait, comme dans l'Éden ou le Paradis, pour y installer une nouvelle version de l'ancienne, et un endroit totalement nouveau auquel on parvenait, comme Colomb était arrivé en Amérique, pour y installer un Nouveau Monde (bien que, ô ironie, Colomb lui-même ait cru découvrir une nouvelle portion de l'Ancien Monde). Il est certain qu'aucun de ces Orients n'était purement l'un ou l'autre : c'est l'oscil-

---

1. René Grousset, *L'Empire du Levant. Histoire de la question d'Orient*, Paris, Payot, 1946.

lation entre eux, leur pouvoir de suggestion, leur capacité à amuser et à embrouiller l'esprit qui nous intéressent.

Considérons comment l'Orient, en particulier le Proche-Orient, en est venu à être connu par l'Occident comme son grand contraire complémentaire, dès l'Antiquité. Il y a eu la Bible et le développement du christianisme ; il y a eu des voyageurs comme Marco Polo qui ont tracé les routes du commerce et construit un système régulier d'échanges commerciaux et, après lui, Lodovico di Varthema et Pietro della Valle ; il y a eu des fabulistes comme Mandeville ; il y a eu, naturellement, les redoutables mouvements de conquête de l'Orient, principalement de l'islam ; il y a eu les pèlerins militants, surtout les croisés. Dans l'ensemble, une archive structurée s'est édifiée à partir de la littérature qui appartient à ces expériences ; il en résulte un nombre restreint de compartiments typiques : le voyage, l'histoire, la fable, le stéréotype, la confrontation polémique, qui sont les lentilles à travers lesquelles l'Orient est vu et qui modèlent le langage, la perception, la forme de la rencontre entre l'Est et l'Ouest.

Ce qui donne cependant une certaine unité à ces rencontres si nombreuses, c'est l'oscillation dont j'ai déjà parlé. Ce qui était évidemment étranger et lointain acquiert pour une raison ou pour une autre le statut de quelque chose de plutôt familier. On tend à cesser de juger les choses soit comme complètement neuves, soit comme complètement connues : une nouvelle catégorie médiane émerge, catégorie qui permet de considérer les nouveautés, les choses vues pour la première fois comme des versions de choses déjà connues. Par essence, cette catégorie, plutôt qu'une manière de recevoir des informations nouvelles, est une méthode pour avoir prise sur ce qui apparaît comme une menace, pour une certaine conception traditionnelle du monde. Si l'esprit doit tout à coup s'occuper de ce qu'il prend pour une forme de vie radicalement nouvelle – ce que l'islam paraissait aux yeux de l'Europe du haut Moyen Âge –, sa réponse est dans l'ensemble conservatrice et défensive. L'islam est jugé comme une version nouvelle et frauduleuse d'une expérience plus ancienne, ici le christianisme. La menace est étouffée, les valeurs familières s'imposent d'elles-mêmes, et, en fin de compte, l'esprit atténue le poids qui l'oppresse en accommodant les choses à son usage : elles sont ou bien « originales » ou bien « répétitives ». L'islam est « pris en main » : on a maîtrisé sa richesse suggestive, de sorte que l'on peut faire des discriminations relativement nuancées qui auraient été impossibles si la nouveauté brute de l'islam n'avait pas été « traitée ». L'idée de l'Orient dans son ensemble oscille donc, dans l'esprit de l'Occident, entre le mépris pour ce qui est familier et les frissons de délice – ou de peur – pour la nouveauté.

Pour l'islam, il était cependant dans l'ordre que l'Europe le redoutât, si elle ne le respectait pas toujours. Après la mort de Mahomet, en 632, l'hégémonie militaire, puis culturelle et religieuse, de l'islam s'est énormément étendue. La Perse, la Syrie et l'Égypte d'abord, puis la Turquie, puis l'Afrique du Nord ont été conquises par les armées musulmanes ; au cours du huitième et du neuvième siècle, l'Espagne, la Sicile, une partie de la France le seront. Au treizième et au quatorzième siècle, l'islam régnait à l'est jusqu'à l'Inde, l'Indonésie et la Chine. Et à cet assaut extraordinaire, l'Europe ne pouvait guère répondre que par la peur et même par une espèce de terreur. Les auteurs chrétiens témoins des conquêtes de l'islam ne se souciaient que peu de la science, de la vaste culture et de la magnificence habituelle des musulmans, qui étaient, comme l'a dit Gibbon, « contemporains de la période la plus sombre et la plus paresseuse des annales européennes ». (Mais il ajoute avec une certaine satisfaction : « Depuis que la somme de science a augmenté en Occident, on dirait que les études en Orient ont langui et décliné[1]. ») L'opinion chrétienne caractéristique sur les armées orientales est qu'elles avaient « toute l'apparence d'un essaim d'abeilles, mais avec une main lourde […] elles dévastaient tout » : c'est ce qu'écrit au onzième siècle Erchembert, un moine du Mont-Cassin[2].

Ce n'est pas sans raison que l'islam en est venu à symboliser la terreur, la dévastation, le démoniaque des hordes de barbares détestés. Pour l'Europe, l'islam a été un traumatisme durable. Jusqu'à la fin du dix-septième siècle, il y a eu un « péril ottoman » latent dans toute l'Europe, représentant un danger constant pour la civilisation chrétienne ; avec le temps, la civilisation européenne a incorporé dans le tissu de la vie ce péril et sa tradition, ses événements majeurs, ses figures, ses vertus et ses vices. Dans la seule Angleterre de la Renaissance, comme le rapporte Samuel Chew dans son étude classique *The Crescent and the Rose*, « un homme d'éducation et d'intelligence moyennes » pouvait assister sur la scène londonienne à un nombre relativement grand d'événements détaillés de l'histoire de l'islam ottoman et de ses empiétements sur l'Europe chrétienne[3].

Je veux dire par là que les idées qui restaient en circulation à propos de l'islam étaient nécessairement une version dévaluée des forces importantes et dangereuses qu'il symbolisait pour l'Europe. Comme pour les Sarrasins de Walter Scott, la représentation que l'Europe se faisait du

1. Edward Gibbon, *The History of the Decline and Fall of the Roman Empire*, Boston, Little, Brown and Co., 1855, 6, p. 399.
2. Norman Daniel, *The Arabs and Medieval Europe*, Londres, Longmans, Green and Co., 1975, p. 56.
3. Samuel C. Chew, *The Crescent and the Rose : Islam and England during the Renaissance*, New York, Oxford Univ. Press, 1937, p. 103.

musulman, de l'Ottoman ou de l'Arabe était toujours une façon de maîtriser le redoutable Orient, et il en est de même, jusqu'à un certain point, des méthodes des savants orientalistes contemporains, dont le sujet n'est pas tant l'Orient lui-même que l'Orient rendu familier, partant moins redoutable, pour le public des lecteurs occidentaux.

Il n'y a rien de particulièrement discutable ou de répréhensible dans cette domestication de l'exotique : elle se produit certainement entre toutes les cultures, et entre tous les hommes. Mais je veux insister sur cette vérité : l'orientaliste, comme chacun de ceux qui, dans l'Occident européen, pensaient à l'Orient ou en avaient l'expérience, effectuait ce genre d'opération mentale. Plus important encore, s'imposaient le vocabulaire et le jeu d'images limités qui en sont la conséquence obligatoire. La manière dont l'islam a été reçu par l'Occident en est une illustration parfaite, admirablement étudiée par Norman Daniel. L'une des contraintes s'exerçant sur les penseurs chrétiens qui essayaient de comprendre l'islam consistait en une analogie : puisque le Christ est le fondement de la religion chrétienne, Mahomet est à l'islam, supposait-on, tout à fait à tort, ce que le Christ est au christianisme. D'où le nom polémique de « mahométisme » donné à l'islam et l'épithète d'« imposteur » automatiquement appliquée à Mahomet[1]. De cette idée fausse et de bien d'autres « se formait un cercle qui n'était jamais rompu par une extériorisation de l'imagination. Le concept chrétien d'islam était intégral et se suffisait à lui-même[2] ». L'islam était

1. Norman Daniel, *Islam and the West : The Making of an Image*, Édimbourg, Edinburgh Univ. Press, 1960, p. 33. Voir aussi James Kritzcek, *Peter the Venerable and Islam*, Princeton, N. J., Princeton Univ. Press, 1964.
2. *Islam and the West*, *op. cit.*, p. 252.

devenu une image – l'expression est de Daniel, et elle me paraît avoir des implications remarquables pour l'orientalisme en général –, image dont la fonction n'était pas tant de représenter l'islam en lui-même que de le représenter pour le chrétien du Moyen Âge.

La tendance invariable à négliger ce que signifiait le Coran, ou ce que les musulmans pensaient qu'il signifiait, ou ce que les musulmans pensaient ou disaient dans des conditions données, a pour conséquence nécessaire que la doctrine coranique et les autres doctrines islamiques étaient présentées sous une forme convaincante pour les chrétiens ; et des formes de plus en plus extravagantes avaient des chances d'être acceptées à mesure qu'augmentait la distance séparant les écrivains et leur public de la frontière de l'islam. C'est avec beaucoup de réticence que ce que les musulmans disaient être les croyances des musulmans était accepté comme ce qu'ils croyaient vraiment. Il y avait une image chrétienne dont les détails (même sous la pression des faits) n'ont été abandonnés qu'aussi peu que possible et dont le dessin général n'a jamais été abandonné. Il y avait des différences de nuances, mais seulement dans un schéma commun. Toutes les corrections faites pour accroître la précision ne servaient qu'à défendre ce dont on avait récemment constaté la vulnérabilité, à étayer une structure affaiblie. L'opinion chrétienne était un monument qu'on ne pouvait pas démolir, même pour le reconstruire [1].

Cette image sévère que les chrétiens se faisaient de l'islam a été renforcée d'innombrables manières, parmi lesquelles, pendant le Moyen Âge et le début de la Renaissance, différentes formes de poésie, de controverses savantes et de superstition populaire [2]. À cette époque, le

1. *Ibid.*, p. 259-260.
2. Voir par exemple William Wistar Comfort, « The Literary Rôle of the Saracens in the French Epic », *PMLA* 55 (1940), p. 628-659.

Proche-Orient n'était certes pas bien intégré dans l'image du monde commune dans la chrétienté latine : *la Chanson de Roland* montre les Sarrasins adorant Mahomet *et* Apollon. Vers le milieu du quinzième siècle, comme l'a brillamment montré R. W. Southern, il était devenu clair pour les penseurs européens sérieux qu'« il fallait faire quelque chose à propos de l'islam », lequel avait en quelque sorte retourné la situation par l'entrée de ses propres troupes en Europe orientale. Southern raconte un épisode spectaculaire qui s'est produit entre 1450 et 1460 : quatre hommes de science, Jean de Ségovie, Nicolas de Cues, Jean Germain et Aeneas Silvius (Pie II), ont tenté de traiter avec l'islam par une *contraferentia* ou « conférence ». L'idée venait de Jean de Ségovie : ce devait être une conférence mise en scène avec l'islam, les chrétiens tentant la conversion « en gros » des musulmans. « Il considérait cette conférence comme un instrument ayant une fonction politique aussi bien qu'une fonction strictement religieuse, et, dans des termes qui feront résonner une corde sensible dans les cœurs modernes, il s'exclamait : même si elle devait durer dix ans, elle serait moins coûteuse et moins préjudiciable que la guerre. » Les quatre personnages n'arrivèrent pas à se mettre d'accord, mais cet épisode est crucial parce qu'il a été une tentative raffinée – qui fait partie d'une tentative européenne générale, de Bede à Luther – pour placer un Orient représentatif en face de l'Europe, pour mettre *en scène* ensemble l'Orient et l'Europe d'une manière cohérente, avec l'idée, pour les chrétiens, de bien faire comprendre aux musulmans que l'islam n'était qu'une version fourvoyée du christianisme. La conclusion de Southern est la suivante :

Il est parfaitement évident pour nous que chacun de ces systèmes de pensée [européens chrétiens] était incapable de donner une explication entièrement satisfaisante du phénomène qu'il s'était mis à expliquer [l'islam] – et moins capable encore d'influencer le cours des événements de manière décisive. Au niveau de la pratique, les événements n'ont jamais tourné aussi bien ou aussi mal que l'avaient prédit les plus intelligents des observateurs ; et cela vaut peut-être la peine de remarquer qu'ils n'ont jamais pris un meilleur cours que lorsque les meilleurs juges attendaient avec confiance qu'ils se terminent mal. Y a-t-il eu un progrès [dans la connaissance qu'avait la chrétienté de l'islam] ? Je dois dire que oui. Même si la solution du problème est restée obstinément hors de vue, la manière de le poser est devenue plus complexe, plus rationnelle et plus en rapport avec l'expérience […]. Les savants qui ont travaillé sur le problème de l'islam au Moyen Âge n'ont pas réussi à trouver la solution qu'ils cherchaient et désiraient ; mais ils ont acquis des habitudes de pensée et un pouvoir de compréhension qui, chez d'autres personnes et dans d'autres domaines, méritent encore d'avoir de bons résultats[1].

La meilleure partie de l'analyse de Southern, ici et à d'autres endroits de sa brève histoire des opinions de l'Occident sur l'islam, est sa démonstration que c'est finalement l'ignorance occidentale qui devient plus raffinée et plus complexe, que ce n'est pas une certaine somme de savoir occidental positif qui acquiert plus d'importance et de précision. Les fictions, en effet, ont leur logique et leur dialectique propres, qui gouvernent leur croissance ou leur déclin. Sur le caractère de Mahomet, le Moyen Âge avait empilé un tas d'attributs qui correspondaient « au caractère des prophètes du douzième siècle du Libre Esprit qui avait effectivement pris naissance en Europe et exigeait qu'on croie en lui et rassemblait des adeptes ». De même, puisque Mahomet était considéré comme le propagateur d'une fausse Révélation, il était devenu un condensé de lubricité, de débauche, de sodomie et de

---

1. *Western Views of Islam, op. cit.*, p. 91 *sq.*, 108 *sq.*

toute une collection de traîtrises, toutes issues «logiquement» de ses impostures doctrinales[1]. L'Orient a ainsi
acquis des représentants, pour ainsi dire, et des représentations, tous plus concrets, plus congruents à une certaine
exigence occidentale que les précédents. C'est comme si,
ayant une fois porté son choix sur l'Orient comme le lieu
propre à incarner l'infini sous une forme finie, l'Europe
ne pouvait cesser de le faire : l'Orient et l'Oriental,
l'Arabe, le musulman, l'Indien, le Chinois, que sais-je
encore, sont devenus des pseudo-incarnations répétitives
d'un grand original (le Christ, l'Europe, l'Occident) qu'ils
étaient supposés avoir imité. Seule la source de ces idées
occidentales plutôt narcissiques a changé avec le temps,
non leur caractère. Nous trouvons ainsi qu'on croyait
généralement, au douzième et au treizième siècle, que
l'Arabie était «en marge du monde chrétien, un asile naturel pour des hors-la-loi hérétiques[2]», et que Mahomet
était un apostat rusé, tandis qu'au vingtième siècle c'est
un savant orientaliste, un spécialiste érudit qui fera remarquer que l'islam n'est en réalité rien de plus qu'une hérésie arienne de deuxième ordre[3].

Notre première description de l'orientalisme comme discipline savante prend maintenant un caractère nouveau et
concret. L'idée de représentation est une idée théâtrale :
l'Orient est la scène sur laquelle tout l'Est est confiné ; sur
cette scène vont se montrer des figures dont le rôle est de
représenter le tout plus vaste dont ils émanent. L'Orient
semble alors être non une étendue illimitée au-delà du
monde familier à l'Européen, mais plutôt un champ fermé,

1. Norman Daniel, *Islam and the West*, *op. cit.*, p. 246, 96 et
passim.
2. *Ibid.*, p. 84.
3. Duncan Black Macdonald, «Whither Islam?», *Muslim World*
23 (janv. 1933), p. 2.

une scène de théâtre attachée à l'Europe. Un orientaliste n'est qu'un spécialiste particulier dans un savoir dont l'Europe tout entière est responsable, comme un public est historiquement et culturellement responsable des drames que le dramaturge a techniquement composés (et le public y répond). Dans les profondeurs de cette scène orientale se tient un prodigieux répertoire culturel dont les pièces individuelles évoquent un monde d'une richesse fabuleuse : le sphinx, Cléopâtre, l'Éden, Troie, Sodome et Gomorrhe, Astarté, Isis et Osiris, Saba, Babylone, les djinns, les mages, Ninive, le Prêtre-Jean, Mahomet et des douzaines d'autres ; des mises en scène, dans certains cas des noms seulement, moitié imaginés, moitié connus ; des monstres, des démons, des héros ; des terreurs, des plaisirs, des désirs. L'imagination de l'Europe s'est copieusement nourrie de ce répertoire : du Moyen Âge au dix-huitième siècle, de grands écrivains comme l'Arioste, Milton, Marlowe, Le Tasse, Shakespeare, Cervantès, les auteurs de *La Chanson de Roland* et du *Romancero du Cid* ont puisé pour leurs productions dans les richesses de l'Orient, ce qui a accentué les contours des images, des idées et des figures qui le peuplent. En outre, une grande partie de ce qui était considéré comme de l'érudition orientaliste en Europe a mis en service des mythes idéologiques, même quand la science paraissait authentiquement progresser.

La *Bibliothèque orientale* de Barthélemy d'Herbelot, publiée en 1697, après sa mort, avec une préface d'Antoine Galland, nous fournit un exemple célèbre de la manière dont se rejoignent sur le théâtre orientaliste forme dramatique et images savantes. L'Introduction de la récente *Cambridge History of Islam* considère que la *Bibliothèque*, de même que le discours préliminaire de George Sale à sa traduction du Coran (1734) et que *History of Saracens* de Simon Ockley (1708, 1718), est « de grande importance » pour élargir « la nouvelle compréhension de l'islam » et la transmettre « à un public moins académique[1] ». C'est une description imparfaite de l'œuvre de d'Herbelot, qui n'est pas limitée à l'islam comme celles de Sale et d'Ockley. À l'exception de *Historia Orientalis* de Johann H. Hottinger, parue en 1651, la *Bibliothèque* est restée le seul ouvrage type de référence en Europe jusqu'au début du dix-neuvième siècle ; elle a vraiment fait date par le vaste domaine qu'elle couvrait : Galland, qui a été le premier traducteur européen des *Mille et Une Nuits* et un arabisant remarquable, a opposé l'œuvre de d'Herbelot à toutes celles qui l'ont précédée en notant la prodigieuse enver-gure de cette entreprise. D'Herbelot a lu un grand nombre de livres, dit Galland, en arabe, en persan, en turc, avec pour résultat « qu'il apprit ce qui jusques alors avait été caché aux Européens[2] ». Après avoir composé un diction-naire de ces trois langues orientales, d'Herbelot a continué à étudier l'histoire, la théologie, la géographie, la science et l'art orientaux à la fois dans leurs variétés fabuleuses et leurs variétés véritables. Là-dessus, il a décidé de compo-ser deux ouvrages : une « bibliothèque », dictionnaire rangé alphabétiquement, et un « florilège » ou anthologie. Il n'acheva que le premier.

En parlant de la *Bibliothèque*, Galland affirmait que l'adjectif « oriental » devait embrasser principalement le

1. P. M. Holt, Introduction à *The Cambridge History of Islam*, éd. P. M. Holt, Anne K. S. Lambton et Bernard Lewis, Cambridge, Cambridge Univ. Press, 1970, p. XVI.

2. Antoine Galland, « Discours » de présentation à Barthélemy d'Herbelot, *Bibliothèque orientale ou Dictionnaire universel conte-nant tout ce qui fait connaître les peuples de l'Orient*, La Haye, Neaulme et van Daalen, 1777, 1, p. VII. Galland veut montrer que d'Herbelot a présenté de la science véritable, non de la légende ou du mythe du type de ceux que l'on associe aux « merveilles de l'Orient ». Voir R. Wittkower, « Marvels of the East : A Study in the History of Monster », *Journal of the Warburg and Courtauld Institutes 5* (1942), p. 159-197.

Levant, quoique – dit-il avec admiration – «non seulement il commence avec la création d'Adam, et finit au
temps où nous sommes ; mais il remonte encore plus haut,
si l'on considère ce qui y est rapporté suivant les histoires
fabuleuses, du long règne des Solimans avant qu'Adam
fût créé». En poursuivant la lecture de la description de
Galland, nous apprenons que la *Bibliothèque* était comme
«toute autre» histoire du monde, car ce qu'elle tentait
était un résumé complet des connaissances accessibles sur
des sujets tels que la Création, le Déluge, la destruction de
Babel, etc., avec cette différence que les sources de d'Herbelot étaient orientales. Il divisait l'histoire en deux types :
histoire sainte et histoire profane (les juifs et les chrétiens
dans la première, les musulmans dans la seconde), et en
deux périodes : avant et après le Déluge. D'Herbelot a pu
ainsi étudier des histoires aussi divergentes que l'histoire
mongole, l'histoire tartare, l'histoire turque et l'histoire
slave ; il inclut aussi toutes les provinces de l'Empire
musulman, de l'Extrême-Orient aux Colonnes d'Hercule,
avec leurs coutumes, leurs rituels, leurs traditions, leurs
commentaires, leurs dynasties, leurs palais, leurs fleuves
et leurs flores. Cette œuvre, même si elle consacre une
certaine attention à «la doctrine perverse de Mahomet,
qui a causé si grands dommages au Christianisme», est
plus approfondie que toutes celles qui l'ont précédée.

Galland conclut son «Discours» en assurant longue-
ment le lecteur que la *Bibliothèque* de d'Herbelot est
«utile et agréable» entre toutes ; d'autres orientalistes
comme Postel, Scaliger, Golius, Pockoke et Erpenius ont
écrit des études orientalistes qui étaient trop étroitement
grammaticales, lexicographiques, géographiques, etc.
Seul d'Herbelot a été capable d'écrire un ouvrage susceptible de convaincre les lecteurs européens que l'étude de
la culture orientale n'est pas seulement ingrate et infructueuse ; seul d'Herbelot, selon Galland, a cherché à

former dans l'esprit de ses lecteurs une idée assez large de ce que veut dire connaître et étudier l'Orient, une idée qui puisse à la fois emplir l'esprit et satisfaire les grandes espérances que l'on avait auparavant[1].

Avec des entreprises telles que celle de d'Herbelot, l'Europe a découvert qu'elle était capable d'embrasser l'Orient et de l'orientaliser. On rencontre çà et là un certain sens de supériorité dans ce que Galland avait à dire sur sa *Materia orientalis*, à lui et à d'Herbelot ; de même que, dans l'œuvre de géographes du dix-septième siècle tels que Raphaël du Mans, les Européens pouvaient y percevoir que l'Orient était en train d'être distancé et dépassé par la science occidentale[2]. Mais ce qui devient évident, ce n'est pas seulement l'avantage que présente une perspective occidentale, il y a aussi la technique triomphante qui permet de saisir l'immense fécondité de l'Orient et de la rendre accessible systématiquement, même alphabétiquement, au public occidental.

Quand Galland dit de d'Herbelot qu'il a répondu à ce qu'on attendait, je pense qu'il voulait dire que la *Bibliothèque* n'essayait pas de modifier les idées reçues sur l'Orient. Car l'orientaliste confirme l'Orient aux yeux de ses lecteurs ; il ne cherche jamais, ne souhaite jamais ébranler des convictions déjà solides. La *Bibliothèque orientale* n'a fait que représenter plus totalement et plus clairement l'Orient ; ce qui aurait pu être une collection assez lâche de faits relevés au hasard concernant une histoire vaguement levantine, l'imagerie biblique, la

1. Antoine Galland, *loc. cit.*, p. XVI, XXXIII. Pour l'état de la connaissance orientaliste juste avant d'Herbelot, voir V. J. Parry, « Renaissance Historical Literature in Relation to the New and Middle East (with Special Reference to Paolo Giovo) », in *Historians of the Middle East*, éd. Bernard Lewis et P. M. Holt, Londres, Oxford Univ. Press, 1962, p. 277-289.

2. V.-V. Barthold, *La Découverte de l'Asie*, *op. cit.*, p. 137 *sq.*

culture islamique, les noms de lieux, etc., a été transformé en un panorama rationnel de l'Orient, de A à Z.
Sous l'entrée Mahomet, d'Herbelot range d'abord tous
les noms donnés au Prophète, puis continue en confir-
mant la valeur idéologique et doctrinale de Mahomet de
la manière suivante :

> C'est le fameux imposteur Mahomet, Auteur et Fondateur
> d'une hérésie, qui a pris le nom de religion, que nous appe-
> lions Mahometane. *Voyez* le titre d'Eslam.
> Les Interprètes de l'Alcoran et autres Docteurs de la Loy
> Musulmane ou Mahometane ont appliqué à ce faux prophète
> tous les éloges, que les Ariens, Paulitiens ou Paulianistes &
> autres Hérétiques ont attribués à Jésus-Christ, en lui ôtant sa
> Divinité [...][1].

« Mahometan » est la désignation européenne appropriée (et insultante) ; « islam », qui se trouve être le nom
musulman correct, est relégué à une autre entrée. L'« hérésie [...] que nous appelons Mahometane » est « prise »
comme l'imitation d'une imitation chrétienne de la vraie
religion. Ensuite, dans le long récit historique de la vie de
Mahomet, d'Herbelot peut se consacrer à la narration plus
ou moins directe. Mais c'est la place attribuée à Mahomet
qui compte dans la *Bibliothèque*. On supprime les dangers
d'une hérésie en roue libre quand on la transforme en
matière idéologiquement explicite pour une entrée alphabétique. Mahomet ne se promène plus dans le monde
oriental comme un débauché immoral et menaçant ; il est
tranquillement assis sur sa part (que l'on admet fort importante) de la scène orientaliste[2]. On lui donne une généalogie, une explication et même un développement, qui tous

1. *Bibliothèque orientale*, *op. cit.*, 2, p. 648.
2. Voir aussi Montgomery Watt, « Muhammad in the Eyes of the
West », *Boston University Journal* 22, n° 3 (automne 1974), p. 61-69.

sont subsumés sous les affirmations simples qui l'empêchent d'errer ailleurs.

Des «images» de l'Orient comme celle-ci sont des images en ce sens qu'elles représentent ou tiennent lieu d'une très vaste entité, trop diffuse sans cela, qu'elles permettent de saisir ou de voir. Ce sont aussi des *caractères*, comme le fanfaron, l'avare ou le glouton que montrent Théophraste, La Bruyère ou Selden. Il n'est pas tout à fait correct de dire que l'on voit des caractères tels que le *miles gloriosus* ou Mahomet l'imposteur, puisque le renfermement discursif d'un caractère est supposé, au mieux, permettre d'appréhender un type générique sans difficulté et sans ambiguïté. Le caractère de Mahomet donné par d'Herbelot est pourtant une *image*, parce que le faux prophète est l'un des rôles d'une représentation théâtrale générale appelée orientale, dont la *Bibliothèque* renferme la totalité.

On ne peut détacher la qualité didactique de la représentation orientaliste du reste du spectacle. Dans un ouvrage savant comme la *Bibliothèque orientale*, qui est le résultat d'études et de recherches systématiques, l'auteur impose un ordre au matériau sur lequel il a travaillé ; en outre, il souhaite que le lecteur comprenne bien que ce que livre la page imprimée est un jugement ordonné, discipliné de ce matériau. Ce que véhicule ainsi la *Bibliothèque*, c'est une idée de la puissance et de l'efficacité de l'orientalisme qui rappellent partout au lecteur que, dorénavant, pour atteindre l'Orient, il devra passer par les grilles et les codes fournis par l'orientaliste. L'Orient est non seulement accommodé au goût des exigences morales du christianisme occidental ; il est aussi circonscrit par toute une série d'attitudes et de jugements qui renvoient l'esprit occidental, non pas en premier aux sources orientales en vue de correction et de vérification, mais plutôt à d'autres ouvrages orientalistes. La scène orientaliste, comme je l'ai

appelée, devient un système de rigueur morale et épistémologique.

En tant que discipline qui représente le savoir institutionnalisé que l'Occident a de l'Orient, l'orientalisme en
vient ainsi à exercer une force dans trois directions : sur
l'Orient, sur l'orientaliste et sur le « consommateur » occidental de l'orientalisme. Je crois qu'on aurait tort de sous-
estimer la puissance de cette triple relation. En effet,
l'Orient (« là-bas » vers l'est) est corrigé, pénalisé même,
du fait qu'il se trouve hors des limites de la société européenne, « notre » monde ; l'Orient est ainsi orientalisé,
processus qui non seulement marque l'Orient comme la
province de l'orientaliste, mais encore force le lecteur
occidental non initié à accepter les codifications orientalistes (par exemple, le classement alphabétique de la
Bibliothèque de d'Herbelot) comme étant le véritable
Orient. Bref, la vérité devient fonction du jugement savant,
non du matériau lui-même qui, avec le temps, semble être
redevable de son existence même à l'orientaliste.

Tout ce processus didactique n'est ni difficile à comprendre ni difficile à expliquer. Il faut, encore une fois, se
rappeler que toutes les cultures imposent des corrections à
la réalité brute, la transformant de collection d'objets mal
délimités en unités de savoir. Ce qui fait problème, ce n'est
pas que cette conversion ait lieu. Il est parfaitement naturel,
pour l'esprit humain, de résister aux assauts que lui porte
l'étrangeté brutale ; pour cette raison, des cultures ont toujours eu tendance à imposer des transformations complètes
à d'autres cultures, en recevant celles-ci, non pas telles
qu'elles sont, mais, pour le plus grand bien du récepteur,
telles qu'elles devraient être. Pour l'Occidental, cependant,
l'Oriental était toujours *comme* un aspect ou un autre de
l'Occident ; pour les romantiques allemands, par exemple,
la religion indienne était essentiellement une version orientale du panthéisme germano-chrétien. Mais l'orientaliste

prend à tâche de toujours convertir l'Orient de quelque chose en quelque chose d'autre : il le fait pour lui-même, dans l'intérêt de sa culture, dans certains cas pour ce qu'il croit être l'intérêt de l'Oriental. Ce processus de conversion est un processus discipliné : il est enseigné, il a ses sociétés, ses périodiques, ses traditions, son vocabulaire, sa rhétorique à lui, tout ceci de manière fondamentale en relation avec les normes culturelles et politiques qui prévalent en Occident et fourni par celles-ci. Et comme je le démontrerai, il a plutôt tendance à devenir plus total dans ses tentatives, si bien que, lorsqu'on parcourt l'orientalisme au dix-neuvième et au vingtième siècle, l'impression dominante est celle d'une froide schématisation de l'Orient entier par l'orientalisme.

Cette schématisation a commencé très tôt, ce que montrent clairement les exemples que j'ai donnés de représentation occidentale de l'Orient dans la Grèce classique. La construction des représentations plus récentes s'est fortement articulée sur les anciennes, leur schématisation a été extraordinairement soigneuse, leur mise en place dans la géographie imaginaire de l'Occident a eu une efficacité spectaculaire ; nous pouvons en trouver l'illustration en considérant maintenant l'*Enfer* de Dante. Dans *La Divine Comédie*, il est parvenu à combiner sans couture apparente la peinture réaliste de la vie mondaine et un système universel et éternel de valeurs chrétiennes. Ce que le pèlerin Dante voit en parcourant l'Enfer, le Purgatoire et le Paradis est une vision unique du jugement. Par exemple, Paolo et Francesca sont considérés comme prisonniers éternels de l'Enfer à cause de leurs péchés, et cependant on les voit jouer, vivre en fait, les caractères et les actions mêmes qui les ont placés là où ils vont rester pour l'éternité. Ainsi, chacune des figures de la vision de Dante non seulement se représente elle-même, mais est aussi une représentation type de son caractère et du sort qui lui est assigné.

« Maometto » apparaît au chant 28 de l'*Enfer*. Il est placé dans le huitième des neuf cercles de l'Enfer, dans la neuvième des dix fosses des Malesfosses, un cercle de fosses ténébreuses entourant la forteresse de Satan dans l'Enfer, de sorte qu'avant de rencontrer Mahomet Dante traverse des cercles renfermant des hommes dont les péchés sont moindres : les luxurieux, les gourmands, les avaricieux, les colériques, les hérétiques, les suicidés, les blasphémateurs. Après Mahomet, il n'y a plus que les faussaires et les traîtres (parmi lesquels Judas, Brutus et Cassius) avant d'arriver tout au fond de l'Enfer, là où se trouve Satan lui-même. Mahomet appartient ainsi à une hiérarchie rigide des méchants, dans la catégorie de ce que Dante appelle *seminator di scandalo e di scisma*.

Le châtiment de Mahomet, qui est aussi son sort pour l'éternité, est particulièrement répugnant : sans fin, il est fendu en deux du menton à l'anus comme, dit Dante, un tonneau dont les douves sont écartées. Le poème de Dante n'épargne ici aucun des détails scatologiques que comporte ce violent châtiment : les entrailles et les excréments de Mahomet sont décrits avec une exactitude parfaite. Mahomet explique son châtiment à Dante, en lui montrant Ali, qui le précède dans la rangée des pécheurs taillés en deux par le diable-assistant ; il demande aussi à Dante d'avertir de ce qui l'attend un certain Fra Dolcino, prêtre renégat dont la secte prônait la communauté des femmes et des biens, et qui avait été accusé d'avoir une maîtresse. Le lecteur aura remarqué que Dante met en parallèle la révoltante sensualité de Fra Dolcino et celle de Mahomet, ainsi que leurs prétentions à la suprématie théologique.

Mais Dante trouve encore autre chose à dire de l'islam. Moins avant dans l'Enfer se trouve un petit groupe de

musulmans. Avicenne, Averroès et Saladin font partie de
ces païens vertueux qui, avec Hector, Énée, Socrate,
Platon et Aristote, sont relégués dans le premier cercle de
l'Enfer pour y subir un châtiment minimal (et même
honorable) parce qu'ils n'ont pas bénéficié de la révélation chrétienne. Dante, bien sûr, admire leurs vertus et
leurs grandes qualités mais, parce qu'ils n'étaient pas
chrétiens, il doit les condamner, quoique légèrement, à
l'Enfer. L'éternité est un grand niveleur de différences,
c'est vrai, mais l'anachronisme, l'anomalie tout particuliers qui consistent à mettre les grandes figures préchré-
tiennes dans la même catégorie de damnation « païenne »
que des musulmans postchrétiens ne trouble pas Dante.
Bien que le Coran précise que Jésus est un prophète,
Dante veut considérer les grands philosophes et le roi
musulman comme fondamentalement ignorants du christianisme. Qu'ils puissent occuper le même niveau distingué que les héros et les sages de l'Antiquité classique
est un point de vue anhistorique, comparable à celui de
Raphaël dans sa fresque *L'École d'Athènes* dans laquelle
Averroès voisine à l'Académie avec Socrate et Platon
(comparable aussi aux *Dialogues des morts* de Fénelon,
écrits entre 1700 et 1718, où Socrate et Confucius discutent ensemble).

Les discriminations et les raffinements de la saisie poétique de l'islam par Dante sont un exemple de cette
détermination schématique, presque cosmologique, avec
laquelle l'islam et ses représentants désignés sont créés
par l'appréhension géographique, historique et surtout
morale de l'Occident. Les données empiriques sur
l'Orient ou sur l'une quelconque de ses parties comptent
extrêmement peu ; ce qui importe, de manière décisive,
est ce que j'ai appelé la vision orientaliste, vision qui
n'est pas du tout réservée à l'érudit professionnel, mais
qui appartient plutôt en commun à tous ceux qui, à

l'Ouest, ont pensé à l'Orient. La puissance poétique de Dante accentue, rend plus représentatives ces perspectives sur l'Orient. Il a fixé Mahomet, Saladin, Averroès et Avicenne dans une cosmologie visionnaire – fixés, arrangés, casés, emprisonnés en ne tenant guère compte que de leur « fonction » et des figures qu'ils réalisent sur la scène où ils apparaissent. Isaiah Berlin a décrit l'effet de ces attitudes :

> Dans cette [...] cosmologie, le monde des hommes (et, dans certaines versions, l'univers tout entier) est une hiérarchie simple, totale ; de sorte que lorsqu'on explique pourquoi chacun de ses objets est comme il est, où il est, au moment où il est et fait ce qu'il fait, on dit par là même quel est son but, jusqu'où il le remplit et quelles sont les relations de coordination et de subordination entre les buts des différentes entités téléologiques dans la pyramide harmonieuse qu'elles forment collectivement. Si cette image de la réalité est vraie, l'explication historique, comme toute autre forme d'explication, doit consister surtout à mettre les individus, les groupes, les nations, les espèces chacun à sa place dans le schéma universel. Connaître la place « cosmique » d'une chose ou d'une personne, c'est dire ce qu'elle est et ce qu'elle fait, et en même temps pourquoi elle doit être et faire ce qu'elle est et fait. C'est donc une seule et même chose que d'être et d'avoir une valeur, d'exister et d'avoir une fonction (et la remplir plus ou moins bien). Le schéma, et lui seul, donne la vie et la fait cesser et confère un dessein, c'est-à-dire une valeur et un sens, à tout ce qui existe. Comprendre, c'est percevoir les schémas [...]. Plus on peut montrer qu'un événement, ou une action, ou un caractère est inévitable, plus l'intuition du chercheur est profonde, plus l'on s'approche de l'unique vérité ultime.

Cette attitude est profondément antiempirique[1].

---

1. Isaiah Berlin, *Historical Inevitability*, Londres, Oxford Univ. Press, 1955, p. 13 *sq.*

Et c'est bien le cas de l'attitude orientaliste en général. Elle partage avec la magie et la mythologie son caractère de système fermé qui se contient et se renforce lui-même, et dans lequel les objets sont ce qu'ils sont *parce qu'ils* sont ce qu'ils sont une fois pour toutes, pour des raisons ontologiques qu'aucune donnée empirique ne peut ni déloger ni modifier. En entrant en contact avec l'Orient, et spécifiquement avec l'islam, l'Europe a renforcé son système de représentations de l'Orient et, comme l'a suggéré Henri Pirenne, fait de l'islam l'essence même d'un être du dehors contre lequel, dans sa totalité, la civilisation européenne est fondée à partir du Moyen Âge. Le déclin de l'Empire romain sous les coups des invasions barbares a eu pour effet paradoxal d'incorporer les manières barbares dans la culture romaine et méditerranéenne : la *Romania*, alors que, dit Pirenne, les invasions islamiques, qui ont commencé au septième siècle, ont eu pour conséquence d'écarter le centre de la culture européenne de la Méditerranée, alors province arabe, vers le nord. « Le germanisme commence à jouer son rôle. Jusqu'ici la tradition romaine s'était continuée. Une civilisation romano-germanique originale va maintenant se développer. » L'Europe s'était renfermée sur elle-même : l'Orient, quand ce n'était pas simplement un lieu de commerce, se trouvait culturellement, intellectuellement, spirituellement *en dehors* de l'Europe et de la civilisation européenne, qui, comme le dit Pirenne, était devenue « une grande communauté chrétienne aussi large que l'*ecclesia* [...] L'Occident vit maintenant de sa vie propre [1] ». Dans le poème de Dante, dans les œuvres de Pierre le Vénérable et des autres orientalistes clunisiens, dans les écrits des polémistes chrétiens contre l'islam, de Guibert de Nogent et Bede à Roger

---

1. Henri Pirenne, *Mahomet et Charlemagne*, Paris, Presses universitaires de France, 1970, p. 175, 214.

Bacon, Guillaume de Tripoli, Burchard du Mont Syon et Luther, dans le *Romancero du Cid*, dans *La Chanson de Roland* et dans l'*Othello* de Shakespeare (ce « trompeur du monde »), l'Orient et l'islam sont toujours représentés comme des êtres du dehors qui ont un rôle particulier à jouer à l'intérieur de l'Europe.

La géographie imaginaire, qui va des vivants portraits que l'on trouve dans l'*Enfer* aux prosaïques casiers de la *Bibliothèque orientale* de d'Herbelot, légitime un vocabulaire, un univers du discours représentatif particulier à la discussion et à la compréhension de l'islam et de l'Orient. Ce que ce discours considère comme un fait – par exemple que Mahomet est un imposteur – est une composante du discours, une assertion que le discours oblige à prononcer chaque fois que le nom de Mahomet apparaît. Sous-tendant les différentes unités du discours orientaliste – je veux dire par là tout simplement le vocabulaire employé chaque fois que l'on parle ou écrit sur l'Orient –, il y a un ensemble de figures représentatives, ou tropes. Ces figures sont à l'Orient réel – ou à l'islam, dont je m'occupe principalement ici – ce que des costumes de style sont aux personnages d'une pièce ; comme, par exemple, la croix que porte M. Tout-le-Monde ou le costume bigarré d'Arlequin dans une pièce de la *commedia dell'arte*. Autrement dit, nous n'avons pas besoin de chercher une correspondance entre le langage utilisé pour dépeindre l'Orient et l'Orient lui-même ; ce n'est pas tellement parce que ce langage est imprécis mais parce qu'il ne cherche même pas à être précis. Ce qu'il tente de faire, c'est, comme dans l'*Enfer*, du même coup de caractériser l'Orient comme étranger et de lui donner corps schématiquement sur la scène d'un théâtre dont le public, le directeur et les acteurs sont *pour* l'Europe et seulement pour l'Europe. D'où l'oscillation entre le familier et l'étranger ; Mahomet est toujours l'imposteur (familier parce qu'il prétend être comme le Jésus que nous connaissons) et toujours l'Oriental (étranger parce que, bien qu'il soit d'une certaine manière «comme» Jésus, il en est après tout très différent).

Plutôt que de dresser la liste de toutes les figures du discours associées à l'Orient – son étrangeté, sa différence, sa sensualité exotique, etc. –, nous pouvons en tirer des idées générales en voyant comment elles se sont transmises à travers la Renaissance. Elles sont toutes péremptoires, elles vont de soi ; le temps qu'elles emploient est l'éternel intemporel ; elles donnent une impression de répétition et de force ; elles sont toujours symétriques et cependant radicalement inférieures à leur équivalent européen, qui parfois est spécifié, parfois non. Pour toutes ces fonctions, il suffit souvent d'utiliser la simple copule *est*. Ainsi, Mahomet est un imposteur : la phrase même rendue canonique par la *Bibliothèque* de d'Herbelot et dramatisée d'une certaine manière par Dante. Nulle justification n'est nécessaire ; la preuve dont on a besoin pour condamner Mahomet est contenue dans le mot « est ». On ne précise pas la phrase, il ne semble pas non plus nécessaire de dire que Mahomet *était* un imposteur, on n'a pas besoin de considérer un seul instant qu'il peut ne pas être nécessaire de répéter l'assertion. C'*est* répété, il *est* un imposteur ; chaque fois qu'on le dit, il devient un peu plus un imposteur, et l'auteur de l'assertion gagne un peu plus d'autorité du fait de l'avoir déclaré. C'est ainsi que la célèbre biographie de Mahomet écrite au dix-septième siècle par Humphrey Prideaux a pour sous-titre *The True Nature of Imposture* (la vraie nature de l'imposture). Enfin, il est évident qu'une catégorie comme imposteur (ou Oriental en l'occurrence) implique, exige même, un contraire qui ne soit ni quelque chose d'autre de manière frauduleuse ni sans cesse à la recherche d'identification explicite. Et ce contraire est « Occidental », ou, pour Mahomet, Jésus.

D'un point de vue philosophique, donc, le type de langage, de pensée et de vision que j'ai appelé de manière très générale orientalisme est une forme extrême de réalisme. Il consiste en une manière habituelle de traiter de questions, d'objets, de qualités et de régions supposés orientaux ; ceux qui l'emploient vont désigner, nommer, indiquer, fixer ce dont ils parlent d'un terme ou d'une expression. On considère alors que ce terme ou cette expression a acquis une certaine réalité, ou, tout simplement, est la réalité. D'un point de vue rhétorique, l'orientalisme est absolument anatomique et énumératif : utiliser son vocabulaire, c'est s'engager dans la particularisation et la division des choses de l'Orient en parties traitables. D'un point de vue psychologique, l'orientalisme est une forme de paranoïa, un savoir qui n'est pas du même ordre que le savoir historique ordinaire, par exemple. Voilà quelques-unes des conséquences de la géographie imaginaire et des frontières spectaculaires qu'elle trace. Je vais maintenant me tourner vers certaines transmutations spécifiquement modernes de ces conséquences orientalisées.

III

Projets

Il faut examiner les conquêtes les plus flamboyantes de l'orientalisme pour juger à quel point Michelet dit exactement le contraire de ce qu'il faut dire quand il énonce l'idée de cette grandiose menace : « L'Orient avance, invincible, fatal aux dieux de la lumière à cause du charme de ses rêves, de la magie de son clair-obscur[1]. » Les relations culturelles, matérielles et intellectuelles entre l'Europe et l'Orient sont passées par des phases innombrables, même s'il est vrai que la démarcation entre l'Est et l'Ouest a été constamment sensible en Europe. Cependant, c'est en général l'Ouest qui a avancé vers l'Est et non l'inverse.

J'ai employé le terme d'orientalisme pour décrire l'approche occidentale de l'Orient ; c'est la discipline par laquelle l'Orient était (et est) systématiquement abordé, comme sujet d'étude, de découverte et de pratique. Mais j'ai encore utilisé ce mot pour désigner la collection de rêves, d'images et de vocabulaires dont dispose celui qui essaie de parler de ce qui se trouve à l'est de la ligne de partage. Ces deux aspects de l'orientalisme ne sont pas incompatibles, puisqu'en se servant de l'un et de l'autre

1. Cité par Henri Baudet dans *Paradise on Earth : Some Thoughts on European Images of Non-European Man*, New Haven, Conn., Yale Univ. Press, 1965, p. XIII.

l'Europe a pu avancer sûrement et non métaphoriquement en Orient. Ici, je voudrais principalement m'occuper des traces matérielles de cette avance.

L'islam excepté, l'Orient a été jusqu'au dix-neuvième siècle, pour l'Europe, un domaine ayant une histoire continue de domination occidentale incontestée. C'est manifestement vrai de l'engagement britannique en Inde, de l'engagement portugais dans les Indes orientales, en Chine et au Japon, de l'engagement français et italien dans différentes régions de l'Orient. Des exemples occasionnels d'intransigeance indigène ont troublé cette idylle, comme lorsqu'en 1638-1639 un groupe de chrétiens japonais ont expulsé les Portugais de leur région : à tout prendre, cependant, l'Orient arabe et islamique a été le seul à présenter à l'Europe un défi permanent sur les plans politique, intellectuel et, pour un temps, économique. Pendant une grande partie de son histoire, l'orientalisme est marqué de l'estampille de l'attitude trouble de l'Europe vis-à-vis de l'islam, et c'est à cet aspect très délicat de l'orientalisme que je m'intéresse dans cette étude.

Il ne fait pas de doute qu'à bien des égards l'islam était une provocation réelle. Il mettait à contribution des traditions judéo-helléniques, il était proche de façon gênante de la chrétienté, géographiquement et culturellement, il faisait des emprunts créatifs au christianisme, il pouvait se vanter de succès militaires et politiques hors pair. Et ce n'était pas tout. Les pays islamiques sont situés juste à côté des pays bibliques, ils les dominent même ; plus encore, le cœur du domaine islamique a toujours été la région la plus voisine de l'Europe, ce qu'on a appelé le Proche-Orient. L'arabe et l'hébreu sont des langues sémitiques ; ensemble, elles utilisent et réutilisent un matériau d'une importance brûlante pour le christianisme. Depuis la fin du septième siècle jusqu'à la bataille de Lépante, en

1571, l'islam, que ce soit sous sa forme arabe, ottomane ou nord-africaine et espagnole, a dominé ou menacé effectivement la chrétienté européenne. L'islam a surpassé, éclipsé Rome ; aucun Européen, hier ou aujourd'hui, ne peut éviter d'y penser. Même Gibbon n'a pas fait exception, comme le montre à l'évidence ce passage de *Decline and Fall (Histoire de la décadence et de la chute de l'Empire romain)* :

> Aux jours victorieux de la République romaine, le Sénat avait eu pour but de limiter ses conseils et ses légions à une guerre unique et de détruire complètement un premier ennemi avant de provoquer l'hostilité d'un second. Ces timides maximes de politique étaient dédaignées par la magnanimité et l'enthousiasme des califes arabes. Avec la même vigueur, avec le même succès, ils envahirent les terres des successeurs d'Auguste et d'Artaxerxès ; et les monarchies rivales devinrent au même instant la proie d'un ennemi qu'elles avaient été si longtemps accoutumées à mépriser. Pendant les dix années que dura l'administration d'Omar, les Sarrasins réduisirent à l'obéissance trente-six mille villes ou châteaux, détruisirent quatre mille églises ou temples des infidèles et édifièrent quatorze cents mosquées pour l'exercice de la religion de Mahomet. Une centaine d'années après sa fuite de La Mecque, les armes et l'empire des successeurs du Prophète s'étendaient de l'Inde à l'océan Atlantique, sur des provinces diverses et distantes [...][1].

Lorsque le mot Orient n'était pas pris simplement comme un synonyme de l'Est asiatique dans son ensemble, ou pour désigner de manière générale le lointain et l'exotique, il était compris de manière tout à fait rigoureuse comme s'appliquant à l'Orient islamique. Cet Orient « militant » venait représenter ce qu'Henri Baudet

---

1. *Decline and Fall of the Roman Empire*, *op. cit.*, 6, p. 289.

a appelé la « marée asiatique[1] ». C'était certainement le cas en Europe jusqu'au milieu du dix-huitième siècle ; à ce moment-là, des répertoires de savoir « oriental » comme la *Bibliothèque orientale* de d'Herbelot ont cessé de concerner presque uniquement l'islam, les Arabes ou les Ottomans. Jusqu'à cette époque, la mémoire culturelle donnait, ce qui est bien compréhensible, la prééminence à des événements relativement lointains tels que la chute de Constantinople, les croisades et la conquête de la Sicile et de l'Espagne, mais si ceux-ci signifiaient la menace de l'Orient, ils n'effaçaient pas pour autant le reste de l'Asie.

Il y avait toujours l'Inde, en effet : le Portugal, en pionnier, y avait installé, au début du seizième siècle, les premières bases de la présence européenne ; puis l'Europe, en premier lieu l'Angleterre, après une longue période (de 1600 à 1758) d'activité essentiellement commerciale, l'a dominée politiquement en l'occupant. Pourtant, l'Inde elle-même n'a jamais présenté de menace indigène pour l'Europe. C'est plutôt parce que l'autorité locale se désagrégeait et laissait le pays ouvert à la rivalité entre Européens, ainsi qu'à un contrôle européen carrément politique, que l'Orient indien a pu être traité par l'Europe avec cette arrogance de propriétaire – et jamais avec le sentiment du danger réservé à l'islam[2]. Il existait, néanmoins, une grande disparité entre cette arrogance et ce qui ressemblerait à un savoir positif précis. Dans la *Bibliothèque* de d'Herbelot, les entrées pour les sujets indo-persans sont toutes fondées sur des sources islamiques ; et il est vrai que, jusqu'au début du dix-neuvième siècle, quand on disait « langues orientales », on entendait uniquement « langues sémitiques ». La

1. *Paradise on Earth*, *op. cit.*, p. 4.
2. Voir D.K. Fieldhouse, *The Colonial Empires*, *op. cit.*, p. 138-161.

Renaissance orientale dont a parlé Quinet a eu pour fonction d'élargir certaines limites assez étroites dans lesquelles l'islam était l'exemple oriental fourre-tout[1]. Le sanscrit, la religion et l'histoire de l'Inde ne sont devenus objets de connaissance scientifique qu'après les efforts de sir William Jones à la fin du dix-huitième siècle, et si Jones lui-même s'est intéressé à l'Inde, c'est par l'intermédiaire de son intérêt préalable pour l'islam.

Il n'est donc pas étonnant que la première œuvre importante de l'érudition orientale, après la *Bibliothèque* de d'Herbelot, ait été *History of Saracens* de Simon Ockley, dont le premier volume a paru en 1708. Un historien récent de l'orientalisme a émis l'opinion que l'attitude d'Ockley à l'égard des musulmans – à savoir que les chrétiens européens leur doivent leur première connaissance de la philosophie – « a choqué douloureusement » son public européen. En effet, Ockley ne s'est pas contenté d'exposer nettement dans son œuvre cette supériorité islamique, il a aussi « donné à l'Europe son premier goût authentique et substantiel du point de vue arabe touchant les guerres avec Byzance et la Perse »[2]. Ockley a pris soin, cependant, de se dissocier de l'influence contagieuse de l'islam, et, à la différence de son collègue William Whiston (qui avait succédé à Newton à Cambridge), il a bien fait comprendre que l'islam était une hérésie éhontée. Whiston fut d'ailleurs expulsé de Cambridge en 1709, en raison de son engouement pour l'islam.

L'accès aux richesses indiennes (orientales) avait toujours dû se faire en traversant les provinces islamiques et en résistant aux dangereux effets de l'islam, système de

1. Raymond Schwab, *La Renaissance orientale, op. cit.*, p. 30.
2. A. J. Arberry, *Oriental Essays : Portraits of Seven Scholars*, New York, Macmillan Co., 1960, p. 30 *sq.*

croyance quasi arien. Et, du moins pendant la plus grande
partie du dix-huitième siècle, l'Angleterre et la France y
sont parvenues. L'Empire ottoman s'était depuis longtemps installé dans une sénescence confortable (pour
l'Europe), pour s'inscrire dans l'histoire du dix-neuvième
siècle comme la « question d'Orient ». L'Angleterre et la
France se sont affrontées en Inde entre 1744 et 1748 et, à
nouveau, entre 1753 et 1763, jusqu'à ce que les Britanniques, en 1769, émergeassent de ce conflit en ayant pratiquement la maîtrise économique et politique du sous-
continent. Alors, qu'y avait-il de plus inévitable que la
décision prise par Bonaparte de harceler l'empire oriental
des Britanniques en commençant par intercepter leur voie
de passage islamique, l'Égypte ?

L'invasion de l'Égypte par Bonaparte, en 1798, et son
incursion en Syrie ont eu d'immenses conséquences pour
l'histoire moderne de l'orientalisme. Avant Bonaparte, il
n'y avait eu que deux entreprises faites (toutes deux par
des érudits) pour envahir l'Orient en le débarrassant de
ses voiles et, aussi, en dépassant l'abri relatif de l'Orient
biblique. En premier lieu, ce fut Abraham-Hyacinthe
Anquetil-Duperron (1731-1805), théoricien excentrique
de l'égalitarisme, un homme qui s'était arrangé pour
concilier dans son esprit le jansénisme avec l'orthodoxie
catholique et le brahmanisme, et qui était allé jusqu'en
Asie pour prouver que la primauté du Peuple élu et des
généalogies bibliques était véritable. Au lieu de cela, il
dépassa son premier but et alla jusqu'à Surate pour y
trouver un dépôt de textes avestiques, et y mener à bien
sa traduction de l'Avesta. Raymond Schwab a dit du
mystérieux fragment avestique qui décida Anquetil à ce
voyage que « les savants ont regardé le fameux fragment
d'Oxford et sont rentrés dans leur cabinet : Anquetil le
voit, il va aux Indes ». Schwab remarque aussi qu'Anquetil et Voltaire, bien que leur tempérament et leur idéologie

s'opposassent irrémédiablement, avaient un intérêt semblable pour l'Orient et la Bible, « l'un pour rendre la Bible encore plus indiscutable, l'autre pour la rendre encore plus incroyable ». La traduction de l'Avesta d'Anquetil servit ironiquement les desseins de Voltaire, puisque les découvertes d'Anquetil « ouvrent brusquement la voie à une critique des livres admis pour révélés [la Bible] ».

Anquetil, en 1759, achève à Surate sa translation de l'*Avesta*, à Paris, en 1786, celle des *Upanishads*, – il a percé un isthme entre les hémisphères du génie humain, débloqué le vieil humanisme du bassin de la Méditerranée ; il n'y a pas cinquante ans que ses compatriotes demandaient comment on peut être Persan, lorsqu'il leur apprend à comparer les monuments des Perses à ceux des Grecs. Avant lui on ne réclame de renseignements sur le haut passé de la planète qu'aux écrivains latins, grecs, juifs, arabes. La Bible apparaît comme un bloc isolé, un aérolithe. L'univers de l'écriture tient dans la main ; à peine si l'on y soupçonne l'immensité de terres inconnues. Par sa traduction de l'*Avesta* commence la perception, devenue maintenant vertigineuse avec les exhumations de l'Asie centrale, des parlers qui foisonnèrent après Babel. Dans nos écoles jusque-là fermées orgueilleusement sur l'étroit héritage de la Renaissance gréco-latine [dont une bonne partie a été transmise à l'Europe par l'islam], il lance une vision de civilisations innombrables et immémoriales, d'un infini des littératures ; désormais quelques cantons européens ne sont plus seuls dans l'histoire à laisser des noms gravés [1].

Pour la première fois, l'Orient était révélé à l'Europe dans la matérialité de ses textes, de ses langues et de ses

1. Raymond Schwab, *Vie d'Anquetil-Duperron, suivie des Usages civils et religieux des Perses par Anquetil-Duperron*, Paris, Ernest Leroux, 1934, p. 10, 96, 4, 6.

civilisations. Pour la première fois aussi, l'Asie acquérait des dimensions intellectuelles et historiques précises permettant de consolider les mythes de sa distance et de sa grandeur géographiques. Par l'une de ces inévitables contractions compensant une soudaine expansion culturelle, aux travaux orientaux d'Anquetil succédèrent ceux de William Jones : seconde des entreprises prénapoléoniennes dont j'ai parlé. Alors qu'Anquetil ouvrait de larges perspectives, Jones les fermait en codifiant, en faisant des tableaux, en comparant. Avant de quitter l'Angleterre pour aller aux Indes en 1783, Jones savait déjà à fond l'arabe, l'hébreu et le persan. C'étaient, semble-t-il, les moindres de ses talents : il était aussi un poète, un juriste, un esprit encyclopédique, un classiciste, un érudit infatigable que ses capacités recommandaient à des hommes tels que Benjamin Franklin, Edmund Burke, William Pitt et Samuel Johnson.

En temps utile, il fut nommé à « une place honorable et profitable aux Indes » et, aussitôt arrivé pour prendre un poste à la Compagnie des Indes orientales, il commença ses recherches personnelles, qui consistaient à rassembler, à délimiter, à domestiquer l'Orient et, par là, à le convertir en une province de la science européenne. Pour son œuvre personnelle intitulée « Objects of Enquiry During my Residence in Asia » (Objets d'étude au cours de mon séjour en Asie), il énuméra parmi ses sujets de recherche : « les lois des hindous et des musulmans, la politique contemporaine et la géographie de l'Hindoustan, la meilleure manière de gouverner le Bengale, l'arithmétique, la géométrie et diverses sciences des Asiatiques, la médecine, la chimie, la chirurgie et l'anatomie des Indiens, les productions naturelles de l'Inde, la poésie, la rhétorique et la morale en Asie, la musique des nations orientales, le négoce, l'industrie, l'agriculture et le commerce de l'Inde », etc. Le 17 août 1787, il écrivait modestement à lord Althorp : « J'ai pour ambition de connaître l'Inde mieux qu'aucun Européen ne l'a connue. » C'est ici que Balfour, en 1910, a pu trouver le premier modèle de sa prétention, en tant qu'Anglais, à connaître l'Orient mieux que personne.

Officiellement, Jones s'occupait de droit, activité qui revêt une signification symbolique pour l'histoire de l'orientalisme. Sept ans avant l'arrivée de Jones en Inde, Warren Hastings avait décidé que les Indiens devaient être gouvernés selon leurs propres lois, projet plus ambitieux qu'il ne paraît, puisque le code de lois sanscrit n'existait alors, pour l'usage courant, qu'en traduction persane, et, à cette époque, aucun Anglais ne savait assez bien le sanscrit pour consulter les textes originaux. Un fonctionnaire de la Compagnie, Charles Wilkins, apprit bien le sanscrit, puis commença à traduire les *Lois* de Manu ; dans cette œuvre, il fut bientôt aidé par Jones (Wilkins a été d'ailleurs le premier traducteur de la Bhagavad-Gîta).

En janvier 1784, Jones réunit l'assemblée inaugurale de l'Asiatic Society of Bengal, qui devait être pour l'Inde ce que la Royal Society était pour l'Angleterre. C'est en tant que premier président de la société et que magistrat que Jones acquit la connaissance effective de l'Orient et des Orientaux qui devait faire de lui le fondateur reconnu de l'orientalisme (l'expression est de A. J. Arberry). Gouverner et apprendre, puis comparer l'Orient à l'Occident : tels étaient les buts de Jones et il les a atteints, avec son élan irrésistible pour codifier, réduire la variété infinie de l'Orient à un « digest complet » de lois, de figures, de coutumes et d'ouvrages. Sa déclaration la plus célèbre indique jusqu'à quel point l'orientalisme moderne, même dans ses débuts philosophiques, était une discipline comparative, dont le principal objet était de trouver pour les langues européennes une source orientale lointaine et inoffensive :

> La langue *sanscrite* a, quelle que soit son antiquité, une structure merveilleuse ; plus parfaite que le *grec*, plus copieuse que le *latin*, d'un raffinement plus exquis que l'un ou l'autre, porteuse cependant d'une forte affinité à toutes deux, à la fois par les racines des verbes et les formes grammaticales, plus forte que ne pourrait le produire le hasard, vraiment si forte qu'un philosophe ne peut les étudier toutes les trois sans croire qu'elles soient issues d'une source commune[1].

Bon nombre des premiers orientalistes anglais en Inde ont été, comme Jones, de savants juristes ou alors, ce qui est intéressant, des médecins avec de fortes tendances missionnaires. Autant qu'on puisse le savoir, la plupart d'entre eux étaient pénétrés du double dessein d'étudier « les sciences et les arts de l'Asie, avec l'espoir d'y rendre plus faciles des améliorations et de perfectionner chez nous les arts[2] » : c'est ainsi qu'est présenté le but commun des orientalistes dans le *Centenary Volume* de la Royal Asiatic Society, fondée en 1823 par Henry Thomas Colebrooke. Dans leurs rapports avec les Orientaux de leur temps, les premiers orientalistes de profession n'avaient que deux rôles à remplir, mais aujourd'hui nous ne pouvons leur reprocher le rétrécissement imposé à leur humanité par le caractère officiel de leur présence d'*Occidentaux* en Orient. Ou bien ils étaient juges, ou bien ils étaient médecins. Même Edgar Quinet, qui écrivait d'un point de vue plus métaphysique que réaliste, était obscurément conscient de cette relation thérapeu-

---

1. A. J. Arberry, *Oriental Essays*, op. cit., p. 62-66.
2. *Centenary Volume of the Royal Asiatic Society of Great Britain and Ireland, 1823-1923*, éd. Frederick Eden Pargiter, Londres, Royal Asiatic Society, 1923, p. VIII.

tique. « L'Asie a les prophètes, dit-il dans *Le Génie des religions*, l'Europe a les docteurs [1]. »

La connaissance appropriée de l'Orient passait d'abord par l'étude des textes classiques, et après seulement par l'application de ces textes à l'Orient moderne. Confronté à la décrépitude évidente de l'Oriental moderne et à son impuissance politique, l'orientaliste européen estimait de son devoir de sauver une partie d'une grandeur passée, classique de l'Orient, qui était perdue, pour ainsi « rendre plus faciles des améliorations » dans l'Orient présent. Ce que l'Européen prenait dans le passé de l'Orient classique, c'était une vision (et des milliers de faits et d'objets) que lui seul pouvait utiliser au mieux ; à l'Oriental moderne, il facilitait les choses et le faisait bénéficier de son opinion sur ce qui valait le mieux pour l'Orient moderne.

Une caractéristique de tous les projets orientalistes précédant celui de Bonaparte est qu'il n'y avait que peu de chose à faire par avance pour préparer leur réussite. Anquetil et Jones, par exemple, n'ont appris ce qu'ils ont appris de l'Orient qu'une fois sur place. Ils étaient confrontés à l'Orient tout entier, dirait-on, et ce n'est qu'avec du temps et une dose considérable d'improvisation qu'ils ont pu l'amenuiser en une province plus petite. Bonaparte, d'autre part, ne voulait rien de moins que s'emparer de la totalité de l'Égypte, et ses préparatifs furent d'une ampleur et d'une précision sans pareilles. Même ainsi, ces préparatifs étaient presque fanatiquement schématiques et, si je peux employer ce terme, textuels : ce sont ces caractères que je vais analyser ici.

Il semble que Bonaparte ait eu avant tout trois choses à l'esprit en se préparant, en Italie, en 1797, à son prochain coup militaire. Premièrement, en dehors de la puissance toujours menaçante de l'Angleterre, ses succès

---

1. *Le Génie des religions*, *op. cit.*, p. 47.

militaires, qui avaient atteint leur apogée avec le traité de Campoformio, ne lui laissaient que l'Est pour y récolter plus de gloire. En outre, Talleyrand avait récemment fait des observations sur « les avantages à retirer de colonies nouvelles dans les circonstances présentes », et cette idée, en même temps que l'agréable perspective de nuire à la Grande-Bretagne, le poussait vers l'est. Deuxièmement, Bonaparte avait été attiré par l'Orient dès son adolescence ; ses manuscrits de jeunesse, par exemple, contiennent un résumé fait par lui de l'*Histoire des Arabes* de Marigny, et il ressort à l'évidence de ses écrits et de ses conversations qu'il était imprégné, dit Jean Thiry, des mémoires et des gloires qui étaient attachées à l'Orient d'Alexandre, en général, et à l'Égypte, en particulier[1]. C'est ainsi que l'idée de reconquérir l'Égypte, comme un nouvel Alexandre, s'offrait à lui d'elle-même, combinée à l'avantage supplémentaire d'acquérir une nouvelle colonie islamique aux dépens de l'Angleterre. Troisièmement, Bonaparte considérait que l'Égypte était une entreprise réalisable parce qu'il la connaissait tactiquement, stratégiquement, historiquement et, ce qu'il ne faut pas sous-estimer, textuellement, comme quelque chose de connu par la lecture de textes d'autorités européennes récentes aussi bien que classiques.

Tout cela montre que, pour Bonaparte, l'Égypte était une entreprise qui avait pris de la réalité dans son esprit, puis dans ses préparatifs de conquête, grâce à des expériences appartenant au domaine des idées et des mythes recueillis dans des textes, et non à la réalité empirique. Ses plans pour l'Égypte inaugurent donc une longue série de contacts entre l'Europe et l'Orient, dans lesquels la spécialité de l'orientaliste était mise directement au ser-

---

1. Jean Thiry, *Bonaparte en Égypte, décembre 1797-24 août 1799*, Paris, Berger-Levrault, 1973, p. 9.

vice de la conquête coloniale ; en effet, à partir de Napoléon, quand vient pour l'orientaliste le moment crucial où il doit choisir si sa loyauté et ses sympathies vont du côté de l'Orient ou du côté de l'Occident conquérant, il choisit toujours ce dernier. Quant à Bonaparte lui-même, il ne voyait l'Orient que tel qu'il avait été codé, d'abord par des textes classiques, puis par des experts orientalistes dont la vision, fondée sur ces textes classiques, paraissait un substitut commode à tout contact véritable avec l'Orient réel.

C'est un fait bien connu que Bonaparte a enrôlé des douzaines de « savants » pour son expédition d'Égypte, fait sur lequel nous n'avons pas besoin de donner ici des détails. Il avait l'intention d'établir une espèce d'archive vivante de l'Expédition, sous forme d'études menées sur tous les sujets par des membres de l'Institut d'Égypte qu'il avait fondé. Ce qu'on sait moins, peut-être, c'est que Bonaparte s'appuyait sur l'œuvre d'un voyageur français, le comte de Volney, dont le *Voyage en Égypte et en Syrie* avait paru, en deux volumes, en 1787. En dehors d'une courte préface personnelle informant le lecteur que, disposant tout à coup d'argent (son héritage), il avait pu prendre la route de l'est en 1783, le *Voyage* est un document qui est impersonnel d'une manière presque oppressante. Volney se considérait évidemment comme un homme de science dont la tâche était toujours de rapporter l'« état » de ce qu'il voyait. Le point culminant du *Voyage* se trouve dans le second volume : un exposé de l'islam comme religion[1]. Les opinions de Volney sont canoniquement hostiles à l'islam, en tant que religion et système d'institutions politiques ; or Bonaparte trouvait que cet ouvrage et les *Considérations sur la guerre actuelle des Turcs* (1788) avaient une importance toute

---

1. Constantin-François Volney, *Voyage en Égypte et en Syrie*, Paris, Bossange, 1821, 2, p. 241 et *passim*.

particulière. Après tout, Volney était en effet un Français avisé et – comme Chateaubriand et Lamartine un quart de siècle après lui – il voyait dans le Proche-Orient l'endroit où réaliser les ambitions coloniales de la France. Ce que Bonaparte trouvait d'utile dans Volney, c'était l'énumération, par ordre croissant de difficulté, des obstacles qu'une force expéditionnaire rencontrerait en Orient.

Napoléon se réfère explicitement à Volney dans ses réflexions sur l'expédition d'Égypte, les *Campagnes d'Égypte et de Syrie (1798-1799)*, qu'il dicta au général Bertrand à Sainte-Hélène. Volney, dit-il, considérait que trois barrières s'opposaient à l'hégémonie française en Orient, et qu'une force expéditionnaire française aurait donc à mener trois guerres : l'une contre l'Angleterre, la deuxième contre la Porte ottomane et la troisième, la plus difficile, contre les musulmans[1]. Les estimations de Volney étaient à la fois perspicaces et difficiles à réfuter, puisqu'il était clair, pour Bonaparte comme pour tout lecteur de Volney, que son *Voyage* et les *Considérations* étaient des textes qui devaient déterminer les actions de tout Européen souhaitant être vainqueur en Orient. Autrement dit, l'ouvrage de Volney constituait un manuel destiné à atténuer le choc humain que pourrait ressentir un Européen en contact direct avec l'Orient : lisez ces livres, et loin d'être désorienté par l'Orient vous le soumettrez, telles semblent avoir été les thèses de Volney.

Bonaparte a pris Volney presque au pied de la lettre, mais avec une subtilité caractéristique. Dès l'instant où l'armée d'Égypte fait son apparition sur l'horizon égyptien, tous les efforts sont faits pour convaincre les musulmans que « nous sommes les vrais musulmans », comme

1. Napoléon, *Campagnes d'Égypte et de Syrie, 1798-1799. Mémoires pour servir à l'histoire de Napoléon*, Paris, Comou, 1843, 1, p. 211.

la proclamation de Bonaparte du 2 juillet 1798 le déclare au peuple d'Alexandrie[1]. Accompagné d'une équipe d'orientalistes (et à bord d'un vaisseau amiral appelé *l'Orient*), Bonaparte utilise l'hostilité des Égyptiens envers les Mamelouks, ainsi que des appels à l'idée révolutionnaire de chances égales pour tous, pour mener une guerre d'une douceur et d'une circonspection jamais observées contre l'islam.

Ce qui a plus que tout impressionné le premier chroniqueur arabe de l'expédition, Abdal-Rahman al-Jabarti, c'est l'utilisation des savants par Bonaparte pour se ménager des contacts avec les indigènes – ceci et le choc causé par l'observation, de près, d'un *establishment* intellectuel moderne et européen[2]. Bonaparte a cherché par tous les moyens à prouver qu'il combattait pour l'islam ; tout ce qu'il disait était traduit en arabe littéraire, de même qu'il était enjoint à l'armée par le commandement de ne jamais oublier la sensibilité islamique. (Comparez sur ce point la tactique de Bonaparte en Égypte et celle du *Requerimiento*, document rédigé en 1513 par les Espagnols – en espagnol – pour qu'il soit lu à haute voix aux Indiens : « Je vous prendrai, vous, vos femmes et vos enfants, et vous réduirai à l'esclavage […]. Je vous prendrai vos biens et vous ferai tout le mal, tous les dams que je pourrai, comme il convient à des vassaux qui n'obéissent pas à leur seigneur », etc.[3].)

Quand il devint évident pour Bonaparte que sa force était insuffisante pour s'imposer d'elle-même aux Égyptiens, il essaya de faire interpréter le Coran en faveur de la Grande

---

1. Jean Thiry, *Bonaparte en Égypte*, *op. cit.*, p. 126. Voir aussi Ibrahim Abu-Lughod, *Arab Rediscovery of Europe : A Study in Cultural Encounters*, Princeton Univ. Press, 1963, p. 12-20.

2. Ibrahim Abu-Lughod, *Arab Rediscovery of Europe*, *op. cit.*, p. 22.

3. Traduction française tirée de S. Zavala, *Amérique latine : philosophie de la conquête*, Paris-La Haye, Mouton, 1977, Annexes, p. 138.

Armée par les imams, cadis, muftis et ulémas locaux. Dans ce but, les soixante ulémas qui enseignaient à l'Ahzar furent invités à son quartier général, tous les honneurs militaires leur furent rendus, puis il leur fut permis d'être flattés par l'admiration de Bonaparte pour l'islam et Mahomet, par son évidente vénération pour le Coran, qu'il paraissait connaître familièrement. Cela réussit, et il semble que toute la population du Caire ne tarda pas à perdre sa méfiance à l'égard des occupants[1]. Par la suite, Bonaparte donna à Kléber, son représentant, des instructions strictes pour qu'il administrât l'Égypte par l'intermédiaire des orientalistes et des chefs religieux islamiques qu'il pourrait gagner à sa cause ; toute autre politique serait trop coûteuse et déraisonnable[2]. Hugo pensait avoir saisi l'éclat plein de tact de l'expédition en Orient de Napoléon dans son poème « Lui » :

Au Nil je le retrouve encore.
L'Égypte resplendit des feux de son aurore ;
Son astre impérial se lève à l'Orient.

Vainqueur, enthousiaste, éclatant de prestiges,
Prodige, il étonna la terre des prodiges.
Les vieux scheiks vénéraient l'émir jeune et prudent ;
Le peuple redoutait ses armes inouïes ;
Sublime, il apparut aux tribus éblouies
Comme un Mahomet d'Occident[3].

---

1. Jean Thiry, *Bonaparte en Égypte*, *op. cit.*, p. 200. Il ne faut pas croire que Napoléon était tout bonnement cynique. On rapporte qu'il a parlé du *Mahomet* de Voltaire avec Goethe, et qu'il défendait l'islam. Voir Christian Cherfils, *Bonaparte et l'Islam d'après les documents français arabes*, Paris, A. Pedone, 1914, p. 249 et *passim*.

2. Jean Thiry, *Bonaparte en Égypte*, *op. cit.*, p. 434.

3. Victor Hugo, *Les Orientales*, in *Œuvres poétiques*, *op. cit.*, I, p. 684.

Ce type de triomphe ne pouvait avoir été préparé qu'*avant* l'expédition militaire, et par quelqu'un qui ne savait de l'Orient que ce que lui en avaient dit les livres et les savants. L'idée d'emmener avec soi une académie au complet est bien un aspect de cette attitude « textuelle » vis-à-vis de l'Orient. Et cette attitude, à son tour, a été étayée par des décrets révolutionnaires spécifiques (en particulier celui du 10 germinal an III – 30 mars 1793 – établissant une *école publique* à la Bibliothèque nationale pour y enseigner l'arabe, le turc et le persan[1]) ayant pour objet – objet rationaliste – de dissiper les mystères et d'institutionnaliser la science même la plus abstruse. C'est ainsi que beaucoup des traducteurs orientalistes de Bonaparte ont été des élèves de Silvestre de Sacy, qui, à partir de juin 1796, fut le seul et unique professeur d'arabe à l'École publique des langues orientales. Ses élèves ont dominé l'orientalisme pendant près de trois quarts de siècle. Beaucoup d'entre eux ont été utiles pour la politique, de la même façon que plusieurs l'avaient été pour Bonaparte en Égypte.

Mais les rapports de Bonaparte avec les musulmans n'ont été qu'une partie de son projet de domination de l'Égypte. L'autre partie consistait à la rendre complètement ouverte, totalement accessible à l'investigation des Européens. Cessant d'être un pays d'obscurité, inclus dans l'Orient qui n'était connu jusque-là que de deuxième main, par les exploits de voyageurs, de savants et de conquérants anciens, l'Égypte devait devenir un département de la science française. Ici aussi, les attitudes schématiques et « textuelles » sont évidentes. L'Institut, avec ses équipes de chimistes, d'historiens, de biologistes, d'archéologues, de chirurgiens et de spécialistes de l'Antiquité, était la division savante de l'armée. Sa tâche

---

1. Henri Dehérain, *Silvestre de Sacy, ses contemporains et ses disciples*, Paris, Paul Geuthner, 1938, p. v.

n'en était pas moins agressive : mettre l'Égypte en français moderne ; et, à la différence de la *Description de l'Égypte* de l'abbé Le Mascrier (1735), celle de Bonaparte devait être une entreprise universelle.

Presque dès le premier moment de l'occupation, Bonaparte veilla à ce que l'Institut commençât ses réunions, ses expériences – ses missions de collecte de matériaux, comme nous les appellerions aujourd'hui. Plus important encore, tout ce qui était dit, vu et étudié devait être enregistré, et le fut en effet dans cette grande appropriation collective d'un pays par un autre qu'est la *Description de l'Égypte*, publiée en trente-trois énormes volumes entre 1803 et 1828 [1].

Le caractère unique de la *Description* n'est pas seulement dû à ses dimensions, ni même à l'intelligence de ses auteurs, mais à son attitude en face de son thème, et c'est cette attitude qui la rend si intéressante pour l'étude des projets orientalistes modernes. Les quelques premières pages de sa *Préface historique*, écrite par le secrétaire de l'Institut, Jean-Baptiste-Joseph Fourier, font bien comprendre qu'en « faisant » l'Égypte les savants abordaient directement une espèce de signification culturelle, géographique et historique sans mélange. L'Égypte était le point focal des relations entre l'Afrique et l'Asie, entre l'Europe et l'Est, entre la mémoire et l'actualité.

> L'Égypte, placée entre l'Afrique et l'Asie, et communiquant facilement avec l'Europe, occupe le centre de l'ancien continent. Cette Contrée ne présente que de grands souvenirs ; elle est la patrie des arts et en conserve des monuments innom-

---

1. *Description de l'Égypte, ou Recueil des observations et des recherches qui ont été faites en Égypte pendant l'expédition de l'armée française, publié par les ordres de sa majesté l'empereur Napoléon le Grand*, Paris, Imprimerie impériale, 1809-1828 (23 vol.).

brables ; ses principaux temples et les palais que ses rois ont habités, subsistent encore, quoique les moins anciens de ces édifices aient été construits avant la guerre de Troie. Homère, Lycurgue, Solon, Pythagore et Platon, se rendirent en Égypte pour y étudier les sciences, la religion et les lois. Alexandre y fonda une ville opulente, qui jouit longtemps de l'empire du commerce, et qui vit Pompée, César, Marc-Antoine et Auguste, décider entre eux du sort de Rome et de celui du monde entier. Le propre de ce pays est d'appeler l'attention des princes illustres, qui règlent les destinées des nations.

Il ne s'est formé, dans l'Occident ou dans l'Asie, aucune puissance considérable qui n'ait porté ses vues sur l'Égypte, et ne l'ait regardée, en quelque sorte, comme son apanage naturel [1].

Parce que l'Égypte était saturée de sens pour les arts, les sciences et le gouvernement, elle avait pour rôle d'être la scène où se passeraient des actions d'une grande importance pour l'histoire mondiale. Donc, en s'emparant de l'Égypte, une puissance moderne démontrerait naturellement sa force et justifierait l'histoire ; le destin propre de l'Égypte était qu'elle soit annexée, à l'Europe de préférence. En outre, cette puissance entrerait aussi dans une histoire dont l'élément commun était défini par des personnages de la taille d'Homère, Alexandre, César, Platon, Solon et Pythagore qui avaient autrefois honoré l'Orient de leur présence. Pour résumer, l'Orient existait comme un ensemble de valeurs attachées, non à ses réalités actuelles, mais à l'ensemble de contacts qu'il avait eus avec un lointain passé européen. C'est là un pur exemple de l'attitude textuelle et schématique à laquelle j'ai fait allusion.

Fourier continue ainsi pendant plus de cent pages (chaque page, d'ailleurs, a un mètre carré de surface,

1. Jean-Baptiste-Joseph Fourier, *Préface historique*, vol. 1 de la *Description de l'Égypte*, p. 1.

comme si l'on avait pensé que le projet et les dimensions de la page étaient à la même échelle). À partir du passé flottant et mal délimité, cependant, il lui faut justifier l'expédition de Bonaparte par la nécessité de l'entreprendre au moment où elle s'est produite. Il ne quitte jamais une perspective théâtrale. Conscient de son public européen et des personnages orientaux qu'il manipule, il écrit :

> On se rappelle l'impression que fit, dans toute l'Europe, l'étonnante nouvelle des Français en Orient [...]. Ce grand projet, médité dans les silences, fut préparé avec tant d'activité et de secret, que la vigilance inquiète de nos ennemis fut trompée ; ils apprirent, presque dans le même temps, qu'il avait été conçu, entrepris, et exécuté [...].

Un coup de théâtre avait ses avantages pour l'Orient aussi :

> Cette contrée, qui a transmis ses connaissances à tant de nations, est aujourd'hui plongée dans la barbarie.

Seul un héros peut rassembler tous ces facteurs ; c'est ce que Fourier décrit maintenant :

> Il apprécia l'influence que cet événement devoit avoir sur les relations de l'Europe avec l'Orient et l'intérieur de l'Afrique, sur la navigation de la Méditerranée et le sort de l'Asie [...]. [Bonaparte avait l'intention] d'offrir à l'Orient l'utile exemple européen, enfin de rendre la condition des habitans plus douce, et de leur procurer tous les avantages d'une civilisation perfectionnée.
> On ne pouvait atteindre à ce but, sans l'application continuelle des sciences et des arts [1].

---

1. *Ibid.*, p. III.

Restaurer une région de sa barbarie actuelle dans son ancienne grandeur classique ; enseigner à l'Orient (pour son bien) les méthodes de l'Occident moderne ; subordonner ou modérer la puissance militaire pour donner plus d'ampleur au projet d'acquérir un glorieux savoir au cours du processus de domination politique de l'Orient ; formuler l'Orient, lui donner forme, identité, définition, en reconnaissant pleinement sa place dans la mémoire, son importance pour la stratégie impériale et son rôle « naturel » d'annexé de l'Europe ; ennoblir tout le savoir ramassé pendant l'occupation coloniale en l'intitulant « contribution à la science moderne » alors que les indigènes n'ont pas été consultés, n'ont été traités que comme prétextes pour un texte qui, pour eux, n'a pas d'utilité ; avoir le sentiment, en tant qu'Européen, de disposer à volonté de l'histoire, du temps et de la géographie de l'Orient ; établir des disciplines nouvelles ; diviser, déployer, schématiser, mettre en tableaux, en index et enregistrer tout ce qui est visible (et invisible) ; tirer de tout détail observable une généralisation et de toute généralisation une loi immuable concernant la nature, le tempérament, la mentalité, les usages ou le type des Orientaux ; et, surtout, transmuer la réalité vivante en substance de textes, posséder (ou penser que l'on possède) la réalité, essentiellement parce que rien, dans l'Orient, ne semble résister à votre pouvoir : tels sont les traits caractéristiques de la projection orientaliste qui est entièrement réalisée dans la *Description de l'Égypte*, et qu'a permise et renforcée l'engloutissement totalement orientaliste de l'Égypte par Bonaparte grâce aux instruments du savoir et du pouvoir occidentaux. Ainsi, Fourier conclut sa préface en annonçant que l'histoire se rappellera comment « l'Égypte fut le théâtre de sa gloire [de Bonaparte], et préserve de l'oubli toutes les circonstances de cet événement extraordinaire[1] ».

La *Description* enlève ainsi à l'histoire égyptienne ou orientale sa place d'histoire possédant une cohérence, une identité, un sens propres, et elle l'identifie directement à l'histoire mondiale, pour ne pas dire l'histoire de l'Europe. Préserver un événement de l'oubli est équivalent, dans l'esprit de l'orientaliste, à transformer l'Orient en un théâtre pour ses représentations de l'Orient : voilà presque exactement ce que dit Fourier. Bien plus, le pur et simple pouvoir d'avoir décrit l'Orient dans le langage de l'Occident moderne élève l'Orient du royaume de ténèbres silencieuses où il gisait négligé (à l'exception des balbutiements d'un sentiment vaste mais indéfini de son propre passé) jusqu'à la clarté de la science européenne moderne. Là, ce nouvel Orient figure – par exemple, dans les thèses biologiques exposées par Geoffroy Saint-Hilaire dans la *Description* – comme une confirmation de lois de spécialisation zoologique formulées par Buffon[2]. Ou bien, il sert de « contraste frappant avec les habitudes des nations Européennes[3] » : les « bizarres jouissances » des Orientaux servent à mettre en valeur la sobriété et la rationalité des habitudes occidentales. Ou, pour citer une utilisation de plus de l'Orient, on recherche pour le corps des Européens des équivalents de ces caractéristiques physiologiques des Orientaux qui ont permis d'embaumer leurs corps, de sorte que les chevaliers tombés au champ d'honneur puissent être conservés comme des reliques

1. *Ibid.*, p. XCII.
2. Étienne Geoffroy Saint-Hilaire, *Histoire naturelle des poissons du Nil*, vol. 17 de la *Description de l'Égypte*, p. 2.
3. M. de Chabrol, *Essai sur les mœurs des habitants modernes de l'Égypte*, vol. 14 de la *Description de l'Égypte*, p. 376.

quasi vivantes de la grande campagne d'Orient de Bonaparte[1].

Cependant, si l'occupation de l'Égypte par Bonaparte a été un échec sur le plan militaire, cela n'a pas anéanti pour autant la fécondité de sa projection complète pour l'Égypte ou le reste de l'Orient. De manière tout à fait littérale, de l'occupation est née l'expérience moderne tout entière de l'Orient telle qu'elle est interprétée de l'intérieur de l'univers du discours fondé par Bonaparte en Égypte, dont les agents de domination et de dissémination comprenaient l'Institut et la *Description*. L'idée était, comme l'a exprimé Charles-Roux, que l'Égypte « redevenue prospère, régénérée par un gouvernement sage et éclairé [...] rayonnerait sur tous les pays circonvoisins[2] ». Il est vrai que les autres puissances européennes allaient entrer en compétition dans cette mission, l'Angleterre plus que toute autre. Mais ce qui allait être l'héritage durable légué à l'Orient par cette mission commune de l'Occident – en dépit des querelles, de la rivalité indécente ou carrément de la guerre entre les Européens –, ce devait être la création de nouveaux projets, de nouvelles visions, de nouvelles entreprises combinant encore d'autres parties du vieil Orient avec l'esprit conquérant des Européens.

Après Napoléon, donc, le langage même de l'orientalisme a subi un changement radical. Il s'est élevé au-dessus du réalisme descriptif pour devenir, non plus simplement un style de représentation, mais un langage, un

---

1. C'est évident dans la *Notice sur la conformation physique des Égyptiens et des différentes races qui habitent en Égypte, suivie de quelques réflexions sur l'embaumement des momies*, du baron Larrey, vol. 13 de la *Description de l'Égypte*.

2. Cité par John Marlowe, *The Making of the Suez Canal*, Londres, Cresset Press, 1964, p. 31 *sq.*

moyen de *création*. En même temps que les langues mères, nom donné par Antoine Fabre d'Olivet aux sources dormantes, oubliées, des langues populaires de l'Europe moderne, l'Orient était reconstruit, réassemblé, fabriqué, bref, mis au jour par les efforts des orientalistes. La *Description* est devenue le type même de tous les efforts ultérieurs pour rapprocher l'Orient de l'Europe, puis l'absorber entièrement et – ce qui est d'une importance capitale – annihiler, ou du moins subjuguer et réduire son étrangeté et, dans le cas de l'islam, son hostilité. Car, désormais, l'Orient islamique apparaîtra comme une catégorie dénotant le pouvoir des orientalistes et non le peuple islamique en tant que groupe d'êtres humains ou son histoire en tant qu'histoire.

C'est ainsi que de l'expédition de Bonaparte est issue toute une série d'enfants textuels, de l'*Itinéraire* de Chateaubriand au *Voyage en Orient* de Lamartine et à *Salammbô* de Flaubert ainsi que, dans la même tradition, *Manners and Customs of the Modern Egyptians* de Lane et *Personal Narrative of a Pilgrimage to al-Madinah and Meccah* de Richard Burton. Ce qui relie ces auteurs, ce n'est pas seulement le fonds de légendes et d'expériences orientales qui leur est commun, mais aussi qu'ils savent de science certaine que l'Orient est une sorte de matrice d'où ils sont sortis. Si, paradoxalement, ces créations se sont trouvées être des simulacres extrêmement stylisés, des imitations élaborées de ce qu'on croyait être l'Orient vivant, cela ne diminue en rien ni la force de leur conception imaginatrice ni celle de la maîtrise de l'Europe sur l'Orient ; et ses prototypes ont été respectivement Cagliostro, le grand personnificateur européen de l'Orient, et Napoléon, son premier conquérant moderne.

L'expédition de Bonaparte n'a pas eu pour seuls produits des œuvres artistiques ou textuelles, mais en outre

– et cela a certainement eu une plus grande influence – un projet scientifique, avec comme manifestation principale le *Système comparé et Histoire des langues sémitiques* de Renan, achevé en 1848 pour obtenir – c'est assez joli – le prix Volney, et un projet géopolitique, dont les manifestations majeures sont le canal de Suez, réalisé par Ferdinand de Lesseps, et l'occupation anglaise de l'Égypte, en 1882. La différence entre ces deux types de projets ne tient pas seulement à leur échelle, manifeste, mais aussi à la qualité de leur conviction orientaliste. Renan croyait vraiment qu'il avait recréé dans son œuvre l'Orient tel qu'il était en réalité. Ferdinand de Lesseps, d'autre part, n'a jamais cessé d'être un peu effrayé par la nouveauté libérée par son projet dans le vieil Orient, et ce sentiment s'est communiqué à tous ceux pour lesquels l'ouverture du canal, en 1869, était un événement sortant de l'ordinaire. Dans l'*Excursionist and Tourist Advertiser* du 1er juillet 1869, l'enthousiasme de Thomas Cook prend la relève de celui de Ferdinand de Lesseps :

> Le 17 novembre, le succès du plus grand exploit technique du présent siècle sera célébré par une magnifique fête d'inauguration, à laquelle presque toutes les familles régnantes d'Europe enverront un représentant. Ce sera vraiment une occasion exceptionnelle. La formation d'une voie de communication par eau entre l'Europe et l'Est était l'idée séculaire, elle a occupé tour à tour l'esprit des Grecs, des Romains, des Saxons et des Gaulois, mais c'est seulement ces toutes dernières années que la civilisation moderne a commencé sérieusement à se mettre à rivaliser avec le travail des anciens pharaons qui, il y a bien des siècles, avaient construit un canal entre les deux mers, dont il reste encore aujourd'hui des traces […]. Tout ce qui se rapporte aux travaux actuels est à l'échelle la plus gigantesque, et la lecture d'une petite brochure qui décrit cette entreprise, due à la plume du chevalier de Saint Stoess, nous donne une très forte idée du génie

du grand esprit – M. Ferdinand de Lesseps – grâce à la persé-
vérance, à la calme audace et à la prévoyance duquel le rêve
antique est enfin devenu un fait réel et tangible [...] le projet
de rapprocher plus étroitement les pays de l'Ouest et de l'Est
et de réunir ainsi des civilisations de différentes époques [1].

La combinaison de vieilles idées avec des méthodes
nouvelles, la réunion de cultures dont les liens avec le dix-
neuvième siècle étaient différents, la véritable imposition
de la puissance de la technologie moderne et de la volonté
intellectuelle sur des entités jusque-là stables et séparées
géographiquement comme l'Est et l'Ouest : voilà ce que
perçoit Cook et ce que vante Ferdinand de Lesseps dans
ses journaux, ses discours, ses prospectus et ses lettres.

Du point de vue généalogique, Ferdinand avait eu un
heureux départ. Mathieu de Lesseps, son père, était venu
en Égypte avec Bonaparte et y était resté (en tant que
« représentant non officiel de la France », dit Marlowe [2])
pendant quatre ans après son évacuation par les Français,
en 1801. Dans beaucoup de ses écrits ultérieurs,
Ferdinand se réfère au fait que Napoléon lui-même s'était
intéressé au percement d'un canal, mais qu'il n'avait
jamais cru, trompé en cela par les experts, que ce fût un
but réalisable. Contaminé par l'histoire extravagante des
projets de canal, qui comprenait des plans français conçus
par Richelieu et par les saint-simoniens, Ferdinand de
Lesseps retourna en Égypte en 1854, pour s'embarquer
dans l'entreprise qui devait être achevée que quinze
ans plus tard. Il n'avait pas reçu de véritable formation
d'ingénieur, il était seulement soutenu par une foi formidable en ses qualités presque divines de constructeur,

---

1. Cité dans John Pudney, *Suez : De Lesseps' Canal*, New York,
Frederick A. Praeger, 1969, p. 141 *sq.*
2. *The Making of the Suez Canal, op. cit.*, p. 62.

d'animateur et de créateur ; alors que ses talents de diplomate et de financier lui gagnaient des soutiens en Égypte et en Europe, il semble avoir acquis les connaissances nécessaires pour mener les choses à bien. Ce qui est plus utile, peut-être, il apprit comment planter ses contributeurs possibles sur le théâtre de l'histoire mondiale et leur faire voir ce que sa « pensée morale », comme il appelait son projet, voulait vraiment dire. « Vous envisagez, leur dit-il en 1860, les immenses services que le rapprochement de l'Occident et de l'Orient doit rendre à la civilisation et au développement de la richesse générale. Le monde attend de vous un grand progrès et vous voulez répondre à l'attente du monde [1]. » Selon ces idées, le nom de la compagnie d'investissement formée par Ferdinand de Lesseps, en 1858, est riche de sens et reflète ses plans grandioses : la Compagnie universelle.

En 1862, l'Académie française proposa un prix pour un poème épique sur le canal. Celui à qui il fut décerné, Bornier, s'exprime avec des hyperboles comme celles-ci, dont aucune ne contredit fondamentalement l'image que se faisait Ferdinand de Lesseps de son entreprise :

Au travail ! Ouvriers que notre France envoie,
Tracez, pour l'univers, cette nouvelle voie !
Vos pères, les héros, sont venus jusqu'ici ;
Soyez fermes, comme eux soyez intrépides,
Comme eux vous combattez aux pieds des Pyramides,
Et leur quatre mille ans vous contemplent aussi !

1. Ferdinand de Lesseps, *Lettres, journal et documents pour servir à l'histoire du canal de Suez*, Paris, Didier, 1881, 5, p. 310. Pour une description pertinente de Ferdinand de Lesseps et de Cecil Rhodes comme mystiques, voir Henri Baudet, *Paradise on Earth*, *op. cit.*, p. 68.

Oui, c'est pour l'univers ! Pour l'Asie et l'Europe,
Pour ces climats lointains que la nuit enveloppe,
Pour le Chinois perfide et l'Indien demi-nu ;
Pour les peuples heureux, libres, humains et braves,
Pour les peuples méchants, pour les peuples esclaves,
Pour ceux à qui le Christ est encore inconnu[1].

Ferdinand de Lesseps n'était jamais plus éloquent ni plus ingénieux que lorsqu'il devait justifier les énormes dépenses en argent et en hommes nécessitées par le canal. Il pouvait enchanter toutes les oreilles en y versant des statistiques (il était capable de citer avec la même facilité Hérodote et les statistiques maritimes). Dans ses pages de journal de 1864, il cite en l'approuvant une observation de Casimir Leconte : une vie excentrique doit développer chez l'homme une originalité marquée, et de l'originalité viendront des exploits grands et inhabituels[2]. Ces exploits étaient leur propre justification. Malgré son histoire immémoriale faite d'échecs, malgré son prix exorbitant, malgré son ambition démesurée de modifier la manière dont l'Europe traiterait l'Orient, le canal en valait la peine. C'était un projet qui, entre tous, était capable de surmonter les objections de ceux qui étaient consultés et, en améliorant l'Orient pris dans son ensemble, de faire ce que les Égyptiens intrigants, les Chinois perfides et les Indiens demi-nus n'auraient jamais pu faire pour eux-mêmes.

Les cérémonies d'ouverture, en novembre 1869, furent une occasion qui, tout autant que toute l'histoire des machinations de Ferdinand de Lesseps, concrétisa parfai-

---

1. Cité dans Charles Beatty, *De Lesseps of Suez : The Man and His Time*, New York, Harper and Brothers, 1956, p. 220 (trad. fr. : *Ferdinand de Lesseps*, Paris, Del Duca, 1957).
2. F. de Lesseps, *Lettres, journal et documents*, *op. cit.*, 5, p. 17.

tement ses idées. Pendant des années, ses discours, ses lettres et ses brochures avaient été chargés d'un vocabulaire énergique et théâtral. Dans sa poursuite du succès, on pouvait le trouver en train de dire de lui-même (toujours à la première personne du pluriel) : nous avons créé, combattu, résolu, terminé, agi, reconnu, persévéré, avancé ; rien, a-t-il répété en maintes occasions, n'a pu nous arrêter, il n'y a rien eu d'impossible, rien n'a compté finalement que de réaliser « le résultat final, le grand but » qu'il avait conçu, défini et en fin de compte exécuté. Lorsque l'envoyé du pape aux cérémonies s'adressa le 16 novembre à l'assemblée des dignitaires, il s'efforça désespérément, dans son discours, d'égaler le spectacle offert à l'intelligence et à l'imagination par le canal de Ferdinand de Lesseps :

> Il est permis d'affirmer que l'heure qui vient de sonner est non seulement une des plus solennelles de ce siècle, mais encore une des plus grandes et des plus décisives qu'ait vues l'humanité, depuis qu'elle a une histoire ici-bas. Ce lieu, où confinent, – sans désormais y toucher, – l'Afrique et l'Asie, cette grande fête du genre humain, cette assistance auguste et cosmopolite, toutes les races du globe, tous les drapeaux, tous les pavillons, flottant joyeusement sous ce ciel radieux et immense, la croix debout et respectée de tous en face du croissant, que de merveilles, que de contrastes saisissants, que de rêves réputés chimériques devenus de palpables réalités ! et, dans cet assemblage de tant de prodiges, que de sujets de réflexion pour le penseur, que de joies dans l'heure présente et, dans les perspectives de l'avenir, que de glorieuses espérances !
> [...] Les deux extrémités du globe se rapprochent ; en se rapprochant, elles se reconnaissent ; en se reconnaissant, tous les hommes, enfants d'un seul et même Dieu, éprouvent le tressaillement joyeux de leur mutuelle fraternité ! Ô Occident ! ô Orient ! rapprochez, regardez, reconnaissez, saluez, étreignez-vous !

[…] Mais derrière le phénomène matériel, le regard du penseur découvre des horizons plus vastes que les espaces mesurables, les horizons sans bornes où se meuvent les plus hautes destinées, les plus glorieuses conquêtes, les plus immortelles certitudes du genre humain.

[…] Dieu tout-puissant et éternel ! […] Que votre souffle divin plane sur ces eaux ! Qu'il y passe et repasse, de l'Occident à l'Orient, de l'Orient à l'Occident ! Ô Dieu ! servez-vous de cette voie pour rapprocher les hommes les uns des autres [1].

Le monde entier semblait s'être réuni en foule pour rendre hommage au plan que Dieu ne pouvait que bénir et utiliser lui-même. D'anciennes distinctions, d'anciennes inhibitions fondaient : la croix regardait de haut le croissant, l'Ouest était venu à l'Orient pour ne jamais le quitter (jusqu'au moment où, en juillet 1956, Gamal Abdel Nasser précipitera la reprise du canal par l'Égypte en prononçant le nom de Ferdinand de Lesseps).

Dans l'idée du canal de Suez, nous voyons la conclusion logique de la pensée orientaliste et, ce qui est plus intéressant, de l'effort orientaliste. Pour l'Occident, l'Asie autrefois représentait la distance muette et l'étrangeté ; l'islam était l'hostilité militante envers la chrétienté européenne. Pour surmonter ces constantes redoutables, l'Orient demandait d'abord à être connu, puis envahi et conquis, puis recréé par des savants, des soldats, des juges qui avaient déterré des histoires, des races et des cultures oubliées pour les avancer – au-delà de ce que l'Oriental moderne connaissait de lui-même – en tant que véritable Orient classique qui pût être utilisé pour juger et gouverner l'Orient moderne. Un Orient de serre chaude apparaissait ; le mot Orient était un vocable d'érudit, qui désignait

1. *Ibid.*, p. 324-333.

ce que l'Europe moderne venait de faire d'un Est encore original. Ferdinand de Lesseps et son canal détruisirent finalement la distance de l'Orient, son intimité cloîtrée *à l'écart* de l'Occident, son exotisme constant. Tout comme une barrière de terre avait pu être transmuée en une artère liquide, ainsi l'Orient changeait de substance, d'une résistance hostile à une association obligeante et soumise. Après Ferdinand de Lesseps, personne ne pourrait parler de l'Orient comme appartenant à un monde autre, à strictement parler. Il y avait « notre » monde, « un » monde sans solution de continuité parce que le canal de Suez avait donné tort à ces derniers provinciaux qui croyaient encore à la différence entre les mondes.

Désormais, la notion d'« Oriental » est une notion administrative, et elle est subordonnée à des facteurs démographiques, économiques et sociologiques. Pour des impérialistes comme Balfour, ou pour des anti-impérialistes comme J. A. Hobson, l'Oriental, comme l'Africain, est un membre d'une race sujette, il n'est pas exclusivement l'habitant d'une certaine zone géographique. Ferdinand de Lesseps avait fait fondre l'identité géographique de l'Orient en entraînant (presque littéralement) l'Orient dans l'Occident, et finalement en dissipant la menace de l'islam. De nouvelles catégories, de nouvelles expériences vont émerger et, avec le temps, l'orientalisme s'y adaptera, mais non sans quelques difficultés.

IV

Crise

Cela peut paraître bizarre de parler d'une attitude *textuelle* ; on comprendra mieux cette expression en pensant aux points de vue attaqués par Voltaire dans *Candide*, ou même aux comportements en face de la réalité dont Cervantès fait la satire dans *Don Quichotte*. Pour Voltaire comme pour Cervantès, le bon sens enseigne qu'on se leurre en supposant que des livres, des textes peuvent aider à comprendre le désordre grouillant, imprévisible, problématique de la vie humaine ; on risque la folie ou la catastrophe à appliquer littéralement à la réalité ce qu'on a appris dans un livre. Nous ne songerons pas plus à nous servir d'*Amadis des Gaules* pour comprendre l'Espagne du seizième siècle (ou d'aujourd'hui) que de la Bible pour comprendre la Chambre des communes. Mais certaines personnes ont tenté, tentent encore d'utiliser des textes avec cette naïveté, c'est bien pour cela que *Candide* et *Don Quichotte* ont gardé tout leur attrait pour les lecteurs actuels. C'est, semble-t-il, un défaut fort courant que de préférer l'autorité schématique d'un texte aux contacts humains directs, qui risquent d'être déconcertants. Mais ce défaut est-il toujours là, ou bien y a-t-il des circonstances qui, plus que d'autres, font prévaloir les attitudes textuelles ?

Deux situations favorisent l'attitude textuelle. L'une est celle qui se présente lorsqu'un être humain est mis au contact de quelque chose de relativement inconnu, de menaçant et qui, jusque-là, était loin de lui. Dans ce cas, il ne fait pas seulement appel à ce qui, dans sa propre expérience, se rapproche de cette nouveauté, mais aussi à ce qu'il a lu à ce sujet. Les récits de voyages et les guides sont une espèce de textes à peu près aussi « naturels », aussi logiques par leur composition et leur utilisation que tout autre livre, précisément à cause de cette tendance de l'homme à se rabattre sur un texte lorsque les incertitudes d'un voyage en pays étranger semblent menacer sa tranquillité. Beaucoup de voyageurs disent qu'ils n'ont pas rencontré dans un pays nouveau pour eux ce qu'ils en attendaient : ils veulent dire par là que ce n'était pas ce qu'un livre avait dit que ce serait. Et naturellement, nombreux sont les auteurs de récits de voyages et de guides qui les composent pour dire qu'un pays *est* comme ceci, ou mieux, qu'il *est* pittoresque, cher, intéressant, etc. Dans les deux cas, l'idée est que les hommes, les lieux et les expériences peuvent toujours être décrits par un livre, tant et si bien que le livre (ou le texte) acquiert plus d'autorité et d'usage même que la réalité qu'il décrit. Ce qui est comique chez Fabrice del Dongo en quête de la bataille de Waterloo n'est pas tellement qu'il n'arrive pas à la trouver, mais qu'il la cherche comme quelque chose dont les textes lui ont parlé.

La seconde circonstance qui favorise l'attitude textuelle est son succès apparent. [...] Il n'est pas facile d'écarter un texte qui prétend contenir des connaissances sur quelque chose de réel. On lui attribue valeur d'expertise. L'autorité de savants, d'institutions et de gouvernements peut s'y ajouter, l'auréolant d'un prestige plus grand encore que sa garantie de succès pratique. Ce qui est plus grave, ce genre de textes peut *créer*, non seulement du savoir, mais aussi la réalité même qu'il paraît décrire. Avec le temps, ce savoir et cette réalité donnent une tradition, ou ce que Michel Foucault appelle un discours ; la présence matérielle ou le poids de cette tradition, et non l'originalité d'un auteur donné, est réellement responsable des textes qui sont produits à partir d'elle. Les textes de ce genre sont constitués de ces unités d'information préexistantes déposées par Flaubert dans le catalogue des *idées reçues*.

Considérons maintenant, à la lumière de tout ceci, Bonaparte et Ferdinand de Lesseps. Leur information sur l'Orient venait de livres écrits dans la tradition de l'orientalisme, placés dans la bibliothèque des « idées reçues » ; l'Orient, pour eux, était quelque chose à rencontrer et à traiter, dans une certaine mesure, *parce que* les textes rendaient cet Orient possible. C'était un Orient muet, à la disposition de l'Europe pour qu'elle y réalise des projets impliquant les indigènes sans être directement responsable vis-à-vis d'eux, un Orient incapable de résister aux projets, aux images ou aux simples descriptions inventées pour lui. J'ai déjà considéré cette relation entre les écrits occidentaux (et leurs conséquences) et le mutisme oriental comme le résultat et le signe de la grande force culturelle de l'Occident, de sa volonté de puissance sur l'Orient.

Mais cette force a un autre aspect, causé par l'influence de la tradition orientaliste et par son attitude textuelle à l'égard de l'Orient, aspect qui vit de sa vie propre. On a rarement considéré Bonaparte et Ferdinand de Lesseps – pour prendre deux des nombreux auteurs de projets pour l'Orient – dans la perspective qui les montre en train de s'affairer dans le silence continuel et l'indétermination de l'Orient, parce que le discours de l'orientalisme, en plus de l'impuissance de l'Orient à faire quoi que ce soit à leur sujet, baignait leur activité de sens, d'intelligibilité et de réalité. Le discours de l'orientalisme et ce qui l'a rendu possible – pour Bonaparte, le fait que l'Occident avait une puissance militaire bien supérieure à celle de l'Orient –

leur ont fourni des Orientaux qui pouvaient être décrits dans des œuvres telles que la *Description de l'Égypte*, et un Orient qui pouvait être transpercé comme l'a fait Ferdinand de Lesseps à Suez. Bien plus, l'orientalisme leur offrait le succès, au moins de leur point de vue, qui n'avait rien à faire avec celui des Orientaux. [...]

Une fois que nous commençons à penser à l'orientalisme comme à une espèce de projection de l'Occident sur l'Orient et de volonté de le gouverner, nous rencontrons peu de surprises. Car s'il est vrai que des historiens comme Michelet, Ranke, Tocqueville et Burckhardt *donnent une intrigue* à leurs récits « comme une histoire d'une espèce particulière[1] », la même chose est vraie aussi des orientalistes qui ont machiné l'histoire, les personnages et la destinée de l'Orient pendant des centaines d'années. Au cours du dix-neuvième et du vingtième siècle, les orientalistes cessent d'être une quantité négligeable, parce qu'à ce moment le territoire de la géographie imaginaire et réelle a rétréci, parce que les rapports entre Orientaux et Européens sont déterminés par une expansion européenne irrésistible, à la recherche de marchés, de ressources et de colonies, et, enfin, parce que l'orientalisme a accompli sa propre métamorphose de discours savant en institution impériale. Témoigne de cette métamorphose ce que j'ai dit de Bonaparte, de Ferdinand de Lesseps, de Balfour et de Cromer. Ce n'est qu'au niveau le plus rudimentaire que leurs projets en Orient peuvent se comprendre comme les entreprises de visionnaires et d'hommes de génie, de héros au sens de Carlyle. En réalité, Bonaparte, Ferdinand de Lesseps, Cromer et Balfour sont bien plus *réguliers*, bien moins exception-

---

1. Hayden White, *Metahistory: The Historical Imagination in Nineteenth-Century Europe*, Baltimore, Johns Hopkins Univ. Press, 1973, p. 12.

nels si nous nous rappelons les schèmes de d'Herbelot et de Dante, et que nous leur ajoutons à tous deux une machine modernisée et efficace (tel l'empire européen du milieu du dix-neuvième siècle) et un tour positif : puisqu'on ne peut oblitérer ontologiquement l'Orient (ce qu'avaient peut-être réalisé d'Herbelot et Dante), on a les moyens de le capturer, de le traiter, de le décrire, de l'améliorer, de lui faire subir un changement radical.

Ce que je tente de montrer ici, c'est que la transition entre une appréhension, une formulation ou une définition purement et simplement textuelles et leur mise en pratique en Orient s'est produite, et que l'orientalisme a joué un grand rôle dans cette transition qui aboutit, à strictement parler, au monde à l'envers. Dans la mesure où il était question du travail strictement érudit de l'orientalisme (j'ai de la peine à comprendre l'idée de travail strictement érudit, désintéressé et abstrait : nous pouvons cependant l'admettre intellectuellement), celui-ci a beaucoup à son actif. Pendant sa grande époque, au dix-neuvième siècle, il a produit des érudits, il a accru le nombre de langues enseignées en Occident et la quantité de manuscrits édités, traduits et commentés ; dans bien des cas, il a fourni à l'Orient des étudiants européens pleins de sympathie, qui s'intéressaient réellement à des sujets tels que la grammaire sanscrite, la numismatique phénicienne et la poésie arabe. Cependant – il nous faut ici parler très clairement –, l'orientalisme a dominé l'Orient. En tant que système de pensée sur l'Orient, il s'est toujours élevé du détail spécifiquement humain au détail général « transhumain » : une observation sur un poète arabe du dixième siècle se multipliait d'elle-même pour devenir une politique envers (et à propos de) la mentalité orientale en Égypte, en Iraq, ou en Arabie. De même, un vers du Coran pouvait être considéré comme la meilleure preuve d'une sensualité musulmane indéracinable. L'orientalisme supposait un Orient immuable, absolument différent de l'Occident (les raisons pour cela changent d'époque en époque). Et l'orientalisme, sous la forme qu'il a prise après le dix-huitième siècle, n'a jamais pu se revoir et se corriger lui-même. Tout ceci rend inévitables Cromer et Balfour, comme observateurs et administrateurs de l'Orient.

La politique et l'orientalisme sont proches ; disons, plus prudemment, qu'il est très vraisemblable que les idées sur l'Orient fournies par l'orientalisme aient un usage politique : voilà une vérité grave, quoique extrêmement délicate. Elle soulève des questions à propos de la prédisposition à l'innocence ou à la culpabilité, à l'indifférence ou à la complicité des groupes de pression dans des domaines tels que les recherches sur les Noirs ou sur les femmes. Elle provoque nécessairement une conscience inquiète à propos des généralisations culturelles, raciales ou historiques, de leurs utilisations, leur valeur, leur degré d'objectivité et leur but profond. Plus que toute autre chose, les circonstances politiques et culturelles dans lesquelles a fleuri l'orientalisme occidental attirent l'attention sur la position abaissée de l'Orient et de l'Oriental en tant qu'objet d'étude. L'Orient orientalisé qu'a parfaitement défini Anouar Abdel-Malek a-t-il pu être créé par une autre relation que la relation politique de maître à esclave ?

a) Sur le plan de la *position du problème*, de la *problématique*, [les orientalistes] considèrent l'Orient et les Orientaux comme « objet » d'étude, frappé d'altérité – comme tout ce qui est autre, qu'il soit « sujet » ou « objet » – mais d'une altérité constitutive, de caractère essentialiste […]. Cet « objet » d'étude sera, comme il se doit, passif, non participant, doté d'une subjectivité « historique », par-dessus tout, non actif, non autonome, non souverain par-devers soi : le seul Orient ou Oriental ou « sujet » qu'on pourrait admettre, à la limite extrême, est l'être aliéné, philosophiquement, c'est-à-dire autre que lui-même par rapport à lui-même, posé, entendu, défini – et agi – par autrui.

b) Sur le plan de la *thématique*, [les orientalistes] adoptent une conception essentialiste des pays, des nations et des peuples d'Orient sous étude, conception qui se traduit par une typologie ethniste caractérisée ; [certains d'entre eux auront] tôt fait de la faire déborder en racisme.

Selon les orientalistes traditionnels, il existerait une essence – parfois même nettement décrite en termes métaphysiques – qui constitue le fond inaliénable et commun de tous les êtres considérés ; cette essence est à la fois « historique », puisqu'elle remonte des profondeurs de l'histoire, et fondamentalement a-historique, puisqu'elle fige l'être « objet » d'étude, dans sa spécificité inaliénable et non évolutive, au lieu d'en faire – comme tous les êtres autres, États, nations, peuples et cultures – un produit, une résultante de la vection des forces en œuvre au cours de l'évolution historique.

On aboutit ainsi à une typologie – fondée sur une spécificité réelle, mais détachée de l'histoire, et, partant, conçue comme étant intangible, essentielle – qui fait de l'« objet » étudié un être autre, par rapport auquel le sujet étudiant est transcendant : nous aurons un *homo Sinicus*, un *homo Arabicus* (et, pourquoi pas, un *homo Ægypticus*, etc.), un *homo Africanus*, l'homme – l'« homme normal », s'entend –, lui, étant l'homme européen de l'époque historique, c'est-à-dire depuis l'antiquité grecque. On voit combien, du dix-huitième siècle au vingtième siècle, l'hégémonisme des minorités possédantes, mis à nu par Marx et Engels, et l'anthropocentrisme démantelé par Freud s'accompagnent de l'européocentrisme en matière de sciences humaines et sociales, et plus particulièrement dans celles en rapport direct avec les peuples non européens [1].

---

1. Anouar Abdel-Malek, « L'orientalisme en crise », *Diogène* 44 (hiver 1963), p. 113.

Abdel-Malek voit l'orientalisme comme doté d'une histoire qui, selon l'«Oriental» de la fin du vingtième siècle, l'a conduit à l'impasse décrite ci-dessus. Indiquons rapidement les grandes lignes de cette histoire tandis qu'elle se mettait, tout au long du dix-neuvième siècle, à accumuler poids et puissance, «l'hégémonisme des minorités possédantes» et un anthropocentrisme allié à un européocentrisme. À compter des dernières décennies du dix-huitième siècle, et pendant un siècle et demi au moins, l'Angleterre et la France ont dominé l'orientalisme en tant que discipline. Les grandes découvertes philologiques faites en grammaire comparée par Jones, Franz Bopp, Jakob Grimm et d'autres ont dû leur origine à des manuscrits rapportés d'Orient à Paris et à Londres. Les orientalistes presque sans exception ont commencé leur carrière comme philologues, et la révolution dans la philologie qui a donné Bopp, Silvestre de Sacy, Burnouf et leurs élèves a créé une science comparée fondée sur l'hypothèse que les langues appartiennent à des familles dont l'indo-européen et le sémitique sont deux importants exemples. Dès le départ, l'orientalisme a donc manifesté deux traits : a) une conscience scientifique d'invention récente fondée sur l'importance linguistique de l'Orient pour l'Europe, et b) une propension à diviser, subdiviser et rediviser ses thèmes sans jamais changer d'avis sur l'Orient, objet toujours pareil, invariable, uniforme et radicalement spécifique.

Friedrich Schlegel, qui avait appris son sanscrit à Paris, illustre ces traits tous ensemble. Bien qu'à l'époque où il a publié l'*Essai sur la langue et la philosophie des Indiens* (*Über die Sprache und Weisheit der Indier*, 1808), Schlegel ait pratiquement renoncé à son orientalisme, il a continué à soutenir que le sanscrit et le persan, d'une part, le grec et l'allemand, de l'autre, avaient plus d'affinité entre eux qu'avec les langues sémitiques, chinoises, américaines ou africaines. Bien plus, la famille indo-européenne, d'un point de vue esthétique, est simple et satisfaisante, ce que n'est pas le sémitique pour sa part. Ce type d'abstractions ne gêne pas Schlegel, qui, sa vie durant, a été fasciné par les nations, les races, les mentalités et les peuples, choses au sujet desquelles on peut parler avec passion (dans la perspective toujours amoindrissante du populisme esquissé d'abord par Herder). Pourtant, Schlegel ne parle nulle part de l'Orient vivant, contemporain. Quand il dit, en 1800 : « C'est dans l'Orient que nous devons chercher le romantisme le plus élevé » *(im Orient müssen wir das höchste Romantische suchen)*, c'est de l'Orient de Çakuntala, du Zend-Avesta et des Upanishad qu'il s'agit. Pour les Sémites, qui ont une langue agglutinante, inesthétique et mécanique, ils sont différents, inférieurs, retardés. Les conférences de Schlegel sur la langue et la vie, l'histoire et la littérature sont pleines de ces discriminations faites sans la moindre restriction. L'hébreu, dit-il, convient à l'expression prophétique et à la divination, les musulmans ont cependant épousé un « théisme mort, vide, une foi unitaire purement négative » [1].

Pour une bonne part, le racisme contenu dans les critiques de Schlegel sur les Sémites et les autres Orientaux inférieurs était très courant dans la culture européenne.

---

1. Friedrich Schlegel, *Über die Sprache und Weisheit der Indier. Ein Beitrag zur Begründung der Altertumskunde*, Heidelberg, Mohr und Zimmer, 1808, p. 44-59 (trad. fr. : *La Langue et la Sagesse des Indiens, contribution à l'établissement de la connaissance des antiquités*). Friedrich Schlegel, *Philosophie der Geschichte : In achtzehn Vorlesungen gehalten zu Wien im Jahre 1828*, éd. Jean-Jacques Anstett, vol. 9 de *Kritische Friedrich-Schlegel-Ausgabe*, éd. Ernest Behler, Munich, Ferdinand Schöningh, 1971, p. 275 (tr. fr. : *Philosophie de l'histoire, professée en 18 leçons à Vienne*, Paris, Parent-Desbarres, 1836).

Mais nulle part ailleurs, sauf peut-être plus tard dans le cours du dix-neuvième siècle chez les anthropologues darwiniens et les phrénologues, il n'a été le fondement d'une matière scientifique comme cela a été le cas en linguistique comparée ou en philologie. La langue et la race semblaient inextricablement liées, et le « bon » Orient était invariablement une période classique placée quelque part dans une Inde depuis longtemps passée, tandis que le « mauvais » Orient traînait dans l'Asie d'aujourd'hui, dans des portions de l'Afrique du Nord, et l'islam partout. Les « Aryens » étaient confinés en Europe et dans l'Orient ancien ; comme l'a montré Léon Poliakov (sans remarquer, cependant, que les « Sémites » n'étaient pas seulement les juifs, mais aussi bien les musulmans[1]), le mythe aryen a dominé l'anthropologie historique et culturelle aux dépens des peuples « inférieurs ».

Si l'on voulait faire la généalogie intellectuelle officielle de l'orientalisme, elle comprendrait certainement Gobineau, Renan, Humboldt, Steinthal, Burnouf, Rémusat, Palmer, Weil, Dozy, Muir, pour ne citer presque au hasard que quelques-uns des noms célèbres. Il faudrait aussi y faire entrer le pouvoir de diffusion de sociétés savantes : la Société asiatique, fondée en 1822 ; la Royal Asiatic Society, fondée en 1823 ; l'American Oriental Society, fondée en 1842, etc. Mais elle devrait nécessairement laisser de côté l'importante contribution des ouvrages de fiction et des récits de voyage, qui ont renforcé les divisions établies par les orientalistes entre les différents départements géographiques, temporels et raciaux de l'Orient, à tort, puisque, pour l'Orient islamique, cette littérature est particulièrement riche et contribue de manière significative à la construction du discours orientaliste. Elle comprend

---

1. Léon Poliakov, *Le Mythe aryen, Essai sur les sources du racisme et des nationalismes*, Paris, Calmann-Lévy, 1971.

des œuvres de Goethe, Hugo, Lamartine, Chateaubriand, Kinglake, Nerval, Flaubert, Lane, Burton, Walter Scott, Byron, Vigny, Disraeli, George Eliot, Gautier. Plus tard, à la fin du dix-neuvième et au début du vingtième siècle, nous pourrions y ajouter Doughty, Barrès, Loti, T. E. Lawrence, Forster, écrivains qui donnent un contour plus marqué au « grand mystère asiatique » de Disraeli. Cette entreprise est considérablement encouragée, non seulement par l'exhumation de civilisations mortes (par des archéologues européens) en Mésopotamie, en Égypte, en Syrie et en Turquie, mais encore par les principaux relevés géographiques faits dans tout l'Orient.

L'occupation par les Européens de la totalité du Proche-Orient (avec l'exception de l'Empire ottoman, qui a été avalé après 1918) a donné, à la fin du dix-neuvième siècle, un support à ces réalisations. Une fois de plus, les principales puissances coloniales étaient la Grande-Bretagne et la France, quoique la Russie et l'Allemagne aient elles aussi joué un certain rôle[1]. Coloniser, cela voulait dire d'abord reconnaître – en réalité, créer – des intérêts ; ceux-ci pouvaient être commerciaux, concerner les communications, être religieux, militaires, culturels. Pour l'islam et les territoires islamiques par exemple, l'Angleterre, puissance chrétienne, estimait avoir des intérêts religieux à y préserver. Un appareil complexe destiné à veiller à ces intérêts s'est développé. Les anciennes organisations telles que la Society for Promoting Christian Knowledge (Société pour le développement de la science chrétienne, 1698) et la Society for the Propagation of the Gospel in Foreign Parts (Société pour la propagation de l'Évangile chez les infidèles, 1701) ont vu leur œuvre

1. Voir Derek Hopwood, *The Russian Presence in Syria and Palestine, 1843-1943 : Church and Politics in the Near East*, Oxford, Clarendon Press, 1969.

poursuivie et, plus tard, encouragée par la Baptist Missionary Society (1792), la Church Missionary Society (1799), la British and Foreign Bible Society (Société biblique en Angleterre et à l'étranger, 1804), la London Society for Promoting Christianity Among the Jews (Société londonienne pour la propagation du christianisme chez les juifs, 1808). Ces missions « rejoignaient ouvertement l'expansion de l'Europe[1] ». Ajoutons-leur les sociétés commerciales, les sociétés savantes, les fondations pour l'exploration géographique, les fondations pour les traductions, l'implantation en Orient d'écoles, de missions, de bureaux consulaires, d'usines et, parfois, d'importantes communautés européennes, et la notion d'« intérêt » devient riche de sens. Par la suite, ces intérêts seront défendus avec zèle et à grands frais.

Jusqu'ici, j'ai tracé une esquisse à grands traits. Qu'en est-il des expériences et des émotions caractéristiques qui accompagnent, et les progrès érudits de l'orientalisme, et les conquêtes politiques faites avec son aide ? Il y a d'abord le désappointement : l'Orient moderne n'est pas du tout celui des textes. Gérard de Nerval écrit à Théophile Gautier, à la fin d'août 1843 :

> Moi, j'ai déjà perdu, royaume à royaume, et province à province, la plus belle moitié de l'univers, et bientôt je ne vais plus savoir où réfugier mes rêves ; mais c'est l'Égypte que je regrette le plus d'avoir chassée de mon imagination, pour la loger tristement dans mes souvenirs[2] !

C'est donc là ce qu'écrit l'auteur d'un grand *Voyage en Orient*. La plainte de Nerval est un thème commun aux

---

1. A. L. Tibawi, *British Interests in Palestine, 1800-1901*, Londres, Oxford Univ. Press, 1961, p. 5.
2. Gérard de Nerval, *Œuvres*, éd. Albert Béguin et Jean Richer, Paris, Gallimard, 1960, I, p. 943.

romantiques (le rêve trahi, décrit par Albert Béguin dans *L'Âme romantique et le Rêve*) et à ceux qui voyagent dans l'Orient biblique, de Chateaubriand à Mark Twain. Toute perception directe de l'Orient réel et terre à terre est un commentaire ironique de ses valorisations, que l'on peut trouver dans le « Mahometsgesang » de Goethe ou les « Adieux de l'hôtesse arabe » de Hugo. Le souvenir de l'Orient moderne est en conflit avec l'imagination, renvoie à l'imagination comme un lieu plus propice que l'Orient réel pour la sensibilité européenne. Pour quelqu'un qui n'a jamais vu l'Orient, disait un jour Nerval à Gautier, un lotus est toujours un lotus ; pour moi, c'est seulement une espèce d'oignon. Écrire sur l'Orient moderne, c'est soit faire paraître une démystification bouleversante des images recueillies dans des textes, soit se confiner dans l'Orient dont parlait Hugo dans sa préface originale aux *Orientales* : « L'Orient, soit comme image, soit comme pensée, est devenu […] une sorte de préoccupation générale […][1]. »

Si, au début, le désenchantement personnel et une préoccupation générale tracent assez bien la carte de la sensibilité orientaliste, ils entraînent certaines autres habitudes de pensée, de sentiment et de perception plus familières. On apprend à distinguer une appréhension générale de l'Orient d'une expérience spécifique de celui-ci ; chacune va de son côté, si l'on peut dire. Dans *Richard en Palestine* (*The Talisman*, 1825), roman de Walter Scott, sir Kenneth (du Léopard Rampant) se bat en combat singulier avec un Sarrasin jusqu'à ce qu'ils s'aperçoivent qu'ils sont de force égale, quelque part dans le désert palestinien ; lorsque le croisé et son adversaire, qui n'est autre que Saladin, engagent ensuite la conversation, le

---

1. Victor Hugo, *Œuvres poétiques*, *op. cit.*, 1, p. 580.

chrétien découvre que son antagoniste musulman n'est pas un si mauvais gars, après tout. Il remarque pourtant :

> Je pensais bien que votre race aveugle descendait de l'esprit des ténèbres, sans le secours duquel vous n'auriez jamais pu vous maintenir dans cette bienheureuse terre de la Palestine contre un si grand nombre de vaillants soldats. Je ne parle pas de toi en particulier, Sarrasin, je parle en général de ton peuple et de ta religion ; il me paraît pourtant fort étrange, non que vous descendiez de l'esprit malin, mais que vous vous en fassiez gloire [1].

En effet, le Sarrasin se vante de faire remonter sa lignée à Éblis, le Lucifer musulman. Mais ce qui est vraiment curieux, ce n'est pas le faible souci historique par lequel Walter Scott rend la scène « médiévale », faisant attaquer théologiquement le musulman par le chrétien d'une manière que les Européens du dix-neuvième siècle n'adopteraient pas ; mais, plutôt, c'est la condescendance désinvolte qui fait condamner l'ensemble d'un peuple « en général » en atténuant l'offense par un froid « je ne parle pas de toi en particulier ».

Walter Scott, néanmoins, n'était pas spécialiste de l'islam (bien que H.A.R. Gibb, qui l'était, ait fait l'éloge des vues pénétrantes sur l'islam et sur Saladin exposées dans *Richard en Palestine* [2]), et il prenait d'énormes libertés avec le rôle d'Éblis, en en faisant un héros pour les croyants. Scott tenait probablement sa science de Byron et de Beckford ; qu'il nous suffise de remarquer ici avec quelle vigueur le caractère général attribué aux choses de

1. Sir Walter Scott, *The Talisman*, 1825 ; rééd. Londres, J. M. Dent, 1914, p. 38 *sq.* (trad. fr. : *Richard en Palestine*, Paris, Furre-Pagnerre-Perrotin, 1860, p. 43 [texte reproduit ici]).
2. Voir Albert Hourani, « Sir Hamilton Gibb, 1895-1971 », *Proceedings of the British Academy* 58 (1972), p. 495.

l'Orient a pu se maintenir, malgré la force rhétorique et existentielle d'exceptions évidentes. C'est comme s'il existait, d'une part, une boîte appelée « Oriental » dans laquelle toutes les attitudes autoritaires, anonymes et traditionnelles des Occidentaux envers l'Orient ont été jetées sans réflexion, tandis que, d'autre part, en suivant la tradition anecdotique des conteurs, on pouvait néanmoins relater ce que l'on avait vécu dans ou avec l'Orient, expériences qui n'avaient guère de rapport avec la boîte d'utilité générale. Mais la structure même de la prose de Scott montre ces deux points de vue plus étroitement entrelacés. Car la catégorie générale fixe par avance pour un exemple spécifique le terrain limité sur lequel on opère : même si l'exception spécifique va très loin, même si un Oriental individuel peut dans une large mesure s'échapper hors des barrières placées autour de lui, il est *premièrement* un Oriental, *deuxièmement* un être humain et *enfin* à nouveau un Oriental.

Une catégorie aussi générale que celle d'« Oriental » est susceptible de variations tout à fait intéressantes. L'enthousiasme de Disraeli pour l'Orient apparaît d'abord au cours d'un voyage fait en 1831. Il écrit, au Caire : « Mes yeux et mon esprit souffrent cependant d'une grandeur si peu en harmonie avec notre propre apparence [1]. » La grandeur et la passion générales lui ont inspiré un sens transcendant des choses et de l'agacement devant la réalité vraie. Son roman *Tancred* est saturé de platitudes raciales et géographiques ; tout est question de race, déclare Sidonia, tant et si bien que le salut ne peut se trouver que dans l'Orient et parmi ses races. Là, dans le cas qui nous occupe, les druses, les chrétiens, les

1. Cité par B. R. Jerman, *The Young Disraeli*, Princeton, N. J., Princeton Univ. Press, 1960, p. 126. Voir aussi Robert Blake, *Disraeli*, Londres, Eyre and Spottiswood, 1966, p. 59-70.

musulmans et les juifs se coudoient sans difficulté parce que – dit quelqu'un en riant – les Arabes sont simplement des juifs à cheval et tous sont au fond du cœur des Orientaux. L'harmonie se fait entre catégories générales, non entre des catégories et leur contenu. Un Oriental vit en Orient, il vit une vie de paresse orientale, dans un état de despotisme et de sensualité orientaux, imbu de fatalisme oriental. Des écrivains aussi différents que Marx, Disraeli, Burton et Nerval ont pu entretenir entre eux une longue discussion, pour ainsi dire, en utilisant toutes ces généralités sans se poser de questions et en restant, cependant, compréhensibles les uns pour les autres.

Au désenchantement et à une idée générale – pour ne pas dire schizophrénique – de l'Orient, on peut d'habitude ajouter un autre trait distinctif. Parce qu'on en a fait un objet général, l'Orient peut servir à illustrer une forme particulière d'excentricité. Bien que l'Oriental individuel ne puisse secouer ou déranger les catégories générales qui donnent un sens à sa bizarrerie, cette bizarrerie peut néanmoins être appréciée pour elle-même. Voici, par exemple, Flaubert qui décrit le spectacle de l'Orient :

> Le bouffon de Méhémet-Ali, pour réjouir la foule, saisit un jour une femme dans un bazar du Caire, la posa sur le bord de la boutique d'un marchand et là la coïta publiquement pendant que le marchand continuait à fumer tranquillement sa pipe.
>
> Sur la route du Caire à Choubra il y avait, il y a quelque temps, un jeune drôle qui se faisait enculer publiquement par un singe *de la forte espèce*, toujours pour donner bonne opinion de soi et faire rire.
>
> Dernièrement il est mort un marabout. C'était un idiot, qui partant passait pour saint, pour frappé de Dieu. Toutes les femmes musulmanes allaient le voir et le polluaient, si bien qu'il en est crevé d'épuisement. Du matin au soir c'était une branlade perpétuelle […].

Quid dicis du fait suivant. Il y a quelque temps un santon (prêtre ascétique) se promenant ès rues du Caire complètement nu, n'ayant qu'une calotte sur la tête et une calotte sur le vi. Pour pisser il défaisait sa calotte de vi, et les femmes stériles désireuses d'enfants allaient se mettre sous la parabole d'urine et se frottaient de ce liquide[1].

Flaubert reconnaît franchement que c'est d'un grotesque tout particulier. «Tout le vieux comique, dit Flaubert, de l'esclave rossé, du vendeur de femmes bourru, du marchand filou est ici très jeune, très vrai, très charmant»: ces conventions bien connues prennent un nouveau sens en Orient, qui ne peut être reproduit; on peut seulement en jouir sur place et le «rapporter» de manière très approximative. L'Orient est observé, puisque son comportement presque (mais jamais tout à fait) agressif provient d'un réservoir d'excentricité infinie; l'Européen, dont la sensibilité visite l'Orient en touriste, est un observateur, jamais impliqué, toujours détaché, toujours prêt pour de nouveaux exemples de ce que la *Description de l'Égypte* appelait de «bizarres jouissances». L'Orient devient un tableau vivant du bizarre.

Et ce tableau devient tout à fait logiquement un thème particulier pour des textes. Ainsi, la boucle est bouclée; exposé au départ comme ce à quoi on n'est pas préparé par des textes, l'Orient revient comme quelque chose sur quoi on écrit d'une manière disciplinée. Son étrangeté peut être traduite, ses significations décodées, son hostilité apprivoisée; cependant, la généralité assignée à l'Orient, le désenchantement que l'on ressent après l'avoir visité, l'excentricité sans solution qu'il étale sont tous

1. Gustave Flaubert, *Correspondance*, éd. Jean Bruneau, Paris, Gallimard, 1973, I, p. 542. Voir aussi: *Flaubert in Egypt: A Sensibility on Tour*, trad. et éd. Francis Steegmuller, Boston, Little, Brown and Co., 1973, p. 44 *sq.*

redistribués dans ce qui est dit ou écrit à son propos. L'islam, par exemple, est typiquement oriental pour les orientalistes de la fin du dix-neuvième siècle et du début du vingtième. Carl Becker démontre que, bien que l'« islam » (remarquez la grande généralité) ait hérité de la tradition hellénique, il n'a pu ni saisir ni utiliser la tradition humaniste grecque ; bien plus, pour comprendre l'islam, il est surtout nécessaire de le considérer, non comme une religion « originale », mais comme une tentative orientale manquée pour employer la philosophie grecque, sans l'inspiration créatrice que nous trouvons dans l'Europe de la Renaissance[1].

Pour Louis Massignon, qui est peut-être le plus connu des orientalistes français modernes et celui qui a eu le plus d'influence, l'islam est le rejet systématique de l'incarnation chrétienne, et son héros le plus grand n'est ni Mahomet ni Averroès, mais al-Hallaj, saint musulman qui a été crucifié par les musulmans orthodoxes pour avoir osé se donner pour l'incarnation même de l'islam[2]. Ce que Becker et Massignon ont explicitement laissé de côté dans leurs études, c'est l'excentricité de l'Orient, qu'ils ont reconnue en quelque sorte « en négatif » en faisant de si rudes efforts pour la régulariser dans le langage de l'Occident. Mahomet est expulsé, mais al-Hallaj est porté sur le devant de la scène parce qu'il s'est pris lui-même pour une figure christique.

Pour juger de l'Orient, l'orientaliste moderne n'a pas une position à l'écart de lui, objective, comme il le croit et même le dit. Son détachement humain, dont la marque est une absence de sympathie recouverte de connaissance

---

1. C'est la thèse présentée dans Carl M. Becker, *Das Erbe der Antike im Orient und Okzident*, Leipzig, Quelle und Meyer, 1931.
2. Voir Louis Massignon, *La Passion d'al-Hosayn-ibn-Mansour al-Hallaj*, Paris, Paul Geuthner, 1922.

professionnelle, est lourdement grevé de toutes les attitudes, perspectives, humeurs orthodoxes de l'orientalisme que je décris. Son Orient n'est pas l'Orient tel qu'il est, mais l'Orient tel qu'il a été orientalisé. Un arc ininterrompu de savoir et de pouvoir connecte l'homme d'État européen ou occidental avec les orientalistes occidentaux ; il forme la rampe de la scène qui contient l'Orient. À la fin de la Première Guerre mondiale, et l'Afrique et l'Orient formaient pour l'Occident moins un spectacle intellectuel qu'un terrain privilégié. Le domaine de l'orientalisme coïncidait exactement avec celui de l'empire, et c'est cette unanimité absolue entre les deux qui a provoqué la seule crise de l'histoire de la pensée et du comportement occidentaux concernant l'Orient. Et cette crise dure toujours.

À partir des années 1920, et d'un bout du tiers monde à l'autre, la réaction à l'empire et à l'impérialisme a été dialectique. Au moment de la conférence de Bandung, en 1955, l'Orient dans son entier a gagné son indépendance politique sur les empires occidentaux et se trouve en face d'une configuration nouvelle des puissances impériales, les États-Unis et l'Union soviétique. Incapable de reconnaître « son » Orient dans le nouveau tiers monde, l'orientalisme est maintenant en face d'un Orient provocateur et armé politiquement. Il se trouve devant une alternative. Une branche de celle-ci consiste à continuer comme si de rien n'était. La seconde est d'adapter les anciennes manières à la situation nouvelle. Mais pour l'orientaliste, qui croit que l'Orient ne change jamais, le nouveau est simplement le vieux trahi par des *dis-Orientaux* (nous pouvons nous permettre ce néologisme) nouveaux et qui comprennent de travers. Une autre possibilité révisionniste, qui est de se passer complètement de l'orientalisme, n'est prise en considération que par une faible minorité.

Un indice de cette crise, d'après Abdel-Malek, n'est pas simplement que des « mouvements de libération nationale dans l'Orient ex-colonial » ont fait de grands ravages dans les idées orientalistes sur les « races sujettes » passives et fatalistes ; il y a, en outre, le fait que « spécialistes et grand public ont pris conscience du décalage, non seulement entre la science orientaliste et le matériau objet d'étude, mais également – et ce devait s'avérer déterminant – entre les conceptions, les méthodes et les instruments de travail des sciences humaines et sociales et ceux de l'orienta-lisme » [1]. Les orientalistes – de Renan à Goldziher, de Macdonald à von Grunebaum, Gibb et Bernard Lewis – voyaient l'islam, par exemple, comme une « synthèse culturelle » (selon l'expression de P. M. Holt) qui pouvait être étudiée en dehors de l'économie, de la sociologie et de la politique des peuples islamiques. Pour l'orienta-lisme, l'islam avait un sens que l'on pouvait trouver, si l'on en cherchait la plus simple formulation, dans le pre-mier traité de Renan : pour mieux le comprendre, il faut réduire l'islam à « la tente et la tribu ». L'impact du colo-nialisme, des circonstances, du développement histo-rique : ce n'était, pour les orientalistes, que des mouches entre les mains d'enfants espiègles, qui les tuent – ou les rejettent – pour s'amuser, ce n'était jamais pris assez au sérieux pour compliquer l'islam essentiel.

La carrière de H.A.R. Gibb illustre par elle-même les deux approches possibles par lesquelles l'orientalisme a réagi à l'Orient moderne. En 1945, Gibb a prononcé à l'université de Chicago les « Haskell Lectures » sur la reli-gion comparée. Le monde qu'il passait en revue n'était pas celui que Balfour et Cromer avaient connu avant la Première Guerre mondiale. Plusieurs révolutions, deux guerres mondiales et d'innombrables changements poli-

---

1. « L'orientalisme en crise », *loc. cit.*, p. 116.

tiques et sociaux avaient fait des réalités de 1945 un objet d'une nouveauté indiscutable, et même catastrophique. Cependant, nous voyons que Gibb ouvre ses conférences, qu'il intitule *Modern Trends in Islam*, de la façon suivante :

> Celui qui étudie la civilisation arabe est arrêté par le contraste frappant entre la puissance imaginative que présentent par exemple certaines branches de la littérature arabe et la littéralité, la pédanterie que présentent le raisonnement et l'explication, même quand ils s'appliquent à ces mêmes productions. Il est vrai qu'il y a eu de grands philosophes chez les peuples musulmans et que certains d'entre eux étaient des Arabes, mais ce sont des exceptions rares. L'esprit arabe, que ce soit en relation avec le monde extérieur ou en relation avec le processus de la pensée, ne peut se défaire du sentiment profond que les événements concrets sont séparés et individuels. Je crois que c'est l'un des facteurs qui sont derrière ce « manque d'un sens de la loi » considéré par le professeur Macdonald comme la différence caractéristique de l'Oriental.
>
> C'est aussi ce qui explique quelque chose de très difficile à saisir pour l'étudiant occidental [jusqu'à ce que l'orientaliste le lui ait expliqué] : l'aversion des musulmans pour le processus intellectuel du rationalisme [...]. Le rejet de modes de pensée rationalistes et de l'éthique utilitaire qui en est inséparable a donc ses racines, non dans ce qu'on appelle l'« obscurantisme » des théologiens musulmans, mais dans l'atomisme et la discontinuité de l'imagination arabe [1].

Voilà bien sûr du pur orientalisme, mais, même si l'on reconnaît l'extraordinaire connaissance de l'islam institutionnel qui caractérise le reste du livre, le parti pris inaugural de Gibb reste un obstacle formidable pour quelqu'un qui espère connaître l'islam moderne. Que

1. H. A. R. Gibb, *Modern Trends in Islam*, Chicago, Univ. of Chicago Press, 1947, p. 7.

signifie « différence » quand la préposition « avec » a totalement disparu ? Est-ce que l'on ne nous demande pas, une fois de plus, d'inspecter le musulman oriental comme si son monde – « à la différence » du nôtre – n'avait jamais dépassé le septième siècle ? Quant à l'islam lui-même, bien qu'il en ait une connaissance d'une grande complexité, et d'ailleurs magistrale, pourquoi Gibb doit-il le considérer avec cette hostilité implacable ? Si l'islam est taré dès le départ du fait de ses infirmités permanentes, l'orientaliste s'opposera à toute tentative islamique de réformer l'islam parce que, d'après lui, la réforme est une trahison de l'islam : voilà exactement la thèse de Gibb. Comment un Oriental peut-il se glisser hors de ces chaînes dans le monde moderne, si ce n'est en répétant les paroles du Fou dans *le Roi Lear* : « *They'll have me whipp'd for speaking true, thou'lt have me whipp'd for lying ; and sometimes I am whipp'd for holding my peace.* » (« Elles veulent me faire fouetter si je dis vrai ; toi tu veux me faire fouetter si je mens. Et parfois je suis fouetté parce que je garde le silence. »)

Dix-huit ans après, Gibb s'adresse à des Anglais, ses compatriotes ; seulement, cette fois-ci, il parle en tant que directeur du Centre d'études du Moyen-Orient à Harvard. Son thème est *Area Studies Reconsidered* (Repenser les aires culturelles) ; parmi d'autres aperçus, il convient que « l'orientalisme est beaucoup trop important pour être laissé aux orientalistes ». Cela annonce la nouvelle approche (la seconde branche de l'alternative) ouverte aux orientalistes, tout comme *Modern Trends* étaient un exemple de la première, l'approche traditionnelle. La formule de Gibb, dans *Area Studies Reconsidered*, est bien intentionnée, du moins en ce qui concerne les spécialistes occidentaux, dont la tâche consiste à préparer les étudiants à des carrières « dans la vie publique et les affaires ». Ce dont nous avons besoin maintenant, dit

Gibb, c'est de l'orientaliste traditionnel *plus* un bon spécialiste en sciences humaines, qui travaillent ensemble : à eux deux, ils vont faire du travail « interdisciplinaire ». Cependant, l'orientaliste traditionnel n'apportera pas un savoir dépassé sur l'Orient ; non, ses connaissances de spécialiste lui serviront à rappeler à ses collègues en « aires culturelles » non initiés que « d'appliquer la psychologie et le mécanisme des institutions politiques occidentales à des situations asiatiques, c'est du pur Walt Disney[1] ».

En pratique, lorsque des Orientaux combattent l'occupation coloniale, vous devez dire (pour ne pas risquer un « disneyisme ») qu'ils n'ont jamais compris comme nous ce que signifie le *self-government*. Quand certains Orientaux s'opposent à la discrimination raciale tandis que d'autres la pratiquent, vous dites : « au fond, ce sont tous des Orientaux », et l'intérêt de classe, la situation politique, les facteurs économiques sont tout à fait hors du sujet. Ou alors, avec Bernard Lewis, vous dites que, si les Palestiniens arabes s'opposent à l'installation et à l'occupation de leurs terres par les Israéliens, ce n'est rien d'autre que « le retour de l'islam », ou, comme le décrit un orientaliste contemporain de renom, l'opposition islamique aux populations non islamiques[2], un principe de l'islam enraciné dans le septième siècle. L'histoire, la politique, l'économie ne comptent pas. L'islam est l'islam, l'Orient est l'Orient : remportez donc à Disneyland toutes vos idées sur la gauche et la droite, les révolutions et le changement.

Si des tautologies, des affirmations, des fins de non-recevoir de ce genre n'ont semblé familières aux

---

1. *Area Studies Reconsidered*, *op. cit.*, p. 12 *sq.*
2. Bernard Lewis, « The Return of Islam », *Commentary*, janv. 1976, p. 39-49.

historiens, aux sociologues, aux économistes et aux spécialistes de sciences humaines dans aucun autre domaine que l'orientalisme, c'est pour une raison tout à fait évidente. Car, de même que son prétendu sujet, l'orientalisme n'a pas permis aux idées de violer sa profonde sérénité. Mais les orientalistes d'aujourd'hui – ou les spécialistes des aires culturelles, pour les appeler de leur nouveau nom – ne se sont pas enfermés passivement dans les départements de linguistique ; au contraire, ils ont profité des conseils de Gibb. Pour la plupart, ils sont aujourd'hui indiscernables des autres « spécialistes » et « conseillers » dans ce que Harold Lasswell a appelé la science de la politique[1]. C'est ainsi qu'on a bientôt reconnu les possibilités d'ordre militaire, et pour la sécurité nationale, qu'offre une alliance entre un spécialiste en « analyse du caractère national » et un spécialiste des institutions islamiques, pour des raisons de convenance sinon pour d'autres raisons. Après tout, l'« Occident » a trouvé en face de lui, depuis la Seconde Guerre mondiale, un ennemi totalitaire astucieux qui s'est fait des alliés parmi les crédules nations orientales (africaines, asiatiques, sous-développées). Quelle meilleure façon de déborder l'ennemi que de jouer de l'esprit illogique des Orientaux de manière que seul un orientaliste peut imaginer ? C'est ainsi qu'ont été créées des tactiques magistrales telles que la technique de la carotte et du bâton, l'Alliance pour le progrès, l'OTASE, etc., toutes fondées sur du « savoir » traditionnel, retravaillé pour qu'il permette une meilleure manipulation de son objet supposé.

Ainsi, alors que la tourmente révolutionnaire empoigne l'Orient islamique, des sociologues nous rappellent que

---

1. Voir *The Policy Sciences : Recent Developments in Scope and Method*, éd. Daniel Lerner et Harold Lasswell, Stanford, Calif., Stanford Univ. Press, 1951.

les Arabes s'adonnent aux fonctions orales[1], tandis que des économistes – orientalistes recyclés – font remarquer que ni le capitalisme ni le socialisme n'est une étiquette adaptée à l'islam moderne[2]. Alors que l'anticolonialisme balaie et même unifie le monde oriental tout entier, l'orientalisme condamne tout cela non seulement comme nocif, mais comme insultant pour les démocraties occidentales. Alors que le monde se pose des problèmes graves et d'une importance très générale, parmi lesquels le péril nucléaire, la rareté catastrophique des ressources, une exigence sans précédent pour l'égalité, la justice et l'équité économique entre les hommes, des caricatures populaires de l'Orient sont exploitées par des politiciens, qui ont pour source idéologique non seulement le technocrate à moitié instruit, mais encore l'orientaliste super-instruit. Les arabisants légendaires du Département d'État mettent en garde contre les plans que font les Arabes pour s'emparer du monde. Les Chinois perfides, les Indiens demi-nus et les musulmans passifs sont décrits comme des vautours qui se nourrissent de « nos » largesses et sont condamnés, quand « nous les perdons », au communisme, ou à leurs instincts orientaux persistants : la différence n'est pas très significative.

Ces attitudes des orientalistes d'aujourd'hui inondent la presse et l'esprit public. On imagine les Arabes, par exemple, comme montés sur des chameaux, terroristes, comme des débauchés au nez crochu et vénaux dont la richesse imméritée est un affront pour la vraie civilisation. On suppose toujours, quoique de manière cachée, que,

1. Morroe Berger, *The Arab World Today*, Garden City, N. Y., Doubleday and Co., 1962, p. 158.
2. On trouvera un ensemble d'exposés critiques de ces attitudes dans Maxime Rodinson, *Islam et Capitalisme*, Paris, Éd. du Seuil, 1966.

bien que les consommateurs occidentaux appartiennent à une minorité numérique, ils ont le droit soit de posséder soit de dépenser (ou l'un et l'autre) la plus grande partie des ressources mondiales. Pourquoi ? Parce que, à la différence des Orientaux, ils sont de véritables êtres humains. Il n'existe pas de meilleur exemple, aujourd'hui, de ce que Anouar Abdel-Malek appelle l'« hégémonisme des minorités possédantes » et de l'anthropocentrisme allié à l'européocentrisme : un Occidental qui appartient à la bourgeoisie croit que c'est sa prérogative humaine non seulement de gérer le monde non blanc, mais aussi de le posséder, justement parce que, par définition, « il » n'est pas tout à fait aussi humain que « nous ». On ne peut trouver d'exemple plus net de pensée déshumanisée.

D'une certaine manière, les limites de l'orientalisme sont, comme je l'ai déjà dit, celles qui apparaissent lorsqu'on reconnaît, réduit à l'essentiel, dénude l'humanité d'une autre culture, d'un autre peuple ou d'une autre région géographique. Mais l'orientalisme a fait un pas de plus : il considère l'Orient comme quelque chose dont l'existence non seulement se déploie pour l'Occident, mais aussi se fixe pour lui dans le temps et dans l'espace. Les succès descriptifs et textuels de l'orientalisme ont été si impressionnants que des périodes entières de l'histoire culturelle, politique et sociale de l'Orient ne sont considérées que comme des réactions à l'Occident. L'Occident est l'agent, l'Orient est un patient. L'Occident est le spectateur, le juge et le jury de toutes les facettes du comportement oriental. Pourtant, si l'histoire a provoqué au cours du vingtième siècle un changement intrinsèque en Orient et pour l'Orient, l'orientaliste est abasourdi : il est incapable de se rendre compte que, jusqu'à un certain point,

les nouveaux chefs, les nouveaux intellectuels, les nouveaux responsables politiques [orientaux] ont trouvé bien des leçons à apprendre dans l'œuvre de ceux qui les ont précédés. Ils ont aussi été aidés par les transformations structurelles et institutionnelles accomplies pendant la période qui s'est écoulée et par le fait qu'ils sont, dans une grande mesure, plus libres de façonner l'avenir de leurs pays. Ils ont aussi plus de confiance en eux et peut-être quelque peu d'agressivité. Ils n'ont plus à agir en espérant obtenir un verdict favorable du jury invisible de l'Occident. Ils ne dialoguent pas avec l'Occident, ils dialoguent avec leurs compatriotes[1].

Bien plus, l'orientaliste suppose que ce à quoi ses textes ne l'ont pas préparé est le résultat, soit d'une agitation venue de l'extérieur en Orient, soit de l'inanité mal dirigée de celui-ci. Aucun des innombrables textes orientalistes traitant de l'islam, y compris leur somme, *The Cambridge History of Islam*, n'a été capable de préparer ses lecteurs à ce qui s'est produit depuis 1948 en Égypte, en Palestine, en Iraq, en Syrie, au Liban ou dans les Yemen. Quand les dogmes sur l'islam ne sont d'aucun service, pas même pour les docteurs Pangloss de l'orientalisme, on fait appel à un jargon de sciences humaines orientalisé, à des abstractions qui se vendent bien : élites, stabilité politique, modernisation, développement institutionnel, toutes marquées du sceau de la sagesse orientaliste. Pendant ce temps, un fossé qui va s'élargissant, et qui est de plus en plus dangereux, sépare l'Orient de l'Occident.

La crise actuelle met en scène, de manière dramatique, la disparité entre les textes et la réalité. Pourtant, dans cette étude sur l'orientalisme, je ne veux pas seulement mettre au jour les sources des conceptions de l'orientalisme, mais encore réfléchir sur son importance, car

1. Ibrahim Abu-Lughod, « Retreat from the Secular Path ? Islamic Dilemmas of Arab Politics », *Review of Politics* 28, n° 4 (oct. 1966), p. 475.

l'intellectuel, aujourd'hui, estime à juste titre que c'est fuir la réalité que d'ignorer une partie du monde dont il est évident qu'elle le touche de près. Les spécialistes des sciences humaines ont trop souvent confiné leur attention à des thèmes de recherche cloisonnés. Ils n'ont ni observé ni appris de disciplines telles que l'orientalisme, dont l'ambition constante est de maîtriser la totalité d'un monde, et non une partie de celui-ci, facile à délimiter : un auteur, une collection de textes. Cependant, en même temps que dans des compartiments académiques sécurisants du genre de l'« histoire », la « littérature » ou les « sciences humaines », et malgré ses aspirations débordantes, l'orientalisme est impliqué dans des circonstances mondiales et historiques qu'il a essayé de dissimuler derrière un scientisme souvent pompeux et des appels au rationalisme. L'intellectuel d'aujourd'hui peut apprendre de l'orientalisme comment, d'une part, soit limiter, soit élargir de manière réaliste l'étendue des prétentions de sa discipline, et, de l'autre, voir le terrain humain (ce que Yeats appelait *the foul rag-and-bone shop of the heart*, « la chiffonnerie infecte de mon cœur ») dans lequel les textes, les points de vue, les méthodes et les disciplines prennent naissance, grandissent, se développent et dégénèrent. Étudier l'orientalisme, c'est aussi proposer des moyens intellectuels pour traiter les problèmes méthodologiques que l'histoire a fait sortir, pour ainsi dire, dans son sujet, l'Orient. Mais auparavant, nous devons en fait voir quelles sont les valeurs humanistes que l'orientalisme, par son étendue, ses expériences, ses structures, a presque éliminées.

2

L'ORIENTALISME STRUCTURÉ
ET RESTRUCTURÉ

Quand le seyyid'Omar, le nakeeb el-Ashráf (ou chef des
descendants du Prophète) [...] maria une de ses filles, il y
a à peu près quarante-cinq ans, devant la procession
marchait un jeune homme qui avait fait une incision
dans son abdomen et en avait fait sortir une grande partie
de ses intestins, qu'il portait devant lui sur un plateau
d'argent. La procession finie, il les remit à leur place et
resta de nombreux jours au lit avant d'être guéri des
conséquences de cet acte fou et dégoûtant.

Edward William Lane, *An Account of the Manners
and Customs of the Modern Egyptians*.

[...] dans le cas de la chute de cet empire, soit par une
révolution à Constantinople, soit par un démembrement
successif, les puissances européennes prendront chacune,
à titre de protectorat, la partie de l'empire qui lui sera
assignée par les stipulations du congrès ; que ces protectorats, définis et limités, quant aux territoires, selon les
voisinages, la sûreté des frontières, l'analogie de religions, de mœurs et d'intérêts [...] ne consacreront que
la suzeraineté des puissances. Cette sorte de suzeraineté
définie ainsi, et consacrée comme droit européen, consis-
tera principalement dans le droit d'occuper telle partie
du territoire ou des côtes, pour y fonder, soit des villes
libres, soit des colonies européennes, soit des ports et
des échelles de commerce [...]. Ce n'est qu'une tutelle
armée et civilisatrice que chaque puissance exercera sur

son protectorat ; elle garantira son existence et ses éléments de nationalité, sous le drapeau d'une nationalité
plus forte [...].

Alphonse de Lamartine, *Voyage en Orient*.

I

Redessiner les frontières, redéfinir les problèmes, séculariser la religion

Gustave Flaubert est mort en 1880 avant d'avoir achevé *Bouvard et Pécuchet*, encyclopédie comique en forme de roman sur la dégénérescence du savoir et l'inanité des efforts humains. Néanmoins, les grandes lignes de son projet sont claires, et clairement soutenues par les abondants détails du roman. Les deux employés aux écritures sont des bourgeois qui, parce que l'un d'entre eux a fait de manière inattendue un confortable héritage, se retirent à la campagne dans une propriété où « nous ferons tout ce qui nous plaira ! ». Flaubert décrit leur expérience : faire tout ce qui leur plaît entraîne Bouvard et Pécuchet dans une promenade pratique et théorique à travers l'agriculture, l'histoire, la chimie, l'éducation, l'archéologie, la littérature, avec toujours un succès plus que discutable ; ils parcourent le champ des connaissances comme des voyageurs dans le temps et dans le savoir, éprouvant les désappointements, les désastres et les désillusions qui attendent les amateurs sans génie. Ce qu'ils parcourent, en réalité, c'est toute la désillusion du dix-neuvième siècle par laquelle, selon l'expression de Charles Morazé, « les bourgeois conquérants » se retrouvent les victimes bourdonnantes de leur propre incompétence et de leur propre médiocrité niveleuse. Tout enthousiasme se résout en un cliché ennuyeux et toute discipline, tout type de connaissance passe de l'espoir et du pouvoir au désordre, à la ruine et au chagrin.

Parmi les ébauches écrites par Flaubert pour la conclusion de ce panorama du désespoir, deux thèmes présentent un intérêt particulier pour nous. Les deux hommes discutent de l'avenir de l'humanité. Pécuchet voit « l'avenir de l'Humanité en noir », tandis que Bouvard le voit « en beau » !

> L'homme moderne est en progrès.
> L'Europe sera régénérée par l'Asie. La loi historique étant que la civilisation aille d'Orient en Occident [...] les deux humanités enfin seront fondues[1].

Cet écho évident de Quinet représente le début d'un autre encore des cycles d'enthousiasme et de désillusion par lesquels passeront les deux hommes. Les notes de Flaubert indiquent que, comme tous les autres projets, cette anticipation de Bouvard est brutalement interrompue par la réalité : des gendarmes apparaissent, qui l'accusent de débauche.

Quelques lignes plus loin, cependant, apparaît le second thème qui nous intéresse. Les deux hommes se communiquent simultanément leur secret désir : « copier comme autrefois ». Ils se font faire un bureau à double pupitre, ils achètent des « registres, des ustensiles, sandaraques, grattoirs, etc. », et – c'est ainsi que Flaubert conclut son esquisse – « ils s'y mettent ». Bouvard et Pécuchet ont essayé de vivre et d'appliquer plus ou moins directement le savoir ; ils sont réduits finalement à le transcrire sans le critiquer d'un texte à un autre.

Bien que la régénération de l'Europe par l'Asie qu'imagine Bouvard ne soit pas complètement développée, on

---

1. Gustave Flaubert, *Bouvard et Pécuchet*, in *Œuvres*, éd. A. Thibaudet et R. Dumesnil, Paris, Gallimard, 1953, II, p. 985.

peut la commenter (et ce qu'elle devient sur le bureau du copiste) de diverses manières. Comme beaucoup des autres visions des deux hommes, celle-ci est *globale* et *reconstructive* ; elle représente ce que Flaubert ressent comme l'idée de prédilection du dix-neuvième siècle : rebâtir le monde selon un projet imaginaire, qui est quelquefois accompagné d'une technique scientifique spécialisée. Parmi les visions auxquelles pense Flaubert, il y a les utopies de Saint-Simon et de Fourier, la régénération scientifique de l'humanité telle que la voit Auguste Comte, et toutes les religions techniques ou séculières lancées par les idéologues, les occultistes, les traditionalistes, et des idéalistes comme Destutt de Tracy, Cabanis, Michelet, Victor Cousin, Proudhon, Cournot, Cabet, Janet et Lamennais[1]. Tout au long du roman, Bouvard et Pécuchet embrassent les diverses causes de ces personnages ; puis, les ayant démolies, ils continuent à en chercher de nouvelles, mais sans obtenir de meilleurs résultats.

Des ambitions révisionnistes de ce genre ont, d'une manière très spécifique, leurs racines dans le romantisme. Il faut nous rappeler dans quelle mesure les projets spirituels et intellectuels de la fin du dix-huitième siècle étaient, pour la plupart, une théologie reconstituée : un surnaturalisme naturel, comme l'a appelé M. H. Abrams ; ce type de pensée se retrouve dans les attitudes typiques du dix-neuvième siècle dont Flaubert fait la satire dans *Bouvard et Pécuchet*. La notion de régénération est donc un retour à

une tendance romantique manifeste, après le rationalisme et le décorum du siècle des Lumières [...] [à revenir] au pur

1. Exposé très éclairant de ces visions et de ces utopies dans Donald G. Charlton, *Secular Religions in France, 1815-1870*, Londres, Oxford Univ. Press, 1963.

drame et aux mystères suprarationnels de l'histoire et des doctrines chrétiennes et aux violents conflits, aux retournements abrupts de la vie intérieure chrétienne, faisant donner les extrêmes : destruction et création, enfer et paradis, exil et réunion, mort et renaissance, désespoir et joie, paradis perdu et paradis retrouvé [...]. Mais, puisqu'ils ont vécu, inéluctablement, après le siècle des Lumières, les écrivains romantiques revivent ces vieux thèmes avec cette différence : leur entreprise est de conserver la vue panoramique de l'histoire et de la destinée humaines, les paradigmes existentiels et les valeurs cardinales de leur héritage religieux, en les reconstituant d'une manière qui les rende intellectuellement acceptables ainsi qu'émotionnellement pertinents pour leur époque [1].

Ce que Bouvard avait en tête : la régénération de l'Europe par l'Asie, était une idée très répandue chez les romantiques. Friedrich Schlegel et Novalis, par exemple, exhortaient leurs compatriotes, et les Européens en général, à étudier l'Inde en détail parce que, disaient-ils, c'étaient la culture et la religion indiennes qui pouvaient vaincre les tendances matérialistes et mécanistes (et républicaines) de la culture occidentale. De cette défaite naîtrait une Europe nouvelle, revitalisée : l'imagerie biblique de la mort, de la renaissance et de la rédemption est évidente dans cette prescription. Plus encore, le projet orientaliste des romantiques n'était pas simplement un exemple spécifique d'une tendance générale ; il contribuait puissamment à donner forme à cette tendance, comme l'a exposé Raymond Schwab, avec des arguments si convaincants à l'appui, dans *la Renaissance orientale*. Mais ce qui comptait, ce n'était pas tant l'Asie que *l'uti-*

1. M. H. Abrams, *Natural Supernaturalism : Tradition and Revolution in Romantic Literature*, New York, W. W. Norton and Co., 1971, p. 66.

lité de l'Asie pour l'Europe moderne. Ainsi, celui qui, comme Schlegel ou Franz Bopp, connaissait bien une langue orientale était un héros spirituel, un chevalier errant rapportant à l'Europe le sens, perdu aujourd'hui, de sa mission sacrée. C'est ce sens, précisément, que les religions séculières plus récentes que décrit Flaubert perpétuent au dix-neuvième siècle. Non moins que Schlegel, Wordsworth et Chateaubriand, Auguste Comte – comme Bouvard – était le tenant, le défenseur d'un mythe séculier d'après les Lumières dont les grandes lignes sont indubitablement chrétiennes.

En permettant chaque fois à Bouvard et Pécuchet de partir d'idées révisionnistes pour aboutir à une fin comiquement dégradée, Flaubert attire l'attention sur la tare humaine commune à tous les projets. Il voit parfaitement que, sous *l'idée reçue* de « l'Europe régénérée par l'Asie », se cache une *hubris* insidieuse. Ni « l'Europe » ni « l'Asie » ne seraient rien sans la technique des visionnaires qui transforme de vastes domaines géographiques en entités susceptibles d'être traitées et dirigées. Au fond, l'Europe et l'Asie sont donc *notre* Europe et *notre* Asie – notre *volonté* et notre *représentation*, comme l'avait dit Schopenhauer. Les lois historiques sont en réalité des lois d'*historiens*, tout comme « les deux humanités » attirent l'attention moins sur la réalité que sur le fait que les Européens sont capables de faire passer pour inévitables des distinctions qui sont le fait de l'homme.

Quant à l'autre partie de la phrase : « enfin seront fondues », Flaubert s'y moque de la joyeuse indifférence de la science envers la réalité, une science qui dissèque et fond des entités humaines comme si elles n'étaient que de la matière inerte. Mais la science dont il se moque n'est pas n'importe quelle science, c'est la science européenne pleine d'enthousiasme, messianique même, dont les victoires comportent des révolutions manquées, des guerres, l'oppression et un appétit incorrigible pour mettre à l'œuvre immédiatement, de manière donquichottesque, de grandes idées livresques. Ce que cette science ou ce savoir ne fait jamais entrer en compte, c'est sa mauvaise innocence crasse et désinvolte, et la résistance que lui oppose la réalité. Quand Bouvard joue à l'homme de science, il suppose naïvement que la science est purement et simplement, que la réalité est comme l'homme de science le dit, et que si celui-ci est un fou ou un visionnaire, cela n'a pas d'importance ; il est incapable de voir (comme tous ceux qui pensent comme lui) qu'il se pourrait que l'Orient ne souhaite pas régénérer l'Europe, ou que l'Europe ne soit pas prête à se fondre démocratiquement avec des Asiatiques jaunes ou bruns. Bref, un homme de science de ce genre ne reconnaît pas dans sa science la volonté de puissance égoïste qui nourrit ses entreprises et corrompt ses ambitions.

Flaubert veille, naturellement, à ce que ses pauvres fous se frottent à ces difficultés. Bouvard et Pécuchet ont appris qu'il vaut mieux ne pas trafiquer dans les idées et dans la réalité en même temps. Le roman se conclut sur une image des deux héros tout à fait satisfaits de reporter fidèlement leurs idées préférées d'un livre sur le papier. Le savoir ne demande plus à être appliqué à la réalité ; le savoir est ce qui est transmis silencieusement, sans commentaire, d'un texte à un autre. Les idées se propagent et se disséminent anonymement, elles sont répétées sans attribution ; elles sont devenues littéralement des « idées reçues » : ce qui compte, c'est qu'elles sont *là*, pour être répétées, répercutées et rerépercutées sans être critiquées.

Sous une forme extrêmement resserrée, ce bref épisode, tiré des notes prises par Flaubert pour *Bouvard et Pécuchet*, dessine le cadre des structures spécifiquement modernes de l'orientalisme, qui est, après tout, une discipline parmi les croyances séculières (et quasi religieuses) de la pensée européenne du dix-neuvième siècle. Nous avons déjà décrit le domaine général de pensée sur l'Orient qui s'est transmis à travers le Moyen Âge et la Renaissance, périodes pour lesquelles l'islam était l'essentiel de l'Orient. Au cours du dix-huitième siècle, cependant, se sont ajoutés et entrecroisés un certain nombre d'éléments nouveaux, qui laissent entrevoir la phase évangélique à venir, dont Flaubert allait plus tard recréer les grandes lignes.

Premier élément : l'Orient était en train de s'ouvrir bien au-delà des pays islamiques. Ce changement quantitatif était dû, dans une large mesure, au fait que les Européens exploraient sans cesse et toujours plus avant le reste du monde. L'influence de plus en plus grande des récits de voyage, des utopies imaginaires, des voyages moraux et des comptes rendus scientifiques attirait l'attention sur l'Orient d'une manière à la fois plus aiguë et plus large. Si l'orientalisme est principalement redevable de ses progrès aux fructueuses découvertes faites par Anquetil et Jones pendant le dernier tiers du siècle, celles-ci sont à replacer dans le contexte plus large créé par Cook et Bougainville, par les voyages de Tournefort et d'Adanson, par l'*Histoire des navigations aux terres australes* du président de Brosses, par les navires de commerce français dans le Pacifique, par les missionnaires jésuites en Chine et dans les Amériques, par les explorations et comptes rendus de William Dampier, par les innombrables spéculations sur les géants, les Patagons, les sauvages, les indigènes et monstres résidant loin vers l'est, l'ouest, le sud et le nord de l'Europe. Mais tous ces horizons qui allaient s'élargissant avaient l'Europe fermement à leur centre, comme principal observateur (ou comme principalement observée, comme dans *Le Citoyen du monde* de Goldsmith). Car, alors même que l'Europe s'avançait vers l'extérieur, le sentiment qu'elle avait de sa puissance culturelle se renforçait. C'est à partir de récits de voyageurs, et non seulement à partir de grandes institutions telles que les différentes compagnies des Indes, que des colonies ont été créées et que des perspectives ethnocentriques ont été assurées[1].

Deuxième élément : une attitude mieux informée vis-à-vis de l'autre et de l'exotique, encouragée non seulement par des voyageurs et des explorateurs, mais encore par des historiens pour lesquels l'expérience de l'Europe pouvait se comparer avec profit à celle de civilisations différentes, et plus anciennes. Ce puissant courant de l'anthropologie historique du dix-huitième, que des érudits ont décrit comme la confrontation des dieux, aboutissait à ceci : que Gibbon pouvait lire les leçons du déclin de Rome dans la montée de l'islam, exactement comme Vico pouvait comprendre la civilisation moderne à la lumière de la splendeur poétique et barbare de ses premiers débuts. Alors que les historiens de la Renais-

---

1. On trouvera des textes très éclairants dans John P. Nash, « The Connection of Oriental Studies with Commerce, Art and Literature during the 18th-19th Centuries », *Manchester Egyptian and Oriental Society Journal* 15 (1930), p. 33-39 ; voir aussi John F. Laffey, « Roots of French Imperialism in the Nineteenth Century : The Case of Lyon », *French Historical Studies* 6, n° 1 (printemps 1969), p. 78-92, et R. Leportier, *L'Orient porte des Indes*, Paris, France-Empire, 1970. Beaucoup de renseignements dans Henri Omont, *Missions archéologiques françaises en Orient aux XVIIᵉ et XVIIIᵉ siècles*, Paris, Imprimerie nationale, 1902, 2 vol., et dans Margaret T. Hodgen, *Early Anthropology in the Sixteenth and Seventeenth Centuries*, Philadelphia, Univ. of Pennsylvania Press, 1964, ainsi que dans Norman Daniel, *Islam, Europe and Empire*, Édimbourg, Edinburgh Univ. Press, 1966. Deux courtes études, indispensables : Albert Hourani, « Islam and the Philosophers of History », *Middle Eastern Studies* 3, n° 3 (avr. 1967), p. 206-268, et Maxime Rodinson, « The Western Image and Western Studies of Islam », in *The Legacy of Islam*, éd. Joseph Schacht et C. E. Bosworth, Oxford, Clarendon Press, 1974, p. 9-62.

sance jugeaient inflexiblement l'Orient comme un ennemi, ceux du dix-huitième siècle affrontaient ses traits particuliers avec un certain détachement et en cherchant, plus ou moins, à travailler directement avec des matériaux tirés de sources orientales, peut-être parce que cette technique aidait les Européens à mieux se connaître eux-mêmes. Ce changement est illustré par la traduction du Coran de George Sale et le discours préliminaire qui l'accompagne. À la différence de ses prédécesseurs, Sale essayait de traiter de l'histoire arabe à la lumière des sources arabes ; bien plus, il laissait parler pour eux-mêmes les commentateurs musulmans des textes sacrés[1]. Chez Sale, comme pendant tout le dix-huitième siècle, le simple comparatisme était la première phase de ces disciplines comparatives (philologie, anatomie, jurisprudence, religion) dont le dix-neuvième siècle devait se faire gloire.

Mais il y avait, chez certains penseurs, une tendance à dépasser l'étude comparée et ses vues d'ensemble judicieuses sur l'humanité, « de la Chine au Pérou », par une identification sympathique. Tel est le troisième élément qui, au dix-huitième siècle, prépare la voie de l'orientalisme moderne. Ce que nous appelons aujourd'hui historicisme est une idée du dix-huitième siècle ; Vico, Herder et Hamann, entre autres, croyaient que toute culture avait une cohérence interne et organique, que ses éléments étaient tenus ensemble par un esprit, un génie, un *Klima* ou une idée nationale qu'une personne extérieure ne pouvait pénétrer que par un acte de sympathie historique.

---

1. P. M. Holt, « The Treatment of Arab History by Prideaux, Ockley, and Sale », in *Historians of the Middle East*, éd. Bernard Lewis et P. M. Holt, *op. cit.*, p. 302. Voir aussi P. M. Holt, *The Study of Arab History*, Londres, School of Oriental and African Studies, 1965.

Ainsi, le livre de Herder, *Ideen zur Philosophie der Geschichte der Menschheit* (1784-1791), est un panorama de diverses cultures, chacune étant imprégnée d'un esprit créateur hostile, chacune n'étant accessible qu'à un observateur qui sacrifierait ses préjugés à l'*Einfühlung*. Imbue du sentiment de l'histoire populiste et pluraliste prôné par Herder et par d'autres [1], une intelligence du dix-huitième siècle pouvait ouvrir une brèche dans les murs doctrinaux érigés entre l'Occident et l'islam, et voir des éléments de parenté cachés entre elle-même et l'Orient. Napoléon est un exemple fameux de cette identification (d'ordinaire sélective) par sympathie. Mozart en est un autre exemple : *La Flûte enchantée* (dans laquelle des codes maçonniques s'entremêlent à des visions d'un Orient bienveillant) et *L'Enlèvement au sérail* peuplent l'Orient d'une forme d'humanité particulièrement magnanime. Et c'est ceci, bien plus que la mode de la musique « turque », qui entraîne la sympathie de Mozart vers l'est.

Il est, néanmoins, très difficile de séparer des intuitions de l'Orient comme celles de Mozart de tout l'éventail des représentations préromantiques et romantiques de l'Orient comme scène exotique. À la fin du dix-huitième siècle et au début du dix-neuvième, l'orientalisme populaire a eu un succès considérable. Mais il n'est pas simple de détacher cette vogue, facile à identifier chez William Beckford, Byron, Thomas Moore et Goethe, du goût pour les contes gothiques, les idylles pseudo-médiévales, les visions de splendeur et de cruauté barbares. Ainsi, on peut, dans certains cas, associer la représentation de l'Orient avec les prisons de Piranèse, dans d'autres avec l'ambiance luxueuse des tableaux de

---

1. Isaiah Berlin soutient la thèse de Herder populiste et pluraliste dans *Vico and Herder : Two Studies in the History of Ideas*, New York, Viking Press, 1976.

Tiepolo, dans d'autres encore avec le sublime exotique de peintures de la fin du dix-huitième siècle[1]. Plus tard, au dix-neuvième siècle, dans les œuvres de Delacroix et de douzaines (littéralement) d'autres peintres français et anglais, le tableau de genre oriental a donné à cette représentation une expression visuelle et une vie propre (que ce livre est malheureusement obligé de négliger). Sensualité, promesse, terreur, sublimité, plaisir idyllique, énergie intense : l'Orient, dans l'imaginaire orientaliste préromantique, prétechnique de l'Europe de la fin du dix-neuvième siècle, était en fait la qualité caméléonesque que désigne l'adjectif « oriental »[2]. Mais cet Orient indéterminé allait être sérieusement amoindri par l'avènement de l'orientalisme universitaire.

Quatrième élément qui prépare la voie aux structures orientalistes modernes : tout le mouvement de classification en types de la nature et de l'homme. Les plus grands noms sont, bien sûr, ceux de Linné et de Buffon, mais le processus intellectuel permettant de transformer l'extension corporelle (et bientôt morale, intellectuelle et spirituelle) – la matérialité typique d'un objet – de pur spectacle en mesure précise d'éléments caractéristiques était très général. Linné disait que toute note prise sur un type naturel « doit être tirée du nombre, de la figure, de la

1. Pour une étude de ces motifs et de leurs représentations, voir Jean Starobinski, *L'Invention de la liberté*, Genève-Paris, Skira, 1964.
2. Il y a un petit nombre d'études sur ce sujet encore trop négligé. Parmi les plus connues : Martha P. Conant, *The Oriental Tale in England in the Eighteenth Century*, 1908 ; rééd. New York, Octagon Books, 1967 ; Marie E. de Meester, *Oriental Influences in the English Literature of the Nineteenth Century* (*Anglistische Forschungen*, n° 46), Heidelberg, 1915 ; Byron Porter Smith, *Islam in English Literature*, Beyrouth, American Press, 1939. Voir aussi Jean-Luc Doutrelant, « L'Orient tragique au XVIIIe siècle », *Revue des sciences humaines* 146 (avr.-juin 1972), p. 255-282.

proportion, de la situation », et, en effet, si l'on regarde chez Kant, ou Diderot, ou Johnson, on trouve chez tous un même penchant pour mettre en relief les traits généraux, pour réduire de grands nombres d'objets en un nombre plus petit de *types* qu'on puisse ordonner et décrire. Pour l'histoire naturelle, pour l'anthropologie, pour la généralisation culturelle, un type a un *caractère* particulier qui fournit une désignation à l'observateur et, comme le dit Foucault, « une dérivation maîtrisée ». Ces types et ces caractères appartiennent à un système, à un réseau de généralisations. Ainsi :

> toute désignation doit se faire par un certain rapport à toutes les autres désignations possibles. Connaître ce qui appartient en propre à un individu, c'est avoir par devers soi le classement ou la possibilité de classer l'ensemble des autres [1].

Dans les écrits de philosophes, d'historiens, d'encyclopédistes et d'essayistes, nous voyons apparaître le caractère comme désignation en tant que classification physiologico-morale : il y a par exemple les sauvages, les Européens, les Asiatiques, etc. On les trouve naturellement chez Linné, mais aussi chez Montesquieu, chez Johnson, chez Blumenbach, chez Soemmerring, chez Kant. Les caractères physiologiques et moraux sont distribués plus ou moins également : l'Américain est « rouge, colérique, droit », l'Asiatique est « jaune, mélancolique, rigide », l'Africain est « noir, flegmatique, relâché » [2].

---

1. Michel Foucault, *Les Mots et les Choses. Une archéologie des sciences humaines*, Paris, Gallimard, 1966, p. 151, 157. Voir aussi François Jacob, *La Logique du vivant. Une histoire de l'hérédité*, Paris, Gallimard, 1970, p. 54 et *passim*, et Georges Ganguilhem, *La Connaissance de la vie*, Paris, Vrin, 1969, p. 44-63.

2. Voir John G. Burke, « The Wild Man's Pedigree : Scientific Method and Racial Anthropology », in *The Wild Man Within : An*

Mais ces désignations prennent de la puissance lorsque, plus avant dans le dix-neuvième siècle, elles sont reliées au caractère comme dérivation, comme type génétique. Chez Vico et chez Rousseau, par exemple, la force de généralisation morale est rehaussée par la précision avec laquelle ils montrent que des figures spectaculaires, presque archétypiques : l'homme primitif, les géants, les héros, sont la genèse de questions de morale courante, de philosophie et même de linguistique. Ainsi, quand on parlait d'un Oriental, c'était en termes d'universaux génétiques tels que son état « primitif », ses caractéristiques primaires, son arrière-plan spirituel particulier.

Les quatre éléments que je viens de décrire : l'expansion de l'Europe, la confrontation historique, la sympathie, la classification, sont les courants de la pensée du dix-huitième siècle dont la présence conditionne les structures spécifiques de l'orientalisme, intellectuelles et institutionnelles. Sans eux, comme nous allons le voir maintenant, il n'y aurait pas eu d'orientalisme. En outre, ces éléments ont eu pour effet de délivrer l'Orient en général, et l'islam en particulier, de l'examen étroitement religieux par lequel il avait jusque-là été étudié (et jugé) par l'Occident chrétien. Autrement dit, l'orientalisme moderne découle d'éléments sécularisants de la culture européenne du dix-huitième siècle.

1. L'extension de l'Orient, plus loin vers l'est du point de vue géographique, et plus haut dans le temps, a considérablement assoupli et même fait disparaître le cadre biblique. Les points de référence ne sont plus le

---

Image in Western Thought from the Renaissance to Romanticism, éd. Edward Dudley et Maximilian E. Novak, Pittsburgh, Pa., Univ. of Pittsburgh Press, 1972, p. 262-268. Voir aussi Jean Biou, « Lumières et anthropophagie », *Revue des sciences humaines* 146 (avr.-juin 1972), p. 223-234.

christianisme et le judaïsme, avec leurs calendriers et leurs cartes plutôt modestes, mais l'Inde, la Chine, le Japon et Sumer, le bouddhisme, le sanscrit, le zoroastrisme et Manu.

2. La capacité de traiter historiquement (et non pas en les réduisant à des sujets de politique ecclésiastique) de cultures qui ne sont pas européennes, ni judéochrétiennes, s'est affermie à mesure que l'histoire ellemême a été conçue de manière plus progressiste ; bien comprendre l'Europe, cela voulait dire aussi comprendre les relations objectives entre l'Europe et ses frontières temporelles et culturelles jusque-là inaccessibles. D'une certaine manière, l'idée de Jean de Ségovie d'une *contraferentia* entre l'Orient et l'Europe se réalise, mais d'une façon totalement séculière ; Gibbon peut traiter Mahomet comme un personnage historique qui a eu de l'influence sur l'Europe, et non comme un mécréant diabolique rôdant quelque part entre la magie et la fausse prophétie.

3. Une identification sélective avec des régions et des cultures différentes de la nôtre a corrodé le moi et son identité, qui, auparavant, avaient été exacerbés par l'opposition sommaire entre la communauté de croyants rangés en ordre de bataille, et les hordes de barbares. Les confins de l'Europe chrétienne ne sont plus une espèce de douane ; les notions d'association humaine et de possibilité humaine prennent une légitimité très générale – par opposition à une légitimité de clocher.

4. Les classifications de l'humanité se multiplient systématiquement, en même temps que les possibilités de désignation et de dérivation se raffinent au-delà des catégories appelées par Vico les gentils et les nations saintes ; la race, la couleur, l'origine, le tempérament, le caractère, les types recouvrent la distinction entre les chrétiens et tous les autres.

Mais si ces éléments interconnectés représentent une tendance à la sécularisation, cela ne veut pas dire que les anciens modèles religieux de l'histoire, de la destinée et des « paradigmes existentiels » des hommes sont simplement écartés. Loin de là : ils sont reconstitués, redéployés, redistribués dans les cadres séculiers que nous venons d'énumérer. Celui qui étudie l'Orient doit disposer d'un vocabulaire séculier en accord avec ces cadres. Cependant, si l'orientalisme fournit le vocabulaire, le répertoire des concepts, les techniques – car c'est ce que *faisait* et ce qu'*était* l'orientalisme depuis la fin du dix-huitième siècle –, il conserve aussi, comme un courant permanent de son discours, un élan religieux reconstruit, un surnaturalisme naturalisé. Ce que je vais essayer de montrer, c'est que cet élan de l'orientalisme réside dans la conception que l'orientaliste se fait de lui-même, de l'Orient et de sa discipline.

L'orientaliste moderne est, à ses propres yeux, un héros qui sauve l'Orient de l'obscurité, de l'aliénation et de l'étrangeté qu'il a lui-même convenablement perçues. Ses recherches reconstruisent les langues perdues de l'Orient, ses mœurs et même ses mentalités. Champollion avait reconstruit les hiéroglyphes égyptiens à partir de la pierre de Rosette. Les techniques spécifiques de l'orientalisme : la lexicographie, la grammaire, la traduction, le décodage des cultures, restituent, incarnent, réaffirment les valeurs à la fois d'un Orient ancien, classique et des disciplines traditionnelles : philologie, histoire, rhétorique et polémique doctrinale. Mais, au cours de ce processus, l'Orient et les disciplines de l'orientalisme changent dialectiquement, car ils ne peuvent pas survivre sous leur première forme. L'Orient, même sous la forme « classique » sous laquelle l'orientaliste l'étudiait habituellement, est modernisé, restitué au présent ; les disciplines traditionnelles sont, elles aussi, portées dans la culture contemporaine. Cependant, celui-là comme celles-ci présentent les traces du *pouvoir* – le pouvoir d'avoir ressuscité, créé même l'Orient, le pouvoir qui réside dans les techniques nouvelles, scientifiquement avancées que sont la philologie et la généralisation anthropologique.

Bref, ayant transporté l'Orient dans la modernité, l'orientaliste peut célébrer sa méthode et sa position comme celles d'un créateur séculier, d'un homme qui fait des mondes nouveaux comme Dieu autrefois a fait l'ancien. Pour ce qui est de perpétuer ces méthodes et ces positions au-delà de la durée de vie d'un orientaliste individuel, il y aura une tradition séculière de continuité, un ordre laïc de méthodologistes disciplinés dont la fraternité sera fondée, non sur un lignage par le sang, mais sur un discours commun, une praxis, une bibliothèque, un ensemble d'idées reçues, bref une doxologie commune à tous ceux qui entrent dans leurs rangs. Flaubert avait assez de prescience pour voir qu'avec le temps l'orientaliste moderne allait devenir un copiste, comme Bouvard et Pécuchet, mais, au début, dans la carrière de Silvestre de Sacy et celle d'Ernest Renan, aucun danger de ce genre n'était apparent.

Ma thèse est qu'on peut comprendre les aspects essentiels de la théorie et de la praxis orientalistes modernes (dont découle l'orientalisme d'aujourd'hui), non comme un accès soudain de savoir objectif sur l'Orient, mais comme un ensemble de structures héritées du passé, sécularisées, réaménagées et reformées par des disciplines telles que la philologie qui, à leur tour, ont été des substituts (ou des versions) du surnaturalisme chrétien. Sous forme d'idées et de textes nouveaux, l'Est a été adapté à ces structures. Des linguistes et des explorateurs comme Jones et Anquetil ont certainement apporté une contribution à l'orientalisme moderne, mais ce qui fait la spécificité de ce dernier en tant que domaine, groupe d'idées, discours, est l'œuvre de la génération suivante.

Si nous prenons l'expérience de Bonaparte (1798-1801) comme une espèce de première expérience d'habilitation pour l'orientalisme moderne, nous pouvons considérer ses héros inauguraux – qui sont, pour les études islamiques, Silvestre de Sacy, Renan et Lane – comme les constructeurs du domaine, les créateurs d'une tradition, les pères fondateurs de la fraternité des orientalistes. Ce qu'ont fait Silvestre de Sacy, Renan et Lane, c'est de placer l'orientalisme sur une base scientifique et rationnelle. Cela les a entraînés non seulement à réaliser leur propre œuvre exemplaire, mais aussi à créer un vocabulaire et des idées utilisables de manière impersonnelle par tous ceux qui souhaitaient devenir orientalistes. Leur inauguration de l'orientalisme a été un exploit considérable. Elle a rendu possible une terminologie scientifique ; elle a chassé l'obscurité et instauré une forme particulière d'éclairage pour l'Orient ; elle a établi la personne de l'orientaliste comme autorité centrale *pour* l'Orient ; elle a légitimé une espèce particulière de travail orientaliste ayant une cohérence spécifique ; elle a mis en circulation, dans le monde de la culture, une forme de texte de référence qui parlera désormais *pour* l'Orient ; et, surtout, l'œuvre des inaugurateurs a découpé un champ de recherche et une famille d'idées qui, à leur tour, peuvent former une communauté de savants dont le lignage, les traditions et les ambitions seront en même temps intérieurs au domaine et assez extérieurs pour leur valoir du prestige dans le public. Plus l'Europe a empiété sur l'Orient au cours du dix-neuvième siècle, plus l'orientalisme a gagné la confiance du public. Mais, si ce gain a coïncidé avec une perte d'originalité, cela ne doit pas trop nous étonner, puisque son mode était d'emblée la reconstruction et la répétition.

Une dernière observation : les idées, les institutions et les personnes de la fin du dix-huitième et du dix-neuvième siècle dont je vais m'occuper maintenant forment une part importante, une élaboration capitale de la plus grande époque d'acquisition territoriale jamais connue. À la veille de la Première Guerre mondiale, on l'a déjà rappelé, l'Europe avait colonisé 85 % de la terre. Dire simplement que l'orientalisme moderne a été l'un des aspects à la fois de l'impérialisme et du colonialisme, ce n'est pas dire quelque chose de très contestable. Mais ce n'est pas assez de le dire ; il faut le soumettre à une élaboration analytique et historique. Ce qui m'intéresse, c'est de montrer comment l'orientalisme moderne, à la différence de la conscience précoloniale de Dante et de d'Herbelot, incorpore une discipline systématique d'*accumulation*. Loin d'être un trait exclusivement intellectuel ou théorique, cela a poussé l'orientalisme à tendre fatalement vers l'accumulation systématique d'êtres humains et de territoires. Reconstruire une langue orientale qui était morte ou perdue, cela signifie, en fin de compte, reconstruire un Orient mort ou négligé ; cela veut aussi dire que la précision, la science et même l'imagination de la reconstruction peuvent préparer la voie pour ce que les armées, les administrations et les bureaucraties feront plus tard sur le terrain, en Orient. En un sens, la justification de l'orientalisme n'est pas seulement dans ses réussites intellectuelles ou artistiques, mais dans l'efficacité, l'utilité, l'autorité qu'il aura par la suite. Cela mérite certainement que l'on s'y intéresse de près.

II

A. I. Silvestre de Sacy, Ernest Renan, Karl Marx : l'anthropologie rationnelle, le laboratoire de philologie et leurs répercussions

La vie de Silvestre de Sacy a eu deux grands thèmes : l'effort héroïque et le dévouement à l'utilité pédagogique. Né en 1757 d'une famille janséniste qui exerçait traditionnellement le notariat, Antoine Isaac Silvestre de Sacy reçut des leçons particulières, dans une abbaye bénédictine, d'abord d'arabe, de syriaque et de chaldéen, puis d'hébreu. L'arabe, en particulier, a été la langue qui lui a ouvert l'Orient, puisque, selon Joseph Reinaud, c'est en arabe que sont écrits les ouvrages orientaux, qu'ils soient sacrés ou profanes, les plus anciens et les plus instructifs [1]. Quoique royaliste, il fut, en 1796, le premier professeur d'arabe à l'École des langues orientales vivantes, qui venait d'être créée ; il devait en devenir le directeur en 1824. En 1806, il fut nommé professeur au Collège de France, bien qu'il eût été depuis 1805 l'orientaliste de service au ministère des Affaires étrangères. Son travail (qui ne fut rétribué qu'à partir de 1811) consistait d'abord à traduire les bulletins de la Grande Armée et le *Manifeste* de 1806 par laquel Napoléon espérait exciter le « fanatisme des musulmans contre les Russes orthodoxes ». Mais, pendant bien des années, Silvestre de Sacy forma des interprètes pour le drogmanat du Levant en même

---

1. Henri Dehérain, *Silvestre de Sacy. Ses contemporains et ses disciples*, Paris, Paul Geuthner, 1938, p. 111.

temps que de futurs savants. Quand les Français débarquèrent à Alger, en 1830, Silvestre de Sacy traduisit la proclamation aux Algériens ; il était régulièrement consulté sur toutes les affaires diplomatiques relatives à l'Orient par le ministre de la Guerre. À l'âge de soixante-quinze ans, il succéda à Dacier comme secrétaire perpétuel de l'Académie des inscriptions et devint aussi conservateur des manuscrits orientaux à la Bibliothèque royale. Pendant toute sa carrière longue et distinguée, son nom a été justement associé à la restructuration et à la réforme de l'enseignement (en particulier pour les études orientales) dans la France d'après la Révolution[1]. Silvestre de Sacy fut fait pair de France en 1832, en même temps que Cuvier.

Ce n'est pas seulement parce qu'il a été le premier président de la Société asiatique (fondée en 1822) que l'on associe le nom de Silvestre de Sacy aux débuts de l'orientalisme moderne ; c'est parce qu'il a, en somme, proposé à cette profession tout un corpus systématique de textes, une pratique pédagogique, une tradition d'érudition, et qu'il a établi un lien sérieux entre l'érudition orientale et l'intérêt public. Dans l'œuvre de Silvestre de Sacy, pour la première fois en Europe depuis le concile de Vienne, on voit fonctionner un principe méthodologique conscient en même temps que la discipline érudite. Tout aussi important, Silvestre de Sacy s'est toujours considéré comme un homme placé au départ d'un important projet de renouvellement de la science. Il était un inaugurateur, il était conscient de l'être, et, ce qui touche de plus près notre thèse générale, il se comportait, dans ses écrits, comme un ecclésiastique sécularisé pour qui son Orient et ses étudiants étaient respectivement la doctrine et les paroissiens. Un de ses contemporains qui l'admirait, le

1. Pour plus de détails, voir *ibid.*, p. I-XXXIII.

duc de Broglie, disait de l'œuvre de Silvestre de Sacy qu'elle réconciliait la manière d'un scientifique avec celle d'un professeur d'histoire sainte, et que Silvestre de Sacy était le seul homme capable de réconcilier « les espérances de Leibniz avec les efforts de Bossuet [1] ». Par conséquent, tout ce qu'il écrivait s'adressait de manière spécifique à ses étudiants (dans le cas de son premier ouvrage, ses *Principes de grammaire générale* publiés en 1799, l'étudiant était son propre fils) et présentait, non pas quelque chose de nouveau, mais un extrait revu de ce qu'il y avait de mieux dans ce qui avait déjà été fait, dit ou écrit.

Ces deux caractères : la présentation didactique pour les étudiants et l'intention avouée de répéter, par la révision et l'extrait, sont primordiaux. Les écrits de Silvestre de Sacy ont toujours le ton du discours parlé ; sa prose est parsemée de pronoms à la première personne, avec des réserves personnelles, avec une présence rhétorique. Même dans ses écrits les plus abstrus – comme une note érudite sur la numismatique sassanide du troisième siècle –, on sent, plutôt qu'une plume qui écrit, une voix qui énonce.

Les premières lignes de la dédicace à son fils des *Principes de grammaire générale* donnent le ton de son œuvre : « C'est pour toi, mon cher fils, que ce petit ouvrage a été entrepris », ce qui veut dire : je t'écris (ou je te parle) parce que tu as besoin de savoir ces choses, et, puisqu'elles n'existent pas sous forme utilisable, j'ai fait ce travail moi-même. Discours direct, utilité, effort, rationalité immédiate et bénéfique. Car Silvestre de Sacy croyait qu'on pouvait rendre toute chose claire et raisonnable, quelles que fussent la difficulté de la tâche et

---

1. Duc de Broglie, « Éloge de Silvestre de Sacy », in Silvestre de Sacy, *Mélanges de littérature orientale*, Paris, E. Ducrocq, 1833, p. XII.

l'obscurité du sujet. Voici la sévérité de Bossuet, et l'humanisme abstrait de Leibniz, ainsi que le *ton* de Rousseau, tous réunis dans le même style.

Le ton de Silvestre de Sacy a pour effet de créer une cloison qui l'isole, lui et son public, du reste du monde, à la manière dont un maître et ses élèves, enfermés ensemble dans une salle de classe, forment aussi un espace clos. Le sujet des études orientales n'est pas comme celui de la physique, de la philosophie ou de la littérature classique, c'est un sujet secret, ésotérique ; il a de l'importance pour ceux qui s'intéressent déjà à l'Orient, mais souhaitent le connaître mieux, d'une manière plus organisée, et, ici, la discipline pédagogique cherche plus l'efficacité que l'attrait. Celui qui s'exprime de manière didactique *déploie* donc sa matière pour ses disciples, dont le rôle est de recevoir ce qui leur est donné sous la forme de sujets soigneusement choisis et arrangés. Puisque l'Orient est vieux et lointain, il s'agit de restaurer, de re-voir ce qui a disparu du domaine plus large des connaissances. Et, puisque l'immense richesse de l'Orient (en espace, en temps, en cultures) ne peut être exposée dans sa totalité, il suffit de le faire pour ses portions les plus représentatives. Ainsi, ce à quoi s'attache Silvestre de Sacy, c'est l'anthologie, la chresto-mathie, le tableau, l'exposé des principes généraux, dans lesquels un ensemble relativement mince d'exemples puissants livre l'Orient à l'étudiant. Ces exemples sont puissants pour deux raisons : a) parce qu'ils reflètent l'autorité qu'a Silvestre de Sacy, en tant qu'Occidental, pour prendre à l'Orient ce que sa distance et son excen-tricité ont jusqu'ici gardé caché ; b) parce que ces exemples ont en eux (ou ont reçu de l'orientaliste) le pouvoir sémiotique de signifier l'Orient.

Toute l'œuvre de Silvestre de Sacy est, pour l'essentiel, de compilation ; elle est ainsi cérémonieusement didactique et c'est une laborieuse re-vision. En dehors des *Principes de grammaire générale*, il a composé une *Chrestomathie arabe* en trois volumes (1806 et 1827), une anthologie de textes grammaticaux arabes (1825), une grammaire arabe, en 1810 («à l'usage des élèves de l'École spéciale»), des traités sur la prosodie arabe et la religion druse, et de nombreux travaux assez courts sur la numismatique, l'onomastique, l'épigraphie, la géographie, l'histoire, les poids et mesures en Orient. Il a fait bon nombre de traductions et deux commentaires détaillés sur le livre de *Calila et Dumna* et le *Maqamat* de al-Hariri. Silvestre de Sacy a déployé autant d'énergie pour éditer des textes que comme mémorialiste et historien de la science moderne. Peu de choses dignes de remarque dans les disciplines voisines dont il n'ait été au courant, bien que ses propres écrits soient simplistes et, pour ce qui ne concerne pas l'orientalisme, d'une portée étroitement positiviste.

Pourtant, quand Napoléon charge, en 1802, l'Institut de France de faire un *tableau général* de l'état et des progrès des arts et des sciences depuis 1789, Silvestre de Sacy est choisi pour faire partie de l'équipe de rédacteurs ; il était, parmi les spécialistes, le plus rigoureux, et, parmi ceux qui traitaient de questions générales, celui dont la pensée était la plus historique. Le rapport Dacier – c'est ainsi qu'on l'a appelé officieusement – donne corps à bien des prédilections de Silvestre de Sacy, et il contient ses contributions sur l'état de la science orientale. Son titre, *Tableau historique de l'érudition française*, annonce la nouvelle prise de conscience historique (par opposition à la conscience religieuse). Cette prise de conscience est théâtrale : la science peut être disposée comme sur une scène, dirait-on, où l'on peut facilement la parcourir du regard dans sa totalité. La préface de Dacier, adressée à l'empereur, énonce parfaitement ce thème. Cette vue d'ensemble lui permet de faire une chose qu'aucun autre souverain n'a tentée, à savoir d'« embrasser d'un coup d'œil l'universalité des connaissances humaines ». Si l'on avait entrepris autrefois de faire un tableau historique de ce genre, « combien il aurait conservé de chefs-d'œuvre qui ont péri parce que l'ignorance les a méconnus ! avec quelle ardeur on l'aurait parcouru dans tous les temps ! ». Dacier dit encore que l'expédition d'Égypte a facilité le travail et, ainsi que plusieurs voyages, « contribué à étendre la sphère de nos connaissances géographiques »[1].

Le *Tableau historique* est important pour comprendre la phase inaugurale de l'orientalisme, parce qu'il fait voir la forme du savoir orientaliste et ses traits caractéristiques, de même qu'il décrit la relation de l'orientaliste à son sujet. Dans les pages que Silvestre de Sacy a rédigées sur l'orientalisme – comme partout dans ses écrits –, il parle de son propre travail comme ayant *découvert, mis au jour, sauvé* une grande masse de matière obscure. Pourquoi ? Pour la *présenter* à l'étudiant. Car, comme tous les lettrés de son temps, Silvestre de Sacy considère qu'un travail d'érudition est une addition positive à un édifice que tous les savants érigent en commun. Savoir, c'est essentiellement *rendre visible* un matériau, et un tableau a pour objet de construire une sorte de Panopticon à la Bentham. La discipline érudite est une technique spécifique de pouvoir : elle fait gagner à son utilisateur (et à ses élèves) des outils et des connaissances qui (s'il est historien) étaient perdus jusque-là[2]. Et il est bien vrai que le vocabulaire du

---

1. Bon Joseph Dacier, *Tableau historique de l'érudition française, ou Rapport sur les progrès de l'histoire et de la littérature ancienne depuis 1789*, Paris, Imprimerie impériale, 1810, p. 23, 35, 31.
2. Michel Foucault, *Surveiller et Punir. Naissance de la prison*, Paris, Gallimard, 1975, p. 202 *sq.*

pouvoir et de l'acquisition spécialisés s'associe tout particulièrement à la réputation de Silvestre de Sacy, pionnier
de l'orientalisme. Son héroïsme comme savant consiste à
avoir maîtrisé des difficultés insurmontables ; il a acquis
les moyens d'offrir à ses élèves un champ là où il n'y en
avait pas. Il avait *composé* les livres, les préceptes, les
exemples, dit de lui le duc de Broglie. Le résultat : la
production de matériaux sur l'Orient, de méthodes pour
l'étudier et d'*exempla* que les Orientaux eux-mêmes
n'avaient pas[1].

Comparé au labeur d'un helléniste ou d'un latiniste travaillant dans l'équipe de l'Institut, celui de Silvestre de
Sacy était redoutable. Eux, ils avaient les textes, les
conventions, les scolies ; lui, il n'avait rien de cela et, par
conséquent, devait se mettre à les faire. La dynamique de
la perte originelle et du gain ultérieur est une obsession
dans ce qu'écrit Silvestre de Sacy, et son investissement
est vraiment très lourd. Comme ses collègues dans
d'autres domaines, il croit que savoir, c'est voir – pour
ainsi dire panoptiquement –, mais il n'a pas seulement,
comme eux, à identifier le savoir, il a à le déchiffrer, à
l'interpréter et, ce qui est plus difficile, à le rendre accessible. Silvestre de Sacy a réussi à produire un domaine
tout entier. En tant qu'Européen, il a pillé les archives
orientales, et il a pu le faire sans quitter la France. Les
textes qu'il a isolés, il les a alors rapportés ; il les a « amé-
liorés » ; ensuite, il les a annotés, codifiés, arrangés et
accompagnés de commentaires. Avec le temps, l'Orient
par lui-même est devenu moins important que ce qu'en
faisait l'orientaliste ; ainsi, attiré par Silvestre de Sacy
dans le lieu discursif clos d'un tableau pédagogique,
l'Orient de l'orientaliste répugnait, par la suite, à émerger
dans la réalité.

---

1. « Éloge de Silvestre de Sacy », *loc. cit.*, p. 107.

Silvestre de Sacy était bien trop intelligent pour laisser ses opinions et sa pratique sans support théorique. Tout d'abord, il a toujours montré clairement pourquoi « l'Orient » par lui-même ne pouvait soutenir le choc du goût, de l'intelligence ou de la patience d'un Européen. Silvestre de Sacy défend l'utilité et l'intérêt de choses telles que la poésie arabe, mais ce qu'il dit, en réalité, c'est que la poésie arabe a besoin d'être convenablement transformée par l'orientaliste avant de pouvoir commencer à être appréciée. Cela pour des raisons qui sont largement épistémologiques, mais qui comportent aussi une autojustification de l'orientaliste. La poésie arabe a été produite par un peuple complètement étranger (aux Européens), dans des conditions climatiques, sociales et historiques extrêmement différentes de celles que pouvait connaître un Européen ; en outre, cette poésie « s'alimente d'opinions, de préjugés, de croyances, de superstitions, dont nous ne pouvons acquérir la connaissance que par une étude longue et pénible ». Même si l'on est passé par les rigueurs de la formation d'un spécialiste, une bonne partie des descriptions, dans cette poésie, ne sera pas accessible aux Européens « qui ont atteint un degré plus haut de civilisation ». Cependant, ce que nous pouvons en maîtriser a une grande valeur pour nous Européens, habitués à déguiser nos attributs extérieurs, notre activité physique et nos liens avec la nature. Ainsi donc, l'orientaliste est utile pour mettre à la disposition de ses compatriotes un large éventail d'expériences inhabituelles et, ce qui a encore plus de valeur, une espèce de littérature capable de nous aider à comprendre la poésie « vraiment divine » des Hébreux [1].

---

1. Silvestre de Sacy, *Mélanges de littérature orientale*, *op. cit.*, p. 17, 110, 111 *sq.*

Ainsi, s'il est vrai que l'orientaliste est nécessaire parce qu'il pêche quelques joyaux utilisables dans les profondeurs du lointain Orient, et parce qu'on ne peut connaître l'Orient sans sa médiation, il est vrai aussi qu'il ne faut pas prendre dans leur entier les écrits orientaux. Telle est l'introduction de Silvestre de Sacy à sa théorie des fragments, un souci familier aux romantiques. Non seulement les productions littéraires orientales sont pour l'essentiel étrangères à l'Européen, mais aussi « il en est peu d'un intérêt assez soutenu et écrites avec assez de goût et de critique pour mériter d'être publiées autrement que par extrait[1] ». Il est donc demandé à l'orientaliste de *présenter* l'Orient par une série de fragments représentatifs, fragments republiés, expliqués, annotés et entourés d'encore plus de fragments. Pour ce type de présentation, on a besoin d'un genre particulier : la chrestomathie, et c'est là que, dans le cas de Silvestre de Sacy, se déploient de la manière la plus directe et la plus profitable l'utilité et l'intérêt de l'orientalisme. L'œuvre la plus célèbre de Silvestre de Sacy, ce sont les trois volumes de sa *Chrestomathie arabe*, qui était scellée à son début, pour ainsi dire, par un couplet arabe à rimes internes : « *Kitab al-anis al-mufid lil-Taleb al-mustafid ;/wa gam'i al shathur min manthoum wa manthur* » (« Le compagnon instructif pour l'écolier studieux et collection de limailles [c'est-à-dire fragmens] de poésie et de prose »).

Les anthologies de Silvestre de Sacy ont été très largement utilisées en Europe par plusieurs générations d'étudiants. Bien que leur contenu prétende être caractéristique, elles submergent et recouvrent la censure de l'Orient

---

1. Silvestre de Sacy, *Chrestomathie arabe, ou Extraits de divers écrivains arabes, tant en prose qu'en vers, avec une traduction française et des notes, à l'usage des élèves de l'École royale et spéciale des langues orientales vivantes*, vol. 1, 1826 ; réimpr. Osnabrück, Biblio Verlag, 1973, p. VIII.

exercée par les orientalistes. De plus, l'ordre interne de ce qu'elles contiennent, l'arrangement des parties, le choix des fragments ne révèlent jamais leur secret ; on a l'impression que, si des fragments n'ont pas été choisis pour leur importance, pour leur développement chronologique ou pour leur qualité esthétique (ce qui n'est pas le cas pour les fragments de Silvestre de Sacy), ils doivent néanmoins renfermer un certain naturel oriental, ou une nécessité représentative. Mais cela non plus n'est jamais dit. Voici ce que dit Silvestre de Sacy : « Le principal objet que je me suis proposé en formant ce recueil a été de fournir aux élèves de l'École royale et spéciale des langues orientales vivantes un moyen de s'exercer sur différents genres de compositions arabes, sans être obligés de se procurer plusieurs ouvrages qu'on ne parvient à réunir que difficilement et avec beaucoup de dépense. » Avec le temps, le lecteur oublie les efforts faits par l'orientaliste, et prend la restructuration de l'Orient que signifie une chrestomathie pour l'Orient tout court. La structure objective (la désignation de l'Orient) et la restructure subjective (la représentation de l'Orient par l'orientaliste) deviennent interchangeables. L'Orient est recouvert par la rationalité de l'orientaliste ; les principes de celle-ci sont projetés sur celui-là. Il était lointain, il devient accessible ; il n'avait pas de quoi soutenir l'intérêt, il acquiert une utilité pédagogique ; il était perdu, il est trouvé, même si on en a éliminé des morceaux ce faisant. Les anthologies de Silvestre de Sacy ne sont pas seulement un supplément à l'Orient ; elles y suppléent comme présence de l'Orient à l'Occident[1]. L'œuvre de Silvestre de Sacy canonise l'Orient ; elle engendre un canon d'objets textuels qui passe d'une génération d'étudiants à l'autre.

1. Pour les concepts de « supplémentarité » et de « suppléer », voir Jacques Derrida, *De la grammatologie*, Paris, Éd. de Minuit, 1967, p. 208 et *passim*.

Et l'héritage vivant des disciples de Silvestre de Sacy a été étonnant. Les principaux arabisants européens du dix-neuvième siècle font tous remonter leur autorité intellectuelle jusqu'à lui. Les universités et les académies de France, d'Espagne, de Norvège, de Suède, du Danemark et, tout particulièrement, d'Allemagne étaient parsemées d'étudiants formés à ses pieds et grâce aux tableaux anthologiques qu'offrent ses œuvres[1]. Comme pour tout patrimoine intellectuel, cependant, les enrichissements et les restrictions se sont transmis simultanément. L'originalité généalogique de Silvestre de Sacy est d'avoir traité l'Orient comme quelque chose à restaurer, non seulement à cause, mais aussi en dépit de la présence désordonnée et insaisissable de l'Orient moderne. Silvestre de Sacy *place* les Arabes dans l'Orient, qui est lui-même placé dans le tableau général de la science moderne. L'orientalisme fait donc partie de l'érudition européenne, mais sa matière doit être recréée par l'orientaliste avant de pouvoir pénétrer sous les arcades à côté des études latines et grecques. Chaque orientaliste recrée son propre Orient selon les règles épistémologiques fondamentales de la perte et du gain qui ont été d'abord données et appliquées par Silvestre de Sacy. Tout comme il est le père de l'orientalisme, il en a été aussi la première victime sacrificielle, car, par leurs traductions de textes, de fragments, d'extraits nouveaux, les orientalistes ultérieurs ont totalement remplacé l'œuvre de Silvestre de Sacy en apportant leur propre Orient restitué. Néanmoins, le processus qu'il a mis en marche continuera lorsque la philologie, en particulier, acquerra une puissance systématique et

---

1. Pour une liste partielle des étudiants formés par Silvestre de Sacy et l'influence qu'il a eue, voir Johann W. Fück, *Die Arabischen Studien in Europa bis in den Anfang des 20. Jahrhunderts, op. cit.*, p. 156 *sq.*

institutionnelle que Silvestre de Sacy n'avait jamais exploitée. Et cela, c'est l'œuvre de Renan : associer l'Orient aux disciplines comparatives très récentes, dont la philologie est l'une des plus remarquables.

La différence entre Silvestre de Sacy et Renan est celle qui existe entre l'inauguration et la continuité. Silvestre de Sacy est le créateur, dont l'œuvre représente l'émergence du domaine et son statut comme discipline scientifique du dix-neuvième siècle enracinée dans le romantisme révolutionnaire. Renan est issu de la deuxième génération de l'orientalisme : sa tâche a été de solidifier le discours officiel de l'orientalisme, de systématiser ses intuitions et d'établir ses institutions intellectuelles et administratives. Pour Silvestre de Sacy, ce sont ses efforts personnels qui ont lancé et vivifié le domaine et ses structures ; pour Renan, c'est le fait d'avoir adapté l'orientalisme à la philologie, et l'un et l'autre à la culture savante de son époque, qui a perpétué les structures de l'orientalisme sur le plan intellectuel et qui les a rendues plus visibles.

Renan par lui-même n'a été ni totalement original ni absolument dérivé. Donc, qu'on le considère comme une force culturelle ou comme un orientaliste important, on ne peut le réduire simplement ni à sa propre personnalité, ni à l'ensemble d'idées schématiques auxquelles il croyait. On comprendra mieux Renan comme une force dont les composantes ont été préparées par des pionniers comme Silvestre de Sacy, mais qui a transformé leurs réalisations en une espèce de texte de référence qu'il a mis en circulation et en recirculation, en ne manquant jamais de s'y référer lui-même. Bref, Renan est une figure que l'on doit saisir comme un type de praxis culturelle et intellectuelle, comme un style dans lequel s'expriment des affirmations orientalistes à l'intérieur de ce que Michel Foucault appellerait l'archive de son temps [1].

Ce qui compte, ce n'est pas seulement les choses que Renan a dites, mais aussi la manière dont il les a dites, ce qu'il a choisi, étant donné ses origines et sa formation, de prendre comme sujet d'études, ce qu'il a combiné avec quoi, etc. Nous pouvons alors décrire les relations de Renan avec son sujet oriental, avec son époque et avec ses lecteurs, même avec son propre travail, sans faire appel à des formules qui reconnaissent tacitement une stabilité ontologique (par exemple le *Zeitgeist*, l'histoire des idées, « un auteur et son époque »). Bien plutôt, nous sommes en mesure de lire Renan comme un écrivain qui fait quelque chose de descriptible, dans un lieu défini temporellement, spatialement et culturellement (partant, du point de vue de l'archive), pour des lecteurs, et, ce qui n'a pas moins d'importance, pour perpétuer sa propre position dans l'orientalisme de son époque.

Renan est venu à l'orientalisme à partir de la philologie, et c'est l'extraordinaire richesse et la gloire culturelle de cette discipline qui ont donné à l'orientalisme ses principales caractéristiques techniques. Quiconque imagine la *philologie* comme une étude des mots ingrate et infructueuse verra avec surprise Nietzsche se proclamer

1. On trouvera la définition que donne Foucault de l'archive dans *L'Archéologie du savoir*, Paris, Gallimard, 1969, p. 92-136. Gabriel Monod, qui était un peu plus jeune que Renan, remarque avec perspicacité que celui-ci n'était pas du tout un révolutionnaire en linguistique, en archéologie ou en exégèse, mais que, parce qu'il possédait des connaissances plus étendues et plus précises que quiconque à son époque, il en a été le représentant le plus éminent (*Renan, Taine, Michelet*, Paris, Calmann-Lévy, 1894, p. 40 *sq.*). Voir aussi Jean-Louis Dumas, « La philosophie de l'histoire de Renan », *Revue de métaphysique et de morale* 77, n° 1 (janv.-mars 1972), p. 100-128.

philologue avec les plus grands esprits du dix-neuvième
siècle ; mais il ne sera pas surpris s'il se rappelle *Louis
Lambert* de Balzac :

> Quel beau livre ne composerait-on pas en racontant la vie
> et les aventures d'un mot ? Sans doute il a reçu diverses
> impressions des événements auxquels il a servi ; selon les
> lieux, il a réveillé des idées différentes ; mais n'est-il pas plus
> grand encore à considérer sous le triple aspect de l'âme, du
> corps et du mouvement [1] ?

Quelle est cette catégorie, demandera Nietzsche par la
suite, qui le comprend, lui, et Wagner, Schopenhauer,
Leopardi, tous en tant que philologues ? Ce terme semble
impliquer à la fois qu'on possède un don, une intuition
exceptionnelle pour le langage et qu'on soit capable de
créer une œuvre dont l'articulation a une force esthétique
et historique. Quoique la profession de philologue soit
née le jour de 1777 « où F. A. Wolf a inventé pour lui-
même le nom de *stud. philol.* », Nietzsche se donne
cependant du mal pour montrer que ceux dont la profession est d'étudier les classiques grecs et latins sont le plus
souvent incapables de comprendre leur discipline : « Ils
n'atteignent jamais les *racines du sujet* : ils n'invoquent
jamais la philologie comme un problème. » Car, simplement « comme connaissance du monde ancien, la philologie ne peut, naturellement, durer éternellement ; son
matériau s'épuise » [2]. C'est ce que le troupeau des philologues est incapable de comprendre. Mais ce qui dis-

---

1. Honoré de Balzac, *Louis Lambert*, Paris, Calmann-Lévy, s.d.,
p. 4.
2. Dans toutes les œuvres de Nietzsche, on trouve des remarques
concernant la philologie. Voir surtout ses notes pour « Wir Philologen »,
tirées de ses carnets pour la période de janvier à juillet 1875, traduites en
anglais par William Arrowsmith : « Notes for "Wir Philologen" », *Arion*,

tingue les quelques esprits exceptionnels que Nietzsche estime dignes d'éloge – non sans ambiguïté, et pas de la manière superficielle que je décris ici –, c'est leur relation profonde avec la modernité, relation fournie par leur pratique de la philologie.

La philologie rend tout problématique : elle-même, ceux qui la pratiquent, le temps présent. Elle personnifie une condition particulière de l'homme moderne et de l'Européen, puisque aucune de ces deux catégories n'a de vrai sens si elle n'est pas mise en relation avec une autre culture et une époque plus ancienne. Nietzsche voit aussi la philologie comme quelque chose de *né*, de *fabriqué* au sens de Vico : signe d'une entreprise humaine, une chose créée comme une catégorie de découverte humaine, découverte de soi-même et originalité. La philologie est une manière de se détacher, comme le font les grands artistes, sur son propre temps et le proche passé, même si, d'une manière paradoxale et antinomique, on caractérise en réalité, ce faisant, sa propre modernité.

Entre le Friedrich August Wolf de 1777 et le Friedrich Nietzsche de 1875, il y a Ernest Renan : un philologue orientaliste, un homme, aussi, ayant un sentiment complexe de la manière dont la philologie et la culture moderne sont imbriquées. Dans *l'Avenir de la science* (écrit en 1848, mais publié en 1890 seulement), il écrit en le soulignant : « *Les fondateurs de l'esprit moderne sont les philologues.* » « L'esprit moderne, dit-il dans la phrase précédente, c'est-à-dire le rationalisme, la critique, le libéralisme, a été fondé le même jour que la philologie. » Discipline comparative, « la philologie constitue aussi une des supériorités que les modernes peuvent à bon droit

N. S. 1/2 (1974), p. 279-380 ; voir aussi les passages sur le langage et le perspectivisme dans *La Volonté de puissance*, Paris, Gallimard, 1935.

revendiquer sur les anciens ». « Les plus importantes révolutions de la pensée ont été amenées directement ou indirectement par des hommes qu'on doit appeler littérateurs ou philologues. » « Le rôle de la philologie dans la culture moderne », que Renan appelle une culture philologique, « est, de concert avec les sciences physiques, [...] de substituer aux imaginations fantastiques du rêve primitif les vues claires de l'âge scientifique ». Ainsi, « tout supernaturalisme recevra de la philologie le coup de grâce ».

> Mais c'est la vue générale et critique, c'est l'induction universelle ; et je sens que, si j'avais à moi dix vies humaines à mener parallèlement, afin d'explorer tous les mondes, moi étant là au centre, humant le parfum de toute chose, jugeant et comparant, combinant et induisant, j'arriverais au système des choses [...].
>
> Philosopher, c'est savoir les choses ; c'est, suivant la belle expression de Cuvier, *instruire le monde en théorie*. Je crois comme Kant que toute démonstration purement spéculative n'a pas plus de valeur qu'une démonstration mathématique, et ne peut rien apprendre sur la réalité existante. La philologie est la *science exacte* des choses de l'esprit. Elle est aux sciences de l'humanité ce que la physique et la chimie sont à la science philosophique des corps [1].

Je reviendrai un peu plus loin sur la citation de Cuvier, ainsi que sur les références constantes aux sciences naturelles que fait Renan. Pour l'instant, nous devons remarquer que toute la partie centrale de *l'Avenir de la science* est consacrée à définir avec admiration la philologie, science dont Renan dit qu'elle « est, de toutes les branches de la connaissance, celle dont il est le plus difficile de saisir le but et l'unité », et qu'il considère comme la plus

---

1. Ernest Renan, *L'Avenir de la science. Pensées de 1848*, Paris, Calmann-Lévy, 1890 (4e éd.), p. 141, 142-145, 146, 148, 149.

précise de toutes les disciplines. Dans son aspiration à faire de la philologie une véritable science de l'humanité, Renan s'associe explicitement à Vico, Herder, Wolf et Montesquieu, ainsi qu'à des philologues qui sont presque ses contemporains : Wilhelm von Humboldt, Bopp et le grand orientaliste Eugène Burnouf (à qui le volume est dédié). Renan place la philologie au centre de ce à quoi il se réfère toujours comme la marche de la science, et le livre lui-même est en effet un manifeste du progressisme humaniste, ce qui ne manque pas d'ironie si l'on considère son sous-titre (« Pensées de 1848 ») et d'autres livres de 1848 comme *Bouvard et Pécuchet* et *Le Dix-huit Brumaire de Louis Bonaparte*. On peut donc dire que Renan a conçu ce manifeste, en général, et, en particulier, ses exposés sur la philologie (il avait déjà publié le gros traité de philologie des langues sémitiques qui lui avait valu le prix Volney) de façon à se placer en tant qu'intellectuel dans une relation facile à percevoir avec les grands problèmes sociaux soulevés par 1848. Il a choisi de donner forme à cette relation en se fondant sur la moins immédiate de toutes les disciplines intellectuelles (la philologie), celle qui, en apparence, concerne le moins le public et qui est la plus conservatrice, ce qui nous donne à penser que la position de Renan est extrêmement délibérée. Car il ne parle pas réellement comme un homme à tous les hommes, mais plutôt comme une voix réfléchie, spécialisée, qui prend, comme il l'écrit dans sa préface de 1890, l'inégalité des races et la nécessaire domination de quelques-uns sur la masse comme chose « constatée », en tant que loi antidémocratique de la nature et de la société[1].

Mais comment Renan pouvait-il se mettre, lui et ce qu'il disait, dans une position si paradoxale ? En effet,

---

1. *Ibid.*, p. XIV et *passim*.

qu'était la philologie, d'une part, si ce n'est une science de toute l'humanité, une science posant au départ l'unité de l'espèce humaine et la valeur de tout détail humain, et pourtant qu'était le philologue, d'autre part, si ce n'est – comme Renan lui-même le démontrait par son préjugé raciste notoire à l'égard de ces mêmes Sémites orientaux dont l'étude avait fait sa renommée professionnelle[1] – un homme qui séparait durement les hommes en races supérieures et inférieures, un critique libéral dont l'œuvre hébergeait les notions les plus ésotériques de temporalité, d'origine, de développement, de rapports et de valeur humaine ? La réponse à cette question est, pour une part, que Renan, comme le montrent ses premières lettres philologiques adressées à Victor Cousin, Michelet et Alexandre von Humboldt[2], avait un sentiment corporatiste très fort d'érudit professionnel, un sentiment qui mettait, en fait, de la distance entre lui et les masses. Mais ce qui compte plus, à mon avis, c'est l'idée que se faisait Renan de son rôle de philologue orientaliste à l'intérieur de l'histoire plus générale du développement et des objectifs de la philologie tels qu'il les voyait. En d'autres termes, ce qui peut nous sembler paradoxal, c'est le résultat attendu de la manière dont Renan percevait sa position dynastique à l'intérieur de la philologie, son histoire et ses découvertes inaugurales et ce que lui, Renan, faisait à

---

1. Tout le chapitre d'ouverture (livre I, chapitre 1) de l'*Histoire générale et Système comparé des langues sémitiques* (in Ernest Renan, *Œuvres complètes*, éd. Henriette Psichari, Paris, Calmann-Lévy, 1947-1961, 8, p. 143-163) est pratiquement une encyclopédie des préjugés raciaux à l'encontre des Sémites (c'est-à-dire les musulmans et les juifs). Le reste du traité est généreusement parsemé des mêmes idées, ainsi que beaucoup d'autres ouvrages de Renan, y compris *L'Avenir de la science*.

2. Ernest Renan, *Correspondance, 1846-1871*, Paris, Calmann-Lévy, 1926, 1, p. 7-12.

l'intérieur de cela. Il faudrait donc caractériser Renan, non comme quelqu'un qui parle *à propos* de philologie, mais plutôt comme quelqu'un qui *parle philologiquement* avec toute la force d'un initié qui se sert du langage codé d'une science neuve et prestigieuse dont aucune des affirmations concernant le langage lui-même ne peut se construire directement ni naïvement.

La philologie telle qu'elle a été comprise, reçue par Renan, telle qu'elle lui a été enseignée, cette discipline lui impose un ensemble de règles doxologiques. Être un philologue, cela veut dire qu'on est guidé dans ses activités avant tout par une série de découvertes récentes, une réévaluation, qui ont effectivement donné le départ de la science philologique et lui ont fourni l'épistémologie qui lui est propre : je parle ici de la période qui va des années 1780 au milieu des années 1830, moment où Renan a commencé à faire ses études. Dans ses souvenirs, il rappelle comment la crise religieuse qui a culminé avec la perte de la foi l'a conduit, en 1845, à mener une vie consacrée à l'érudition : tels ont été son initiation à la philologie, sa conception du monde, ses crises et son style. Il croyait que sur le plan personnel sa vie reflétait la vie institutionnelle de la philologie. Dans sa vie, il avait pourtant décidé d'être aussi chrétien qu'il l'était autrefois, seulement sans christianisme et avec ce qu'il appelait « la science laïque[1] ».

1. Ernest Renan, *Souvenirs d'enfance et de jeunesse*, in *Œuvres complètes, op. cit.*, 2, p. 892. Deux ouvrages de Jean Pommier traitent en détail de la médiation de Renan entre la religion et la philologie : *Renan, d'après des documents inédits* (Paris, Perrin, 1923, p. 48-68), et *La Jeunesse cléricale d'Ernest Renan* (Paris, Les Belles Lettres, 1933). Plus récemment : J. Chaix-Ruy, *Ernest Renan* (Paris, Emmanuel Vitte, 1956, p. 89-111). La description classique, concernant plutôt sa vocation religieuse, est encore intéressante : Pierre Lasserre, *La Jeunesse d'Ernest Renan. Histoire de la crise religieuse au XIXe siècle* (Paris,

Quelques années plus tard, Renan va nous fournir le meilleur exemple de ce qu'une science laïque peut et ne peut pas faire, dans une conférence prononcée à la Sorbonne, en 1878, « sur les services que rend la philologie aux sciences historiques ». Ce qu'il y a de révélateur dans ce texte est la manière dont Renan a très clairement la religion en tête lorsqu'il parle de philologie – par exemple, ce que la philologie, comme la religion, nous enseigne sur l'origine de l'humanité, la civilisation, le langage –, ce qui peut seulement rendre évident à ceux qui l'écoutent que la philologie n'est capable de fournir qu'un message bien moins cohérent, bien moins entrelacé et positif que la religion[1]. Puisque la perspective de Renan était irrémédiablement historique et, comme il l'a dit une fois, morphologique, il allait de soi que la seule voie ouverte à ce jeune homme pour sortir de la religion et entrer dans l'érudition philologique était de conserver, dans cette nouvelle science laïque, la conception du monde historique que lui avait donnée la religion. Donc, « une seule occupation me parut digne de remplir ma vie ; et c'était de poursuivre mes recherches critiques sur le christianisme [allusion au grand projet érudit de Renan sur ce sujet] par les moyens beaucoup plus larges que m'offrait la science laïque[2] ». Renan s'était assimilé à la philologie à sa propre manière postchrétienne.

La différence existant entre l'histoire interne que propose le christianisme et celle que propose la philologie, discipline relativement nouvelle, est précisément ce qui a

---

Garnier frères, 1925, 3 vol.). On trouvera dans le vol. 2, p. 50-166 et 265-298, des études utiles sur les relations entre philologie, philosophie et science.

1. Ernest Renan, « Des services rendus aux sciences historiques par la philologie », in *Œuvres complètes*, *op. cit.*, 8, p. 1228.

2. *Souvenirs*, *op. cit.*, p. 892.

rendu possible la philologie moderne, et Renan le savait parfaitement. En effet, chaque fois qu'on parle de « philologie » à la fin du dix-huitième siècle et au début du dix-neuvième, nous devons comprendre la « nouvelle » philologie, dont les principales réussites comprennent la grammaire comparée, la nouvelle classification des langues en familles et le rejet final des origines divines du langage. Il n'est pas exagéré de dire que ces résultats sont des conséquences plus ou moins directes de l'idée que le langage est un phénomène entièrement humain. Et c'est devenu une idée courante une fois qu'on a découvert empiriquement que les langues dites sacrées (l'hébreu pour l'essentiel) ne sont ni d'une antiquité primordiale ni de provenance divine. Ce que Foucault a appelé la découverte du langage a donc fait de celui-ci un événement séculier, qui remplace la conception religieuse selon laquelle c'est Dieu qui a accordé le langage à l'homme dans l'Éden[1]. En vérité, cette transformation a mis à l'écart la conception étymologique et dynastique de la filiation linguistique, pour la remplacer par une conception du langage comme domaine autonome et rendu cohérent par des structures internes qui s'accrochent les unes aux autres, avec pour conséquence d'ôter tout intérêt au problème des origines du langage. Alors que la discussion de ce problème faisait rage à l'époque où l'essai de Herder sur l'origine du langage recevait la médaille de l'Académie de Berlin (1772), dès les dix premières années du

1. Michel Foucault, *Les Mots et les Choses*, *op. cit.*, p. 262-314. En même temps que le discrédit des origines édéniques du langage, un certain nombre d'autres événements, le Déluge, la construction de la tour de Babel, ont aussi été discrédités en tant qu'explications. L'histoire la plus complète des théories de l'origine du langage se trouve chez Arno Borst, *Der Turmbau von Babel Geschichte der Meinungen über Ursprung und Vielfalt der Sprachen und Volker*, Stuttgart, Anton Hiersemann, 1957-1963 (6 vol.).

nouveau siècle, il est quasiment exclu comme sujet de discussion savante en Europe.

De tous côtés, et de bien des manières différentes, ce que William Jones affirmait dans ses *Anniversary Discourses* (1785-1792), ou ce que Franz Bopp avançait dans sa *Vergleichende Grammatik* (1832, traduite en français en 1866 sous le titre de *Grammaire comparée*), est que l'idée de la dynastie divine du langage est définitivement interrompue et discréditée. Bref, on avait besoin d'une conception historique nouvelle, puisque le christianisme paraissait incapable de résister aux preuves empiriques qui privaient son texte majeur de tout statut divin. Pour certains, comme le dit Chateaubriand, la foi était inébranlable bien qu'ils connussent désormais l'antériorité du sanscrit sur l'hébreu : « Hélas, il est arrivé qu'une connaissance plus approfondie de la langue savante de l'Inde a fait rentrer ces siècles innombrables dans le cercle étroit de la Bible. Bien m'en a pris d'être redevenu croyant, avant d'avoir éprouvé cette mortification[1]. » Pour d'autres, en particulier pour des philologues, comme Bopp le pionnier lui-même, l'étude du langage entraînait son histoire, sa philosophie, son savoir propres, qui tous se débarrassent de toute notion primitive donnée par Dieu à l'homme dans l'Éden. De même que l'étude du sanscrit et la veine d'expansion de la fin du dix-huitième siècle semblent avoir repoussé les premiers débuts de la civilisation très loin à l'est des pays bibliques, ainsi le langage, lui aussi, cessa de manifester la continuité entre une puis-

---

1. Cité par Raymond Schwab, *La Renaissance orientale, op. cit.*, p. 69. Sur le danger de trop vite s'abandonner aux généralités à propos des découvertes orientales, voir les réflexions d'un remarquable sinologue de la même époque, Abel Rémusat, *Mélanges posthumes d'histoire et littérature orientales*, Paris, Imprimerie royale, 1843, p. 226 et *passim*.

sance extérieure et le locuteur humain, pour devenir un domaine interne créé et réalisé par ceux qui se servent de lui. Il n'y a pas de langue primitive, tout comme – sauf par une méthode que je vais maintenant exposer – il n'y a pas du tout de langue simple.

L'héritage de ces philologues de la première génération a eu pour Renan la plus grande importance, plus grande même que l'œuvre de Silvestre de Sacy. Chaque fois qu'il a parlé de langue et de philologie, que ce soit au début, au milieu ou à la fin de sa longue carrière, il a répété les leçons de la philologie nouvelle, dont le pilier majeur est constitué par les dogmes antidynastiques et anticontinus d'une pratique de la linguistique technique (par opposition à divine). Pour le linguiste, le langage ne peut être dépeint comme résultant d'une force qui émane unilatéralement de Dieu. Comme l'a écrit Coleridge, « le langage est l'arsenal de l'esprit humain ; il contient en même temps les trophées de son passé et les armes de ses conquêtes futures [1] ». L'idée d'une langue édénique première cède la place à la notion heuristique de protolangue (l'indo-européen, le sémitique), dont l'existence ne prête jamais à discussion, puisqu'on reconnaît qu'une langue de ce genre ne peut pas être retrouvée, mais seulement reconstituée par un processus philologique. S'il est une langue qui serve, encore une fois heuristiquement, de pierre de touche pour toutes les autres, c'est le sanscrit en tant que forme la plus ancienne de l'indo-européen. La terminologie elle aussi s'est déplacée : il y a maintenant des *familles* de langues (analogie marquée avec les classifications des espèces et les classifications anatomiques), il y a une forme linguistique *parfaite* qui n'a besoin de

---

1. Samuel Taylor Coleridge, *Biographia Literaria*, chap. 16, in *Selected Poetry and Prose of Coleridge*, éd. Donald A. Stauffer, New York, Random House, 1951, p. 276 *sq.*

correspondre à aucune langue « réelle », et il n'y a des langues originelles qu'en fonction du discours philologique, non de la nature.

Mais certains auteurs ont fait des commentaires judicieux sur le fait que le sanscrit et les choses de l'Inde en général prenaient simplement la place de l'hébreu et de l'illusion édénique. Dès 1804, Benjamin Constant note, dans son *Journal intime* : « Je trouve une bonne raison pour ne pas parler avec détails dans mon livre [*De la religion*] de la mythologie indienne [...]. Les Anglais, maîtres de l'Inde, prétendent que tout vient de là. Schlegel, qui a passé quatre ans de sa vie à apprendre l'indien, dit la même chose. Les Français revenant d'Égypte y voient l'origine de tout[1]. » Ces enthousiasmes téléologiques se sont nourris, après 1808, du célèbre ouvrage de Friedrich Schlegel, *Über die Sprache und Weisheit der Indier* (traduit en français en 1837 sous le titre *La Langue et la Philosophie des Indiens*), qui semblait confirmer sa propre affirmation de 1800 : l'Orient est la forme la plus élevée du romantisme.

Ce que la génération de Renan – qui a fait ses classes entre 1835 et 1848 – a retenu de tout cet enthousiasme pour l'Orient, c'est que, pour le savant occidental s'occupant de langues, de cultures et de religions, l'Orient est une nécessité intellectuelle. Le texte clé, ici, est *le Génie des religions* d'Edgar Quinet (1832), œuvre qui annonce la Renaissance orientale et place l'Orient et l'Occident en relation fonctionnelle l'un avec l'autre. J'ai déjà mentionné la considérable signification de cette relation telle que l'a analysée en long et en large Raymond Schwab, dans *la Renaissance orientale* ; je ne m'y attache ici que pour noter certains de ses aspects spécifiques qui ont pesé

---

1. Benjamin Constant, *Œuvres*, éd. Alfred Roulin, Paris, Gallimard, 1957, p. 171.

sur la vocation de Renan pour la philologie et l'orientalisme. L'association de Quinet et de Michelet, leur intérêt pour Herder et Vico respectivement, leur ont imprimé le besoin, comme savants historiens, de confronter, presque à la manière d'un public voyant se dérouler un événement théâtral, ou d'un croyant témoin d'une révélation, le différent, l'étrange, le distant. La formule de Quinet était que l'Orient propose et que l'Occident dispose : « L'Asie a les prophètes, l'Europe a les docteurs » (le jeu de mots est voulu). De cette rencontre est né un nouveau dogme, ou un nouveau dieu, mais ce que veut dire Quinet, c'est que l'Est et l'Ouest remplissent tous deux leurs destinées et confirment leurs identités dans cette rencontre. L'attitude érudite, celle du savant occidental passant en revue, comme d'un point particulièrement bien choisi, l'Orient passif, embryonnaire, féminin et même muet et prostré, puis l'articulant pour lui faire livrer ses secrets par son autorité savante de philologue capable de décoder des langues secrètes et ésotériques – cette attitude persistera chez Renan. Ce qui n'a pas persisté chez lui, pendant les années 1840, au cours de son apprentissage comme philologue, c'est l'attitude théâtrale : elle a été remplacée par l'attitude scientifique.

Pour Quinet et Michelet, l'histoire est une pièce de théâtre. Quinet décrit de manière suggestive le monde entier comme un temple et l'histoire de l'humanité comme une espèce de rite religieux. Michelet et Quinet *voient* l'un et l'autre le monde dont ils parlent. L'origine de l'histoire de l'humanité est quelque chose qu'ils peuvent décrire dans les mêmes termes splendides, passionnés, dramatiques qu'emploient Vico et Rousseau pour dépeindre la vie sur la terre dans les temps primitifs. Pour Michelet et Quinet, cela ne fait pas de doute qu'ils appartiennent à la communauté romantique européenne qui entreprend « soit dans l'épopée, soit dans un autre genre majeur – par le drame, le roman en prose, ou la "grande ode" visionnaire – de refondre radicalement, dans le langage qui convient aux circonstances historiques et intellectuelles de leur propre temps, le schéma chrétien de la chute, de la rédemption et de l'émergence d'une terre nouvelle qui constituera un paradis restitué[1] ». Je crois que, pour Quinet, l'idée qu'un nouveau dieu était en train de naître remplissait, en somme, la place laissée vacante par la disparition de l'ancien dieu ; mais, pour Renan, être un philologue signifiait se priver de toute relation quelle qu'elle soit avec le vieux dieu des chrétiens, en sorte qu'une doctrine nouvelle – probablement la science – se déploie librement dans un nouvel espace, pourrait-on dire. Renan va consacrer toute sa carrière à donner corps à ce progrès.

Il le dit très clairement à la fin de son médiocre essai sur les origines du langage : l'homme n'est plus un inventeur, et l'ère de la création est définitivement passée[2]. Il y eut une période, que nous ne pouvons que deviner, où l'homme a été littéralement *transporté* du silence dans les mots. Après cela, il y eut le langage, et, pour le véritable homme de science, la tâche est d'examiner comment le langage *est*, non comment il est arrivé. Cependant, si Renan dissipe la création passionnée des temps primitifs (qui avait excité Herder, Vico, Rousseau, et même Quinet et Michelet), il institue à sa place un type *nouveau* et *délibéré* de création artificielle, une création qui est accomplie comme le produit de l'analyse scientifique. Dans sa leçon inaugurale au Collège de France (le 21 février 1862), Renan proclame que ses cours sont ouverts au public pour que celui-ci puisse voir sans intermédiaire « le laboratoire même de la science philolo-

1. M. H. Abrams, *Natural Supernaturalism*, *op. cit.*, p. 29.
2. Ernest Renan, *De l'origine du langage*, in *Œuvres complètes*, *op. cit.*, 8, p. 122.

gique[1] ». Tous les lecteurs de Renan auront compris que cette affirmation veut faire passer une ironie caractéristique, quoique plutôt faible, dont l'intention est moins de choquer que de ravir passivement. Car Renan accède à la chaire d'hébreu, et sa leçon a pour sujet la contribution des peuples sémitiques à l'histoire de la civilisation. Quel affront subtil pour l'histoire « sainte » que de substituer un laboratoire philologique à l'intervention divine dans l'histoire, et de déclarer que l'intérêt de l'Orient pour nous, aujourd'hui, est simplement de servir de matériau à la recherche européenne[2]. Les morceaux choisis de Silvestre de Sacy, arrangés en tableaux et sans grande vie, sont maintenant remplacés par quelque chose de neuf.

L'émouvante péroraison par laquelle Renan conclut sa leçon n'a pas seulement pour fonction de relier la philologie sémitique et orientale avec l'avenir et avec la science. Étienne Quatremère, qui avait immédiatement précédé Renan à la chaire d'hébreu, était un savant qui semblait la caricature populaire de l'homme de science. Doué d'une grande puissance de travail et prodigieusement pédant, il procédait dans son œuvre, écrit Renan, dans l'article relativement froid consacré à sa mémoire dans *Le Journal des débats* d'octobre 1857, comme un travailleur laborieux qui, même lorsqu'il rend d'immenses services, ne peut pas voir l'ensemble de l'édifice en construction : « Il n'aperçut pas le but supérieur de l'érudition, qui est de construire pierre à pierre la science historique de l'esprit humain[3]. » Quatremère n'était pas de notre époque,

1. Ernest Renan, « De la part des peuples sémitiques dans l'histoire de la civilisation », in *Œuvres complètes*, *op. cit.*, 2, p. 320.
2. *Ibid.*, p. 333.
3. Ernest Renan, « Trois professeurs au Collège de France : Étienne Quatremère », in *Œuvres complètes*, *op. cit.*, 1, p. 129. Renan n'avait pas tort à propos de Quatremère, qui avait un certain talent pour choisir des sujets intéressants, puis pour les rendre totalement sans intérêt. Voir

Renan, dans son travail, est déterminé à en être. Plus encore, si, jusqu'ici, l'Orient s'est identifié de manière exclusive et indiscriminée à l'Inde et à la Chine, l'ambition de Renan est de se tailler une nouvelle province orientale pour lui-même : l'Orient sémitique. Il avait sans doute remarqué la confusion fortuite, et sûrement courante, de l'arabe avec le sanscrit (comme dans *La Peau de chagrin* de Balzac, où l'inscription arabe du talisman fatidique est décrite comme du sanscrit), et il se consacra donc à faire pour les langues sémitiques ce que Bopp avait fait pour l'indo-européen : c'est ce qu'il dit, en 1855, dans sa préface à son traité comparé des langues sémitiques[1]. Les plans de Renan consistaient donc à éclairer les langues sémitiques d'une lumière vive et fascinante, à la Bopp, et, en outre, à porter l'étude de ces langues négligées et inférieures au niveau d'une nouvelle science de l'esprit, une investigation passionnée à la Louis Lambert.

En plus d'une occasion, Renan a affirmé tout à fait explicitement que les Sémites et le sémitique étaient des *créations* de l'étude philologique orientaliste[2]. Puisqu'il était l'homme de cette étude, cela voulait dire qu'il n'y avait guère d'ambiguïté sur son rôle central dans cette création nouvelle et artificielle. Mais comment Renan entendait-il le mot *création* dans ces circonstances ? Et comment cette création était-elle reliée avec soit la création naturelle, soit la création attribuée par Renan et par

---

ses essais « Le goût des livres chez les Orientaux », et « Des sciences chez les Arabes », dans ses *Mélanges d'histoire et de philologie orientales*, Paris, E. Ducrocq, 1861, p. 1-57.

1. Honoré de Balzac, *La Peau de chagrin*, vol. 9 *(Études philosophiques) de la Comédie humaine*, éd. Marcel Bouteron, Paris, Gallimard, 1950, p. 39 ; Ernest Renan, *Histoire générale des langues sémitiques*, *op. cit.*, p. 134.

2. Voir, par exemple, *De l'origine du langage*, *op. cit.*, p. 102, et *Histoire générale*, *op. cit.*, p. 180.

d'autres au laboratoire et aux sciences classificatoires et naturelles, principalement ce que l'on appelait l'anatomie philosophique ? Ici, il nous faut spéculer quelque peu. Pendant toute sa carrière, il semble que Renan a imaginé que le rôle de la science dans la vie humaine, « c'est de dire définitivement à l'homme le mot [logos ?] des choses[1] ». La science donne la parole aux choses ; mieux encore, la science fait sortir, fait se prononcer un discours potentiel intérieur aux choses. Le prix de la linguistique (c'est ainsi qu'on a souvent appelé la nouvelle philologie), ce n'est pas que les sciences naturelles lui ressemblent, mais plutôt qu'elle traite des mots comme d'objets naturels, en dehors de cela muets, qu'on oblige à livrer leurs secrets. Il faut se rappeler que la percée majeure, dans l'étude des inscriptions et des hiéroglyphes, s'est produite lorsque Champollion a découvert que les symboles tracés sur la pierre de Rosette avaient une composante *phonétique* aussi bien qu'une composante analytique[2]. Faire parler les objets, c'était comme faire parler les mots, leur donner une valeur de circonstance, et une place précise dans un ordre de régularité gouverné par une loi. Dans un premier sens, le mot *création*, tel que Renan l'employait, signifiait l'articulation grâce à laquelle un objet comme le *sémitique* pouvait être considéré comme une créature en quelque sorte. Deuxièmement, ce mot

1. *L'Avenir de la science*, *op. cit.*, p. 23. Voici le passage dans son entier : « Pour moi, je ne connais qu'un seul résultat à la science, c'est de résoudre l'énigme, c'est de dire définitivement à l'homme le mot des choses, c'est de l'expliquer à lui-même, c'est de lui donner, au nom de la seule autorité légitime qui est la nature humaine tout entière, le symbole que les religions lui donnaient tout fait et qu'il ne peut plus accepter. »

2. Voir Madeleine V. David, *Le Débat sur les écritures et l'hiéroglyphe aux XVIIe et XVIIIe siècles et l'Application de la notion de déchiffrement aux écritures mortes*, Paris, SEVPEN, 1965, p. 130.

signifiait aussi le décor – dans le cas du sémitique, cela voulait dire l'histoire, la culture, la race, l'esprit orientaux – illuminé et tiré de son mutisme par l'homme de science. Enfin, la création était la formulation d'un système de classification permettant de voir l'objet en question par comparaison avec d'autres objets semblables ; et, par « comparaison », Renan voulait dire un réseau complexe de relations paradigmatiques en vigueur entre les langues sémitiques et indo-européennes.

Si, dans tout ce que j'ai dit jusqu'ici, j'ai tellement insisté sur cette étude, relativement oubliée, des langues sémitiques écrite par Renan, c'est pour plusieurs raisons. Le sémitique est l'étude scientifique vers laquelle Renan s'est tourné dès qu'il a perdu sa foi chrétienne ; j'ai décrit plus haut comment il en est venu à voir l'étude du sémitique comme remplaçant sa foi et lui permettant d'avoir, par la suite, une relation critique avec celle-ci. L'étude du sémitique a été la première étude orientaliste et scientifique en vraie grandeur faite par Renan (terminée en 1847, publiée pour la première fois en 1855), et c'est tout autant une partie de ses principaux travaux ultérieurs sur les origines du christianisme et l'histoire des juifs qu'une propédeutique à ces travaux. Par son dessein, sinon peut-être par sa réalisation – chose intéressante, seuls quelques-uns des ouvrages classiques ou contemporains, que ce soit en histoire de l'orientalisme ou en histoire de la linguistique, font plus que de citer Renan en passant[1] –, son travail sur

---

1. Renan n'est mentionné qu'au passage dans *La Renaissance orientale* de Schwab, pas du tout dans *Les Mots et les Choses* de Foucault, et d'une manière assez peu flatteuse par Holger Pederson dans *The Discovery of Language : Linguistic Science in the Nineteenth Century* (1931 ; réimpr. Bloomington, Indiana Univ. Press, 1972). Max Müller, dans ses *Lectures on the Science of Language* (1861-1864 ; réimpr. New York, Scribner, Armstrong and Co., 1875 ; trad. fr. : *La Science du langage*, Paris, A. Durand, 1864), et Gustave Dugat,

le sémitique se proposait comme une percée philologique, dont il a toujours tiré, par la suite, une autorité rétrospective pour appuyer ses positions (presque toujours mauvaises) sur la religion, la race et le nationalisme[1]. Chaque fois que Renan voulait dire quelque chose à propos des juifs ou des musulmans, par exemple, c'était en gardant toujours à l'esprit ses critiques remarquablement dures sur les Sémites (critiques sans fondement, sauf dans la science telle qu'il la pratiquait). En outre, le sémitique de Renan avait pour objet de contribuer à la fois au développement de la linguistique indo-européenne et à la différenciation des orientalismes. Pour le premier, le sémitique était une forme dégradée, dégradée au sens moral et au sens biologique, tandis que pour la seconde, le sémitique était une – sinon la – forme stable de la décadence culturelle. Enfin, le sémitique était la première création de Renan, une fiction qu'il avait inventée dans le laboratoire de philologie pour satisfaire le sens qu'il avait de sa place et de sa mis-

---

dans son *Histoire des orientalistes de l'Europe du XIIᵉ au XIXᵉ siècle* (*op. cit.*), ne font aucune mention de Renan. Les *Essais orientaux* de James Darmesteter (Paris, A. Lévy, 1883) – le premier est historique, « L'orientalisme en France » – sont dédiés à Renan, mais ne mentionnent pas sa contribution. Il y a une demi-douzaine de courtes notices sur la production de Renan dans l'ouvrage encyclopédique de Jules Mohl, *Vingt-sept Ans d'histoire des études orientales* (*op. cit.*).

1. Dans les ouvrages qui traitent de la race et du racisme, Renan occupe une position d'une certaine importance. On parle de lui dans les livres suivants : Ernest Seillière, *La Philosophie de l'impérialisme* (Paris, Plon, 1903-1908, 4 vol.) ; Théophile Simar, *Étude critique sur la formation de la doctrine des races au XVIIIᵉ siècle et son expansion au XIXᵉ siècle* (Bruxelles, Hayez, 1922) ; Erich Voegelin, *Rasse und Staat* (Tübingen, J. C. B. Mohr, 1933), et il faut aussi citer, du même auteur, *Die Rassenidee in der Geistesgeschichte von Ray bis Carus* (Berlin, Junker und Dunnhaupt, 1933), qui, bien qu'il ne s'occupe pas de l'époque de Renan, est un complément important à *Rasse und Staat* ; Jacques Barzun, *Race : A Study in Modern Superstition* (New York, Harcourt, Brace and Co., 1937).

sion publiques. Nous ne devons pas perdre de vue un instant que le sémitique était, pour le moi de Renan, le symbole de la domination de l'Europe (par conséquent la sienne) sur l'Orient et sur sa propre époque.

Ainsi donc, en tant que branche de l'Orient, le sémitique n'était ni entièrement un objet naturel – comme une espèce de singe, par exemple –, ni entièrement un objet non naturel ou divin, comme on l'avait autrefois considéré. Mais, plutôt, le sémitique occupait une position intermédiaire, rendue légitime dans ses irrégularités (la régularité étant définie par l'indo-européen) ; par contraste avec les langues normales, le sémitique était compris comme un phénomène excentrique et quasi monstrueux en partie parce que des bibliothèques, des laboratoires et des musées pouvaient servir à l'exposer et à l'analyser. Dans son traité, Renan adoptait un ton de voix et un mode d'exposition qui tiraient le plus grand effet de la connaissance livresque et de l'observation de la nature telle que la pratiquaient des hommes comme Cuvier et les Geoffroy Saint-Hilaire père et fils. C'est une réalisation stylistique de taille, car elle a permis à Renan d'utiliser de manière cohérente la *bibliothèque*, plutôt que la primitivité ou encore le *fiat* divin, comme cadre conceptuel dans lequel comprendre la langue, en même temps que le *musée*, qui est le lieu où les résultats des observations de laboratoire sont livrés à l'exposition, à l'étude et à l'enseignement[1]. Partout, Renan traite de faits humains normaux – la

1. Dans *La Renaissance orientale*, *op. cit.*, Schwab a écrit quelques pages très brillantes sur le musée, sur le parallélisme entre la biologie et la linguistique et sur Cuvier, Balzac etc. (voir p. 323 et *passim*). Sur la bibliothèque et sur son importance pour la culture du milieu du dix-neuvième siècle, voir Michel Foucault, « La bibliothèque fantastique », préface à Gustave Flaubert, *La Tentation de saint Antoine* (Paris, Gallimard, 1971, p. 7-33). C'est le Pr Eugenio Donato qui a attiré mon attention sur ces questions ; voir, de lui, « A Mere Labyrinth of

langue, l'histoire, la culture, l'intelligence, l'imagination –
comme s'ils étaient transformés en quelque chose d'autre,
quelque chose de particulièrement déviant parce qu'ils
sont sémitiques et orientaux et parce qu'ils finissent au
laboratoire pour y être analysés. C'est ainsi que les
Sémites sont des monothéistes enragés qui n'ont produit
ni mythologie, ni art, ni commerce, ni civilisation ; ils ont
une conscience étroite et rigide ; dans l'ensemble, ils
représentent « une combinaison inférieure de la nature
humaine »[1]. En même temps, Renan veut que l'on comprenne qu'il parle d'un prototype, non d'un vrai type
sémitique existant réellement, bien qu'il ne s'en soit pas
tenu à cette position dans bon nombre de ses écrits : quand
il parle des juifs et des musulmans d'aujourd'hui, il est
bien en deçà d'un détachement scientifique[2]. Ainsi, nous
avons, d'une part, la transformation de l'humain en spécimen, et, de l'autre, le jugement comparatif par lequel le
spécimen reste un spécimen et un sujet d'étude philologique et scientifique.

Çà et là dans l'*Histoire générale et Système comparé
des langues sémitiques*, on trouve des réflexions sur les
liaisons entre la linguistique et l'anatomie, et – cela
compte autant pour Renan – sur la manière dont ces liaisons pourraient être employées pour faire « les sciences
historiques ». Mais il nous faut d'abord considérer les liaisons implicites. Je ne crois pas qu'il soit faux ni exagéré
de dire qu'une page typique de l'*Histoire générale* orientaliste de Renan était construite typographiquement et
structuralement en ayant à l'esprit une page d'anatomie
philosophique comparée dans le style de Cuvier ou de

Letters : Flaubert and the Quest for Fiction », *Modern Language Notes*
89, nº 6 (déc. 1974), p. 885-910.
   1. *Histoire générale, op. cit.*, p. 145 *sq.*
   2. Voir *L'Avenir de la science, op. cit.*, p. 508 et *passim*.

Geoffroy Saint-Hilaire. Les linguistes et les anatomistes prétendent, les uns et les autres, qu'ils parlent de sujets qui ne sont pas directement accessibles ni observables dans la nature ; un squelette et un dessin au trait détaillé d'un muscle, et les paradigmes constitués par les linguistes à partir d'un proto-sémitique ou d'un proto-indo-européen purement hypothétiques, sont pareillement des produits du laboratoire et de la bibliothèque. Le texte d'un ouvrage de linguistique ou d'anatomie présente la même relation générale à la nature (ou à la réalité) qu'une vitrine de musée montrant un spécimen de mammifère ou d'organe. Ce qui est donné dans la page et dans la vitrine du musée est une exagération tronquée, comme beaucoup des morceaux choisis orientaux de Silvestre de Sacy, dont le but est d'exposer une relation entre la science (ou l'homme de science) et l'objet, non une relation entre l'objet et la nature. Lisez presque au hasard une page de Renan sur l'arabe, l'hébreu, l'araméen ou le proto-sémitique : vous lisez un acte de pouvoir par lequel l'autorité du philologue orientaliste fait sortir à volonté de la bibliothèque des exemples de discours humain, et les y remet entourés d'une suave prose européenne qui fait ressortir des défauts, des qualités, des barbarismes, des imperfections dans la langue, le peuple et la civilisation. Le ton et le temps de cette exposition sont presque uniformément donnés au présent actuel, de sorte que cela produit l'impression d'une démonstration pédagogique au cours de laquelle l'érudit-homme de science se tient devant nous sur l'estrade d'une salle de démonstration, pour y créer, y enfermer et y juger le matériau qu'il étudie.

Là où l'on voit le mieux combien Renan souhaite donner l'idée qu'une démonstration est en train d'avoir lieu, c'est lorsqu'il remarque explicitement que, tandis que l'anatomie emploie des signes stables et visibles par lesquels consigner des objets à des classes, la linguistique ne le fait pas[1]. Le philologue doit donc faire correspondre d'une manière ou d'une autre un fait linguistique donné avec une période historique : d'où la possibilité d'une classification. Cependant, comme le disait souvent Renan, la temporalité linguistique et l'histoire sont pleines de lacunes, d'énormes discontinuités, de périodes hypothétiques. Les événements linguistiques se produisent donc dans une dimension temporelle non linéaire et essentiellement discontinue que le linguiste maîtrise d'une manière très particulière. Manière comparative, comme tout le traité de Renan sur la branche sémitique des langues orientales prend beaucoup de peine à le montrer : l'indo-européen est pris comme la norme vivante, *organique*, et, par comparaison, l'on voit que les langues orientales sémitiques sont *inorganiques*[2]. Le temps est transformé en l'espace de la classification comparative, qui, au fond, est fondée sur une opposition binaire rigide entre langues organiques et inorganiques. [...] Ce qui est très important, Renan affirme tout à fait clairement que ce jugement impérieux est le fait du philologue orientaliste dans son laboratoire, car les distinctions du type de celles dont il s'occupe ne sont possibles ou accessibles qu'au spécialiste entraîné. « Nous refusons donc aux langues sémitiques la faculté de se régénérer, tout en reconnaissant qu'elles n'échappent pas plus que les autres œuvres de la conscience humaine à la nécessité du changement et des modifications successives[3]. »

1. *Histoire générale*, *op. cit.*, p. 214.
2. *Ibid.*, p. 527. Cette idée remonte à la distinction faite par Friedrich Schlegel entre langue organique et langue agglutinante ; le sémitique est un exemple de ce dernier type. Humboldt fait la même distinction, comme la plupart des orientalistes depuis Renan.
3. *Ibid.*, p. 531 *sq.*

Mais, au-delà de cette opposition radicale, il y en a une autre à l'œuvre dans l'esprit de Renan, et il expose candidement sa position au lecteur dans quelques pages du premier chapitre du livre 5. C'est au moment où il introduit les vues de Geoffroy Saint-Hilaire sur la « dégradation des types[1] ». Bien que Renan ne dise pas à quel Geoffroy Saint-Hilaire il se réfère, la référence est assez claire. Car Étienne et son fils Isidore ont tous deux eu une renommée et une influence extraordinaires par leurs réflexions comme biologistes, en particulier chez les littérateurs français de la première moitié du dix-neuvième siècle. Étienne, rappelons-le, avait été membre de l'expédition d'Égypte, et Balzac lui a dédié un grand morceau de la Préface de *La Comédie humaine* ; de nombreux témoignages montrent aussi que Flaubert a lu le père et le fils, et qu'il a utilisé leurs idées dans son œuvre[2]. Étienne et Isidore étaient non seulement héritiers de la tradition de la biologie « romantique », qui comprend Goethe et Cuvier, s'intéressant fort à l'analogie, à l'homologie et à l'*Ur*-forme chez les espèces, mais ils étaient aussi des spécialistes de la philosophie et de l'anatomie de la monstruosité – la tératologie, comme l'a appelée Isidore –, qui considéraient les aberrations physiologiques les plus horribles comme le résultat de la dégradation interne dans la vie de l'espèce[3]. Je ne peux entrer ici dans les complexités

---

1. *Ibid.*, p. 515 et *passim*.
2. Voir Jean Seznec, *Nouvelles Études sur « la Tentation de saint Antoine »*, Londres, Warburg Institute, 1949, p. 80.
3. Voir Étienne Geoffroy Saint-Hilaire, *Philosophie anatomique. Des monstruosités humaines*, Paris, publié par l'auteur, 1822. Le titre complet de l'ouvrage d'Isidore Geoffroy Saint-Hilaire est : *Histoire générale et particulière des anomalies de l'organisation chez l'homme et les animaux, ouvrage comprenant des recherches sur les caractères, la classification, l'influence physiologique et pathologique, les rapports généraux, les lois et les causes des monstruosités, des variétés et*

(et la fascination macabre) de la tératologie ; qu'il suffise de mentionner qu'Étienne et Isidore Geoffroy Saint-Hilaire exploitaient l'un et l'autre la force théorique du paradigme linguistique pour expliquer les déviations qui peuvent se produire à l'intérieur d'un système biologique. Ainsi, Étienne pensait qu'un monstre est une *anomalie*, dans le même sens que, dans la langue, les mots existent en relations analogiques aussi bien qu'anormales l'un avec l'autre : en linguistique, cette idée remonte au moins au *De lingua latina* de Varron. Aucune anomalie ne peut être considérée simplement comme une exception gratuite ; les anomalies confirment, au contraire, la structure régulière qui relie tous les membres de la même classe. Pour l'anatomie, c'est une opinion très audacieuse. Étienne Geoffroy Saint-Hilaire dit à un moment, dans le Préliminaire à sa *Philosophie anatomique* :

Et, en effet, tel est le caractère de notre époque, qu'il devient impossible aujourd'hui de se renfermer sévèrement dans le cadre d'une simple monographie. Étudiez un objet isolé, vous ne pouvez le rapporter qu'à lui-même, et par conséquent vous n'en aurez jamais qu'une connaissance imparfaite. Mais voyez-le au milieu d'êtres qui s'en rapprochent sous plusieurs rapports, et qui s'en éloignent à quelques autres, vous lui découvrirez des relations plus étendues. D'abord vous le connaîtrez mieux, même dans sa spécialité : mais de plus, le considérant dans le centre de sa sphère d'activité, vous saurez comment il se conduit dans son

---

vices de conformation, ou traité de tératologie, Paris, J.-B. Baillière, 1832-1836 (3 vol.). Quelques pages intéressantes sur les idées de Goethe sur la biologie dans Erich Heller, *The Disinherited Mind*, New York, Meridian Books, 1959, p. 3-34. Voir aussi François Jacob, *La Logique du vivant* (*op. cit.*), et Georges Canguilhem, *La Connaissance de la vie* (*op. cit.*, p. 174-184), qui rendent compte de la place qu'ont occupée les Saint-Hilaire dans le développement des sciences de la vie.

monde extérieur, et tout ce que lui-même reçoit de qualités par la réaction du milieu ambiant[1].

Geoffroy Saint-Hilaire ne dit pas seulement que d'examiner comparativement les phénomènes est le caractère spécifique de la recherche de son époque (il écrivait en 1822), mais que, pour l'homme de science, cela n'existe pas, un phénomène, même aberrant et exceptionnel, qui ne puisse s'expliquer par référence à d'autres phénomènes. Remarquons aussi comment Geoffroy Saint-Hilaire emploie la métaphore du centre (« le centre de la sphère d'activité ») qu'utilisera ensuite Renan dans *L'Avenir de la science* pour décrire la position qu'occupe tout objet dans la nature – y compris même le philologue – une fois qu'il est scientifiquement placé là par l'homme de science qui l'examine. Par la suite, un lien de sympathie s'établit entre l'objet et l'homme de science. Naturellement, cela ne peut avoir lieu qu'au cours de l'expérience réalisée en laboratoire, pas ailleurs. Ce qu'on veut montrer, c'est qu'un homme de science dispose d'une sorte d'avantage qui lui permet de voir de manière naturelle et de connaître de manière scientifique même un événement tout à fait inhabituel ; dans ce cas, cela veut dire sans faire appel au surnaturel, mais seulement à un milieu ambiant, constitué par l'homme de science. Conséquence : la nature elle-même peut être perçue à nouveau comme continue, harmonieusement cohérente et fondamentalement intelligible.

Ainsi, pour Renan, le sémitique représente un phénomène de développement interrompu si on le compare avec les langues et les cultures indo-européennes qui sont parvenues à maturité, et même avec les autres langues orientales[2]. Cependant, Renan soutient un paradoxe : même

---

1. *Philosophie anatomique*, *op. cit.*, p. XXII *sq.*
2. *Histoire générale*, *op. cit.*, p. 158.

quand il nous encourage à voir les langues comme correspondant en quelque sorte aux « êtres vivants de la nature »,
il prouve partout ailleurs que ses langues orientales, les
langues sémitiques, sont inorganiques, arrêtées, complètement ossifiées, incapables de se régénérer d'elles-mêmes ;
en d'autres termes, il prouve que le sémitique n'est pas
une langue vivante et, du reste, que les Sémites ne sont
pas non plus des êtres vivants. En outre, la langue et la
culture indo-européennes sont vivantes *à cause* du laboratoire, et non malgré lui.

Mais, loin d'être quelque chose de marginal dans
l'œuvre de Renan, ce paradoxe est, à mon avis, au centre
de cette œuvre, de son style et de son existence archivale
dans la culture de son temps, culture à laquelle il a abon-
damment contribué – comme y ont concouru des hommes
aussi différents les uns des autres que Matthew Arnold,
Oscar Wilde, James Frazer et Marcel Proust. Une vision
qui incorpore et maintient ensemble la vie et des créatures
quasi vivantes (l'indo-européen, la culture européenne)
aussi bien que des phénomènes inorganiques parallèles,
quasi monstrueux (le sémitique, la culture orientale) :
c'est précisément ce qu'obtient l'homme de science européen dans son laboratoire. Il *construit*, et l'acte même de
construire est un signe de pouvoir impérial sur les phénomènes récalcitrants, en même temps que la confirmation
de la culture dominante et de sa « naturalisation ». En
vérité, on peut bien dire que le laboratoire de philologie
de Renan est le véritable lieu de son ethnocentrisme européen ; mais ce qu'il faut souligner ici, c'est que le laboratoire de philologie n'a pas d'existence en dehors du
discours, des écrits par lesquels il est constamment
produit et ressenti. Ainsi, même la culture qu'il appelle
organique et vivante, celle de l'Europe, est aussi une
culture en cours de création dans le laboratoire et par la
philologie.

La fin de la carrière de Renan a été tout entière européenne et culturelle, s'accompagnant de diverses réalisations qui l'ont rendu célèbre. Si son style a eu quelque
autorité, c'est dû, je crois, à la technique qu'il possédait
pour construire l'inorganique (ou le manquant) et pour lui
donner l'apparence de la vie. Ce qui a assuré sa renommée, c'est naturellement sa *Vie de Jésus*, qui a inauguré
son histoire monumentale du christianisme et du peuple
juif. Mais nous devons comprendre que la *Vie de Jésus* a
été un « chef-d'œuvre » exactement du même type que
l'*Histoire générale* : la construction d'un historien,
capable de fabriquer habilement une biographie orientale
morte (morte pour Renan au double titre d'une foi morte
et d'une période historique perdue, donc morte) – on voit
tout de suite le paradoxe – *comme si c'était* le récit véridique d'une vie naturelle. Tout ce que disait Renan était
d'abord passé par le laboratoire de philologie ; il y avait,
dans le tissu de son texte imprimé, la force créatrice de vie
d'une signature culturelle contemporaine, qui tirait de la
modernité tout son pouvoir scientifique et toute son autosatisfaction. Pour ce type de culture, des entités historiques comme la dynastie, la tradition, la religion, les
communautés ethniques étaient toutes fonction, simplement, d'une théorie dont la tâche était d'instruire le
monde. En empruntant cette dernière expression à Cuvier,
Renan plaçait avec circonspection la démonstration scientifique plus haut que l'expérience ; la temporalité était
reléguée dans le monde de l'expérience quotidienne, sans
utilité scientifique, tandis que des pouvoirs de vision
morale très en avance étaient conférés à la périodicité particulière de la culture et du comparatisme culturel (qui ont
engendré l'ethnocentrisme, la théorie raciale et l'oppression économique).

Le style de Renan, sa carrière d'orientaliste et d'homme
de lettres, le contexte du sens qu'il communique, son rap-

port particulièrement intime avec la culture générale et érudite de l'Europe de son époque (libérale, exclusiviste, impérieuse, antihumaine dans un sens très particulier), je les qualifierais de *célibataires* et de scientifiques. Pour lui, la création est confinée dans le royaume de l'avenir, qu'il associe à la science dans son célèbre manifeste. Bien qu'il appartienne, comme historien de la culture, à la même école que des hommes tels que Turgot, Condorcet, Victor Cousin, Jouffroy et Ballanche, et comme érudit à celle de Silvestre de Sacy, Caussin de Perceval, Ozanam, Fauriel et Burnouf, le monde de Renan est un monde particulièrement ravagé, furieusement masculin, d'histoire et de science ; en vérité, c'est le monde, non pas de pères, de mères et d'enfants, mais d'hommes comme son Jésus, son Marc Aurèle, son Caliban, son dieu solaire (tel qu'il le décrit dans « Rêves », dans les *Dialogues philosophiques*[1]). Il chérissait tout particulièrement le pouvoir de la science et de la philologie orientaliste ; il recherchait ses vues pénétrantes et ses techniques ; il l'utilisait pour intervenir, souvent avec une grande efficacité, dans la vie de son époque. Et cependant, pour lui, le rôle idéal était celui de spectateur.

Selon Renan, un philologue devait préférer le « bonheur » à la « jouissance » : choisir un bonheur élevé, même s'il est stérile, plutôt que le plaisir sexuel. Les mots appartiennent au domaine du bonheur, comme l'étude des mots pour parler idéalement. À ma connaissance, dans tout ce que Renan a écrit pour le public,

---

1. Ernest Renan, *Œuvres complètes*, *op. cit.*, 1, p. 621 *sq.* et *passim*. Voir H.W. Wardman, *Ernest Renan : A Critical Biography* (Londres, Athlone Press, 1964, p. 66 et *passim*), pour une description subtile de la vie privée de Renan ; sans chercher à établir de force un parallèle entre la biographie de Renan et ce que j'ai appelé son monde « masculin », les descriptions de Wardman donnent à penser – à moi, tout au moins.

rares sont les endroits où il assigne un rôle bénéfique et actif aux femmes. On en trouve un lorsque Renan émet l'opinion que des femmes étrangères (nourrices, servantes) doivent avoir élevé les enfants des conquérants normands, et que cela peut rendre compte des changements qui ont eu lieu dans la langue. Remarquons que cela n'a pas favorisé la productivité et la dissémination, mais le changement interne, et, du reste, un changement subsidiaire. « L'homme, dit-il à la fin de la même conférence, n'appartient ni à sa langue, ni à sa race, il s'appartient à lui-même avant tout, car il est avant tout un être libre et un être moral[1]. » L'homme est libre et moral, mais enchaîné par la race, l'histoire et la science vues par Renan, conditions imposées par le savant à l'homme.

L'étude des langues orientales a porté Renan au cœur de ces conditions, et la philologie a fait apparaître concrètement que la connaissance n'était poétiquement transfigurante (pour paraphraser Ernst Cassirer[2]) que si elle avait été préalablement détachée de la réalité brute (de même que Silvestre de Sacy avait nécessairement détaché ses fragments d'arabe de leur réalité) et, ensuite, mise dans une camisole de force doxologique. En devenant la *philologie*, l'étude des mots, telle que l'avaient pratiquée autrefois Vico, Herder, Rousseau, Michelet et Quinet, perdait son intrigue et sa qualité de présentation dramatique, comme Schelling l'avait un jour formulé. Au contraire, la philologie devenait complexe de manière épistémolo-

1. « Des services rendus aux sciences historiques par la philologie », *loc. cit.*, p. 1228, 1232.
2. Ernst Cassirer, *The Problem of Knowledge : Philosophy, Science, and History since Hegel*, New Haven, Conn., Yale Univ. Press, 1950, p. 307 (original : *Das Erkenntnisproblem in der Philosophie und Wissenschaft der neueren Zeit*, vol. *Von Hegels Tod bis zum Gegenwart 1832-1932*, Berlin, Bruno Cassirer, 1922-1957 ; Stuttgart, W. Kohlhammer).

gique, le *Sprachgefühl* ne suffisait plus, puisque les mots eux-mêmes se rapportaient moins aux sens ou au corps (comme ils l'avaient fait pour Vico) qu'à un monde aveugle, sans image et abstrait, régi par ces formulations de serre chaude : la race, l'esprit, la culture et la nation. Dans ce monde, qui était construit discursivement et appelé l'Orient, on pouvait faire des assertions de certains types, possédant toutes la même généralité puissante et la même validité culturelle. Car tout l'effort de Renan consistait à dénier à la culture orientale le droit d'être créée, sauf artificiellement, dans le laboratoire de philologie. Un homme n'était pas l'enfant de la culture ; cette conception dynastique avait été mise en question trop efficacement par la philologie. La philologie enseignait que la culture est une construction de l'esprit, une *articulation*, une création même, mais rien de plus qu'une structure quasi organique.

Ce qui m'intéresse particulièrement chez Renan, c'est à quel point il savait lui-même qu'il était une créature de son temps et de sa culture ethnocentrique. En répondant au discours de réception à l'Académie française de Ferdinand de Lesseps, en 1885, Renan affirme ceci : « Il est si triste d'être plus sage que son pays […]. On ne tient pas rancune à sa patrie. Mieux vaut se tromper avec elle que d'avoir trop raison avec ceux qui lui disent de dures vérités[1]. » L'économie de cette proposition est presque trop parfaite pour être vraie. En effet, le vieux Renan ne

1. Ernest Renan, « Réponse au discours de réception de M. de Lesseps (23 avril 1885) », in *Œuvres complètes, op. cit.*, 1, p. 817. Mais c'est Sainte-Beuve, dans ses articles de juin 1862, qui montre le mieux, en se référant à Renan, combien il est important d'être de son temps. Voir aussi Donald G. Charlton, *Positivist Thought in France during the Second Empire*, Oxford, Clarendon Press, 1959, et *Secular Religions in France, op. cit.* Et aussi Richard M. Chadbourne, « Renan and Sainte-Beuve », *Romanic Review* 44, n° 2 (avr. 1953), p. 126-135.

dit-il pas que la meilleure relation est une relation de parité avec sa propre culture, sa morale et son éthos pendant sa vie, et non une relation dynastique par laquelle l'on est soit l'enfant de son temps, soit son parent ? Et ici nous retournons au laboratoire, car c'est là, dans l'idée de Renan, que cessent les responsabilités filiales et, en dernier recours, sociales et que les responsabilités scientifiques et orientalistes prennent la relève. Son laboratoire était l'estrade du haut de laquelle, comme orientaliste, Renan s'adressait au monde ; cela médiatisait ses déclarations, leur donnait de la confiance et de la précision générale, de même que de la continuité. Ainsi, le laboratoire de philologie, tel que le comprenait Renan, ne se contentait pas de redéfinir son époque et sa culture par des manières nouvelles de les dater et de leur donner forme, il donnait à sa matière orientale une cohérence érudite et, plus encore, il faisait de Renan (et des orientalistes qui devaient prendre sa suite dans cette tradition) le personnage de la *culture* occidentale qu'il est alors devenu. Nous qui nous intéressons à l'histoire critique de l'orientalisme, nous pouvons nous demander si cette autonomie nouvelle à l'intérieur de la culture était bien la liberté apportée, comme le croyait Renan, par sa science orientaliste philologique, ou si elle n'instaurait pas plutôt une affiliation complexe entre l'orientalisme et sa matière humaine, affiliation reposant, en fin de compte, sur le pouvoir et non sur l'objectivité désintéressée.

Les opinions de Renan sur les Sémites orientaux sont, naturellement, moins du domaine des préjugés populaires et de l'antisémitisme courant que de celui de la philologie orientale scientifique. En lisant Renan et Silvestre de Sacy, nous pouvons facilement observer comment les généralités culturelles se sont mises à prendre une armature d'énoncés scientifiques et une atmosphère d'étude rectificatrice. Comme beaucoup de spécialités universitaires à leurs débuts, l'orientalisme moderne tenait son sujet comme dans un étau qu'il faisait tout son possible pour perpétuer. Un vocabulaire savant s'est ainsi développé, et ses fonctions, tout autant que son style, plaçaient l'Orient dans une structure *comparative*, du genre de celles que Renan employait et manipulait. Ce type de comparatisme est rarement descriptif ; le plus souvent, il sert à la fois à évaluer et à exposer. Voici ce qu'en dit Renan, de manière révélatrice :

> En toute chose, on le voit, la race sémitique nous apparaît comme une race incomplète par sa simplicité même. Elle est, si j'ose le dire, à la famille indo-européenne ce que la grisaille est à la peinture, ce que le plain-chant est à la musique moderne ; elle manque de cette variété, de cette largeur, de cette surabondance de vie qui est la condition de la perfectibilité. Semblables à ces natures peu fécondes qui, après une gracieuse enfance, n'arrivent qu'à une médiocre virilité, les nations sémitiques ont eu leur complet épanouissement à leur premier âge, et n'ont plus de rôle à leur âge mûr[1].

Les Indo-Européens sont la pierre de touche ici, tout comme ils le sont lorsque Renan dit que la sensibilité des Orientaux sémites n'est jamais arrivée aux hauteurs atteintes par les races indo-germaniques.

Nous ne pouvons pas savoir avec une certitude absolue si cette attitude comparative est surtout une nécessité érudite, ou si elle cache un préjugé raciste ethnocentrique. Ce que nous pouvons dire, c'est que l'une et l'autre sont à l'œuvre ensemble, se soutenant mutuellement. Ce qu'essayaient de faire Renan et Silvestre de Sacy, c'était de réduire à deux dimensions le caractère humain de

1. *Œuvres complètes, op. cit.*, 8, p. 156.

l'Orient, réduction qui facilitait l'étude de ses caractéristiques en lui enlevant son humanité, source de complications possibles. Pour Renan, ses efforts étaient légitimés par la philologie, dont les dogmes idéologiques encouragent la réduction d'une langue à ses racines ; par la suite, le philologue trouve la possibilité de relier ces racines linguistiques, comme l'ont fait Renan et d'autres, à la race, à l'esprit, au caractère et au tempérament pris à leurs racines. Renan reconnaissait, par exemple, que son affinité avec Gobineau était due à une perspective philologique et orientaliste commune[1] ; dans des éditions ultérieures de l'*Histoire générale*, il a incorporé une partie du travail de Gobineau dans son propre travail. C'est ainsi que le comparatisme, dans l'étude de l'Orient et des Orientaux, est devenu synonyme de l'inégalité ontologique apparente entre l'Occident et l'Orient.

Il vaut la peine de récapituler rapidement les traits principaux de cette inégalité ; on connaît, par exemple, l'enthousiasme de Schlegel pour l'Inde, et le dégoût qui l'a suivi. Parmi les premiers amateurs de l'Orient, beaucoup d'entre eux l'ont accueilli comme un « dérangement » salutaire de leurs habitudes de pensée et d'esprit européennes. Ils surestimaient l'Orient à cause de son panthéisme, de sa spiritualité, de sa stabilité, de sa longévité, de sa primitivité, etc. Schelling, par exemple, pensait que le polythéisme oriental préparait la voie au monothéisme judéo-chrétien ; Abraham était préfiguré par Brahma. Mais, presque sans exception, une surestimation de ce genre était suivie d'une réaction en sens inverse : l'Orient apparaissait tout à coup comme bien peu humain, hélas, antidémocratique, arriéré, barbare,

---

1. Dans sa lettre du 26 juin 1856 à Gobineau, *Œuvres complètes*, *op. cit.*, 10, p. 203 *sq.* Les idées de Gobineau sont exposées dans son *Essai sur l'inégalité des races humaines*, 1853-1855.

etc. Une oscillation du pendule dans une direction causait une oscillation égale et opposée : l'Orient était sous-évalué. L'orientalisme, comme profession, a grandi sur ces oppositions, sur ces compensations et corrections fondées sur l'inégalité, idées qui étaient à la fois résultat et cause d'idées du même type dans la culture prise dans son ensemble. À vrai dire, on peut faire directement remonter le projet même de restriction et de restructuration associé à l'orientalisme à l'inégalité par laquelle la pauvreté (ou la richesse) relative de l'Orient sollicitait un traitement érudit, scientifique du genre de celui que l'on trouve dans des disciplines telles que la philologie, la biologie, l'histoire, l'anthropologie, la philosophie ou l'économie.

Ainsi, le véritable métier d'orientaliste enchâssait cette inégalité et les paradoxes particuliers qu'elle a engendrés. Le plus souvent, un individu entrait dans cette profession comme façon de reconnaître les droits de l'Orient sur lui ; mais, le plus souvent, aussi, sa formation d'orientaliste lui ouvrait les yeux, pour ainsi dire, et ce qui lui restait, c'était une sorte de projet de dégonflement, par lequel l'Orient était réduit à des dimensions bien moindres que celles qu'on lui donnait autrefois. Comment expliquer autrement l'énorme labeur que représente l'œuvre de William Muir (1819-1905), par exemple, ou celle de Reinhart Dozy (1820-1883) et l'antipathie impressionnante vis-à-vis de l'Orient, de l'islam et des Arabes que l'on y rencontre ? Fait significatif, Renan était l'un des partisans de Dozy, tout comme on trouve dans l'ouvrage en quatre volumes de Dozy : *Histoire des Musulmans d'Espagne, jusqu'à la conquête de l'Andalousie par les Almoravides* (1861), beaucoup des critiques antisémites de Renan, qui seront compensées, en 1864, par un volume démontrant que le dieu primitif des juifs n'était pas Jahweh mais Baal, la preuve de cela se trouvant à La

Mecque ! Les livres de Muir : *Life of Mahomet* (1858-1861) et *The Caliphate, Its Rise, Decline and Fall* (1891), sont encore considérés comme des monuments d'érudition sérieuse, mais il a exposé son attitude vis-à-vis de son sujet avec franchise lorsqu'il a dit : « L'épée de Mahomet, et le Coran sont les ennemis les plus obstinés de la Civilisation, de la Liberté et de la Vérité que le monde ait jamais connus [1]. » On peut trouver beaucoup d'idées semblables dans les œuvres d'Alfred Lyall, l'un des auteurs cités avec sympathie par Cromer.

Même si l'orientaliste ne porte pas de jugement explicite sur son matériau, comme l'ont fait Dozy et Muir, il est néanmoins influencé par le principe d'inégalité. La tâche du spécialiste consiste toujours à mettre ensemble les éléments d'un portrait de l'Orient ou de l'Oriental comme s'il s'agissait d'un tableau restauré ; des fragments comme ceux que Silvestre de Sacy a découverts fournissent le matériau, mais la forme narrative, la continuité et les figures sont construites par le savant, pour lequel l'érudition consiste à circonvenir la non-histoire irrégulière (non occidentale) de l'Orient au moyen d'une chronique bien ordonnée, de portraits et d'intrigues. L'*Essai sur l'histoire des Arabes avant l'Islamisme, pendant l'époque de Mahomet* (trois volumes, 1847-1848) de Caussin de Perceval est une étude tout à fait spécialisée tirant ses sources de documents fournis à l'intérieur du domaine par d'autres orientalistes (principalement Silvestre de Sacy, bien sûr), ou de documents – comme les textes d'ibn Khaldun, auquel Caussin fait grande confiance – déposés dans des bibliothèques orientalistes en Europe. La thèse de Caussin est que Mahomet a fait des Arabes un peuple, l'islam étant essentiellement un

---

1. Cité par Albert Hourani dans son excellent article « Islam and the Philosophers of History », *loc. cit.*, p. 222.

instrument politique, pas du tout un instrument spirituel. Caussin s'efforce de mettre de la clarté dans une énorme masse de détails embrouillés. Ainsi, ce qui ressort de son étude de l'islam, c'est, à la fin de l'ouvrage (après la description de sa mort), un portrait très détaillé, photographique, de Mahomet[1]. Ni démon, ni prototype de Cagliostro, le Mahomet de Caussin est un homme adapté à une histoire de l'islam (la version la plus adaptée) comme mouvement exclusivement politique, cristallisé par les innombrables citations qui le poussent vers le haut et, en quelque sorte, hors du texte. L'intention de Caussin était de ne rien taire au sujet de Mahomet ; de ce fait, le Prophète est vu dans une lumière froide, dépouillé à la fois de son immense force religieuse et de toute capacité résiduelle de faire peur aux Européens. Le point important, ici, est que le personnage qu'était Mahomet, à son époque, dans son pays, est effacé, en sorte qu'il ne reste de lui qu'une image très réduite, une miniature.

Quittons les spécialistes : un Mahomet analogue à celui de Caussin est dépeint par Carlyle, un Mahomet obligé à servir une thèse qui néglige totalement les circonstances historiques et culturelles de l'époque et du pays du Prophète. Quoique Carlyle cite Silvestre de Sacy, il est clair que, dans son essai, il est en train de plaider pour des idées générales sur la sincérité, l'héroïsme et le fait d'être un prophète. Son attitude est salutaire : Mahomet n'est pas un être de légende, un homme sensuel honteux, un petit sorcier risible qui dressait des pigeons à picorer des pois dans son oreille. Bien plutôt, c'est un

---

1. Caussin de Perceval, *Essai sur l'histoire des Arabes avant l'Islamisme, pendant l'époque de Mahomet et jusqu'à la réduction de toutes les tribus sous la loi musulmane*, 1847-1848 ; rééd. Graz (Autriche), Akademische Druck-und Verlagsanstalt, 1967, 3, p. 332-339.

véritable visionnaire convaincu de sa propre vision, quoi qu'il soit l'auteur d'un livre, le Coran, qui est « un confus et fastidieux fouillis, indigeste, informe ; redites sans fin, longueurs à perdre haleine, enchevêtrements ; très indigeste, informe – insupportable stupidité, enfin[1] ! ». Sans être lui-même un parangon de lucidité et de grâce stylistique, Carlyle affirme ces choses comme une manière de délivrer Mahomet des modèles benthamiens en vertu desquels ils seraient condamnés ensemble, Mahomet et lui. Mais Mahomet est un héros, transplanté en Europe au sortir de ce même Orient barbare trouvé déficient par lord Macaulay dans sa fameuse « Minute » de 1835, dans laquelle il affirmait que « nos sujets indigènes avaient plus à apprendre de nous que nous d'eux[2] ».

En d'autres termes, Caussin et Carlyle nous montrent l'un et l'autre que nous n'avons pas besoin d'avoir peur de l'Orient, tant les réalisations orientales sont loin de celles de l'Europe. Les perspectives des orientalistes et celles des non-orientalistes coïncident ici. En effet, dans ce domaine comparatiste qu'est devenu l'orientalisme après la révolution philologique du début du dix-neuvième siècle, et en dehors de celui-ci, que ce soit dans les stéréotypes populaires, ou dans l'image formée de

---

1. Thomas Carlyle, *On Heroes, Hero-Worship, and the Heroic in History*, 1841 ; rééd. New York, Longmans Green and Co., 1906, p. 63 (trad. fr. : *Les Héros, Le culte des héros et l'héroïque dans l'histoire*, Paris, A. Colin, s.d., p. 103).

2. Les expériences indiennes de Macaulay sont décrites dans G. Otto Trevelyan, *The Life and Letters of Lord Macaulay*, New York, Harper and Brothers, 1875, 1, p. 344-371. On trouvera le texte complet de la « Minute » de Macaulay dans *Imperialism : The Documentary History of Western Civilization*, éd. Philip D. Curtin, New York, Walker and Co., 1971, p. 178-191. Quelques-unes des conséquences des opinions de Macaulay pour l'impérialisme britannique sont étudiées dans A. J. Arberry, *British Orientalists*, Londres, William Collins, 1943.

l'Orient par des philosophes comme Carlyle et dans les stéréotypes comme ceux de Macaulay, l'Orient en lui-même est intellectuellement subordonné à l'Occident. En tant que matériau d'étude et de réflexion, l'Orient prend toutes les marques d'une faiblesse intrinsèque. Il devient le sujet des caprices de diverses théories, qui l'utilisent comme illustration. Le cardinal Newman, qui n'était guère orientaliste, utilise l'Orient islamique comme point de départ de conférences destinées, en 1853, à justifier l'intervention britannique dans la guerre de Crimée[1]. Cuvier trouve l'Orient utile pour son ouvrage *le Règne animal* (1816). L'Orient est pris comme sujet de conversation commode dans les différents salons parisiens[2]. La liste des références, des emprunts et des transformations qui touchent à l'idée de l'Orient est immense, mais, au fond, ce qu'accomplissent les premiers orientalistes et ce que les non-orientalistes d'Occident exploitent, c'est un modèle réduit de l'Orient, adapté à la culture régnante, dominante, et à ses exigences théoriques (et ses exigences pratiques qui viennent immédiatement après).

On tombe à l'occasion sur des exceptions, ou, du moins, sur des complications intéressantes à cette association inégale entre l'Est et l'Ouest. Karl Marx définit la notion de système économique asiatique dans son analyse, écrite en 1853, de la domination britannique en Inde, puis il place, juste à côté d'elle, la déprédation humaine introduite dans ce système par l'interférence coloniale de l'Angleterre, sa rapacité, sa farouche cruauté. Article après article, il revient avec plus de conviction sur l'idée que, même en

---

1. John Henry Newman, *The Turks in their Relation to Europe*, vol. 1 de ses *Historical Sketches*, 1853 ; réimpr. Londres, Longmans, Green and Co., 1920.
2. Voir Marguerite-Louise Ancelot, *Salons de Paris, foyers éteints*, Paris, Jules Tardieu, 1858.

détruisant l'Asie, l'Angleterre y rend possible une véritable révolution sociale. Le style de Marx nous oblige à affronter cette difficulté : concilier la répugnance que nous inspirent les souffrances subies par nos frères orientaux tandis que leur société est transformée par la violence, avec la nécessité historique de ces transformations.

Or, aussi triste qu'il soit du point de vue des sentiments humains de voir ces myriades d'organisations sociales patriarcales, inoffensives et laborieuses se dissoudre, se désagréger en éléments constitutifs et être réduites à la détresse, et leurs membres perdre en même temps leur ancienne forme de civilisation et leurs moyens de subsistance traditionnels, nous ne devons pas oublier que ces communautés villageoises idylliques, malgré leur aspect inoffensif, ont toujours été une fondation solide du despotisme oriental, qu'elles enfermaient la raison humaine dans un cadre extrêmement étroit, en en faisant un instrument docile de la superstition et l'esclave de règles admises, en la dépouillant de toute grandeur et de toute force historique. [...]

Il est vrai que l'Angleterre, en provoquant une révolution sociale en Hindoustan, était guidée par les intérêts les plus abjects et agissait d'une façon stupide pour atteindre ses buts. Mais la question n'est pas là. Il s'agit de savoir si l'humanité peut accomplir sa destinée sans une révolution fondamentale dans l'état social de l'Asie. Sinon, quels que fussent les crimes de l'Angleterre, elle fut un instrument inconscient de l'histoire en provoquant cette révolution. Dans ce cas, quelque tristesse que nous puissions ressentir au spectacle de l'effondrement d'un monde ancien, nous avons le droit de nous exclamer avec Goethe :

> *Sollte diese Qual uns quälen*
> *Da sie unsere Lust vermehrt,*
> *Hat nicht Myriaden Seelen*
> *Timur's Herrschaft aufgezehrt ?*

Cette peine doit-elle nous tourmenter
Puisqu'elle augmente notre joie,
Le joug de Timour n'a-t-il pas écrasé
Les myriades de vies humaines[1] ?

La citation qui appuie l'argument de Marx sur le tourment donnant du plaisir est tirée du *Divan occidental-oriental*, et nous apprend quelle est la source des idées de Marx sur l'Orient. Elles sont romantiques et même messianiques : l'Orient est moins important comme matériau humain que comme élément d'un projet romantique de rédemption. Les analyses économiques de Marx rentrent parfaitement dans une entreprise orientaliste type, même si ses sentiments d'humanité, sa sympathie pour la misère du peuple sont clairement engagés. Mais, en fin de compte, c'est le point de vue orientaliste et romantique qui l'emporte, tandis que les vues théoriques socio-économiques de Marx sont submergées dans cette image classique :

L'Angleterre a une double mission à remplir en Inde : l'une destructrice, l'autre régénératrice – l'annihilation de la vieille société asiatique et la pose des fondations matérielles de la société occidentale en Asie[2].

L'idée de régénérer une Asie fondamentalement sans vie est pur orientalisme romantique, naturellement, mais, de la part de ce même auteur qui avait de la peine à oublier la souffrance impliquée, cette affirmation est troublante. Elle nous oblige à nous poser deux questions : d'abord, comment l'équation morale que pose Marx entre

1. *Sur les sociétés précapitalistes, Textes choisis de Marx, Engels, Lénine*, Paris, Éditions sociales, 1970, p. 176 *sq.*
2. *Ibid.*, p. 178.

la perte subie par l'Asie et la domination coloniale britannique, qu'il condamne, est-elle faussée dans le sens de l'ancienne inégalité entre l'Est et l'Ouest que nous avons remarquée jusqu'ici ? ensuite, où la sympathie humaine s'en est-elle allée, dans quel monde de pensée a-t-elle disparu alors que la vision orientaliste prend sa place ?

Nous sommes immédiatement ramenés à comprendre que les orientalistes, comme beaucoup d'autres penseurs du début du dix-neuvième siècle, conçoivent l'humanité soit en termes de vastes collectivités, soit en généralités abstraites. Les orientalistes ne s'intéressent pas aux individus, ils ne sont pas capables d'en parler ; au contraire prédominent des entités artificielles, qui ont peut-être leurs racines dans le populisme de Herder. Il y a des Orientaux, des Asiatiques, des Sémites, des musulmans, des Arabes, des juifs, des races, des mentalités et autres choses du même genre, certaines produites par des opérations savantes du type de celles qu'on trouve dans l'œuvre de Renan. De même, l'antique distinction entre « l'Europe » et « l'Asie », ou entre « l'Occident » et « l'Orient », rassemble derrière des étiquettes très larges toutes les variétés possibles de la pluralité humaine, la réduisant au cours de ce processus en une ou deux abstractions collectives finales. Marx ne fait pas exception. Il est plus facile pour lui d'utiliser l'Orient collectif pour illustrer une théorie que des identités humaines existentielles. Car, entre l'Orient et l'Occident, comme par enchantement, seule importe, ou existe, la vaste collectivité anonyme. Aucun autre type de relation n'était disponible, même pour un rôle secondaire.

Marx est encore capable de ressentir de la solidarité, de s'identifier même un peu avec la pauvre Asie ; cela nous fait penser que quelque chose s'est passé avant que les étiquettes l'emportent, avant que Marx se tourne vers Goethe comme source de sagesse sur l'Orient. C'est comme si un esprit individuel (ici, celui de Marx) ne pouvait trouver une individualité précollective, préofficielle en Asie – la trouver et céder aux pressions qu'elle exerce sur ses émotions, ses sentiments, ses sens – que pour l'abandonner quand il est confronté à un censeur plus formidable dans le vocabulaire même qu'il se trouve forcé d'employer. Ce que fait ce censeur, c'est d'arrêter, puis de faire fuir la sympathie, avec une définition lapidaire : ces gens, dit-il, ne souffrent pas ; ce sont des Orientaux, et il faut donc les traiter avec d'autres moyens que ceux que vous venez d'employer. Une vague de sentiments disparaît donc lorsqu'elle rencontre les définitions immuables construites par la science orientaliste, étayées par la masse de savoir « oriental » (par exemple le *Divan*) qui est supposé lui être approprié. Le vocabulaire de l'émotion se dissipe lorsqu'il est soumis à l'opération de police lexicographique de la science orientaliste, et même de l'art orientaliste. Une expérience est délogée par une définition de dictionnaire : on peut presque voir cela se passer dans les essais de Marx sur l'Inde, où ce qui arrive, en fin de compte, c'est que quelque chose le force à retourner au pas de course vers Goethe, et à rester dans l'Orient orientalisé et protecteur de celui-ci.

Pour une part, naturellement, Marx cherchait à défendre ses propres thèses sur la révolution socio-économique ; mais, pour une part, aussi, il semble avoir eu facilement recours à un corpus massif de textes, à la fois consolidés de l'intérieur par l'orientalisme et poussés par celui-ci au-dehors du domaine, textes qui gouvernaient toute affirmation faite au sujet de l'Orient. Dans la première partie de ce livre, j'ai essayé de montrer comment cette mainmise a eu une histoire culturelle générale en Europe depuis l'Antiquité ; dans cette partie, je veux montrer comment se sont créées au dix-neuvième siècle une terminologie et une pratique modernes et spécialisées, dont l'existence a dominé le discours sur l'Orient, qu'il ait été tenu par des orientalistes ou des non-orientalistes. Silvestre de Sacy et Renan nous donnent des exemples de la manière dont l'orientalisme fabriquait, pour l'un un corpus de textes, et pour l'autre un processus enraciné dans la philosophie, par lesquels l'Orient a pris une identité discursive qui l'a rendu inégal à l'Occident. En prenant avec Marx le cas d'un non-orientaliste dont les engagements humains ont d'abord été dissous, puis usurpés par des généralisations orientalistes, nous voyons qu'il nous faut prendre en compte le processus de consolidation lexicographique et institutionnelle particulier à l'orientalisme. Quelle est cette opération, par laquelle, chaque fois qu'on discutait de l'Orient, un formidable mécanisme de définitions omnicompétentes se présentait de lui-même comme le seul valable pour la discussion ? Et, puisque nous devons aussi montrer comment ce mécanisme opérait de manière spécifique (et effective) sur des expériences personnelles, qui, d'ailleurs, le contredisaient, nous devons aussi montrer où *elles* allaient et quelles formes *elles* ont prises tant qu'elles ont duré. Il s'agit d'une opération très difficile et très complexe, au moins aussi difficile et complexe que la manière dont une discipline en expansion expulse ses rivaux et acquiert de l'autorité pour ses traditions, ses méthodes et ses institutions, ainsi qu'une légitimité culturelle générale pour ses affirmations, ses personnalités et ses organismes. Mais nous pouvons réduire sensiblement la complexité purement narrative de l'opération, en spécifiant les sortes d'expériences caractéristiques que l'orientalisme a employées pour ses propres fins et représentées pour son public de non-spécialistes. Pour l'essentiel, ces expériences continuent celles que j'ai décrites pour Silvestre de Sacy et Renan. Mais, alors que ces deux érudits représentent un orientalisme totalement livresque, puisque ni l'un ni l'autre ne prétendait à aucune compétence particulière en ce qui concerne l'Orient *in situ*, une autre tradition tire sa légitimité du fait particulièrement contraignant de résider en Orient et d'avoir avec lui un contact existentiel véritable.

Anquetil, Jones, l'expédition d'Égypte définissent naturellement les contours les plus anciens de cette tradition, et cela leur conservera, par la suite, une influence immuable sur tous les orientalistes résidant en Orient. Ces contours sont ceux de la puissance européenne : résider en Orient, c'est mener la vie privilégiée, non d'un citoyen ordinaire, mais d'un Européen représentatif dont l'empire (français ou britannique) *contient* l'Orient par ses armes d'ordre militaire, économique et surtout culturel. Le séjour en Orient et ses fruits érudits vont ainsi nourrir la tradition livresque d'attitudes textuelles que nous avons trouvées chez Renan et Silvestre de Sacy : ensemble, les deux expériences vont constituer une redoutable bibliothèque contre laquelle personne, pas même Marx, ne peut se rebeller et que personne ne peut éviter.

III

Pèlerins et pèlerinages,
anglais et français

Résider en Orient implique jusqu'à un certain point une expérience et un témoignage personnels. Les contributions à la bibliothèque de l'orientalisme et à sa consolidation dépendent de la manière dont l'expérience et le témoignage cessent d'être un document purement personnel pour passer dans les codes fondateurs de la science orientaliste. Autrement dit, à l'intérieur d'un texte doit prendre place une métamorphose qui transforme une affirmation personnelle en une affirmation officielle : le récit d'un séjour et d'une expérience faits en Orient par un Européen doit se débarrasser de ses descriptions purement autobiographiques et indulgentes, ou du moins les réduire au minimum, en faveur de descriptions qui permettront à l'orientalisme en général, et, plus tard, aux orientalistes en particulier, de tirer, de construire et de fonder d'autres observations et descriptions scientifiques. Ainsi, l'une des choses à quoi nous pouvons nous attendre est une conversion, plus explicite que chez Marx, de sentiments personnels sur l'Orient en affirmations orientalistes officielles.

Or nous nous trouvons dans une situation plus riche et plus compliquée du fait que, pendant tout le dix-neuvième siècle, l'Orient, en particulier le Proche-Orient, a été un des buts de voyage et un des thèmes littéraires favoris des Européens. Bien plus, on a vu se développer une littérature européenne de style oriental, très souvent fondée sur des expériences personnelles en Orient. Flaubert nous vient immédiatement à l'esprit comme l'un des grands modèles de cette littérature ; Disraeli, Mark Twain et Kinglake sont trois autres exemples évidents. Mais ce qui nous intéresse, c'est la différence qui existe entre les textes qui sont convertis en orientalisme professionnel et un second type de textes, fondés eux aussi sur l'expérience du pays et le témoignage personnels, et qui restent de la « littérature » sans devenir de la science : c'est cette différence que je veux maintenant explorer.

Le fait d'être un Européen en Orient implique *toujours* que l'on ait conscience d'être distinct de son entourage, et d'être avec lui dans un rapport d'inégalité. Mais ce qu'il faut surtout remarquer, c'est à quoi tend cette prise de conscience : pourquoi être en Orient ? Pourquoi s'y mettre, même si, comme c'est le cas d'écrivains comme Walter Scott, Hugo et Goethe, on voyage en Orient pour y trouver une espèce d'expérience très concrète, sans réellement quitter l'Europe ? Un petit nombre de catégories d'intentions se présentent d'elles-mêmes schématiquement. Un : l'écrivain qui veut utiliser son séjour pour la tâche spécifique de fournir à l'orientalisme spécialisé des matériaux scientifiques, et qui considère son séjour comme une forme d'observation scientifique. Deux : l'écrivain qui a le même dessein, mais qui est moins enclin à sacrifier l'originalité et le style propre de sa conscience individuelle à des définitions orientalistes impersonnelles. Ces dernières apparaissent bien dans son œuvre, mais elles ne se démêlent qu'avec difficulté de ses caprices stylistiques personnels. Trois : l'écrivain pour lequel le voyage en Orient, réel ou métaphorique, est la réalisation d'un projet profondément senti et pressant. Son texte est donc bâti sur une esthétique personnelle, nourri et informé par le projet. Dans les catégories deux et trois, il y a bien plus de place que dans la catégorie un pour laisser jouer une conscience personnelle – ou du moins non orientaliste ; si nous prenons comme exemple exceptionnel de la catégorie un *Manners and Customs of the Modern Egyptians* d'Edward William Lane, *Pilgrimage to al-Madinah and Meccah* de Burton comme appartenant à la catégorie deux et le *Voyage en Orient* de Nerval comme représentant la catégorie trois, nous verrons clairement quelle est la place relative laissée dans le texte à la présence de l'auteur.

Malgré leurs différences, ces trois catégories ne sont pourtant pas aussi distinctes l'une de l'autre qu'on pourrait le croire. Chaque catégorie ne contient pas non plus de types représentatifs « purs ». Par exemple, des œuvres appartenant aux trois catégories s'appuient sur les pouvoirs purement égoïstes de la conscience européenne qui est leur centre. Dans tous les cas, l'Orient est *pour* l'observateur européen, et de plus, dans la catégorie qui contient les *Modern Egyptians* de Lane, le moi orientaliste est très en évidence, même si son style s'efforce à l'impersonnalité impartiale. Bien plus, certains motifs reviennent régulièrement dans les trois types. L'un d'eux est l'Orient lieu de pèlerinage ; et aussi l'image de l'Orient comme spectacle ou « tableau vivant ». Chacun des livres sur l'Orient, dans ces catégories, cherche à décrire l'endroit, naturellement, mais ce qui présente plus d'intérêt, c'est dans quelle mesure la structure interne de l'ouvrage est synonyme d'une *interprétation* globale de l'Orient (ou d'une tentative d'interprétation). La plupart du temps, ce qui n'est guère étonnant, cette interprétation est une forme de restructuration romantique de l'Orient, une re-vision de celui-ci, qui le restitue au présent à la façon d'une rédemption. Toute interprétation, toute structure créée pour l'Orient est donc une réinterprétation, une reconstruction de celui-ci.

Cela dit, revenons aux différences qui existent entre les catégories. Le livre de Lane sur les Égyptiens a eu beaucoup de rayonnement, il a été souvent lu et cité (par Flaubert entre autres), et il a fait la réputation de l'auteur comme grande figure de l'érudition orientaliste. En d'autres termes, l'autorité de Lane a été acquise, non en vertu, simplement, de ce qu'il a dit, mais en vertu de la manière dont ce qu'il a dit pouvait s'adapter à l'orientalisme. Il est cité comme source de connaissances sur l'Égypte et l'Arabie, tandis que Burton et Flaubert ont été lus et le sont encore à cause de ce qu'ils nous racontent sur Burton et Flaubert, au-delà de leur connaissance de l'Orient. La « fonction de l'auteur », dans les *Modern Egyptians* de Lane, est moins forte que dans les autres catégories parce que son ouvrage a été diffusé dans la profession, consolidé par elle, institutionnalisé en même temps qu'elle. L'identité de l'auteur, dans une œuvre ou une discipline professionnelle comme celle-ci, est subordonnée aux exigences du domaine aussi bien qu'aux exigences du sujet. Mais cela ne se fait pas simplement, ou sans poser de problèmes.

L'ouvrage classique de Lane, *An Account of the Manners and Customs of the Modern Egyptians* (1836), est le résultat conscient d'une série de travaux et de deux séjours de l'auteur en Égypte (1825-1828 et 1833-1835). Nous utilisons ici le terme « conscient » avec une certaine insistance parce que Lane a essayé de donner l'impression que son étude était une description immédiate et directe, sans ornement et neutre, alors qu'en réalité elle est le produit d'un considérable travail de rédaction (l'ouvrage qu'il a écrit n'est pas celui qu'il a finalement publié) et aussi de toute une série d'efforts très particuliers. Rien, ni sa naissance, ni sa formation, ne semblait destiner Lane à l'Orient, excepté son application méthodique et sa facilité pour les études classiques et les mathématiques, ce qui explique quelque peu la netteté interne apparente de son livre. Sa préface fournit différents indices intéressants sur la manière dont il s'est préparé à rédiger ce livre. Il est d'abord parti pour l'Égypte pour étudier l'arabe. Ensuite, après avoir écrit quelques notes sur l'Égypte moderne, il a été encouragé à rédiger un ouvrage systématique sur le pays et ses habitants par un comité de la Société pour la diffusion des connaissances utiles (Society for the Diffusion of Useful Knowledge). D'un ensemble d'observations notées au hasard, son ouvrage s'est transformé en un document plein de connaissances utiles, des connaissances arrangées de façon à être facilement accessibles à tous ceux qui souhaitent savoir l'essentiel sur une société étrangère. La préface dit clairement que ce savoir doit, d'une certaine manière, dominer le savoir préexistant aussi bien que revendiquer un caractère particulièrement efficace : Lane est ici un polémiste subtil. Il doit montrer d'abord qu'il a fait ce que d'autres, avant lui, n'ont pu faire, ou n'ont pas fait, puis qu'il a été capable de se procurer des informations à la fois authentiques et parfaitement exactes. Ainsi, son autorité toute spéciale commence à ressortir.

Alors que Lane joue dans sa préface avec une certaine « Description de la population d'Alep... » du Dr Russel (*Account of the people of Aleppo*, un ouvrage oublié), il est évident que la *Description de l'Égypte* a été par avance son principal concurrent. Mais cette œuvre, que Lane a reléguée dans une longue note de bas de page, est mentionnée entre des guillemets méprisants : « le grand travail français » sur l'Égypte. Cet ouvrage-là est en même temps d'une généralité trop philosophique et trop peu soigneux, dit Lane ; et la célèbre étude de Jacob Burckhardt n'est qu'une pure et simple collection de sagesse proverbiale égyptienne.

À la différence des Français et de Burckhardt, Lane a été capable de s'immerger au milieu des indigènes, de vivre comme eux, de se conformer à leurs habitudes, et « de se garder d'exciter, chez les étrangers, aucun soupçon qu'il [...] était une personne qui n'avait pas le droit de se mêler à eux ». De peur que cela n'implique que Lane ait perdu son objectivité, il continue en disant qu'il se conformait seulement aux *mots* du Coran (les italiques sont de lui) et qu'il avait toujours conscience de sa différence avec une culture essentiellement autre[1]. Ainsi, tandis qu'une partie de l'identité de Lane flotte facilement sur la mer musulmane sans soupçon, la partie immergée conserve son pouvoir secret d'Européen pour commenter, acquérir, posséder tout ce qui l'entoure.

L'orientaliste peut imiter l'Orient sans que la réciproque soit vraie. Ce qu'il dit de l'Orient doit donc se comprendre comme une description dans un échange à sens unique : tandis qu'*ils* parlent et agissent, *lui* observe et prend note. Son pouvoir consiste à avoir existé au milieu d'eux comme un locuteur indigène, pourrait-on dire, et aussi comme un écrivain secret. Et ce qu'il écrit est destiné à être un savoir utile non pour eux, mais pour l'Europe et ses différentes institutions de diffusion. Car il y a une chose que la prose de Lane ne nous laisse jamais oublier : que le moi, le pronom de la première personne qui se déplace en Égypte à travers les coutumes, les rituels, les fêtes, l'enfance, l'âge adulte et les rites funéraires, est, en réalité, à la fois un déguisement oriental et un procédé orientaliste destiné à capter et transmettre des informations de valeur, qui ne seraient pas accessibles autrement. Comme narrateur, Lane est à la fois objet

---

1. Edward William Lane, préface de l'auteur à *An Account of the Manners and Customs of the Modern Egyptians*, 1836 ; rééd. Londres, J. M. Dent, 1936, p. XX *sq.*

montré et montreur, il gagne de deux côtés du même coup, faisant preuve de deux sortes d'appétit : un appétit oriental qui le pousse à nouer des camaraderies (du moins à ce qu'il semble), et un appétit occidental pour acquérir des connaissances utiles et qui fassent autorité.

Rien n'illustre mieux cela que le dernier épisode de sa préface. Lane y décrit son principal informateur et ami, Sheikh Ahmed, comme un compagnon et comme une curiosité. Ensemble, ils font passer Lane pour un musulman ; cependant, ce n'est qu'après avoir vaincu la peur que lui inspire l'audacieuse singerie de Lane qu'Ahmed peut exécuter les gestes de la prière à ses côtés, dans la mosquée. Avant cela, il y a eu deux scènes dans lesquelles Ahmed est dépeint comme un étrange avaleur de verre et comme un polygame. Dans les trois parties de l'épisode de Sheikh Ahmed, la distance entre le musulman et Lane augmente, même si dans l'action elle diminue. En tant qu'intermédiaire et que traducteur, pour ainsi dire, du comportement musulman, Lane entre ironiquement dans le schéma musulman, mais juste assez pour être capable de le décrire dans une discrète prose anglaise. Son identité de faux croyant et d'Européen privilégié est l'essence même de la mauvaise foi, car le second mine le premier à coup sûr. Ainsi, ce qui semble être le récit factuel des faits et gestes d'*un* musulman plutôt bizarre, Lane le montre comme le centre naïvement exposé de la foi de tous les musulmans. Pour lui, cela n'a aucune importance de trahir son amitié avec Ahmed ou d'autres qui lui fournissent des informations. Ce qui compte, c'est que le récit ait l'air exact, général et sans préjugés, que le lecteur anglais soit convaincu que Lane n'a jamais été contaminé par l'hérésie ou l'apostasie et, enfin, que le texte de Lane élimine le contenu humain de son sujet en faveur de sa validité scientifique.

Tels sont les desseins qui organisent le livre de Lane, non pas simplement en tant que récit de son séjour en Égypte, mais en tant que structure narrative submergée par la restructuration et l'analyse détaillée orientalistes. C'est, à mon avis, ce qu'il y a de plus réussi dans l'œuvre de Lane. Le plan et la forme de *Modern Egyptians* sont dans la ligne d'un roman du dix-huitième siècle, disons de Fielding. Le livre s'ouvre sur une description de la contrée et du paysage, suivie de chapitres sur les « Caractéristiques personnelles » et « Petite enfance et première éducation ». Vingt-cinq chapitres sur des sujets tels que les fêtes, les lois, le caractère, l'industrie, la magie et la vie domestique précèdent la dernière partie : « Mort et rites funéraires. » À première vue, l'exposé de Lane est chronologique et suit le développement de la vie. Il parle de lui-même comme de l'observateur des scènes qui suivent les grandes divisions de la vie humaine ; son modèle est le schéma narratif, comme dans *Tom Jones*, avec la naissance du héros, ses aventures, son mariage et, implicitement, sa mort. Seulement, dans le texte de Lane, la voix narrative est sans âge ; son objet, cependant, l'Égyptien moderne, passe par un cycle de vie individuel. Ce renversement, par lequel un individu solitaire se donne à lui-même des facultés hors du temps et impose à une société et à un peuple une durée de vie personnelle, n'est que la première de plusieurs opérations réglant ce qui aurait pu n'être que la narration pure et simple de voyages en pays étranger, changeant un texte sans artifices en une encyclopédie d'exotisme et en un terrain d'exercice pour l'investigation des orientalistes.

Lane domine son matériau, non seulement par sa double présence mise en scène (en tant que faux musulman et authentique occidental) et sa manipulation de la voix et de l'objet du récit, mais aussi par sa manière d'utiliser les détails. Chacune des grandes parties, dans chaque chapitre, est invariablement introduite par une observation générale sans surprise. Par exemple, « on observe généralement qu'on peut attribuer bien des particularités les plus remarquables des manières, des coutumes et du caractère d'une nation aux particularités physiques d'un pays [1] ». Ce qui suit le confirme aisément : le Nil, le climat « remarquablement salubre » de l'Égypte, le travail « précis » du paysan. Mais, au lieu que cela conduise à l'épisode suivant dans l'ordre narratif, on ajoute des détails, et, par conséquent, l'accomplissement narratif que l'on attend – pour des raisons purement formelles – n'est pas donné. Autrement dit, bien que les grands traits du texte de Lane se conforment à la séquence narrative et causale naissance-vie-mort, les détails particuliers introduits au cours de cette séquence devient le mouvement narratif. Passant d'une observation générale à une peinture d'un certain aspect du caractère égyptien, à une description de l'enfance, de l'adolescence, de la maturité et de la vieillesse d'un Égyptien, Lane est toujours là avec beaucoup de détails pour *empêcher* les transitions douces. Peu après que nous avons entendu parler du climat salubre de l'Égypte, par exemple, il nous apprend que peu d'Égyptiens vivent plus que quelques années, à cause de maladies mortelles, de l'absence de soins médicaux et des étés oppressants. Ensuite, il nous raconte que la chaleur « excite chez les Égyptiens [une généralisation sans preuve] l'intempérance dans les jouissances sexuelles », et bientôt nous nous enlisons dans des descriptions, complétées par des diagrammes et des dessins au trait, de l'architecture, de la décoration, des fontaines et des serrures du Caire. Quand le mode narratif reparaît, cela semble purement formel.

1. *Ibid.*, p. 1.

L'ordre narratif, au moment même où il est la fiction dominante du texte de Lane, est perturbé par la description pure et simple, irrésistible, monumentale. Lane a pour objectif de rendre totalement visibles l'Égypte et les Égyptiens, de ne rien cacher à son lecteur, de lui livrer les Égyptiens sans épaisseur, dans un détail surabondant. Lorsqu'il rapporte des histoires, il a un goût marqué pour les passages piquants colossaux et sado-masochistes : l'automutilation des derviches, la cruauté des juges, le mélange de religion et de licence chez les musulmans, l'excès des passions libidineuses, etc. Pourtant, peu importe à quel point l'événement est étrange et pervers, à quel point nous nous égarons dans le tourbillon des détails, Lane est partout à la fois, sa tâche étant de rassembler les morceaux et de nous rendre capables d'avancer, quoique par saccades. Dans une certaine mesure, il le fait rien qu'en étant un Européen qui peut maîtriser de manière discursive les passions et les excitations auxquelles les musulmans sont malheureusement sujets. Mais la capacité de Lane à tenir sa matière si abondante dans les rênes inflexibles de la discipline et du détachement provient, dans une plus grande mesure, de la froide distance qu'il prend avec la vie et la fécondité égyptiennes.

Le principal moment symbolique arrive au début du chapitre 6, « Vie domestique – suite ». Lane a maintenant adopté la convention de raconter sa promenade dans la vie égyptienne, et, après avoir terminé sa tournée des pièces et des habitudes publiques d'un foyer égyptien, mêlant le monde de la société et celui de l'espace, il commence à parler du côté intime de la vie à la maison. Tout de suite, il doit « donner une description du mariage et des cérémonies du mariage ». Comme d'habitude, cette description commence par une observation d'ordre général : ne pas se marier, « quand un homme a atteint un âge suffisant, et quand il n'y a pas d'empêchement justifié, les Égyptiens estiment que c'est impropre et même honteux ». Sans transition, Lane applique cette observation à sa propre personne et il se trouve coupable. Pendant un long paragraphe, il raconte alors les pressions exercées sur lui pour qu'il se marie, ce qu'il a refusé de pied ferme. Enfin, après qu'un ami indigène lui a même offert d'arranger un mariage de convenance, qui est, lui aussi, refusé par Lane, tout ce passage se termine brusquement par un point et un tiret[1]. Il reprend ses considérations générales avec une autre observation, générale elle aussi.

Ce que nous voyons ici, ce n'est pas seulement la façon caractéristique qu'a Lane d'interrompre le récit principal par des détails qui n'ont rien à y faire, mais aussi son désengagement ferme et littéral vis-à-vis des processus productifs de la société orientale. Le mini-récit de son refus d'entrer dans la société qu'il décrit se termine par un hiatus dramatique : *son* histoire ne peut pas continuer, semble-t-il dire, aussi longtemps qu'il n'entre pas dans l'intimité de la vie domestique, et, ainsi, on le perd de vue comme candidat à celle-ci. Il s'abolit lui-même, littéralement, en tant que sujet humain en refusant de se marier dans la société des hommes. Il conserve ainsi son identité autorisée de participant pour rire et renforce l'objectivité de son récit. Si nous savions déjà que Lane était un nonmusulman, nous savons maintenant que, pour devenir un orientaliste – au lieu d'un Oriental –, il a dû se refuser les plaisirs sensuels de la vie domestique. En outre, il lui faut aussi éviter de se dater lui-même en entrant dans le cycle de la vie humaine. Ce n'est que de cette manière négative

1. *Ibid.*, p. 160 *sq.* La biographie classique de Lane, publiée en 1877, a été écrite par son petit-neveu, Stanley Lane-Poole. Sympathique portrait de Lane dans A. J. Arberry, *Oriental Essays*, *op. cit.*, p. 87-121.

qu'il peut conserver son autorité d'observateur hors du temps.

Lane avait à choisir entre vivre sans « inconvénient et inconfort » et mener à bien son étude des Égyptiens modernes. Il a choisi, et cela lui a permis de définir les Égyptiens, puisque, s'il était devenu l'un d'eux, ses perspectives n'auraient plus été lexicographiques de manière antiseptique et asexuée. Lane gagne donc en crédibilité et en légitimité érudites de deux manières pressantes. Premièrement, en interférant dans le cours narratif de la vie humaine : c'est pour cela qu'il entre dans ce détail colossal, dans lequel l'intelligence observatrice d'un étranger peut introduire, puis monter, une masse d'informations. Lane ouvre le ventre aux Égyptiens pour montrer leurs entrailles, pour ainsi dire, puis les recoud en les admonestant. Deuxièmement, par son refus de participer à la création de la vie égypto-orientale : c'est pour cela qu'il domine ses appétits animaux, dans l'intérêt de la diffusion de l'information, non pas en Égypte et pour l'Égypte, mais dans la science européenne au sens large et pour elle. La grande renommée de Lane dans les annales de l'orientalisme vient de ce qu'il a réussi à la fois à imposer une volonté érudite désordonnée et à se déplacer délibérément de sa résidence à la scène de sa réputation de savant. Un savoir utile comme le sien ne pouvait avoir été acquis, formulé et diffusé que par des refus de cet ordre.

Il est très éclairant de lire les *Modern Egyptians* de Lane, non comme une source de savoir oriental, mais comme un travail destiné à accroître l'organisation de l'orientalisme académique. La subordination du moi génétique à l'autorité érudite, chez Lane, correspond exactement à la spécialisation et à l'institutionnalisation accrues du savoir sur l'Orient que représentent les diverses sociétés orientales. La Royal Asiatic Society avait été fondée une dizaine d'années avant la parution du livre de Lane, mais son comité de lecture – dont « l'objet était de recevoir des renseignements et des études relatifs aux arts, aux sciences, à la littérature, à l'histoire et aux antiquités » de l'Orient[1] – était par sa structure la destinataire du fonds d'information de Lane, tel qu'il était apprêté et formulé. Quant à la diffusion d'une œuvre comme celle de Lane, il n'y avait pas seulement les différentes sociétés de connaissances utiles, mais aussi, en cet âge où le programme orientaliste original d'aide au commerce et aux échanges avec l'Orient s'était épuisé, les sociétés savantes spécialisées dont les productions étaient des ouvrages montrant des valeurs potentielles (sinon réelles) de l'érudition désintéressée. Ainsi, un programme de la Société Asiatique pose que :

> Faire composer ou imprimer des grammaires, des dictionnaires ou d'autres livres élémentaires reconnus utiles ou indispensables à l'étude des langues enseignées dans les chaires publiques ; concourir par des souscriptions ou autrement à la publication des ouvrages du même genre entrepris en France ou à l'étranger ; acquérir des manuscrits asiatiques ou faire copier en tout ou en partie ceux qui existent en Europe dans les établissements publics, en faire faire des traductions ou des extraits, les multiplier par la voie de l'impression, de la gravure ou de la lithographie ; procurer aux auteurs d'ouvrages utiles sur la géographie, l'histoire, les sciences ou les arts des contrées orientales les moyens de faire jouir le public du fruit de leurs veilles ; appeler, par la publication d'un recueil périodique consacré à la littérature asiatique, l'attention du public sur les productions scientifiques, littéraires ou poétiques de l'Orient et sur celles du même genre qui verront le jour en Europe, sur les faits qui

1. *Centenary Volume of the Royal Asiatic Society of Great Britain and Ireland, 1823-1923*, éd. Frederick Eden Pargiter, Londres, Royal Asiatic Society, 1923, p. x.

pourront y être relatifs, sur les découvertes et les travaux de toute espèce dont les peuples orientaux pourront devenir le sujet : tels sont les objets que se propose la Société Asiatique.

L'orientalisme s'organise systématiquement sous la forme de l'acquisition de matériau oriental et sa diffusion réglée en tant que savoir spécialisé. C'est à l'intérieur de ce système et pour lui que Lane a écrit son œuvre et sacrifié son moi. Le mode sous lequel son œuvre persiste dans l'archive de l'orientalisme est lui aussi prévu. Comme le dit Silvestre de Sacy :

> [...] Un des besoins indispensables de cette Société est un *Muséum asiatique*, vaste dépôt d'objets de toute nature, de dessins, de livres originaux, de cartes, de relations de voyages, offert à tous ceux qui se livreront à l'étude de l'Asie ; en sorte que chacun d'eux puisse se croire transporté, comme par enchantement, au milieu de telle tribu mongole ou de telle race chinoise dont il a fait l'objet particulier de ses recherches [...] Il est permis de dire [...] qu'après la publication des livres élémentaires des langues de l'Asie, rien n'est plus important que de jeter les premières bases du Muséum, que je regarde comme le commentaire vivant des dictionnaires et leur indispensable truchement[1].

Le mot truchement est joliment tiré de l'arabe *turjaman*, qui signifie « interprète », « intermédiaire » ou « porte-parole ». D'une part, l'orientalisme a acquis l'Orient aussi littéralement et largement que possible ; de l'autre, il a domestiqué ce savoir pour l'Occident en le filtrant au travers de ses codes régulateurs, ses classifications, ses cas d'espèce, ses revues périodiques, ses dictionnaires, ses grammaires, ses commentaires, ses éditions, ses traditions,

---

1. *Société asiatique, Livre du centenaire, 1822-1922*, Paris, Paul Geuthner, 1922, p. 5 *sq.*

qui, tous ensemble, forment un simulacre de l'Orient et le reproduisent matériellement en Occident, pour l'Occident. Bref, l'Orient allait être converti du témoignage personnel, quelquefois mensonger, de voyageurs et de résidents intrépides en des définitions impersonnelles par toute une armée de travailleurs scientifiques. Il allait être converti de l'expérience consécutive à une recherche individuelle en une sorte de musée imaginaire sans murs, où tout ce qui avait été recueilli des vastes espaces et des différences immenses de la culture orientale allait devenir *oriental* de manière définitive. Il sera reconverti, restructuré en partant du ballot de fragments rapportés pièce à pièce par des explorateurs, des expéditions, des commissions, des armées, des marchands dans un sens orientaliste lexicographique, bibliographique, mis en départements et *textualisé*. Vers le milieu du dixneuvième siècle, l'Orient était devenu une carrière, selon l'expression de Disraeli, dans laquelle on pouvait refaire et restituer non seulement l'Orient, mais aussi soi-même.

Tout Européen voyageant ou séjournant en Orient a eu à se protéger contre son influence troublante. Lane, par exemple, a finalement reprogrammé et resitué l'Orient quand il s'est mis à écrire à son sujet. Les excentricités de la vie orientale, avec ses calendriers bizarres, ses configurations spatiales exotiques, ses langues d'une étrangeté désespérante, sa moralité qui semblait perverse, étaient considérablement réduites lorsqu'elles apparaissaient comme une série de détails présentés dans le style d'une prose européenne normative. Il est exact de dire qu'en orientalisant l'Orient Lane ne l'a pas seulement défini, mais « édité » : il lui a retranché ce qui, en plus de ses propres sympathies humaines, aurait troublé la sensibilité européenne. Dans la plupart des cas, l'Orient semblait avoir blessé les bienséances du point de vue sexuel ; tout dans l'Orient – ou, du moins, dans l'Orient-en-

Égypte de Lane – exsudait une sexualité dangereuse, menaçait l'hygiène et les convenances domestiques par une excessive « liberté des rapports », comme le dit Lane en se réprimant moins que d'habitude.

Mais il y avait des menaces d'autre sorte que la sexualité, qui toutes mettaient à rude épreuve le sens qu'avaient les Européens de la discontinuité et de la rationalité du temps, de l'espace et de l'identité personnelle. En Orient, on était tout à coup confronté à une antiquité inimaginable, à une beauté inhumaine, à des distances illimitées, qui pouvaient être mises en service plus innocemment, dirait-on, si elles étaient sujets de réflexion et d'écriture, et non vécues directement. Dans le « Giaour » de Byron, dans le *Divan occidental-oriental* de Goethe, dans *les Orientales* de Hugo, l'Orient est une forme de libération, un lieu d'occasions originales, dont Goethe a frappé la note dominante dans « Hégire » :

> *Nord und West Süd zersplittern*
> *Throne bersten, Reiche zittern,*
> *Fluchte du, in reinen Osten*
> *Patriarchenluft zu kosten !*

> Nord, Ouest et Sud volent en éclats,
> Les trônes se brisent, les empires tremblent,
> Sauve-toi, va dans le pur Orient
> Respirer l'air des patriarches !

On *retournait* toujours à l'Orient – « *Dort, im Reinen und in Rechten / Will ich menschlichen Geschlechten / In des Ursprungs Tiefe dringen* » (Là, dans la pureté et la justice / Je veux des races humaines / Pénétrer l'origine dernière) –, le voyant comme l'achèvement et la confirmation de tout ce qu'on avait imaginé :

Gottes ist der Orient !
Gottes ist der Okzident !
Nord und südliches Gelände
Ruht im Frieden seiner Hände.

À Dieu est l'Orient !
À Dieu est l'Occident !
Les contrées du Nord et du Sud
Reposent dans la paix de ses mains[1].

L'Orient, avec sa poésie, son atmosphère, ses possibilités, était représenté par des poètes comme Hafiz – *unbegrenzt*, illimité, dit Goethe, plus vieux et plus jeune que nous autres Européens. Et pour Hugo, dans « Le cri de guerre du mufti » et « La douleur du pacha »[2], la férocité et la mélancolie désordonnée des Orientaux étaient médiatisées, non par une crainte réelle pour leur vie ou un sentiment de perte désorienté, mais par Volney et George Sale, dont les ouvrages savants traduisaient la splendeur des barbares en informations utilisables pour le talent sublime du poète.

Ce que des orientalistes comme Lane, Silvestre de Sacy, Renan, Volney (sans parler de la *Description de l'Égypte*) et d'autres pionniers rendaient accessible, la foule des littérateurs l'exploitait. Revenons à ce que nous avons dit des trois types d'ouvrages traitant de l'Orient et fondés sur un séjour en Orient. Les exigences rigoureuses

1. Johann Wolfgang von Goethe, *Westöstlicher Diwan*, 1819 ; réimpr. Munich, Wilhelm Golmann, 1958, p. 8 *sq.*, 12 (trad. fr. : *Divan occidental-oriental*, Paris, Aubier-Montaigne, s.d., d'où sont tirées les traductions des poèmes « Hégire » (p. 54) et « Talisman » (p. 61)). Goethe invoque le nom de Silvestre de Sacy avec vénération dans ses notes.
2. Victor Hugo, *Les Orientales*, in *Œuvres poétiques*, *op. cit.*, I, p. 616 *sq.*

de la science ont purgé les écrits orientalistes de la sensibilité de l'auteur : d'où l'autocensure de Lane, d'où, aussi, la première espèce d'œuvres énumérées. Pour les types deux et trois, le moi est là en évidence, subordonné à une voix dont la tâche est de dispenser du savoir véritable (type deux) ou dominant et médiatisant tout ce qu'on nous dit sur l'Orient (type trois). Cependant, d'un bout à l'autre du dix-neuvième siècle – après Bonaparte –, l'Orient a été un lieu de pèlerinage, et toute œuvre importante appartenant à un orientalisme authentique, si ce n'est toujours académique, tire sa forme, son style et son intention de l'idée de pèlerinage en Orient. La source principale de cette idée, comme de tant d'autres formes d'écrits orientalistes dont nous avons parlé, est l'idée romantique d'une reconstruction qui restaure (le surnaturalisme naturel).

Chaque pèlerin voit les choses à sa manière, mais il y a des limites à l'utilité d'un pèlerinage, à la forme qu'il peut prendre, aux vérités qu'il révèle. Tous les pèlerinages en Orient passaient ou avaient à passer par les pays bibliques ; la plupart d'entre eux étaient, en fait, des tentatives soit pour revivre, soit pour libérer du vaste Orient incroyablement fécond une portion de la réalité judéo-chrétienne / gréco-romaine. Pour ces pèlerins, l'Orient des savants orientalistes était un gant à relever, exactement comme la Bible, les croisades, l'islam, Napoléon et Alexandre étaient des prédécesseurs redoutables avec lesquels il fallait compter. Non seulement un Orient appris inhibe les rêveries et les fantasmes personnels du pèlerin ; son antécédence même met des barrières entre le voyageur d'aujourd'hui et ce qu'il écrit, à moins que, comme pour Nerval et Flaubert dans leur manière d'utiliser Lane, le travail orientaliste ne soit détaché de la bibliothèque et pris dans le projet esthétique. Autre inhibition : l'écrit orientaliste est trop circonscrit par les exigences officielles de la science orientaliste. Un pèlerin comme

Chateaubriand prétendait insolemment entreprendre son voyage exclusivement pour lui-même : « J'allais chercher des images : voilà tout[1]. » Flaubert, Vigny, Nerval, Kinglake, Disraeli, Burton ont tous entrepris leur pèlerinage pour dissiper la moisissure de l'archive orientaliste préexistante. Leurs écrits devaient être un réceptacle tout neuf pour l'expérience orientale ; pourtant, comme nous allons le voir, même ce projet se résolvait d'habitude (mais pas toujours) de lui-même dans le réductionnisme orientaliste. Les raisons en sont complexes, et elles dépendent beaucoup de la nature du pèlerin, de son mode d'écriture et de la forme donnée à dessein à son œuvre.

Qu'était l'Orient pour le voyageur individuel du dix-neuvième siècle ? Voyons d'abord en quoi diffèrent le voyageur de langue anglaise et le voyageur de langue française. Pour le premier, l'Orient, c'était l'Inde, naturellement, qui était vraiment une possession britannique ; traverser le Proche-Orient, c'était donc faire une étape sur le chemin d'une des principales colonies de l'Empire. La place disponible pour le jeu de l'imagination était donc déjà limitée par les réalités de l'administration, de la légalité territoriale et du pouvoir exécutif. Walter Scott, Kinglake, Disraeli, Warburton, Burton, et même George Eliot (dans son *Daniel Deronda*, on fait des plans pour l'Orient), sont des écrivains, comme Lane lui-même et Jones avant lui, pour lesquels l'Orient est défini par la possession matérielle, par une imagination matérielle pour ainsi dire. L'Angleterre avait battu Napoléon, évincé la France : ce que l'esprit d'un Anglais embrassait, c'était un domaine impérial qui, dans les années 1880, était devenu un territoire ininterrompu, tenu par les Britanniques, de la Méditerranée à l'Inde. Écrire sur l'Égypte, la

1. François-René de Chateaubriand, *Œuvres romanesques et Voyages*, Paris, Gallimard, 1969, II, p. 702.

Syrie ou la Turquie, tout autant qu'y voyager, consistait à visiter le royaume de la volonté politique, de l'administration politique, de la définition politique. L'impératif territorial était extrêmement contraignant, même pour un écrivain aussi libéré que Disraeli, dont le *Tancred* n'est pas tout simplement une fantaisie orientale, mais un exercice d'agencement politique astucieux de forces véritables sur des territoires véritables.

Le pèlerin français, au contraire, était rempli d'un sentiment aigu de perte. Il arrivait sur des lieux où la France, à la différence de l'Angleterre, n'était pas une présence souveraine. La Méditerranée se faisait l'écho des défaites françaises, des croisades à Napoléon. Ce qui allait être connu comme « la mission civilisatrice » de la France commençait, au dix-neuvième siècle, par n'être qu'une présence politique de deuxième rang, après la Grande-Bretagne. En conséquence, les pèlerins français, à commencer par Volney, faisaient des plans et des projets, imaginaient, ruminaient à propos de lieux qui étaient principalement *dans leur esprit* ; ils inventaient des partitions pour un concert français, peut-être même européen, en Orient, dont, naturellement, ils supposaient qu'ils l'orchestreraient. Leur Orient était l'Orient de souvenirs, de ruines suggestives, de secrets oubliés, de correspondances cachées et d'un style de vie presque virtuose, un Orient dont la forme littéraire la plus haute se trouvera chez Nerval et Flaubert : l'œuvre de l'un et de l'autre est solidement ancrée dans une dimension imaginaire irréalisable (sauf esthétiquement).

C'est vrai, aussi, jusqu'à un certain point, des voyageurs érudits français. Pour la plupart, ils s'intéressaient au passé biblique ou aux croisades, comme l'explique Henri Bordeaux dans ses *Voyageurs d'Orient*[1]. Aux noms

---

1. Voir Henri Bordeaux, *Voyageurs d'Orient. Des pèlerins aux méharistes de Palmyre*, Paris, Plon, 1926. J'ai trouvé utiles les idées

qu'il cite nous devons ajouter (sur la suggestion de Hassan al-Nouty) les noms des orientalistes spécialistes de sémitique, y compris Quatremère ; Saulcy, l'explorateur de la mer Morte ; Renan, en tant qu'archéologue de la Phénicie ; Judas, spécialiste des langues phéniciennes ; Catafago et Defrémery, qui ont étudié les Ansariens, les Ismaelis et les Seldjoukides ; le comte de Clermont-Ganneau, qui a exploré la Judée ; et le marquis de Vogüé, dont le travail avait pour sujet principal l'épigraphie de Palmyre. Il y avait encore toute l'école d'égyptologues issus de Champollion et de Mariette, qui devait comprendre plus tard Maspero et Legrain. Pour bien marquer la différence entre les réalités britanniques et les fantaisies françaises, il vaut la peine de rappeler le mot du peintre Ludovic Lepic, qui faisait, en 1884 (deux ans après le début de l'occupation britannique), ce triste commentaire : « L'Orient est mort au Caire. » Seul, Renan, avec son réalisme raciste, trouvait des excuses à la répression anglaise de la rébellion nationaliste d'Arabi, dont il disait, dans sa sagesse supérieure, que c'était une honte pour la civilisation [1].

Volney et Bonaparte étaient à la recherche d'une réalité scientifique ; les pèlerins français du dix-neuvième siècle, eux, étaient à la recherche d'une réalité exotique, certes, mais spécialement séduisante. C'est évident pour les pèlerins hommes de lettres, à commencer par Chateaubriand, qui trouvèrent dans l'Orient une scène en sympathie avec leurs mythes, leurs obsessions et leurs exigences personnels. Remarquons ici comment tous les pèlerins, mais en particulier les français, ont exploité l'Orient dans leur

---

sur les pèlerins et les pèlerinages de Victor Turner, *Dramas, Fields, and Metaphors : Symbolic Action in Human Society*, Ithaca, N.Y., Cornell Univ. Press, 1974, p. 166-230.

1. Hassan al-Nouty, *Le Proche-Orient dans la littérature française de Nerval à Barrès*, Paris, Nizet, 1958, p. 47 *sq.*, 277, 272.

œuvre de manière à justifier de quelque manière pressante leur vocation existentielle. Ce n'est que lorsqu'il y a un projet cognitif supplémentaire dans le fait d'écrire sur l'Orient que le déversement du soi semble mieux contrôlé. Lamartine, par exemple, écrit à propos de lui-même et aussi à propos de la France en tant que puissance en Orient ; cette seconde entreprise réduit au silence et maîtrise, en fin de compte, les impératifs qu'entassent sur son style *son* âme, *sa* mémoire et *son* imagination. Aucun pèlerin, qu'il ait été anglais ou français, n'a été capable de dominer aussi impitoyablement sa personne ou son sujet que Lane. Même Burton et T. E. Lawrence – le premier a élaboré un pèlerinage délibérément musulman, le second ce qu'il a appelé un pèlerinage inverse au départ de La Mecque –, qui ont fourni en masse de l'orientalisme historique, politique et social, n'ont jamais été aussi dégagés de leur propre personne que Lane. Voilà pourquoi Burton, Lawrence et Charles Doughty occupent une position intermédiaire entre Lane et Chateaubriand.

L'*Itinéraire de Paris à Jérusalem* de Chateaubriand (1810-1811) rapporte les détails d'un voyage entrepris en 1805-1806 après qu'il a parcouru l'Amérique du Nord. Ce livre témoigne, en plusieurs centaines de pages, de ce qu'admet son auteur : « Je parle éternellement de moi », à tel point que Stendhal, qui n'est certes pas un écrivain porté à l'abnégation, écrit : « Je n'ai jamais rien trouvé de si puant d'égotisme, d'égoïsme », expliquant ainsi l'échec de Chateaubriand en tant que voyageur digne de foi. Chateaubriand apportait en Orient une lourde charge d'objectifs et de suppositions personnels, il les y déchargea et se mit à pousser çà et là gens, lieux et idées comme si rien ne pouvait résister à son impérieuse imagination. Il arrivait en Orient comme un personnage *construit*, et non comme sa propre personne. Pour lui, Bonaparte était le dernier croisé, et « je serai peut-être le dernier Français sorti de mon pays pour voyager en Terre Sainte, avec les idées, le but et les sentiments d'un ancien pèlerin ». Mais son voyage avait d'autres raisons. La symétrie : « J'avais contemplé dans les déserts de l'Amérique les monuments de la nature : parmi les monuments des hommes, je ne connaissais encore que deux sortes d'antiquités, l'antiquité celtique et l'antiquité romaine ; il me restait à parcourir les ruines d'Athènes, de Memphis et de Carthage. » Son propre accomplissement : il avait besoin de refaire le plein de son stock d'images. La confirmation de l'importance de l'esprit religieux : « La religion est une sorte de langage universel que tous les hommes comprennent » – et où l'observer dans de meilleures conditions qu'en Orient, même dans des pays où régnait une religion relativement inférieure comme l'islam ? Par-dessus tout, le besoin de voir les choses, non comme elles étaient, mais comme Chateaubriand supposait qu'elles étaient : le Coran était « le livre de Mahomet » ; il ne contenait « ni principe de civilisation ni précepte qui puisse élever le caractère ». « Ce livre », continue-t-il, inventant plus ou moins librement à mesure qu'il avance, « [...] ne prêche ni la haine, ni la tyrannie, ni l'amour de la liberté[1] ».

Pour un être aussi précieux que Chateaubriand, l'Orient était une toile abîmée attendant ses efforts de restauration. L'Arabe oriental était « l'homme civilisé retombé dans l'état sauvage » ; il n'est donc pas étonnant que, tandis qu'il observait des Arabes essayant de parler français, Chateaubriand se sentît comme Robinson Crusoé tout ému d'entendre son perroquet parler pour la première fois. Oui, il y avait des lieux comme Bethléem (Chateaubriand

---

1. *Œuvres*, *op. cit.*, II, p. 702 et note, 1684, 769 *sq.*, 769, 701, 808, 908.

se trompe complètement sur l'étymologie de ce nom) dans lesquels on retrouvait quelque ressemblance avec la vraie civilisation – c'est-à-dire de la civilisation européenne –, mais ils étaient rares et loin les uns des autres. Partout, on rencontrait des Orientaux, des Arabes dont la civilisation, la religion et les manières étaient si inférieures, si barbares, si différentes qu'ils méritaient d'être reconquis. Les croisades, soutient-il, n'étaient rien d'autre que la contrepartie de l'entrée d'Omar en Europe. D'ailleurs, ajoute-t-il, même si les croisades, que ce soit sous leur forme moderne ou sous leur forme originelle, étaient une agression, les problèmes qu'elles soulevaient transcendaient ceux de l'homme mortel :

> N'apercevoir dans les Croisades que des pèlerins armés qui courent délivrer un tombeau en Palestine, c'est montrer une vue très bornée en histoire. Il s'agissait, non seulement de la délivrance de ce Tombeau sacré, mais encore de savoir qui devait l'emporter sur la terre, ou d'un culte ennemi de la civilisation, favorable par système à l'ignorance, au despotisme, à l'esclavage, ou d'un culte qui a fait revivre chez les modernes le génie de la docte antiquité, et aboli la servitude [1] ?

C'est la première mention significative d'une idée qui va acquérir une autorité presque insupportable, quasi automatique, dans les écrits européens : le thème de l'Europe qui enseigne à l'Orient ce qu'est la liberté, idée dont Chateaubriand – et tous après lui – a cru que les Orientaux, et en particulier les musulmans, l'ignoraient totalement.

> La liberté, ils l'ignorent ; les propriétés, ils n'en ont point : la force est leur Dieu. Quand ils sont longtemps sans voir

---

1. *Ibid.*, p. 1011, 979, 990, 1052.

paraître ces conquérants exécuteurs des hautes justices du ciel, ils ont l'air de soldats sans chef, de citoyens sans législateurs, et d'une famille sans père [1].

Dès 1810, nous avons un Européen qui parle comme le fera Cromer en 1910, soutenant que les Orientaux ont besoin de conquête, sans trouver paradoxal qu'une conquête occidentale de l'Orient ne soit pas une conquête, après tout, mais la liberté. Chateaubriand exprime cette idée dans les termes romantiques d'une mission chrétienne destinée à faire revivre un monde défunt, à raviver en lui le sentiment de ses propres potentialités, que seul un Européen est capable de discerner sous une surface sans vie et dégénérée. Pour le voyageur, cela veut dire qu'il doit utiliser l'Ancien Testament et les Évangiles comme guides en Palestine [2], ce n'est qu'ainsi qu'il pourra aller au-delà de la dégénérescence apparente de l'Orient d'aujourd'hui. Cependant, Chateaubriand ne voit aucune ironie dans le fait que son voyage et sa vision ne lui révéleront rien sur l'Oriental moderne, ni sur son destin. Ce qui importe, à propos de l'Orient, c'est les événements qu'il produit dans la vie de Chateaubriand, ce qu'il permet à son esprit de faire, ce qu'il le rend capable de révéler sur lui-même, ses idées, ses espérances. La liberté qui l'intéresse tant n'est rien de plus que sa propre libération des déserts hostiles de l'Orient.

Grâce à cette libération, il peut retourner tout droit dans le royaume de l'imagination et de l'interprétation imaginative. La description de l'Orient est oblitérée par les desseins et les schémas que lui a imposés le moi impérieux, qui ne fait pas secret de son pouvoir. Si, dans la prose de Lane, nous voyons le moi disparaître, de manière que

---

1. *Ibid.*, p. 1069.
2. *Ibid.*, p. 1031.

l'Orient puisse apparaître dans tous ses détails réalistes, chez Chateaubriand le moi se dissout dans la contemplation des merveilles qu'il crée, puis il renaît, plus fort que jamais, plus capable de savourer sa puissance et de prendre plaisir à ses interprétations.

> Quand on voyage dans la Judée, d'abord un grand ennui saisit le cœur ; mais lorsque, passant de solitude en solitude, l'espace s'étend sans bornes devant vous, peu à peu l'ennui se dissipe, on éprouve une terreur secrète, qui, loin d'abaisser l'âme, donne du courage, et élève le génie. Des aspects extraordinaires décèlent de toutes parts une terre travaillée par des miracles : le soleil brûlant, l'aigle impétueux, le figuier stérile, toute la poésie, tous les tableaux de l'Écriture sont là. Chaque nom renferme un mystère ; chaque grotte déclare l'avenir ; chaque sommet retentit des accents d'un prophète. Dieu même a parlé sur ces bords : les torrents desséchés, les rochers fendus, les tombeaux entrouverts attestent le prodige ; le désert paraît encore muet de terreur, et l'on dirait qu'il n'a osé rompre le silence depuis qu'il a entendu la voix de l'Éternel[1].

Le cheminement de la pensée, dans ce passage, est révélateur. Une expérience de terreur pascalienne, loin de simplement réduire sa confiance en soi, la stimule miraculeusement. Le paysage dénudé se dresse comme un texte illuminé qui se présente à l'examen. Chateaubriand a transcendé la réalité vile, mais effrayante, de l'Orient contemporain, de manière à pouvoir établir avec elle une relation originale et créatrice. Vers la fin du passage, il n'est plus un homme moderne, mais un prophète visionnaire plus ou moins contemporain de Dieu ; si le désert de Judée a été muet depuis que Dieu a parlé, il y a Chateaubriand qui peut entendre le silence, comprendre

1. *Ibid.*, p. 999.

sa signification et – pour son lecteur – faire à nouveau parler le désert.

Les grands dons d'intuition sympathique qui avaient permis à Chateaubriand de représenter et d'interpréter les mystères de l'Amérique du Nord dans *René* et *Atala*, aussi bien que le christianisme dans le *Génie du christianisme*, sont stimulés vers de nouveaux hauts faits d'interprétation au cours de l'*Itinéraire*. L'auteur ne traite plus de la primitivité naturelle ni du sentiment romantique : ici, il traite de la créativité éternelle et de l'originalité divine elles-mêmes, car c'est dans l'Orient biblique qu'elles ont été déposées en premier, et elles y sont restées sous forme non médiate et latente. Bien sûr, elles ne peuvent être saisies simplement ; elles doivent être désirées et accomplies par Chateaubriand. Et c'est ce but ambitieux que l'*Itinéraire* est destiné à servir, de même que, dans le texte, le moi de Chateaubriand doit être reconstruit de fond en comble pour exécuter le travail. À la différence de Lane, Chateaubriand cherche à *consommer* l'Orient. Non seulement il l'approprie, mais le représente et parle pour lui, non pas dans l'histoire, mais au-delà de l'histoire, dans la dimension intemporelle d'un monde totalement guéri, où les hommes et les pays, Dieu et les hommes sont un. À Jérusalem, donc, au centre de sa vision, à la fin ultime de son pèlerinage, il s'accorde une espèce de réconciliation totale avec l'Orient, l'Orient comme juif, chrétien, musulman, grec, perse, romain et finalement français. Il est ému par la foi des juifs, mais il juge qu'eux aussi servent à illuminer sa vision générale et, en outre, ils donnent le mordant nécessaire à son esprit de vengeance chrétien. Dieu, dit-il, a élu un nouveau peuple et ce n'est pas le peuple juif[1].

1. *Ibid.*, p. 1126 *sq.*, 1049.

Il fait encore quelques concessions à la réalité terrestre, cependant. Si Jérusalem est inscrite dans son itinéraire comme but final extraterrestre, l'Égypte lui fournit la matière d'un excursus politique. Ses idées sur l'Égypte font un agréable supplément à son pèlerinage. Le magnifique delta du Nil le touche et lui fait dire :

> Je ne trouvais digne de ces plaines magnifiques que les souvenirs des gloires de ma patrie : je voyais les restes des monuments d'une civilisation nouvelle, apportée par le génie de la France sur les bords du Nil [1].

Mais ces idées sont exprimées sur un mode nostalgique, parce que Chateaubriand croit qu'en Égypte il peut mettre en parallèle l'absence de la France et l'absence d'un gouvernement libre à la tête d'un peuple heureux. D'ailleurs, après Jérusalem, l'Égypte ne semble être qu'une sorte de retombée spirituelle. Après avoir fait des commentaires sur le triste état où elle se trouve, Chateaubriand se pose la question de routine sur la « différence », qui résulte du développement historique : comment est-il possible que cette foule stupide et dégénérée de musulmans habite le même pays dont les possesseurs, tellement différents, ont si fort impressionné Hérodote et Diodore ?

C'est un discours d'adieu convenant à l'Égypte, qu'il quitte pour aller à Tunis, aux ruines de Carthage et enfin rentrer chez lui. Il fait cependant une dernière chose remarquable en Égypte : comme il ne peut que regarder de loin les Pyramides, il prend la peine d'y envoyer un émissaire pour qu'il inscrive son nom (Chateaubriand) sur la pierre, ajoutant à notre usage : « L'on doit remplir tous les petits devoirs d'un pieux voyageur. » D'ordinaire, nous n'accorderions guère plus qu'une attention amusée à

1. *Ibid.*, p. 1137.

ce trait charmant de banalité touristique. Mais, comme préparation à la toute dernière page de l'*Itinéraire*, il nous paraît avoir plus d'importance qu'à première vue.

Il y a vingt ans que je me consacre à l'étude au milieu de tous les hasards et de tous les chagrins, *diversa exilia et desertas quœrere terras* : un grand nombre de feuilles de mes livres ont été tracées sous la tente, dans les déserts, au milieu des flots ; j'ai souvent tenu la plume sans savoir comment je prolongerais de quelques instants mon existence : ce sont là des droits à l'indulgence, et non des titres à la gloire. J'ai fait mes adieux aux Muses dans *les Martyrs*, et je les renouvelle dans ces Mémoires qui ne sont que la suite ou le commentaire de l'autre ouvrage. Si le ciel m'accorde un repos que je n'ai jamais goûté, je tâcherai d'élever en silence un monument à ma patrie ; si la Providence me refuse ce repos, je ne dois songer qu'à mettre mes derniers jours à l'abri des soucis qui ont empoisonné les premiers. Je ne suis plus jeune ; je n'ai plus l'amour du bruit ; je sais que les lettres, dont le commerce est si doux quand il est secret, ne nous attirent au-dehors que des orages : dans tous les cas, j'ai assez écrit, si mon nom doit vivre ; beaucoup trop, s'il doit mourir[1].

Ces lignes de conclusion nous ramènent à l'intérêt pris par Chateaubriand à faire inscrire son nom sur les Pyramides. Nous aurons compris que ses Mémoires orientaux égoïstes nous fournissent une expérience de soi continuellement démontrée, inlassablement jouée. Écrire est un acte vital pour Chateaubriand pour qui rien, pas même une pierre lointaine, ne doit rester vierge de son écriture s'il doit rester vivant. Si l'ordre du récit de Lane doit être violé par l'autorité scientifique et par de copieux détails, alors celui de Chateaubriand doit être transformé dans la volonté affirmée d'un individu égoïste et très

1. *Ibid.*, p. 1148, 1214.

inconstant. Tandis que Lane va sacrifier son moi au canon orientaliste, Chateaubriand va rendre tout ce qu'il dit de l'Orient totalement dépendant de son moi. Cependant, aucun de ces deux écrivains n'a pu imaginer que sa postérité continuerait utilement après lui. Lane est rentré dans l'impersonnalité d'une discipline technique : son œuvre sera utilisée, mais non comme un document humain. Chateaubriand, d'autre part, voit que ses écrits, comme l'inscription symbolique de son nom sur une Pyramide, signifieront sa propre personne ; sinon, s'il n'a pas réussi à la prolonger par l'écriture, sa vie est un excès, est superflue.

Même si tous les voyageurs en Orient qui ont suivi Chateaubriand et Lane ont tenu compte des œuvres de ceux-ci (dans certains cas, au point même de les copier mot pour mot), leur héritage incarne le sort de l'orientalisme et les options auxquelles il est limité. Ou bien ce que l'on écrit est de la science comme pour Lane, ou bien c'est une expression personnelle comme pour Chateaubriand. Ce qui fait problème pour le premier, c'est qu'il croit, avec une confiance impersonnelle d'Occidental, que des descriptions de phénomènes collectifs généraux sont possibles, et qu'il a tendance à fabriquer des réalités plutôt à partir de ses propres observations qu'à partir de l'Orient. Quant à l'expression personnelle, c'est qu'elle se retire inévitablement sur une position qui met l'Orient sur le même plan qu'une fantaisie privée, même si cette fantaisie est, du point de vue esthétique, d'un niveau vraiment très élevé. Dans les deux cas, évidemment, l'orientalisme exerce une forte influence sur la manière dont l'Orient est décrit et caractérisé. Mais cette influence a toujours empêché, de nos jours encore, que l'on ait un certain sentiment de l'Orient qui ne soit ni d'une généralité impossible ni imperturbablement privé. Il est vain de chercher dans l'orientalisme un sens vivant de la réalité humaine ou même sociale d'un Oriental : un habitant contemporain du monde moderne.

Cette omission est due en grande partie à l'influence des deux options que j'ai décrites, celle de Lane et celle de Chateaubriand, l'anglaise et la française. Le développement du savoir, en particulier du savoir spécialisé, est un processus très lent. Loin d'être seulement additif ou spéculatif, c'est un processus d'accumulation, de déplacement, de destruction, de réarrangement et d'insistance sélectifs à l'intérieur de ce qu'on a appelé un consensus de recherche. La légitimité d'un savoir tel que l'orientalisme a été contenue pendant le dix-neuvième siècle, non par l'autorité religieuse, comme cela avait été le cas avant les Lumières, mais par ce que nous pouvons appeler la citation restauratrice de l'autorité antécédente. À commencer par Silvestre de Sacy, l'attitude du savant orientaliste est celle d'un homme de science qui parcourt une série de fragments que, par la suite, il édite et arrange à la manière d'un restaurateur de dessins anciens qui peut en réunir une série pour donner l'image cumulative qu'ils représentent implicitement. En conséquence, les orientalistes traitent les œuvres de leurs confrères orientalistes en les citant de cette manière. Burton, par exemple, va s'occuper indirectement des *Mille et Une Nuits* ou de l'Égypte, *à travers* l'œuvre de Lane, en citant son prédécesseur, en le mettant au défi même s'il lui accorde une grande autorité. Le propre voyage de Nerval en Orient suit les traces de celui de Lamartine et ce dernier, celles de Chateaubriand.

Bref, comme forme de savoir en cours de développement, l'orientalisme a principalement recours, pour se nourrir, à des citations d'érudits précédents. Même quand il rencontre de nouveaux matériaux, l'orientaliste les juge en empruntant à ses prédécesseurs (comme le font si souvent les érudits) leurs perspectives, leurs idéologies et leurs thèses directrices. D'une manière assez stricte, donc, les orientalistes qui ont suivi Silvestre de Sacy et Lane ont récrit Silvestre de Sacy et Lane ; après Chateaubriand, des pèlerins l'ont récrit. De ces réécritures complexes, les réalités de l'Orient moderne sont systématiquement exclues, tout spécialement lorsque des pèlerins de talent comme Nerval et Flaubert préfèrent les descriptions de Lane à ce que leurs yeux et leur intelligence leur font voir immédiatement.

Dans le système de connaissances sur l'Orient, celui-ci est moins un lieu au sens géographique qu'un *topos*, un ensemble de références, un amas de caractéristiques qui semble avoir son origine dans une citation ou un fragment de texte, ou un passage de l'œuvre de quelqu'un sur l'Orient, ou quelque morceau d'imagination plus ancien, ou un amalgame de tout cela. L'observation directe et la description circonstanciée de l'Orient sont les fictions que présentent les écrits sur l'Orient, mais, invariablement, elles sont en tout point secondaires par rapport à des tâches systématiques d'un autre ordre. Chez Lamartine, Nerval et Flaubert, l'Orient est une re-présentation de matériel canonique, guidée par une volonté esthétique et agissante capable d'éveiller l'intérêt chez le lecteur. Cependant, chez chacun de ces trois écrivains, l'orientalisme, ou un aspect de celui-ci, est affirmé, même si, comme je l'ai dit plus haut, la conscience narrative a un grand rôle à jouer. Ce que nous allons voir, c'est que, malgré toute son individualité excentrique, cette conscience narrative va finir par se rendre compte, comme Bouvard et Pécuchet, que le pèlerinage est, après tout, une forme de copie.

Quand il commence son voyage en Orient, en 1833, Lamartine le fait, dit-il, comme quelque chose à quoi il a toujours rêvé : « Un voyage en Orient était comme un grand acte de ma vie intérieure. » Il est un paquet d'idées préconçues, de sympathies, de préventions : il hait les

Romains et Carthage, et aime les juifs, les Égyptiens et les hindous, dont il prétend devenir le Dante. Armé d'un poème formel d'«Adieu» à la France, dans lequel il énumère tout ce qu'il compte faire en Orient, il s'embarque. Au début, tout ce qu'il rencontre, ou bien confirme ses prédictions poétiques, ou bien réalise sa propension à l'analogie. Lady Hester Stanhope est la Circé des déserts, l'Orient est «la patrie de mon imagination»; les Arabes sont un peuple primitif; «toutes les pages de la poésie biblique sont gravées en lettres majuscules sur la face sillonnée du Liban»; l'Orient témoigne de la grandeur séduisante de l'Asie et, par comparaison, de la petitesse de la Grèce. Peu après son arrivée en Palestine, cependant, il devient l'incorrigible créateur d'un Orient imaginaire. Il soutient que les plaines de Canaan sont représentées à leur avantage dans les œuvres de Poussin et de Claude Lorrain. Son voyage, qui avait été jusqu'alors une «traduction», comme il le disait, est maintenant transformé en une prière qui exerce sa mémoire, son âme et son cœur plus que ses yeux, sa pensée et son esprit[1].

Le zèle analogique (et indiscipliné) de Lamartine est complètement déchaîné par cette proclamation candide. Pour lui, le christianisme est la religion de l'imagination et des souvenirs, et il se permet d'en user puisqu'il considère qu'il est le type même du pieux croyant. Le catalogue de ses «observations» tendancieuses serait interminable: une femme lui rappelle Haidée du *Don Juan* de Byron; la relation entre Jésus et la Palestine est pareille à celle qui existe entre Rousseau et Genève; le véritable Jourdain est moins important que les «mystères» qu'il crée dans votre âme; les Orientaux, en particulier les musulmans, sont paresseux, leur politique est capricieuse, passionnée,

---

1. Alphonse de Lamartine, *Voyage en Orient*, 1835; réimpr. Paris, Hachette, 1887, 1, p. 10, 48 *sq.*, 179, 178, 148, 189, 118, 245 *sq.*, 251.

dénuée d'avenir ; une autre femme lui rappelle un passage d'*Atala* ; ni Le Tasse ni Chateaubriand (dont les voyages, qui ont précédé le sien, semblent souvent tourmenter l'égoïsme, insouciant en dehors de cela, de Lamartine) n'ont bien compris la Terre sainte, etc. Ses pages sur la pensée arabe, sur laquelle il disserte avec une confiance suprême, ne laissent paraître aucune gêne quant à son ignorance totale de la langue. Tout ce qui compte pour lui, c'est que ses voyages en Orient lui révèlent que l'Orient est « la terre des cultes, des prodiges », et qu'il est son poète attitré en Occident. Sans la moindre trace d'ironie, il annonce :

> Cette terre arabe est la terre des prodiges, tout y germe, et tout homme crédule ou fanatique peut y devenir prophète à son tour [1].

Il est devenu prophète par le simple fait de résider en Orient.

Vers la fin de son récit, Lamartine a accompli son but, le pèlerinage au Saint Sépulcre, point de départ et point d'aboutissement du temps et de l'espace. Il a suffisamment intériorisé la réalité pour souhaiter se retirer d'elle et retourner à la pure contemplation, à la solitude, à la philosophie et à la poésie [2].

S'élevant au-dessus de l'Orient purement géographique, il est transformé en un Chateaubriand de basse époque, embrassant l'Est du regard comme si c'était une province personnelle (ou à tout le moins française) à la disposition des puissances européennes. Lamartine était un voyageur et un pèlerin dans le temps et l'espace véritables, il est devenu un moi transpersonnel qui s'identifie

1. *Ibid.*, 1, p. 363 ; 2, p. 74 *sq.* ; 1, p. 475.
2. *Ibid.*, 2, p. 92 *sq.*

lui-même, en puissance et en conscience, avec l'Europe dans son ensemble. Ce qu'il voit devant lui, c'est l'Orient dans le processus de son futur et inévitable démembrement, conquis et consacré par la suzeraineté européenne. Ainsi, la vision de Lamartine à son apogée montre un Orient qui naît une deuxième fois, sous la forme de la volonté européenne de le gouverner :

> Cette sorte de suzeraineté définie ainsi, et consacrée comme droit européen, consistera principalement dans le droit d'occuper telle partie du territoire ou des côtes, pour y fonder, soit des villes libres, soit des colonies européennes, soit des ports et des échelles de commerce.

Lamartine ne s'arrête pas là. Il grimpe encore plus haut, jusqu'au point où l'Orient, ce qu'il vient de visiter, là où il vient d'aller, est réduit à « des nations sans territoire, sans patrie, sans droits, sans lois, sans sécurité […], à l'abri », abri fourni par l'occupation européenne[1].

Dans toutes les visions de l'Orient fabriquées par l'orientalisme, il n'y a littéralement aucune assimilation aussi totale que celle-ci. Pour Lamartine, un pèlerinage en Orient a mis en cause, non seulement la pénétration de l'Orient par une conscience impérieuse, mais aussi l'élimination virtuelle de cette conscience comme résultat de son accession à une sorte de contrôle impersonnel et continental sur l'Orient. La véritable identité de l'Orient se décompose en une série de fragments consécutifs, les observations pleines de réminiscences de Lamartine, qui vont être par la suite recueillies et rassemblées de façon à donner naissance à un

---

1. *Ibid.*, 2, p. 526 *sq.*, 533. Deux ouvrages importants sur les écrivains français en Orient : Jean-Marie Carré, *Voyageurs et Écrivains français en Égypte*, Le Caire, Institut français d'archéologie orientale, 1932 (2 vol.), et Moënis Taha-Hussein, *Le Romantisme français et l'islam*, Beyrouth, Dar-el-Maeref, 1962.

rêve napoléonien réaffirmé d'hégémonie mondiale. Alors que l'identité humaine de Lane disparaissait dans la grille scientifique de ses classifications de l'Égypte, la conscience de Lamartine transgresse complètement ses limites normales. Ce faisant, il ne répète le voyage de Chateaubriand et ses visions que pour se déplacer au-delà, dans la sphère de l'abstraction de Shelley et de Napoléon par laquelle mondes et populations sont brassés comme autant de cartes sur une table. Ce qui reste de l'Orient dans la prose de Lamartine n'est pas bien substantiel. La réalité géopolitique a été recouverte par les plans qu'il a faits pour elle ; les sites qu'il a visités, les gens qu'il a rencontrés, les expériences qu'il a eues sont réduits à quelques rares échos dans ses pompeuses généralisations. Les dernières traces de particularités ont été éliminées du « résumé politique » par lequel se conclut le *Voyage en Orient*.

En face de l'égoïsme transcendant et quasi national de Lamartine, nous devons mettre en contraste Nerval et Flaubert. Leurs écrits orientaux jouent un rôle substantiel dans l'ensemble de leur œuvre, bien plus grand que le *Voyage* impérialiste de Lamartine dans la sienne. L'un et l'autre, pourtant, comme Lamartine, sont venus en Orient après s'y être préparés par de volumineuses lectures : classiques, littérature moderne, orientalisme savant. Flaubert a reconnu cette préparation avec beaucoup plus de candeur que Nerval, qui manquait de franchise lorsqu'il déclarait, dans *les Filles du feu*, que tout ce qu'il savait de l'Orient était un souvenir à demi oublié de ce qu'il avait appris à l'école [1], ce que contredit le *Voyage en Orient*, bien que celui-ci montre une connaissance des *orientalia* bien moins systématique et appliquée que celle de Flaubert. Ce qui compte, c'est que ces deux écrivains

---

1. Gérard de Nerval, *Les Filles du feu*, in *Œuvres*, *op. cit.*, I, p. 297 *sq.*

ont davantage utilisé, du point de vue personnel et du point de vue esthétique, leur visite de l'Orient (Nerval en 1842-1843, Flaubert en 1849-1850) que tout autre voyageur du dix-neuvième siècle. Il faut dire qu'ils étaient, l'un et l'autre, des écrivains de génie et qu'ils baignaient tous deux dans un milieu culturel européen qui encourageait une vue sympathique, quoique pervertie de l'Orient. Nerval et Flaubert appartenaient à cette communauté de pensées et de sentiments que décrit Mario Praz dans *The Romantic Agony*, communauté pour laquelle l'imagerie des endroits exotiques, les goûts sado-masochistes (ce que Praz appelle *algolania*), la fascination du macabre, de l'idée d'une femme fatale, du secret et de l'occultisme, tout cela combiné rendait possible la forme littéraire produite par Gautier (qui était fasciné par l'Orient), Swinburne, Baudelaire et Huysmans[1]. Pour Nerval et Flaubert, des figures féminines telles que Cléopâtre, Salomé et Isis avaient une signification particulière ; et ce n'est pas un hasard si, dans leurs œuvres traitant de l'Orient aussi bien que lors de leurs séjours, ils ont fait ressortir cette sorte de types féminins, légendaire, riche en suggestions et en associations.

Nerval et Flaubert apportaient en Orient, en plus de leurs attitudes culturelles générales, une mythologie personnelle dont les intérêts et même la structure avaient besoin de l'Orient. Ces deux hommes étaient touchés par la Renaissance orientale telle que Quinet et d'autres l'avaient définie ; ils y cherchaient la revigoration que donnent ce qui est fabuleusement antique et ce qui est exotique. Pour chacun d'entre eux, cependant, le pèlerinage en Orient était une quête de quelque chose de relativement personnel : Flaubert cherchant une « patrie »,

---

1. Mario Praz, *The Romantic Agony*, Cleveland, Ohio, World Publishing Co, 1967.

comme l'a appelée Jean Bruneau[1], dans le lieu d'origine de la religion, des visions et de l'Antiquité classique ; Nerval cherchant – ou plutôt suivant – la trace de ses sentiments et de ses rêves, comme l'avait fait avant lui le Yorick du *Voyage sentimental* de Sterne. Pour les deux écrivains, l'Orient était donc un endroit de « déjà vu », et pour tous deux, avec l'économie artistique caractéristique de toutes les grandes imaginations esthétiques, c'était un endroit où l'on retourne fréquemment après que le voyage véritable est achevé. Ni pour l'un ni pour l'autre, l'Orient n'a été épuisé par l'usage qu'ils en ont fait, même si leurs écrits orientaux évoquent souvent le désappointement, le désenchantement ou la démystification.

L'importance exceptionnelle de Nerval et de Flaubert, pour une étude de l'esprit orientaliste du dix-neuvième siècle comme la nôtre, vient de ce qu'ils ont produit une œuvre qui est fonction de la forme d'orientalisme dont nous avons parlé jusqu'ici, sans en faire partie. Nerval a composé son *Voyage en Orient* comme un recueil de notes de voyage, d'esquisses, d'histoires et de fragments ; on peut aussi bien trouver ses préoccupations orientales dans *Les Chimères*, dans ses lettres, dans certaines œuvres de fiction et autres écrits en prose. Les écrits de Flaubert sont imprégnés de l'Orient, que ce soit avant ou après son voyage. L'Orient apparaît dans les *Carnets de voyage* et dans la première version de *La Tentation de saint Antoine* (et dans les deux versions suivantes), aussi bien que dans *Hérodias*, *Salammbô* et dans les nombreuses notes de lecture, scénarios et histoires ébauchées qui nous sont accessibles, et qui ont été étudiés avec beaucoup d'intelligence par Bruneau[2]. Il y a aussi des échos de l'orientalisme dans

1. Jean Bruneau, *Le « Conte oriental » de Flaubert*, Paris, Denoël, 1973, p. 79.
2. Étudiés par Bruneau dans l'ouvrage cité.

les autres grands romans de Flaubert. Bref, et Nerval et Flaubert ont continuellement élaboré leur matériau oriental et l'ont incorporé de différentes façons dans les structures particulières de leurs propres projets esthétiques. Cela ne veut pourtant pas dire que l'Orient n'a qu'un rôle fortuit dans leur œuvre. Mais, plutôt – à l'inverse d'écrivains comme Lane (à qui ils ont tous deux fait des emprunts sans vergogne), Chateaubriand, Lamartine, Renan, Silvestre de Sacy –, leur Orient n'était pas tant saisi, approprié, réduit ou codifié qu'habité, exploité du point de vue esthétique et de l'imagination comme un lieu spacieux riche de possibilités. Ce qui comptait pour eux, c'était la structure de leur œuvre, en tant que fait indépendant, esthétique et personnel, et non la façon dont on pourrait, si on le voulait, dominer effectivement l'Orient ou le consigner graphiquement. Leur moi n'a jamais absorbé l'Orient, ni identifié l'Orient avec la connaissance documentaire et textuelle de celui-ci (bref, avec l'orientalisme officiel).

D'une part, donc, l'envergure de leur œuvre orientale outrepasse les limites imposées par l'orientalisme orthodoxe. De l'autre, le sujet de leur œuvre est plus que l'Oriental ou l'orientalisme (même s'ils font leur propre orientalisation de l'Orient) ; ils jouent tout à fait consciemment avec les limites et le défi que leur présentent l'Orient et le savoir qui concerne celui-ci. Nerval, par exemple, croit qu'il doit infuser de la vitalité à ce qu'il voit, puisque, dit-il,

le ciel et la mer sont toujours là ; le ciel d'Orient, la mer d'Ionie se donnent chaque matin le saint baiser d'amour ; mais la terre est morte, morte sous la main de l'homme, et les dieux se sont envolés !

Si l'Orient doit vivre vraiment, maintenant que les dieux se sont envolés, ce sera par ses efforts fructueux. Dans *Le Voyage en Orient*, la conscience du narrateur est une voix

toujours pleine d'énergie, qui se déplace dans les laby-
rinthes de l'existence orientale, armée – nous dit Nerval –
de deux mots arabes : *tayab*, le mot d'assentiment, et
mafisch, le mot de refus. Ces deux mots lui permettent
sélectivement d'affronter le monde oriental, antithétique du
sien, de l'affronter et d'en extraire les principes secrets. Il
est prédisposé à reconnaître que l'Orient est « le pays des
rêves et de l'illusion », qui, comme les voiles qu'il voit
partout au Caire, cachent un fond épais et riche de sexualité
féminine. Nerval répète l'expérience de Lane : il découvre
la nécessité du mariage dans une société islamique, mais, à
la différence de Lane, il s'attache à une femme. Sa liaison
avec Zeynab est plus qu'une obligation sociale :

> Il faut que je m'unisse à quelque fille ingénue de ce sol
> sacré qui est notre première patrie à tous, que je me retrempe
> à ces sources vivifiantes de l'humanité, d'où ont découlé la
> poésie et les croyances de nos pères !
> [...] j'aime à conduire ma vie comme un roman, et je me
> place volontiers dans la situation d'un de ces héros actifs et
> résolus qui veulent à tout prix créer autour d'eux le drame,
> le nœud, l'intérêt, l'action en un mot[1].

Nerval s'investit lui-même dans l'Orient, pour produire,
plutôt qu'un récit romanesque, une intention durable
– sans jamais être totalement réalisée – de fondre l'esprit
avec l'action physique. Cet anti-récit, ce para-pèlerinage
est une manière de s'écarter de l'espèce de finalité discursive perçue comme une vision par des écrivains antérieurs
sur l'Orient.

En relation physique et de sympathie avec l'Orient,
Nerval erre sans contrainte dans ses richesses et son atmo-

---

1. Gérard de Nerval, *Voyage en Orient*, in *Œuvres*, *op. cit.*, II,
p. 68, 194, 96, 342.

sphère culturelle (et principalement féminine), plaçant tout spécialement en Égypte « ce centre maternel à la fois mystérieux et accessible, où tous les génies des premiers temps ont puisé pour nous la sagesse[1] ». Ses impressions, ses rêves et ses souvenirs alternent avec des morceaux de récit orné, maniéré, rédigé dans le style oriental ; les dures réalités du voyage – en Égypte, au Liban, en Turquie – se mélangent avec le dessein d'une digression délibérée, comme si Nerval était en train de refaire l'*Itinéraire* de Chateaubriand en utilisant une route souterraine, beaucoup moins impériale et évidente. Michel Butor l'expose très bien :

> Le voyage de Chateaubriand reste pour Nerval un voyage de surface. Lui-même calcule le sien en utilisant des centres annexes, foyers d'ellipses englobant les principaux, qui lui permettront de mettre en évidence par des parallaxes toute l'épaisseur de piège que recèlent ces centres normaux. Parcourant les rues du Caire, de Beyrouth ou de Constantinople, Nerval est à l'affût de tout ce qui lui permet de pressentir une caverne s'étendant au-dessous de Rome, Athènes et Jérusalem [villes de l'*Itinéraire* de Chateaubriand] [...]. Et comme les trois villes de Chateaubriand communiquent, Rome rassemblant avec ses empereurs et papes l'héritage, le testament d'Athènes et de Jérusalem, mais en les brouillant quelque peu, de même les cavernes de Nerval communiquent les unes avec les autres [...][2].

Même les deux longs épisodes dotés d'une intrigue, « L'histoire du calife Hakem » et « L'histoire de la reine du matin et de Soliman le prince des génies », qui sont supposés porter un discours narratif durable et solide, semblent écarter Nerval de la finalité « sur terre », l'introduisant de plus en plus profondément dans un monde intérieur

---

1. *Ibid.*, p. 181.
2. Michel Butor, *Répertoire IV*, Paris, Éd. de Minuit, 1974.

obsédant de paradoxe et de rêve. Les deux contes traitent d'identité multiple, dont l'un des motifs – exposé explicitement – est l'inceste, et tous deux nous ramènent au monde oriental quintessentiel de Nerval, de rêves fluides et incertains qui, indéfiniment, se multiplient au-delà de la résolution, de la précision, de la matérialité. Quand le voyage est terminé et que Nerval arrive à Malte sur le chemin du retour vers la terre ferme d'Europe, il se rend compte qu'il est maintenant dans « le pays du froid et des orages, et déjà l'Orient n'est plus pour moi qu'un de ces rêves du matin auxquels viennent bientôt succéder les ennuis du jour [1] ». Il a incorporé dans son *Voyage en Orient* nombre de pages copiées dans les *Modern Egyptians* de Lane, mais même leur confiance lucide semble se dissoudre dans l'élément caverneux et éternellement en décomposition, qui est l'Orient de Nerval.

Ses carnets pour le *Voyage* nous fournissent, je crois, deux textes qui nous font parfaitement comprendre comment son Orient s'est détaché de tout ce qui ressemblerait à une conception orientaliste de l'Orient, même si son œuvre dépend dans une certaine mesure de l'orientalisme. D'abord, ses appétits s'efforcent de récolter sans discrimination expériences et souvenirs : « Je sens le besoin de m'assimiler toute la nature (femmes étrangères). Souvenir d'y avoir vécu. » Le second raffine quelque peu sur le premier : « Les rêves et la folie… Le désir de l'*Orient*. L'Europe s'élève. Le rêve se réalise… Elle. Je l'avais fuie, je l'avais perdue… Vaisseau d'Orient [2]. » L'Orient symbolise la quête onirique de Nerval et la femme fugitive qui en est le centre, à la fois comme désir et comme perte. « Vaisseau d'Orient » se rapporte de manière énigmatique, soit à la femme, soit au vaisseau de Nerval pour

---

1. *Voyage en Orient*, *op. cit.*, p. 628.
2. *Ibid.*, p. 706, 718.

l'Orient, son *voyage* en prose. Dans les deux cas, l'Orient s'identifie à une absence commémorative.

Comment expliquer autrement que, dans le *Voyage*, œuvre d'un esprit si original et si individuel, Nerval utilise paresseusement de larges échantillons de Lane, qu'il incorpore sans mot dire, comme si c'était *sa propre* description de l'Orient ? Tout se passe comme si, ayant échoué à la fois dans sa recherche d'une réalité orientale stable et dans son intention de donner un ordre systématique à sa représentation de l'Orient, Nerval employait l'autorité empruntée à un texte orientaliste canonique. Après son voyage, la terre est restée morte et, en dehors de ses incarnations, brillamment travaillées, mais fragmentaires, dans le *Voyage*, son moi n'est pas moins drogué et usé qu'auparavant. L'Orient semble donc rétrospectivement appartenir à un royaume négatif, où des récits ratés, des chroniques désordonnées, la pure et simple transcription de textes érudits étaient ses seuls vaisseaux possibles. Du moins Nerval n'a-t-il pas essayé de sauver son projet en se donnant de tout cœur aux desseins de la France sur l'Orient, quoiqu'il ait fait appel à l'orientalisme pour dire ce qu'il avait à dire.

Nerval a la vision négative d'un Orient vidé ; celui de Flaubert, au contraire, est éminemment corporel. Ses notes de voyage et ses lettres révèlent un homme qui rapporte scrupuleusement les événements, les personnes, les paysages, qui fait ses délices de leurs « bizarreries » sans jamais essayer de réduire les incongruités qu'il voit devant lui. Dans ce qu'il écrit (ou, peut-être, parce qu'il écrit), il met l'accent sur ce qui attire l'œil, traduit en phrases consciemment travaillées ; par exemple : « Les inscriptions et les merdes d'oiseaux, voilà les deux seules choses sur les ruines d'Égypte qui indiquent la vie[1]. » Ses

---

1. *Correspondance*, Paris, Gallimard, 1973, I, p. 633. Voir *Flaubert in Egypt : A Sensibility on Tour*, trad. et éd. Francis Steegmuller, *op. cit.*,

goûts le portent vers le pervers, souvent sous la forme d'une combinaison d'animalité extrême, d'obscénité grotesque même, avec un raffinement extrême et quelquefois intellectuel. Cependant, cette espèce particulière de perversité n'est pas quelque chose de purement et simplement observé, mais aussi d'étudié et en vient à représenter un élément essentiel dans la fiction de Flaubert. Les oppositions familières, ou les ambivalences, comme les a appelées Harry Levin, qui circulent dans les écrits de Flaubert – la chair et l'esprit, Salomé en face de saint Jean, Salammbô et Saint Antoine [1] –, sont confirmées avec force par ce qu'il a vu en Orient, par l'association entre science et grossièreté charnelle qu'il a pu discerner, étant donné son savoir éclectique. En haute Égypte, il a été charmé par l'art de l'Égypte ancienne, sa préciosité et sa lubricité délibérée : « La gravure cochonne a donc existé de toute antiquité ! » L'Orient répondait réellement à bien plus de questions qu'il n'en soulevait, c'est ce que montre ce passage d'une lettre à sa mère :

Tu me demandes si l'Orient est à la hauteur de ce que j'imaginais. À la hauteur, oui, et de plus il dépasse en largeur la supposition que j'en faisais. J'ai trouvé dessiné nettement ce qui pour moi était brumeux. Le fait a fait place au pressentiment, si bien que c'est souvent comme si je retrouvais tout à coup de vieux rêves oubliés [2].

---

p. 200. J'ai aussi consulté les textes suivants, dans lesquels on peut trouver tout le matériau « oriental » de Flaubert : *Œuvres complètes de Flaubert*, Paris, Club de l'honnête homme, 1973, vol. 9, 10, 11 ; *Les Lettres d'Égypte de Gustave Flaubert*, éd. A. Youssef Naaman, Paris, Nizet, 1965.

1. Harry Levin, *The Gates of Horn : A Study of Five French Realists*, New York, Oxford Univ. Press, 1963, p. 285.

2. *Correspondance*, Paris, Gallimard, 1973, p. 562 ; *Œuvres complètes*, 2, *Notes de voyage*, Paris, Éd. du Seuil, 1964, p. 593.

L'œuvre de Flaubert est si complexe et si vaste qu'en rendant compte de ses écrits orientaux on ne peut espérer en donner plus qu'une esquisse incomplète. Dans le contexte créé par les autres écrivains traitant de l'Orient, on peut cependant décrire assez bien un certain nombre de traits essentiels de l'orientalisme de Flaubert. En faisant la part de la différence entre les écrits franchement personnels (lettres, notes de voyage, brèves notes de journal) et les écrits ayant une forme esthétique (romans et contes), nous pouvons tout de même remarquer que la perspective orientale de Flaubert a sa racine dans la recherche, en direction de l'est et du sud, d'une « alternative visionnaire » qui « voulait dire des couleurs splendides, contrastant avec la grisaille du paysage des provinces françaises. Elle voulait dire un spectacle passionnant au lieu d'une routine monotone, l'éternel mystérieux à la place du trop familier [1] ». Mais, quand il a effectivement parcouru l'Orient, celui-ci lui a donné une impression de décrépitude, de sénescence. L'orientalisme de Flaubert, tout comme les autres orientalismes, est donc imprégné de l'esprit de la résurrection : il doit ramener l'Orient à la vie, il doit le restituer à lui-même et à ses lecteurs, et c'est son expérience de l'Orient dans les livres et sur les lieux, et sa langue pour la dire, qui feront l'affaire. Aussi compose-t-il ses romans dont l'action se passe en Orient comme des reconstructions historiques élaborées et savantes. Carthage, dans *Salammbô*, les produits de l'imagination fiévreuse de saint Antoine sont les fruits authentiques des amples lectures de Flaubert dans les sources (occidentales pour l'essentiel) concernant la religion, l'art de la guerre, le rituel et les sociétés de l'Orient.

---

1. Harry Levin, *Gates of Horn*, *op. cit.*, p. 271.

Ce que les œuvres de forme esthétique retiennent, au-delà des traces des lectures voraces de Flaubert et de leurs comptes rendus, ce sont des souvenirs de son voyage en Orient. Le *Dictionnaire des idées reçues* affirme qu'un orientaliste est « un homme qui a beaucoup voyagé [1] » ; seulement, à la différence de la plupart des autres voyageurs, Flaubert fait un usage ingénieux de ses voyages. La plupart de ses expériences sont transmises sous une forme théâtrale. Ce qui l'intéresse, ce n'est pas seulement le contenu de ce qu'il voit, mais, de même que Renan, *comment* il voit, la manière, parfois horrible, mais toujours attirante, que semble avoir l'Orient de se présenter lui-même. Flaubert est son meilleur public :

Hôpital de Caserlaïneh. – Bien tenu. – Œuvre de Clotbey, sa trace s'y trouve encore. – Jolis cas de véroles ; dans la salle des mameluks d'Abbas, plusieurs l'ont dans le... Sur un signe du médecin, tous se levaient debout sur leurs lits, dénouaient la ceinture de leur pantalon (c'était comme une manœuvre militaire) et s'ouvraient l'anus avec leurs doigts pour montrer leurs chancres. – Infundibulums énormes ; l'un avait une mèche dans le... ; v... complètement privé de peau à un vieux ; j'ai reculé d'un pas à l'odeur qui s'en dégageait. – Rachitique : les mains retournées, les ongles longs comme des griffes ; on voyait la structure de son torse comme à un squelette et aussi bien, le reste du corps était d'une maigreur fantastique, la tête était entourée d'une lèpre blanchâtre.

Cabinet d'anatomie : [...] sur la table de dissection un cadavre d'Arabe, avec une belle chevelure noire, il était tout ouvert [2].

1. Gustave Flaubert, *Catalogue des opinions chics*, in *Œuvres*, 2, Paris, Gallimard, 1953, p. 1019.
2. *Œuvres complètes*, Paris, Club de l'honnête homme, 1973, vol. 9, p. 124.

Les détails sordides de cette scène sont en relation avec bien des épisodes des romans de Flaubert, dans lesquels la maladie nous est présentée comme dans un amphithéâtre. Sa fascination pour la dissection et la beauté rappelle, par exemple, la scène finale de *Salammbô*, qui culmine avec la mort cérémonielle de Mâtho. Dans ces scènes, les sentiments de répulsion ou de sympathie sont entièrement refoulés ; ce qui compte, c'est le rendu correct du détail exact.

Les moments les plus connus du voyage en Orient de Flaubert ont affaire avec Kuchuk Hanem, une célèbre danseuse et courtisane qu'il a rencontrée à Ouadi-Halfa. Il a lu dans Lane ce qui concerne les *almeh* et les *khawal*, les danseurs, filles et garçons respectivement, mais c'est son imagination plutôt que celle de Lane qui peut saisir, immédiatement, et en y prenant plaisir, le paradoxe presque métaphysique que sont la profession d'*almeh* et la signification de son nom. (Dans *Une victoire*, Joseph Conrad va répéter l'observation de Flaubert en rendant son héroïne, une musicienne – Alma –, irrésistiblement attirante et dangereuse pour Axel Heyst.) *Almeh* en arabe, désigne une femme instruite. On donnait ce nom, dans la société conservatrice de l'Égypte du dix-huitième siècle, à des femmes qui étaient des diseuses de poésie accomplies. Vers le milieu du dix-neuvième siècle, ce titre est utilisé comme une sorte de nom de métier pour des danseuses qui sont aussi des prostituées, et telle était Kuchuk Hanem ; avant de coucher avec elle, Flaubert l'avait vu danser « l'Abeille ». Elle est sûrement le prototype de plusieurs des caractères féminins de ses romans, avec sa sensualité savante, sa délicatesse et (d'après Flaubert) sa grossièreté inintelligente. Il dit dans une lettre à Louise Colet, après son retour : « Tu dis que les punaises de Kuchuk Hanem te la dégradent ; c'est là, moi, ce qui m'enchantait. Leur odeur nauséabonde se mêlait au parfum de sa peau ruisselante de santal. » Et, pour la rassurer : « La femme orientale est une machine, rien de plus ; elle ne fait aucune différence entre un homme et un autre homme. » La sexualité muette et insatiable de Kuchuk permet à l'esprit de Flaubert d'errer dans des ruminations dont le pouvoir de fascination nous rappelle quelque peu Deslauriers et Frédéric Moreau, à la fin de *L'Éducation sentimentale* :

> Pour moi, je n'ai guère fermé l'œil. J'ai passé la nuit dans des intensités rêveuses infinies. C'est pour cela que j'étais resté. En contemplant dormir cette belle créature qui ronflait la tête appuyée sur mon bras, je pensais à mes nuits de bordel à Paris, à un tas de vieux souvenirs... et à celle-là, à sa danse, à sa voix qui chantait des chansons sans signification ni mots distinguables pour moi[1].

La femme orientale est un sujet et une occasion de rêveries pour Flaubert ; il est ravi par la manière dont elle se suffit à elle-même, par son manque d'égards au point de vue affectif, et aussi par ce qu'elle lui permet de penser quand il est couché près d'elle. Moins une femme qu'une image de la féminité, émouvant sans s'exprimer verbalement, Kuchuk est le prototype de la Salammbô et de la Salomé de Flaubert, aussi bien que de toutes les versions des tentatrices de son saint Antoine. Comme la reine de Saba (qui dansait aussi « l'Abeille »), elle pourrait dire – si elle était capable de parler : « Je ne suis pas une femme, je suis un monde[2]. » Vue sous un autre angle, Kuchuk est un symbole troublant de fécondité, particulièrement orientale

1. *Œuvres complètes*, Paris, Club de l'honnête homme, 1973, *Correspondance 1850-1859*, p. 313, 314 ; *Correspondance*, Gallimard, 1973, p. 607.
2. Gustave Flaubert, *La Tentation de saint Antoine*, in *Œuvres*, 1, Paris, Gallimard, 1953, p. 85.

dans sa sexualité luxuriante et, semble-t-il, sans limites. Sa maison près du haut Nil occupe un emplacement similaire, structurellement, à l'endroit où est caché le voile de Tanit, déesse décrite comme « omniféconde » dans *Salammbô*[1]. Cependant, comme Tanit, Salomé et Salammbô elle-même, Kuchuk est condamnée à rester stérile, corruptrice, sans descendance. Elle et son monde oriental en sont venus à rendre plus intense pour Flaubert son propre sentiment de stérilité ; c'est ce que montre ce passage :

> Nous avons un orchestre nombreux, une palette riche, des ressources variées. En fait de ruses et de ficelles, nous en savons beaucoup, plus qu'on n'en a peut-être jamais su. Non, ce qui nous manque c'est le principe intrinsèque, c'est l'âme de la chose, l'idée même du sujet. Nous prenons des notes, nous faisons des voyages, misère, misère. Nous devenons savants, archéologues, historiens, médecins, gnaffes et gens de goût. Qu'est-ce que tout ça y fait ? Mais le cœur ? La verve ? la sève ? D'où partir et où aller ? Nous gamahuchons bien, nous langottons beaucoup, nous pelotons lentement, mais baiser ! mais décharger pour faire l'enfant[2] !

Dans le tissu de toutes les expériences orientales de Flaubert, qu'elles l'aient ému ou déçu, se trouvent presque constamment associés l'Orient et le sexe. Flaubert, en faisant cette association, ne donnait pas le premier exemple, ni le plus exagéré, d'un motif remarquablement persistant dans les attitudes de l'Occident à l'égard de l'Orient. Et, par lui-même, ce motif est singulièrement invariable, même si le génie de Flaubert a fait plus que tout autre pour lui conférer la dignité de l'art. Pourquoi l'Orient semble-

---

1. Voir Gustave Flaubert, *Salammbô*, in *Œuvres*, I, Paris, Gallimard, 1953, p. 809 *sq.* Voir aussi Maurice Z. Shroder, « On Reading *Salammbô* », *L'Esprit créateur* 10, nº 1 (printemps 1970), p. 24-35.

2. *Correspondance*, Paris, Gallimard, 1973, p. 627 *sq.*

t-il suggérer, non seulement la fécondité, mais la promesse (et la menace) du sexe, une sensualité infatigable, un désir illimité, de profondes énergies génératrices ? On ne peut que faire des conjectures sur ce point, et ce n'est pas la province de ma présente analyse, hélas, bien que je l'aie souvent noté. Il faut néanmoins reconnaître que c'est quelque chose d'important, suscitant chez l'orientaliste des réponses complexes, parfois même une découverte de lui-même qui l'effraie, et Flaubert nous en donne un exemple intéressant.

L'Orient l'oblige à se rabattre sur ses propres ressources humaines et techniques. Pas plus que Kuchuk, il ne répond à sa présence. Devant la vie qui va son train, Flaubert, comme Lane avant lui, sent son impuissance détachée, peut-être aussi sa répugnance intérieure à entrer dans ce qu'il voit et à y participer. C'est évidemment l'éternel problème de Flaubert, qui existait avant son départ pour l'Orient et qui persiste après son retour. Flaubert reconnaît la difficulté, et en trouve l'antidote dans son travail (en particulier dans une œuvre orientale comme *La Tentation de saint Antoine*), portant l'effort sur la *forme* de la présentation encyclopédique de sa matière, aux dépens de son engagement dans la vie en tant qu'être humain. En fait, saint Antoine n'est rien d'autre qu'un homme pour lequel la réalité est une série de livres, de spectacles, de reconstitutions historiques qui se déroulent sous ses yeux comme des tentations.

Les immenses connaissances de Flaubert sont structurées – comme Michel Foucault l'a si bien remarqué – comme une bibliothèque fantastique, théâtrale, qui parade sous le regard de l'anachorète [1] ; à titre de résidu, la parade porte avec elle dans sa forme les souvenirs que conserve

---

1. Michel Foucault, « La bibliothèque fantastique », in Flaubert, *La Tentation de saint Antoine*, *op. cit.*, p. 7-33.

Flaubert de Kasr el'Aini (la parade militaire des syphilitiques) et de la danse de Kuchuk. Ce qui est plus pertinent, pourtant, c'est que saint Antoine est un homme voué à la chasteté, dont les tentations sont essentiellement d'ordre sexuel. Après s'en être tiré en face de toutes sortes de charmes dangereux, il lui est enfin accordé de jeter un coup d'œil sur le processus biologique de la vie ; cela lui donne le délire d'être capable de voir la vie en train de naître, scène pour laquelle Flaubert se sentait lui-même incompétent pendant son séjour en Orient. Cependant, parce que Antoine délire, nous sommes censés lire cette scène avec ironie. Ce qui lui est accordé à la fin, le désir de *devenir* matière, de devenir vie, est au mieux un désir – s'il peut se réaliser et s'accomplir, nous ne le savons pas.

Malgré la force de son intelligence et son énorme pouvoir d'absorption intellectuelle, Flaubert trouvait en Orient que

> le détail vous saisit, il vous empoigne, il vous pince et, plus il vous occupe, moins vous saisissez bien l'ensemble. Puis, peu à peu, cela s'harmonise et se place de soi-même avec toutes les exigences de la perspective[1].

Dans le meilleur des cas, cela produit une forme *spectaculaire*, mais reste barré à la participation totale de l'Occidental. Sur un certain plan, c'était une difficulté personnelle à Flaubert, et il avait inventé des moyens – nous en avons décrit quelques-uns – pour s'en accommoder. Sur un plan plus général, c'était une difficulté épistémologique et, pour la résoudre, naturellement, existait la discipline de l'orientalisme. À un certain moment au cours de sa tournée en Orient, il a considéré ce que le défi épistémologique pouvait donner. Faute de ce qu'il

---

1. *Correspondance*, Paris, Gallimard, 1973, p. 563.

appelle l'esprit et le style, l'intelligence pourrait « se perdre dans l'archéologie » : il fait allusion à une sorte d'enrégimentement archéologique par lequel l'exotique et l'étrange seraient formulés en lexiques, en codes et finalement en clichés de la même sorte que ceux qu'il devait ridiculiser dans le *Dictionnaire des idées reçues*. Sous l'influence d'une attitude de ce genre, la société « sera, dans un temps plus ou moins éloigné, régie comme un collège. Les pions feront la loi. Tout sera uniforme [1] ». Comparée à une discipline imposée comme celle-ci, il pense, sans aucun doute, que sa propre méthode pour mettre en œuvre le matériel exotique, et notamment le matériel oriental dû à son expérience propre et à ses lectures qui ont pris de longues années, est infiniment préférable. Là, au moins, il y a place pour un sentiment d'immédiateté, pour l'imagination, pour le flair, alors que, dans les rangs des volumes archéologiques, tout ce qui n'est pas « de la science » a été éliminé. Mieux que la majeure partie des romanciers, Flaubert sait ce qu'est le savoir organisé, ses produits et ses résultats ; ces produits sont évidents dans les mésaventures de Bouvard et Pécuchet, mais ils auraient été apparents avec autant de comique dans des domaines tels que l'orientalisme, dont les attitudes textuelles appartiennent au monde des « idées reçues ». On peut donc soit construire le monde avec verve et avec style, soit le copier inlassablement en suivant des règles académiques impersonnelles. Dans un cas comme dans l'autre, en ce qui concerne l'Orient, on reconnaît avec franchise que c'est un monde situé ailleurs, en dehors des attachements, des sentiments et des valeurs ordinaires de *notre* monde, en Occident.

1. *Ibid.*, p. 645.

Dans tous ses romans, Flaubert associe l'Orient avec le vagabondage de la fantaisie sexuelle. Emma Bovary et Frédéric Moreau soupirent après ce qu'ils n'ont pas dans leur vie bourgeoise et terne (ou tourmentée), et ce qu'ils désirent consciemment arrive finalement dans leurs rêves éveillés, emballé dans des clichés orientaux : harems, princesses, princes, esclaves, voiles, danseurs et danseuses, sorbets, onguents, etc. Ce répertoire est familier, non pas tellement parce qu'il nous rappelle le voyage de Flaubert et son obsession à propos de l'Orient, mais parce que, une fois de plus, une association se fait clairement entre l'Orient et la licence sexuelle. Nous pouvons aussi bien reconnaître que, pour l'Europe du dix-neuvième siècle, avec son « embourgeoisement » croissant, la sexualité s'est institutionnalisée dans une mesure très considérable. D'une part, il n'y a rien qui ressemble à une sexualité « libre », et, de l'autre, la sexualité, dans la société, met en jeu un réseau d'obligations légales, morales, politiques et économiques même, qui sont d'une espèce minutieuse et certainement encombrante. De même que les diverses possessions coloniales – en dehors de leurs avantages économiques pour l'Europe métropolitaine – ont leur utilité pour y envoyer les fils rebelles, le surplus de population de délinquants, de pauvres et d'autres indésirables, l'Orient est un lieu où l'on peut chercher l'expérience sexuelle inaccessible en Europe. Aucun des écrivains européens qui ont traité de l'Orient ou qui ont voyagé en Orient depuis 1800 ne s'est dispensé de cette quête : Flaubert, Nerval, « Dirty Dick » Burton et Lane sont les plus remarquables. Pour le vingtième siècle, on pense à Gide, à Conrad, à Maugham et à des douzaines d'autres. Ce qu'ils cherchaient souvent, à juste titre, je crois, était une sexualité d'un type différent, peut-être plus libertine et moins chargée de péché ; mais même cette quête, si elle était répétée par un nombre assez grand de personnes, pouvait devenir aussi réglée et aussi uniforme que le savoir lui-même (et c'est bien ce qui s'est passé). Avec le temps, la « sexualité orientale » est devenue une marchandise aussi normalisée que toute autre dans la culture de masse, avec ce résultat que les écrivains et les lecteurs pouvaient l'obtenir sans avoir besoin d'aller en Orient.

Vers le milieu du dix-neuvième siècle, la France, non moins que l'Angleterre et le reste de l'Europe, dispose certainement d'une florissante industrie du savoir, de la sorte redoutée par Flaubert. Grand nombre de textes sont composés, et, ce qui est plus important, on trouve partout les organismes et les institutions destinés à les diffuser et à les propager. Comme l'ont observé les historiens des sciences, l'organisation du domaine de la science et de l'érudition qui s'est produite au cours du dix-neuvième siècle a été en même temps rigoureuse et totalement englobante. La recherche est devenue une activité régulière ; il y a eu échange d'informations, l'accord s'est fait sur ce qu'étaient les problèmes et le consensus sur les paradigmes de la recherche et sur ses résultats[1]. L'appareil servant les études orientales fait partie du tableau, et c'est une chose que Flaubert a sûrement à l'esprit quand il proclame : « tout sera uniforme ». Un orientaliste n'est plus un amateur bien doué et plein d'enthousiasme, ou s'il l'est, il a de la peine à se faire prendre au sérieux comme savant. Être un orientaliste, cela veut dire avoir suivi un enseignement universitaire dans les études orientales (dès 1850, les grandes universités d'Europe avaient toutes un

---

1. Ce processus a été étudié par Michel Foucault, *L'Archéologie du savoir* (*op. cit.*), ainsi que par Joseph Ben-David, *The Scientist's Role in Society*, Englewood Cliffs, N. J., Prentice-Hall, 1971. Voir aussi Edward W. Said, « An Ethics of Language », *Diacritics* 4, nº 2 (été 1974), p. 28-37.

cursus complet dans l'une ou l'autre de ces disciplines), cela veut dire obtenir une subvention pour ses voyages (peut-être de l'une des sociétés asiatiques, ou des fonds pour l'exploration géographique, ou une bourse du gouvernement), cela veut dire publier sous une forme autorisée (peut-être avec l'estampille d'une société savante ou d'une fondation pour la traduction de textes orientaux). Et, à la fois à l'intérieur de la confrérie des savants orientalistes et pour le public en général, c'est cette autorisation uniforme revêtant le travail de l'érudition orientaliste, et non le témoignage personnel ou l'impressionnisme subjectif, qui est la Science.

À cette réglementation oppressante des sujets orientaux s'ajoute l'attention de plus en plus vive que portent les Puissances (c'est ainsi qu'on appelait les empires européens) à l'Orient et, en particulier, au Levant. Depuis le traité de Chanak signé, en 1806, par l'Empire ottoman et la Grande-Bretagne, la question d'Orient avait plané de plus en plus lourdement sur l'horizon méditerranéen de l'Europe. Les intérêts britanniques étaient plus substantiels en Orient que ceux de la France, mais il ne faut pas oublier les avancées de la Russie en Orient (Samarcande et Boukhara ont été prises en 1868 ; le chemin de fer transcaspien a été constamment prolongé), ni ceux de l'Allemagne, ni ceux de l'Autriche-Hongrie. Les interventions de la France en Afrique du Nord ne sont pas les seules composantes de sa politique islamique. En 1860, pendant les affrontements entre maronites et druses au Liban (qu'avaient prédits Lamartine et Nerval), la France soutient les chrétiens, l'Angleterre les druses. Car, presque au centre de toute politique européenne en Orient, se trouve la question des minorités : les Puissances, chacune à sa manière, prétendent protéger et représenter les « intérêts » de celles-ci. Les juifs, les orthodoxes grecs et russes, les druses, les Circassiens, les Arméniens, les

Kurdes, les diverses petites sectes chrétiennes : pour eux tous les Puissances européennes étudient, font des plans, des projets en improvisant aussi bien qu'en construisant leur politique orientale.

Je mentionne tout cela pour faire comprendre combien était vif le sentiment de la superposition de couches d'intérêts, de savoir officiel, de pression des institutions qui recouvrent l'Orient, sujet d'étude et territoire, pendant la seconde moitié du dix-neuvième siècle. Même les récits de voyage les plus innocents – et il y en a eu littéralement des centaines après 1850[1] – contribuaient à donner de la densité à la conscience que le public avait de l'Orient ; une ligne de démarcation très nette séparait les plaisirs, les exploits variés, les témoignages solennels des pèlerins en Orient (parmi lesquels certains voyageurs américains, entre autres Mark Twain et Herman Melville[2]), des rapports faisant autorité écrits par des voyageurs érudits, des missionnaires, des fonctionnaires gouvernementaux et d'autres témoins experts. Il est clair que cette ligne de démarcation existait dans l'esprit de Flaubert, comme elle doit avoir existé dans la conscience de tout individu qui ne se contentait pas de regarder innocemment l'Orient comme un terrain à exploiter littérairement.

Les écrivains anglais ont eu, dans l'ensemble, un sentiment plus prononcé, plus net que les français de ce que les pèlerinages peuvent entraîner. Dans ce sens, l'Inde était

1. Voir l'inestimable recensement donné par Richard Bevis, *Bibliotheca Cisorientalia : An Annotated Checklist of Early English Travel Books on the Near and Middle East*, Boston, G. K. Hall and Co., 1973.

2. Sur les voyageurs américains, voir Dorothee Metlitski Finkelstein, *Melville's Orienda*, New Haven, Conn., Yale Univ. Press, 1961, et Franklin Walker, *Irreverent Pilgrims : Melville, Browne, and Mark Twain in the Holy Land*, Seattle, Univ. of Washington Press, 1974.

une constante réelle de grande valeur, et, par conséquent, tout le territoire situé entre la Méditerranée et l'Inde a acquis un grand poids. Des auteurs romantiques comme Byron et Walter Scott ont ainsi eu une vision politique du Moyen-Orient, et une conscience très combative de la manière dont devaient être conduites les relations entre l'Orient et l'Europe. Le sens historique dont Walter Scott fait preuve, dans *Richard en Palestine (The Talisman)* et *Le Comte Robert de Paris*, lui a permis de placer ces romans respectivement dans la Palestine des croisades et dans la Byzance du onzième siècle, sans pour autant se départir de la finesse politique avec laquelle il savait apprécier le comportement des puissances à l'étranger. On peut sans difficulté attribuer l'échec du *Tancred* de Disraeli à la connaissance peut-être trop développée que son auteur avait de la politique orientale et du réseau d'intérêts de l'*establishment* britannique ; Tancred désire ingénument aller à Jérusalem, mais, très vite, Disraeli s'embourbe dans des descriptions d'une complication absurde : un chef tribal libanais essaie de manipuler des druses, des musulmans, des juifs et des Européens pour qu'ils servent sa politique. Vers la fin du roman, la quête orientale de Tancred a plus ou moins disparu, parce qu'il n'y a rien, dans la vision matérielle des réalités orientales de Disraeli, qui nourrisse les impulsions quelque peu capricieuses du pèlerin. Même George Eliot, qui n'a jamais visité l'Orient, n'a pu soutenir l'équivalent juif d'un pèlerinage oriental dans *Daniel Deronda* (1876) sans s'égarer dans la complexité des réalités britanniques telles qu'elles affectaient de manière décisive le projet oriental.

Ainsi, chaque fois que, pour l'écrivain anglais, le motif oriental n'était pas pour l'essentiel matière stylistique (comme dans les *Rubáiyát*, de Fitzgerald, ou dans les *Adventures of Hajji Baba of Ispahan*, de Morier), il le forçait à confronter sa fantaisie individuelle à une série de résistances imposantes. Les œuvres orientales de Chateaubriand, Lamartine, Nerval et Flaubert n'ont pas d'équivalent anglais, de même que les premiers pendants orientalistes de Lane : Silvestre de Sacy et Renan, se rendaient bien mieux compte que lui qu'ils créaient dans une certaine mesure ce sur quoi ils écrivaient. La forme d'œuvres comme l'*Eothen* (1844), de Kinglake, et *Personal Narrative of a Pilgrimage to Al-Madinah and Meccah* (1855-1856), de Burton, est rigidement chronologique et dûment linéaire, comme s'il s'agissait pour les auteurs de décrire non pas une aventure, mais comment on va faire des achats dans un bazar oriental.

L'ouvrage de Kinglake, qui ne mérite ni sa célébrité ni son succès populaire, est un catalogue pathétique d'ethnocentrismes pompeux et de récits lassants et sans queue ni tête sur l'Orient des Anglais. Le dessein apparent de ce livre est de prouver que voyager en Orient a de l'importance pour « modeler votre caractère – c'est-à-dire votre identité même », mais, en réalité, cela ne tend guère qu'à solidifier « votre » antisémitisme, « votre » xénophobie et « vos » préjugés racistes « à tout faire ». On nous dit, par exemple, que *Les Mille et Une Nuits* sont une œuvre trop vivante et trop inventive pour avoir été créée par un « simple Oriental qui, pour ce qui est de la création, est quelque chose de mort et de desséché – une momie intellectuelle ». Quoique Kinglake confesse sans y prendre garde qu'il ne sait aucune langue orientale, cette ignorance ne l'empêche pas de faire des généralisations qui balaient l'Orient, sa culture, sa mentalité et sa société. Bien des attitudes qu'il reproduit sont canoniques, bien sûr, mais on peut constater que d'avoir vu l'Orient de ses propres yeux affecte peu ses opinions. Comme beaucoup d'autres voyageurs, cela l'intéresse plus de se refaire lui-même et l'Orient (mort et desséché – une momie intellectuelle) que de voir ce qu'il y a à voir. Chacun des êtres qu'il rencontre ne fait guère qu'encourager sa croyance que la meilleure manière de traiter les Orientaux est de les intimider, et quel meilleur instrument d'intimidation y a-t-il qu'un moi occidental souverain ? Sur le chemin de Suez, à travers le désert, seul, il se fait gloire de se suffire à lui-même et d'être puissant : « J'étais là, dans ce désert africain, et j'avais *moi-même, et nul autre, la charge de ma vie*[1]. » C'est pour le dessein relativement inutile de permettre à Kinglake de se saisir lui-même que l'Orient lui est utile.

De même que Lamartine avant lui, Kinglake confond confortablement la conscience de sa supériorité et celle de son pays, avec cette différence que, dans le cas de l'Anglais, son gouvernement est plus près de s'installer dans le reste de l'Orient que ne l'était la France – pour le moment. Flaubert voyait cela avec une justesse parfaite :

> Il est pour moi presque impossible que, d'ici à quelque temps, l'Angleterre ne devienne pas maîtresse de l'Égypte. Elle tient déjà Aden rempli de troupes. Le transit de Suez sera très commode pour vous faire arriver un beau matin les uniformes rouges au Caire. On apprendra cela en France 15 jours après, et l'on sera fort étonné ! Souvenez-vous de ma prédiction. – Au premier mouvement qui se passera en Europe, l'Angleterre prendra l'Égypte, la Russie Constantinople, et nous autres, par représailles, nous irons nous faire massacrer dans les montagnes de la Syrie[2].

Malgré toute son individualité fanfaronne, Kinglake exprime une volonté publique et nationale sur l'Orient ;

1. Alexander William Kinglake, *Eothen, or Traces of Travel Brought Home from the East*, éd. D. G. Hogarth, 1844 ; rééd. Londres, Henry Frowde, 1906, p. 25, 68, 241, 220 (trad. fr. : *Eothen, relation d'un voyage en Orient*, Paris, Amyot, 1847).
2. *Correspondance*, Paris, Gallimard, 1973, p. 565.

son moi est l'instrument de l'expression de cette volonté, il ne la maîtrise pas du tout. Rien ne montre dans ce qu'il écrit qu'il ait fait des efforts pour créer une opinion neuve sur l'Orient ; il n'était pas fait pour cela, ni par son savoir, ni par sa personnalité, et c'est sur ce point qu'il diffère de Richard Burton. En tant que voyageur, Burton était un véritable aventurier, en tant que savant, il pouvait traiter en égal avec n'importe lequel des orientalistes universitaires d'Europe ; son caractère lui faisait prendre conscience de la nécessité de se battre avec les enseignants en uniforme qui dirigeaient la science européenne avec une telle précision anonyme et une telle fermeté scientifique. Tout ce qu'a écrit Burton témoigne de cette combativité ; il montre rarement un dédain plus candide pour ses adversaires que dans la préface à sa traduction des *Mille et Une Nuits*. On dirait qu'il a pris un plaisir enfantin à démontrer qu'il en savait plus que tous les érudits professionnels, qu'il a recueilli bien plus de détails qu'eux, qu'il peut traiter les matériaux avec plus d'esprit, de tact et de fraîcheur.

Comme je l'ai déjà dit, l'œuvre de Burton, fondée sur son expérience personnelle, occupe une position intermédiaire entre les genres orientalistes représentés, d'une part, par Lane et, de l'autre, par les écrivains français dont j'ai parlé. Ses récits orientaux ont la structure de pèlerinages et, dans le cas de *The Land of the Midian Revisited*, de pèlerinages qui retournent dans des lieux qui ont parfois une signification religieuse, parfois une signification politique et économique. Il a le premier rôle dans ces ouvrages, il est tout autant le centre d'aventures fantastiques et même imaginaires (comme les écrivains français) que le commentateur autorisé – un Occidental sans préjugé – de la société et des coutumes orientales (comme Lane). Thomas Assad l'a considéré avec raison comme le premier d'une série de voyageurs victoriens en Orient doués d'un individualisme sauvage (les autres étant Blunt et Doughty) ; le travail d'Assad est fondé sur la distance, dans le ton et l'intelligence, qui existe entre les œuvres de ces écrivains et des œuvres comme *Discoveries in the Ruins of Nineveh and Babylon* d'Austen Layard (1851), le célèbre livre d'Eliot Warburton, *The Crescent and the Cross* (1844), *Visit to the Monasteries of the Levant* de Robert Curzon (1849), et un livre qu'il ne cite pas et qui n'est guère amusant : *Notes of a Journey from Cornhill to Grand Cairo* de Thackeray (1845)[1]. Pourtant, l'héritage de Burton est complexe, ce n'est pas simplement de l'individualisme, précisément parce que nous pouvons trouver dans ce qu'il écrit des exemples de la lutte entre l'individualisme et un sentiment très fort d'identification nationale avec l'Europe (spécifiquement l'Angleterre) en tant que puissance impériale en Orient. Assad fait remarquer très justement que Burton est un impérialiste, malgré toute la sympathie avec laquelle il s'associe aux Arabes ; mais ce qui nous concerne plus, c'est que Burton se considère lui-même à la fois comme un rebelle contre l'autorité (d'où son identification avec l'Est, lieu où l'on est dégagé de l'autorité morale victorienne) et comme un agent potentiel des autorités en Orient. L'intérêt principal réside ici dans la *manière* dont coexistent pour lui ces deux rôles antagonistes.

Cette question se réduit, en fin de compte, à celle de la connaissance de l'Orient : c'est donc par l'orientalisme de Burton que doit se conclure notre étude de la façon dont l'orientalisme a été structuré et restructuré au cours de la plus grande partie du dix-neuvième siècle. En tant que voyageur en quête d'aventures, Burton s'est conçu comme partageant la vie des gens dans le pays

---

1. Thomas J. Assad, *Three Victorian Travellers : Burton, Blunt, and Doughty*, Londres, Routledge and Kegan Paul, 1964, p. 5.

desquels il vivait. Il a été capable, beaucoup mieux que T. E. Lawrence, de devenir un Oriental ; non seulement il parlait parfaitement la langue, mais il a pu pénétrer jusqu'au cœur de l'islam et, déguisé en médecin musulman indien, faire le pèlerinage de La Mecque. Mais la caractéristique la plus extraordinaire de Burton est, je crois, qu'il avait une compréhension vraiment exceptionnelle du degré auquel la vie des hommes en société est régie par des règles et des codes. Toute sa vaste connaissance sur l'Orient, qui est présente ici et là dans chacune des pages qu'il a écrites, révèle qu'il sait que l'Orient en général et l'islam en particulier sont des systèmes d'information, de comportement, de croyance, que d'être un Oriental ou un musulman consiste à savoir certaines choses d'une certaine manière et que ces choses sont évidemment soumises à l'histoire, à la géographie et au développement de la société dans des conditions spécifiques. C'est ainsi que les récits qu'il fait de ses voyages en Orient le montrent conscient de ces choses, et capable de diriger la route de sa narration à travers elles : seul quelqu'un connaissant aussi bien l'arabe et l'islam que Burton pouvait aller aussi loin que lui en devenant effectivement un pèlerin à La Mecque et à Médine. Ce que nous lisons dans sa prose est donc l'histoire d'une conscience qui se fait son chemin au travers d'une culture étrangère, parce qu'il a réussi à absorber ses systèmes d'information et de comportement. La liberté de Burton tient à ce qu'il s'est suffisamment débarrassé de ses origines européennes pour être capable de vivre comme un Oriental. Chacune des scènes du *Pèlerinage* le montre surmontant les obstacles qui se présentent à lui, un étranger, dans un pays inconnu. Il a pu le faire parce qu'il avait une connaissance suffisante d'une société autre.

Plus que tout autre écrivain, Burton émet des généralisations sur l'Oriental – par exemple, là où il parle de la notion de *Kayf* pour les Arabes, et là où il expose comment l'éducation est adaptée à l'esprit oriental (des pages qui sont clairement écrites pour réfuter l'assertion simpliste de Macaulay)[1] – qui résultent de la connaissance de l'Orient qu'il a acquise en y vivant, en le voyant de ses propres yeux, en essayant honnêtement de considérer la vie orientale du point de vue d'une personne qui s'y trouve plongée. Il y a, cependant, un autre sentiment qui émane de la prose de Burton, celui de l'affirmation de soi et de la domination sur toutes les complexités de la vie orientale. Il a rédigé chacune de ses notes infrapaginales, que ce soit dans le *Pèlerinage* ou dans sa traduction des *Mille et Une Nuits* (c'est vrai aussi de l'Essai final de cette traduction[2]), pour témoigner de sa victoire sur le système quelque peu scandaleux de la science orientale, un système dont il a réussi par lui-même à se rendre maître. Car même dans la prose de Burton, l'Orient ne nous est jamais *donné* directement ; tout ce qui le concerne nous est présenté par le moyen des interventions intelligentes (et souvent irritantes) qui nous rappellent de manière répétée comment il s'est arrangé pour organiser la vie orientale pour les besoins de sa narration. Et c'est ce fait – car, dans le *Pèlerinage*, c'est un fait – qui élève la conscience de Burton jusqu'à une position de suprématie sur l'Orient. Là, son individualité rencontre forcément la voix de l'Empire et, en fait, se confond avec elle ; or, cette voix est par elle-même un système de règles, de codes et d'usages épistémologiques concrets. Ainsi, lorsque Burton nous dit dans le *Pèlerinage* que « l'Égypte est un trésor à gagner »,

---

1. Richard Burton, *Personal Narrative of a Pilgrimage to al-Medinah and Meccah*, éd. Isabel Burton, Londres, Tylston and Edwards, 1893, 1, p. 9, 108 *sq.*
2. Richard Burton, « Terminal Essay », in *The Book of the Thousand and One Nights*, Londres, Burton Club, 1886, 10, p. 63-302.

qu'elle « est le prix le plus tentant qu'offre l'Est à l'ambition de l'Europe, sans même excepter la Corne d'Or[1] », il nous faut bien voir comment la voix de ce maître extrêmement idiosyncrasique de la science orientale vient donner forme et vigueur à la voix de l'Europe qui ambitionne de régner sur l'Orient.

Les deux voix de Burton qui se confondent en une seule présagent l'œuvre des orientalistes-*et*-agents de l'Empire comme T. E. Lawrence, Edward Henry Palmer, D.G. Hogarth, Gertrude Bell, Ronald Storrs, Saint John Philby et William Gifford Palgrave, pour ne nommer que quelques écrivains anglais. Burton travaille dans la double intention d'utiliser son séjour en Orient pour faire des observations scientifiques *et*, non sans peine, de sacrifier son individualité à cette fin. La seconde de ces deux intentions le conduit inévitablement à se soumettre à la première parce que, comme cela deviendra de plus en plus évident, il est un Européen qui se rend compte que le type de connaissance de la société orientale qu'il possède n'est possible que pour un Européen qui conçoit la société comme une collection de règles et de pratiques. Autrement dit, pour être un Européen en Orient, et pour l'être intelligemment, on doit voir et connaître l'Orient comme un domaine dominé par l'Europe. L'orientalisme, qui est le système de la science européenne ou occidentale de l'Orient, devient ainsi synonyme de la domination européenne sur l'Orient, et celle-ci est effectivement plus forte même que les originalités du style de Burton.

Burton a porté l'affirmation d'une connaissance personnelle, authentique, sympathique et humaniste de l'Orient aussi loin qu'elle pouvait aller dans son combat contre l'archive de la connaissance européenne officielle sur l'Orient. Dans l'histoire des tentatives faites au dix-

1. *Pilgrimage, op. cit.*, 1, p. 112, 114.

neuvième siècle pour restituer, restructurer et sauver les différentes provinces de la connaissance et de la vie, l'orientalisme – comme toutes les autres disciplines savantes d'inspiration romantique – a pris une part importante. Car, non seulement cette discipline, qui était un système d'observation inspirée, a évolué pour être maintenant « régie comme un collège », selon l'expression de Flaubert, mais encore la personnalité de l'orientaliste, même celle du plus redoutable individualiste, tel Burton, a été réduite à jouer le rôle de scribe impérial. L'Orient était un lieu, il est devenu un domaine de la règle érudite réelle et de la domination impériale potentielle. Les premiers orientalistes comme Renan, Silvestre de Sacy et Lane avaient pour rôle de fournir à leur œuvre et à l'Orient tout ensemble une « mise en scène » ; les orientalistes suivants, par l'étude savante ou l'imagination, se sont emparés fermement de la scène. Plus tard encore, comme cette scène avait besoin de direction, il est devenu clair que les institutions et les gouvernements étaient à ce jeu meilleurs que les personnes. Tel est le legs de l'orientalisme du dix-neuvième siècle, dont le vingtième a été l'héritier. Il nous faut, maintenant, examiner avec toute la précision possible la manière dont l'orientalisme du vingtième siècle – inauguré par le long processus de l'occupation occidentale de l'Orient à dater de 1880 – a réussi à se rendre maître de la liberté et du savoir ; bref, la manière dont l'orientalisme a été totalement formalisé en une copie de lui-même produite de façon répétitive.

3

L'ORIENTALISME AUJOURD'HUI

On les apercevait tenant leurs idoles entre leurs bras comme de grands enfants paralytiques.

Gustave Flaubert, *La Tentation de saint Antoine.*

La conquête de la terre, qui consiste principalement à l'arracher à ceux dont le teint est différent du nôtre ou le nez légèrement plus aplati, n'est pas une fort jolie chose, lorsqu'on y regarde de trop près. Ce qui rachète cela, c'est l'Idée seulement. Une idée derrière cela, non pas un prétexte sentimental, mais une idée et une foi désintéressée en elle, quelque chose, en un mot, à exalter, à admirer, à quoi on puisse offrir un sacrifice…

Joseph Conrad, *Cœur des ténèbres.*

I

Orientalisme latent et orientalisme manifeste

Dans la première partie de ce livre, j'ai essayé de montrer quel est le domaine de pensée et d'action que couvre le mot *orientalisme*, en prenant comme types privilégiés les expériences britanniques et françaises concernant le Proche-Orient, l'islam et les Arabes. J'y ai discerné des rapports riches et intimes, peut-être même très intimes, entre l'Occident et l'Orient ; ils ne forment qu'une partie d'une relation bien plus vaste entre l'Europe ou l'Occident et l'Orient ; mais ce qui semble avoir eu le plus d'influence sur l'orientalisme, c'est le sentiment de confrontation qu'ont éprouvé assez continuellement les Occidentaux dans leurs rapports avec l'Orient. La notion de frontière entre l'Est et l'Ouest, les sentiments d'infériorité et de force projetés à divers degrés, l'étendue du travail accompli, le type de traits caractéristiques attribués à l'Orient : tout cela témoigne d'une division volontaire, imaginaire et géographique, effectuée entre l'Est et l'Ouest et vécue au cours des siècles.

J'ai beaucoup resserré mon objectif dans la deuxième partie. Je me suis intéressé aux premières phases de ce que j'ai appelé l'orientalisme moderne, qui a commencé à la fin du dix-huitième siècle et dans les premières années du dix-neuvième. Comme je n'avais pas l'intention de faire de mon travail la chronique des études orientales dans l'Occident moderne, je me suis proposé de rendre compte de la naissance, du développement de l'orientalisme et de ses institutions telles qu'elles se sont formées sur un arrière-plan d'histoire intellectuelle, culturelle et politique, jusque vers 1870 ou 1880. Bien que je me sois occupé de bon nombre de savants et d'auteurs assez différents, je ne peux aucunement prétendre avoir présenté plus qu'une image des structures caractéristiques de l'orientalisme (et de leurs tendances idéologiques), de ses liens avec d'autres domaines et de l'œuvre de certains des savants qui ont eu le plus de rayonnement.

Mes principales hypothèses de travail ont été et sont toujours les suivantes : les domaines scientifiques, tout autant que les œuvres de l'artiste, même le plus original, subissent des contraintes et des pressions de la part de la société, des traditions culturelles, des circonstances extérieures et des influences stabilisatrices : écoles, bibliothèques, gouvernements ; en outre, les écrits, qu'ils soient érudits ou de fiction, ne sont jamais libres, mais sont limités dans leur jeu d'images, leurs présupposés et leurs intentions ; et enfin, les progrès faits par une « science » comme l'orientalisme sous sa forme universitaire sont moins objectivement vrais que nous n'aimons souvent à le croire. Bref, j'ai tenté jusqu'ici, dans mon travail, de décrire l'*économie* qui fait de l'orientalisme une discipline cohérente, même en admettant que, comme idée, comme concept ou comme image, le mot *Orient* a une grande résonance culturelle en Occident.

Je me rends bien compte que ces hypothèses sont par certains côtés discutables. Nous supposons de manière générale que la science et l'érudition avancent ; qu'elles se perfectionnent, avec le temps qui passe et les informations qui s'accumulent, les méthodes qui deviennent plus raffinées et les générations de savants qui s'améliorent l'une après l'autre. En outre, nous cultivons une mythologie de la création : nous croyons que le génie artistique, un talent original ou un intellect puissant peut franchir d'un bond les limites de sa propre époque pour proposer au monde une œuvre nouvelle. Il y a une part de vérité dans des idées comme celles-ci, on ne peut le nier. Néanmoins, les possibilités de travail qui se présentent dans la culture à un esprit original ne sont jamais illimitées ; il est vrai aussi qu'un grand talent a un respect très sain pour ce que les autres ont fait avant lui et ce que son domaine renferme déjà. L'œuvre de ceux qui l'ont précédé, la vie institutionnelle d'un domaine scientifique, la nature collective de toute entreprise savante : tout cela, sans parler de la situation économique et sociale, a tendance à limiter la portée de la production personnelle du savant. Un domaine comme l'orientalisme a une identité cumulative et collective, une identité qui est particulièrement forte étant donné qu'il est associé avec la science traditionnelle (les classiques, la Bible, la philologie), les institutions publiques (gouvernements, compagnies commerciales, sociétés géographiques, universités) et des écrits déterminés par leur genre (récits de voyages, d'exploration, fictions, descriptions exotiques). Cela a donné une sorte de consensus : certaines choses, certains types d'affirmations, certains types d'ouvrages ont paru corrects pour l'orientaliste. Il a bâti son travail et sa recherche sur eux, et ils ont, à leur tour, exercé une forte pression sur de nouveaux écrivains et de nouveaux savants. On peut ainsi considérer l'orientalisme comme une espèce d'écriture, de vision et d'étude réglées (ou orientalisées), dominées par des impératifs, des perspectives et des partis pris idéologiques ostensiblement adaptés à l'Orient. On enseigne l'Orient, on fait des recherches sur lui, on l'administre et on se prononce à son sujet de certaines manières bien définies.

L'Orient tel qu'il apparaît dans l'orientalisme est donc un système de représentations encadré par toute une série de forces qui l'ont amené dans la science de l'Occident, dans la conscience de l'Occident et, plus tard, dans l'empire de l'Occident. Si cette définition de l'orientalisme semble plutôt politique, c'est simplement parce que, selon moi, l'orientalisme lui-même était le produit de certaines forces et de certaines activités politiques. L'orientalisme est une école d'interprétation dont le matériau se trouve être l'Orient, sa civilisation, ses peuples et ses lieux. Ses découvertes objectives – l'œuvre d'innombrables savants dévoués, qui ont édité des textes et les ont traduits, qui ont codifié des grammaires, écrit des dictionnaires, reconstruit des époques mortes, produit du savoir vérifiable de manière positiviste – sont et ont toujours été conditionnées par le fait que ses vérités, comme toutes les vérités fournies par le langage, sont incarnées dans le langage ; et, dit Nietzsche, quelle est la vérité du langage, sinon

> une multitude mouvante de métaphores, de métonymies, d'anthropomorphismes – bref une somme de relations humaines, qui ont été rehaussées, transposées et ornées par la poésie et par la rhétorique, et qui, après un long usage, paraissent établies, canoniques et contraignantes à un peuple : les vérités sont des illusions dont on a oublié qu'elles le sont [1].

Peut-être serons-nous frappés par le nihilisme de l'opinion de Nietzsche, mais il attirera au moins notre attention sur le fait que l'Orient – dans la mesure où il existait dans la conscience de l'Occident – était recouvert de couches successives : tout un domaine de significations,

---

1. Friedrich Nietzsche, « Vérité et mensonge au sens extra-moral », in *Sur l'avenir de nos établissements d'enseignement, Œuvres philosophiques*, Paris, Gallimard, 1975, p. 282.

d'associations et de connotations qui ne se référaient pas nécessairement à l'Orient proprement dit, mais à la zone entourant ce mot.

L'orientalisme n'est pas seulement une doctrine positive sur l'Orient, existant à toute époque en Occident ; c'est aussi une puissante tradition universitaire (quand on se réfère à un spécialiste universitaire qui est appelé un orientaliste), en même temps qu'une aire d'intérêts définie par des voyageurs, des entreprises commerciales, des gouvernements, des expéditions militaires, des lecteurs de romans et de récits d'aventures exotiques, des spécialistes d'histoire naturelle et des pèlerins pour lesquels l'Orient est une espèce spécifique de savoir sur des lieux, des gens et des civilisations spécifiques. En effet, les locutions orientales sont devenues fréquentes, et elles ont bien pris dans le discours européen. Sous ces locutions il y avait une couche de doctrine sur l'Orient, doctrine façonnée à partir des expériences de nombreux Européens, qui toutes convergeaient sur des aspects essentiels de l'Orient tels que le caractère oriental, le despotisme oriental, la sensualité orientale et autres choses du même ordre. Pour tout Européen du dix-neuvième siècle – et je crois qu'on peut le dire presque sans restriction –, l'orientalisme était un système de vérités de ce genre, des vérités au sens donné par Nietzsche à ce mot. Il est donc exact que tout Européen, dans ce qu'il pouvait dire sur l'Orient, était, pour cette raison, raciste, impérialiste et presque totalement ethnocentriste. Nous pouvons atténuer quelque peu le mordant de ces épithètes en nous rappelant, de plus, que les sociétés humaines, du moins les cultures les plus avancées, ont rarement proposé à l'individu autre chose que l'impérialisme, le racisme et l'ethnocentrisme pour ses rapports avec des cultures « autres ». Ainsi, l'orientalisme a soutenu et a été soutenu par des pressions culturelles qui ont eu tendance à rendre plus rigide le sentiment de la différence entre les parties du monde que sont l'Europe et l'Asie. Ce que je prétends, c'est que l'orientalisme est fondamentalement une doctrine politique imposée à l'Orient parce que celui-ci était plus faible que l'Occident, qui supprimait la différence de l'Orient en la fondant dans sa faiblesse.

J'ai déjà exprimé cette proposition au début de la première partie de ce livre, et presque tout ce que j'ai écrit dans les pages qui la suivent était en partie destiné à la corroborer. La seule présence d'un « domaine » comme l'orientalisme, sans équivalent en Orient, suggère quelle est la force relative de l'Orient et de l'Occident. Un grand nombre de pages sur l'Orient existent, et elles signifient évidemment un degré et une quantité d'interaction avec lui qui sont tout à fait impressionnants ; mais l'indice crucial de la force de l'Occident est qu'il n'existe aucune possibilité de comparer le mouvement vers l'est des Occidentaux (depuis la fin du dix-huitième siècle) avec le mouvement des Orientaux vers l'ouest. Sans parler du fait que les armées, les corps consulaires, les marchands, les expéditions scientifiques et archéologiques occidentales allaient toujours à l'est, le nombre des voyageurs de l'Orient islamique qui sont allés en Europe entre 1800 et 1900 est infime, comparé au nombre de voyageurs dans l'autre direction[1]. En outre, les voyageurs orientaux allaient en Occident pour s'instruire auprès d'une culture plus avancée et l'admirer bouche bée ; pour les Occidentaux voyageant en Orient, le but était d'un tout autre ordre, comme nous l'avons vu. De plus, on a estimé à 60 000 environ le nombre de livres traitant du Proche-

---

1. Ibrahim Abu-Lughod évalue leur nombre et étudie les voyageurs arabes en Occident dans *Arab Rediscovery of Europe : A Study in Cultural Encounters*, Princeton, N.J., Princeton Univ. Press, 1963, p. 75 *sq.* et *passim*.

Orient écrits entre 1800 et 1950 ; il n'y a pas de chiffre approchant, même de très loin, pour les livres orientaux sur l'Occident.

En tant qu'appareil culturel, l'orientalisme est tout agression, activité, jugement, volonté de savoir et connaissance. L'Orient existait pour l'Occident, ou c'est ce que croyaient d'innombrables orientalistes ; leur attitude à l'égard de l'objet de leurs travaux était soit paternaliste, soit candidement condescendante – à moins, naturellement, qu'ils ne fussent des spécialistes de l'Antiquité : dans ce cas, il fallait mettre à leur crédit l'Orient « classique », et non à celui du lamentable Orient moderne. Et puis, pour étoffer le travail des savants occidentaux, il y avait de nombreux organismes et institutions sans équivalents dans la société orientale.

Ce déséquilibre entre l'Est et l'Ouest est, évidemment, fonction de schémas historiques qui se modifient. Durant son apogée politique et militaire, qui va du huitième au seizième siècle, l'islam a dominé et l'Est et l'Ouest. Puis le centre de la puissance s'est déplacé vers l'ouest, et maintenant, à la fin du vingtième siècle, il semble à nouveau se déplacer vers l'est. Traitant de l'orientalisme du dix-neuvième siècle, je me suis arrêté, dans la deuxième partie de ce livre, à la période particulièrement chargée de la fin du siècle où les aspects dilatoires, abstraits de l'orientalisme, ses projets imaginaires allaient prendre le sens nouveau d'une mission mondiale au service du colonialisme formel. Je veux maintenant décrire ce moment et ces projets, en particulier parce qu'ils tiennent une grande place dans l'arrière-plan de la crise de l'orientalisme du vingtième siècle et de la résurgence de la force politique et culturelle en Orient.

J'ai fait allusion à plusieurs reprises aux liens entre l'orientalisme, corps d'idées, de croyances, de clichés ou de connaissances sur l'Est, et d'autres écoles de pensée générales dans la culture. Or l'un des traits importants du développement de l'orientalisme au dix-neuvième siècle est qu'il a distillé des idées essentielles sur l'Orient, sa sensualité, sa tendance au despotisme, sa mentalité aberrante, ses habitudes d'inexactitude, son retard – pour leur donner une cohérence séparée et indiscutée ; ainsi, quand un écrivain utilisait le mot *oriental*, il donnait au lecteur la référence qui suffisait à identifier un corps spécifique d'informations sur l'Orient. Ces informations semblaient moralement neutres et objectivement valables, elles semblaient avoir un statut épistémologique égal à celui de la chronologie historique ou de la localisation géographique. Sous sa forme la plus fondamentale, la matière orientale ne pouvait donc pas être vraiment violée par les découvertes de qui que ce soit, et elle ne semblait jamais avoir à être totalement réévaluée. Au contraire, le travail de différents érudits et écrivains du dix-neuvième siècle rendait ce corps de connaissances essentiel plus clair, plus détaillé, plus substantiel – et plus distinct de l'« occidentalisme ». Cependant, les idées orientalistes pouvaient s'allier à des théories générales de la philosophie (comme celles sur l'histoire de l'humanité et de la civilisation) et à des conceptions du monde diffuses, comme les appellent parfois les philosophes ; et, de bien des manières, ceux qui contribuaient par leur métier au savoir oriental désiraient coucher leurs formulations et leurs idées, leur travail savant, leurs observations et réflexions sur le monde actuel dans une langue et une terminologie dont la validité culturelle provenait d'autres sciences et d'autres systèmes de pensée.

La distinction que je suis en train de faire se place vraiment entre une positivité presque inconsciente (et certainement intouchable), que j'appellerai l'orientalisme *latent*, et les différentes affirmations sur la société, les langues, les littératures, l'histoire, la sociologie, etc., de l'Orient, que j'appellerai l'orientalisme *manifeste*. Quel que soit le changement qui se produise dans la connaissance de l'Orient, on le trouve presque exclusivement dans l'orientalisme manifeste ; l'unanimité, la stabilité, la persistance de l'orientalisme latent sont plus ou moins constantes. Chez les écrivains du dix-neuvième siècle que j'ai analysés, les différences dans leurs idées sur l'Orient peuvent se caractériser comme des différences exclusivement manifestes, des différences touchant la forme et le style personnel, rarement le contenu fondamental. Chacun d'entre eux a conservé intacts le caractère distinct de l'Orient, son originalité, son retard, son indifférence muette, sa pénétrabilité féminine, sa malléabilité indolente ; c'est pourquoi tous ceux qui ont écrit sur l'Orient, de Renan à Marx (pour parler du point de vue idéologique), ou des savants les plus rigoureux (Lane et Silvestre de Sacy) aux imaginations les plus puissantes (Flaubert et Nerval), ont vu dans l'Orient une scène demandant attention, reconstruction et même rédemption de la part de l'Occident. L'Orient existait comme un lieu isolé du grand courant du progrès européen dans les sciences, les arts et l'industrie. Ainsi, quelles que fussent les valeurs imputées à l'Orient, bonnes ou mauvaises, elles apparaissaient comme des fonctions d'un intérêt occidental très spécialisé en l'Orient. Telle a été la situation à partir des années 1870 et pendant la première partie du vingtième siècle, mais je vais donner quelques exemples pour illustrer ce que je veux dire.

Des thèses sur le retard, la dégénérescence de l'Orient et son inégalité avec l'Occident s'associaient extrêmement facilement, au début du dix-neuvième siècle, avec les idées sur les fondements biologiques de l'inégalité des races. C'est ainsi que les classifications des races que l'on trouve dans *Le Règne animal* de Cuvier, l'*Essai sur l'inégalité des races humaines* de Gobineau et *The Dark Races of Man* de Robert Knox, ont rencontré un partenaire de bonne volonté dans l'orientalisme latent. À ces idées s'est ajouté un darwinisme de second ordre, qui semblait accentuer la validité « scientifique » de la division des races en races avancées et races arriérées, ou européo-aryennes et orientalo-africaines. C'est ainsi que toute la question de l'impérialisme, telle qu'elle a été discutée à la fin du dix-neuvième siècle, aussi bien par les pro-impérialistes que par les anti-impérialistes, a mis en avant les typologies binaires de races, cultures et sociétés avancées et arriérées (ou sujettes). Dans *Chapters on the Principles of International Law* (1894), par exemple, John Westlake affirme que des régions de la terre désignées comme « non civilisées » (mot porteur du poids des suppositions orientalistes, entre autres) doivent être annexées ou occupées par des puissances avancées. De la même manière, les idées d'écrivains comme Carl Peters, Léopold de Saussure et Charles Temple s'appuyaient sur l'opposition binaire avancé/arriéré [1].

En même temps que d'autres peuples désignés de diverses manières : arriérés, dégénérés, non civilisés, retardés, les Orientaux étaient vus dans un cadre construit à partir de déterminisme biologique et de remontrance moralo-politique. L'Oriental était ainsi relié aux éléments de la société occidentale (les délinquants, les fous, les femmes, les pauvres) qui avaient en commun une identité qu'on peut décrire comme lamentablement autre. Les Orientaux étaient rarement vus ou regardés ; ils étaient percés à jour, analysés non comme des citoyens, ou même comme des personnes, mais comme des problèmes à résoudre, ou enfermés, ou encore – alors que les puissances coloniales convoitaient ouvertement leur territoire – conquis. Ce qui compte, c'est que le fait même de désigner quelque chose comme oriental impliquait un

1. Voir *Imperialism*, éd. Philip D. Curtin, *op. cit.*, p. 73-105.

jugement de valeur déjà prononcé et, dans le cas des habitants de l'Empire ottoman en décadence, un programme d'action implicite. Puisque l'Oriental était membre d'une race sujette, il devait être un sujet : c'est aussi simple que cela. Le *locus classicus* de ce genre de jugement et d'action se trouve dans *Les Lois psychologiques de l'évolution* (1894) de Gustave Le Bon.

Mais l'orientalisme latent avait d'autres emplois. Si ce groupe d'idées permettait de séparer les Orientaux des puissances avancées, civilisatrices, et si l'Orient « classique » servait à justifier à la fois l'orientaliste et son indifférence à l'égard des Orientaux modernes, l'orientalisme latent encourageait aussi une conception du monde particulièrement (pour ne pas dire odieusement) masculine. J'y ai déjà fait allusion en passant, à propos de Renan. L'homme oriental était considéré isolé de la communauté dans laquelle il vivait et que beaucoup d'orientalistes, à la suite de Lane, avaient regardée avec quelque chose qui ressemblait au mépris et à la peur. L'orientalisme par lui-même était, en outre, une province exclusivement masculine ; comme tant d'autres groupes professionnels, il se considérait, lui et son sujet, avec des œillères sexistes. C'est évident, en particulier, dans les écrits des voyageurs et des romanciers : les femmes sont généralement les créatures des fantasmes de puissance masculins. Elles expriment une sensualité sans limites, elles sont plus ou moins stupides, et surtout elles acceptent. La Kuchuk Hanem de Flaubert est le prototype de ce genre de caricatures, qui étaient assez courantes dans les romans érotiques (par exemple l'*Aphrodite* de Pierre Louÿs) qui présentent un intérêt nouveau parce qu'ils sont orientaux. De surcroît, la conception du monde masculine a tendance à être statique, figée, fixée pour l'éternité lorsqu'elle agit sur l'orientaliste dans sa profession. La possibilité même du développement, de la transformation, du mouvement humain – dans le sens le plus profond du terme – est refusée à l'Orient et à l'Oriental. Ces termes, en tant que qualités connues et, en fin de compte, immobilisées ou improductives, en viennent à être identifiés avec une mauvaise espèce d'éternité ; d'où, lorsqu'on approuve l'Orient, des expressions comme « la sagesse de l'Orient ».

Une fois transporté d'une évaluation sociale implicite à une évaluation grandiosement culturelle, cet orientalisme statique et masculin a pris toutes sortes de formes à la fin du dix-neuvième siècle, en particulier lorsqu'il était question de l'islam. Des historiens de la culture aussi respectés que Leopold von Ranke et Jacob Burckhardt ont assailli l'islam, comme s'ils ne s'occupaient pas tant d'une abstraction anthropomorphique que d'une culture religieuse et politique au sujet de laquelle il était possible, et justifié, de faire de profondes généralisations : dans sa *Weltgeschichte* (1881-1888), Ranke parle de l'islam vaincu par les peuples romano-germaniques, et, dans ses « Historische Fragmente » (notes inédites, 1893), Burckhardt décrit l'islam comme vaincu, malheureux, nu et trivial[1]. Des opérations intellectuelles de ce genre ont été pratiquées avec beaucoup plus de flair et d'enthousiasme par Oswald Spengler ; ses idées sur une « personnalité magique » (dont le musulman oriental est le prototype) imprègnent *Le Déclin de l'Occident* (*Der Untergang des Abendlandes*, 1918-1922) et la « morphologie » des cultures qu'il propose.

Ces idées sur l'Orient ont pu se répandre à cause de l'absence presque complète, dans la culture occidentale de l'époque, de l'Orient comme force authentiquement ressentie et vécue. Pour un certain nombre de raisons évidentes, l'Orient était toujours en marge du jeu occidental

1. Voir Johann W. Fück, « Islam as an Historical Problem in European Historiography since 1800 », in *Historians of the Middle East*, éd. Bernard Lewis et P. M. Holt, *op. cit.*, p. 307.

et inclus dans lui comme un partenaire plus faible. Dans la mesure où les savants occidentaux reconnaissaient l'existence des Orientaux de leur temps, des courants de la pensée et de la culture orientales de leur époque, c'était soit comme des ombres muettes que l'orientaliste devait animer, amener à la réalité, soit comme une espèce de prolétariat culturel et intellectuel utile pour que l'orientaliste exerce son activité supérieure d'interprétation, nécessaire pour qu'il joue son rôle d'homme et de puissante volonté culturelle. Je veux dire que, lorsqu'on discute de l'Orient, celui-ci est tout absence, alors qu'on ressent l'orientaliste et ce qu'il dit comme une présence ; mais il ne faut pas oublier que c'est justement l'absence de l'Orient qui rend possible la présence de l'orientaliste. Il est clair que ce fait de substitution et de déplacement, comme il faut l'appeler, exerce sur l'orientaliste lui-même une certaine influence qui lui fait rabaisser l'Orient dans son travail, même après qu'il a consacré beaucoup de temps à l'élucider et à l'exposer. Sinon, comment expliquer le type de production érudite majeure que nous associons à Julius Wellhausen et à Theodor Nöldeke, et, renversant tout cela, ces affirmations toutes nues, absolues, qui dénigrent presque entièrement le sujet d'études qu'ils ont choisi ? Nöldeke pouvait ainsi déclarer, en 1887, que la somme totale de son œuvre d'orientaliste était de confirmer sa « piètre opinion » des peuples de l'Orient[1]. Et, comme Carl Becker, Nöldeke était un phil-hellène, qui, curieusement, montrait son amour pour la Grèce en étalant un dédain déclaré pour l'Orient, qui, après tout, était ce qu'il étudiait en tant qu'érudit.

Dans son étude si intelligente et si riche sur l'orientalisme, *L'Islam dans le miroir de l'Occident*, Jacques Waardenburg examine comment cinq spécialistes de

1. *Ibid.*, p. 309.

grande classe ont donné une image de l'islam. La métaphore du miroir est bien adaptée à l'orientalisme de la fin
du dix-neuvième et du début du vingtième siècle. Dans
l'œuvre de chacun de ces remarquables orientalistes, il y a
une vision de l'islam extrêmement tendancieuse – et même
hostile dans quatre cas sur cinq –, comme si chaque auteur
voyait l'islam comme une réflexion de ses propres faiblesses. Chacun de ces érudits est très savant et a donné
un style personnel et unique à sa contribution à la science.
À eux cinq, ils sont l'exemple de ce que la tradition orientaliste a produit de meilleur et de plus solide dans la période
qui va, en gros, des années 1880 à l'entre-deux-guerres.
Cependant, si Ignaz Goldziher a « admiré la tolérance religieuse possible au-dedans de l'islam », cette appréciation
est minée par le jugement sévère qu'il porte sur « l'anthro-
pomorphisme de Mahomet et l'extériorité de la théologie
islamique » ; Duncan Black Macdonald s'intéresse à la
piété et à l'orthodoxie islamiques, mais d'une manière qui
est viciée par ce qu'il considère comme le christianisme
hérétique de l'islam ; Carl Becker comprend la civilisation
islamique, mais comme une civilisation tristement sous-
développée ; C. Snouck Hurgronje étudie avec un grand
raffinement le mysticisme islamique (qu'il considère
comme la part essentielle de l'islam), ce qui l'amène à en
juger durement les insuffisances contraignantes ; et l'extraordinaire identification de Louis Massignon avec la théologie, la passion mystique et l'art poétique des musulmans
l'empêche curieusement de pardonner à l'islam ce qu'il
considère comme sa révolte immuable contre l'idée d'incarnation. Les différences manifestes dans leurs méthodes se
marquent avec moins de poids que leur consensus d'orientalistes sur l'islam, à savoir son infériorité latente [1].

1. Voir Jacques Waardenburg, *L'Islam dans le miroir de l'Occident*, La Haye, Mouton, 1963.

L'étude de Waardenburg a encore la vertu de nous montrer comment ces cinq savants partageaient une tradition intellectuelle et méthodologique commune dont l'unité était vraiment internationale. Dès le premier congrès des orientalistes, en 1873, les savants ont eu connaissance des travaux de leurs collègues et senti très clairement leur présence. Waardenburg n'insiste pas assez sur le fait que la plupart des orientalistes de la fin du dix-neuvième siècle étaient aussi liés politiquement les uns aux autres. Snouck Hurgronje est passé directement de ses études sur l'islam à un rôle de conseiller du gouvernement hollandais pour les colonies musulmanes d'Indonésie ; Macdonald et Massignon ont été très recherchés comme experts sur les questions musulmanes par les administrateurs coloniaux, dans un domaine qui va de l'Afrique du Nord à ce qui est aujourd'hui le Pakistan, et, comme le dit un moment Waardenburg (mais trop rapidement), ces cinq savants ont tous donné forme à une vision cohérente de l'islam qui a eu une grande influence sur les cercles gouvernementaux dans tout le monde occidental[1]. Il nous faut ajouter que ces savants amenaient à son point ultime de raffinement concret la tendance, remontant au seizième et au dix-septième siècle, à traiter l'Orient non seulement comme un vague problème littéraire, mais, selon les termes de Masson-Oursel, avec « un ferme propos d'assimiler adéquatement la valeur des langues pour pénétrer les mœurs et les pensées, pour forcer même les secrets de l'histoire[2] ».

J'ai déjà parlé de l'incorporation et de l'assimilation de l'Orient, telles qu'elles étaient pratiquées par des écrivains

1. *Ibid.*, p. 311.
2. P. Masson-Oursel, « La connaissance scientifique de l'Asie en France depuis 1900 et les variétés de l'orientalisme », *Revue philosophique* 143, n°s 7-9 (juill.-sept 1953), p. 345.

aussi différents que Dante et d'Herbelot. Bien évidemment, ce n'est pas la même chose que ce qui est devenu, à la fin du dix-neuvième siècle, une formidable entreprise culturelle, politique et matérielle de l'Europe. Naturellement, la « curée pour l'Afrique » coloniale du dix-neuvième siècle ne s'est pas du tout limitée à l'Afrique ; et la pénétration de l'Orient n'était pas quelque chose dont on se soit avisé de manière soudaine et dramatique, après des années d'études érudites de l'Asie. Nous devons tenir compte d'un long et lent processus d'appropriation par lequel l'Europe, ou plutôt la conscience européenne de l'Orient, se transforme : elle était textuelle et contemplative, elle devient administrative, économique et même militaire. La transformation fondamentale a été d'ordre spatial et géographique, ou, plutôt, c'est la qualité de l'appréhension spatiale et géographique qui s'est transformée dans la mesure où il était question de l'Orient. Le fait de désigner, depuis des siècles, l'espace géographique situé à l'est de l'Europe par le terme d'« oriental » relevait pour une part de la politique, pour une part de la doctrine et pour une part de l'imagination ; il n'impliquait pas de lien nécessaire entre l'expérience authentique de l'Orient et la connaissance de ce qui est oriental. Dante et d'Herbelot n'avaient d'autre prétention, à propos de leurs idées sur l'Orient, que le fait qu'elles étaient corroborées par une longue tradition *savante* (et non existentielle). Mais quand Lane, Renan, Burton et les centaines de voyageurs et de savants européens du dix-neuvième siècle parlent de l'Orient, nous pouvons immédiatement remarquer une attitude bien plus intime, et même possessive, envers l'Orient et les choses de l'Orient. Sous la forme classique et souvent éloignée dans le temps sous laquelle il était reconstruit par l'orientaliste, sous la forme précisément réelle sous laquelle il était vécu, étudié ou imaginé, l'*espace géographique* de l'Orient était pénétré, travaillé,

fortement saisi. L'effet cumulatif de décennies d'un traitement si souverain de la part de l'Occident a fait passer
l'Orient d'un espace étranger à un espace colonial. Ce qui
comptait à la fin du dix-neuvième siècle, ce n'était pas
que l'Occident avait pénétré et possédé l'Orient, mais
comment les Anglais et les Français avaient le sentiment
de l'avoir fait.

Quand l'écrivain anglais et, plus encore, l'administrateur colonial anglais traitaient de l'Orient, il ne pouvait y
avoir aucun doute que, dans ces territoires, la puissance
britannique était dans sa phase ascendante, même si les
indigènes étaient plus attirés, à première vue, par la
France et la pensée française. Dans la mesure où l'espace
réel de l'Orient était en cause, l'Angleterre était vraiment
présente, la France ne l'était pas, sauf comme une tenta-
trice frivole pour les rustres orientaux. Rien n'indique
mieux cette différence qualitative dans les attitudes spatiales que ce que lord Cromer trouvait à dire sur ce sujet,
qui lui tenait tout particulièrement à cœur :

Les raisons pour lesquelles la civilisation française présente un attrait particulier pour les Asiatiques et les Levantins
sont très claires. Elle est, de fait, plus séduisante que les
civilisations anglaise et allemande et, en outre, plus facile à
imiter. Comparez l'Anglais peu démonstratif, timide, avec
son exclusivisme social et ses habitudes d'insulaire, avec le
Français vif et cosmopolite, qui ne sait pas ce que veut dire
le mot timidité, et qui, en dix minutes, est apparemment sur
un pied d'intimité avec quelqu'un dont il vient par hasard de
faire la connaissance. L'Oriental à demi éduqué ne reconnaît
pas que le premier a, en tout cas, le mérite de la sincérité,
tandis que le second se contente souvent de jouer un rôle. Il
regarde l'Anglais avec froideur et se jette dans les bras du
Français.

Les sous-entendus sexuels interviennent plus ou moins naturellement par la suite. Le Français est tout sourires, esprit, grâce, un homme à la mode ; l'Anglais est pesant, industrieux, baconien, précis. L'argument de Cromer se fonde naturellement sur la solidité britannique opposée à une séduction française sans vraie présence dans la réalité égyptienne.

> Peut-on être surpris [continue Cromer] si l'Égyptien, avec son faible lest intellectuel, ne parvient pas à voir qu'il y a souvent une certaine fausseté à la base du raisonnement du Français, ou s'il préfère le brillant assez superficiel du Français à l'activité pesante, sans attrait, de l'Anglais ou de l'Allemand ? Considérez encore la perfection théorique du système administratif français, ses détails raffinés et la manière dont, apparemment, il prévoit tout ce qui pourrait arriver. Comparez ces traits avec le système pratique des Anglais, qui établit des règles sur un petit nombre de points principaux et laisse une masse de détails à la discrétion des individus. L'Égyptien à demi instruit préfère naturellement le système du Français, parce qu'il est, de par toute son apparence extérieure, plus parfait et d'application plus facile. Il lui échappe, en outre, que l'Anglais désire élaborer un système qui s'adapte aux faits qu'il a à traiter, alors que la principale objection à l'application des procédures administratives françaises à l'Égypte est que les faits n'ont, trop souvent, qu'à se conformer au système tout achevé.

Puisqu'il y a une présence réelle de l'Angleterre en Égypte et puisque cette présence – selon Cromer – n'est pas là pour entraîner l'esprit des Égyptiens, mais plutôt pour « former leur caractère », il s'ensuit donc que les attraits éphémères du Français sont ceux d'une jolie demoiselle douée de « charmes quelque peu artificiels », alors que ceux de l'Anglais appartiennent à « une matrone sérieuse, d'âge mûr, qui a peut-être plus de valeur morale mais une apparence extérieure moins plaisante[1] ».

Sous-tendant la comparaison entre la solide « nanny » anglaise et la coquette française, il y a le simple privilège de la position anglaise en Orient. « Les faits dont il [l'Anglais] doit s'occuper » sont de toute façon plus complexes et plus intéressants, grâce à leur possession par l'Angleterre, que tout ce que pourrait faire remarquer le Français à l'esprit vif. Deux ans après la publication de son livre *Modern Egypt* (1908), Cromer fait une dissertation philosophique dans *Ancient and Modern Imperialism*. Comparé à l'impérialisme romain, avec sa franche politique d'assimilation, d'exploitation et de répression, l'impérialisme britannique semble préférable à Cromer, même s'il est un peu plus insipide. Sur certains points, cependant, les Anglais étaient assez clairs, même si « d'une façon faible, négligée, mais caractéristiquement anglo-saxonne » leur Empire semblait n'avoir pas choisi « l'une des deux bases – une occupation militaire très étendue ou le principe des nationalités [pour les races sujettes] ». Mais, en fin de compte, cette indécision était académique, puisque en pratique Cromer et l'Angleterre elle-même avaient opté contre le « principe des nationalités ». Et puis, il y avait d'autres choses à noter. L'une était que l'Empire n'allait pas être abandonné. Une autre que les mariages mixtes entre indigènes et Anglais, hommes et femmes, n'étaient pas souhaitables. La troisième – la plus importante, je crois – est que Cromer concevait la présence impériale britannique dans les colonies orientales comme ayant eu un effet durable, pour ne pas dire cataclysmique, sur les esprits et les sociétés de l'Orient. La métaphore qu'il utilise pour exprimer cet effet est

---

1. Evelyn Baring, Lord Cromer, *Modern Egypt*, *op. cit.*, 2, p. 237 *sq.*

presque théologique, tant était puissante, chez Cromer,
l'idée de la pénétration occidentale des territoires orientaux. « Les territoires, dit-il, sur lesquels l'haleine de
l'Occident, lourdement chargée de pensée scientifique, a
passé une fois et, en passant, a laissé une marque durable,
ne peuvent plus jamais être ce qu'ils étaient auparavant [1]. »

Sur ce genre de questions, néanmoins, Cromer était
loin d'avoir une opinion originale. Ce qu'il voyait, sa
manière de l'exprimer étaient monnaie courante chez ses
collègues, à la fois dans l'*establishment* impérial et dans
la communauté des intellectuels. Ce consensus est remarquable dans le cas des collègues en vice-royauté de
Cromer, Curzon, Swettenham et Lugard. Lord Curzon, en
particulier, parlait toujours la *lingua franca* impériale et,
d'une manière encore plus indiscrète que Cromer, il des-
sinait la relation entre l'Angleterre et l'Orient dans des
termes de possession, dans les termes d'un vaste espace
géographique totalement possédé par un maître colonial
efficace. Pour lui, dit-il une fois, l'Empire n'était pas un
« objet d'ambition », mais « tout d'abord un grand fait
historique, et politique, et sociologique ». En 1909, il rap-
pelait à des délégués à l'Imperial Press Conference, réunie
à Oxford, que « nous formons ici et nous vous envoyons
vos gouverneurs, vos administrateurs, vos juges, et vos
professeurs, vos prêtres et vos juristes ». Cette image
presque pédagogique de l'Empire avait, pour Curzon, son
décor spécifique en Asie qui, comme il le formula une
fois, faisait « s'arrêter et réfléchir ».

J'aime parfois me représenter ce grand édifice impérial
sous la forme d'une énorme structure, comme quelque

---

1. Evelyn Baring, Lord Cromer, *Ancient and Modern Imperialism*,
Londres, John Murray, 1910, p. 118, 120.

« Palais des Arts » de Tennyson, dont les fondations sont dans ce pays, où elles ont été posées et doivent être maintenues par des mains anglaises, mais dont les colonies sont les piliers, et très haut au-dessus flotte l'immensité d'un dôme asiatique [1].

C'est en pensant à un Palais des Arts tennysonien de ce genre que Curzon et Cromer ont ensemble été des membres enthousiastes d'un comité ministériel formé, en 1909, pour activer la création d'une école des études orientales. Curzon remarquait avec un vague regret que, s'il avait su la langue vernaculaire, cela l'aurait aidé au cours de ses « tournées de famine » en Inde ; en dehors de cela, il soutenait que les études orientales faisaient partie de la responsabilité britannique envers l'Orient. Le 27 septembre 1909, il expliquait à la Chambre des lords que

notre familiarité, non seulement avec les langues des hommes de l'Orient, mais avec leurs coutumes, leurs manières de sentir, leurs traditions, leur histoire et leur religion, notre capacité à comprendre ce qu'on peut appeler le génie de l'Orient est la seule base sur laquelle il se peut que nous soyons capables de maintenir à l'avenir la position que nous avons gagnée, et aucune des démarches qui sont susceptibles de renforcer cette position ne peut être considérée comme indigne de l'attention du gouvernement de Sa Majesté ou d'un débat à la Chambre des lords.

Au cours d'une conférence à Mansion House tenue sur ce sujet cinq ans plus tard, Curzon mit enfin les points sur les *i*. Les études orientales n'étaient pas un luxe intellectuel ; elles étaient, dit-il,

1. Georges Nathaniel Curzon, *Subjects of the Day : Being a Selection of Speeches and Writings*, Londres, George Allen and Unwin, 1915, p. 4 *sq.*, 10, 28.

une grande obligation impériale. À mon avis, la création d'une école [des études orientales – qui devait devenir par la suite l'École des études orientales et africaines de l'Université de Londres] comme celle-ci à Londres fait partie du mobilier nécessaire de l'Empire. Ceux d'entre nous qui, d'une manière ou d'une autre, ont passé de longues années en Orient, qui les considèrent comme la partie la plus heureuse de leur vie et qui pensent que le travail que nous avons effectué là-bas, petit ou grand, était la responsabilité la plus haute pouvant être placée sur les épaules d'un Anglais, sentent qu'il y a un manque dans notre équipement national, qui doit, j'y insiste, être comblé et que ceux des membres de la Cité de Londres qui, par une aide financière ou par toute autre forme d'assistance active et pratique, prennent leur part pour combler ce trou vont rendre un devoir patriotique à l'Empire et promouvoir la cause et la bonne volonté entre les hommes [1].

Dans une très grande mesure, les idées de Curzon sur les études orientales sont logiquement issues d'un bon siècle d'administration et de philosophie utilitaristes britanniques en ce qui concerne les colonies orientales. L'influence de Bentham et des Mill sur le mode de gouvernement britannique en Orient (et en particulier en Inde) a été considérable, et a bien réussi à éliminer les réglementations et les innovations superflues ; au contraire, comme Eric Stokes l'a montré de manière convaincante, l'utilitarisme, combiné à l'héritage du libéralisme et de l'évangélicalisme en tant que philosophies de gouvernement anglais en Orient, a fait ressortir l'importance rationnelle d'un exécutif fort armé de différents codes légaux et pénaux, d'un système de doctrine concernant des ques-

---

1. *Ibid.*, p. 184, 191 *sq.* Voir C. H. Phillips, *The School of Oriental and African Studies, University of London, 1917-1967 : An Introduction*, Londres, Projet pour l'impression, 1967.

tions telles que les frontières et les rentes foncières et, partout, d'une autorité impériale de surveillance irréductible[1]. La pierre angulaire de tout le système était une connaissance toujours plus fine de l'Orient, de manière que, lorsque des sociétés traditionnelles se sont empressées de devenir des sociétés de commerce modernes, les Anglais ne devaient rien perdre, ni dans leur mainmise paternelle, ni dans leurs revenus. Cependant, quand Curzon se référait, sans trop d'élégance, aux études orientales comme le « mobilier nécessaire de l'Empire », il donnait la forme d'une image statique aux transactions par lesquelles Anglais et indigènes menaient leurs affaires et restaient chacun à sa place. Depuis l'époque de sir William Jones, l'Orient avait été à la fois ce que l'Angleterre gouvernait et ce que l'Angleterre connaissait ; la coïncidence entre géographie, savoir et pouvoir, avec l'Angleterre toujours à la place du maître, était complète. Curzon avait dit un jour que « l'Orient est une université dans laquelle l'érudit n'acquiert jamais ses diplômes » : manière de dire que l'Orient nécessitait notre présence plus ou moins pour toujours[2].

Mais il y avait encore les autres puissances européennes, la France et la Russie entre autres, qui menaçaient toujours la présence britannique (peut-être marginalement). Curzon se rendait certainement compte que toutes les grandes puissances occidentales considéraient le monde comme le faisait l'Angleterre. La transformation de la géographie, « ennuyeuse et pédante », en « la plus cosmopolite de toutes les sciences » indiquait *exactement* cette nouvelle prédilection occidentale, très

1. Eric Stokes, *The English Utilitarians and India*, Oxford, Clarendon Press, 1959.
2. Cité dans Michael Edwardes, *High Noon of Empire : India Under Curzon*, Londres, Eyre and Spottiswoode, 1965, p. 38 *sq.*

générale. Ce n'est pas sans raison que Curzon déclarait, en 1912, à la Geographical Society, qu'il présidait :

> Une révolution absolue s'est produite, non pas simplement dans la manière d'enseigner la géographie et dans ses méthodes, mais dans l'estime où elle est tenue par l'opinion publique. Aujourd'hui, nous considérons la connaissance de la géographie comme une part essentielle des connaissances générales. C'est avec l'aide de la géographie, et pas autrement, que nous comprenons l'action des grandes forces de la nature, la distribution de la population, la croissance du commerce, l'expansion des frontières, le développement des États, les splendides résultats auxquels parvient l'énergie humaine dans ses diverses manifestations.
>
> Nous reconnaissons la géographie comme la servante de l'histoire [...]. La géographie est aussi une science sœur de l'économie et de la politique ; tous ceux d'entre nous qui ont tenté d'étudier la géographie savent que, au moment où l'on diverge du champ de la géographie, on se trouve en train de passer la frontière de la géologie, de la zoologie, de l'ethnologie, de la chimie, de la physique et de presque toutes les sciences apparentées. Nous avons donc raison de dire que la géographie est l'une des toutes premières sciences, qu'elle fait partie de l'équipement qui est nécessaire pour bien comprendre le civisme, et qu'elle est un auxiliaire indispensable à la formation d'un homme public[1].

La géographie était, pour l'essentiel, le matériau de soutènement de la connaissance sur l'Orient. Toutes les caractéristiques latentes et constantes de l'Orient reposaient sur sa géographie, y étaient enracinées. Ainsi, d'une part, l'Orient géographique nourrissait ses habitants, garantissait leurs caractères propres et définissait leur spécificité ; de l'autre, l'Orient géographique sollici-

---

1. *Subjects of the Day*, *op. cit.*, p. 155 *sq.*

tait l'attention de l'Occident, alors que, par un de ces paradoxes que révèle si fréquemment le savoir organisé, l'Est était l'Est et l'Ouest était l'Ouest. La géographie était cosmopolite, d'où, dans l'esprit de Curzon, son importance universelle pour l'ensemble de l'Occident, dont la relation au reste du monde était une relation de franche convoitise. Pourtant, l'appétit géographique pouvait aussi assumer la neutralité morale d'une incitation épistémologique à découvrir, à fixer, à mettre à nu, comme lorsque, dans le *Cœur des ténèbres*, Marlow avoue qu'il a une passion pour les cartes.

> Je restais des heures à considérer l'Amérique du Sud, ou l'Afrique ou l'Australie – perdu dans toutes les gloires de l'exploration. À cette époque, il y avait pas mal d'espaces blancs sur la terre et quand j'en apercevais un sur la carte qui avait l'air particulièrement attrayant (mais ils ont tous cet air-là !) je posais le doigt dessus et disais : « Quand je serai grand, j'irai là [1]. »

Soixante-dix ans avant la parution du roman de Conrad, Lamartine n'avait pas été troublé par le fait que ce qui était une tache blanche sur une carte était peuplé d'indigènes ; il n'y avait pas eu non plus la moindre réserve dans l'esprit d'un Helvéto-Prussien, Emer de Vattel, quand il invita, en 1758, les États européens à prendre possession des territoires habités seulement par des tribus nomades [2]. La chose importante était de donner de la dignité à la simple

---

1. Joseph Conrad, *Heart of Darkness*, in *Youth and Two Other Stories*, Garden N. Y., Doubleday, Page, 1925, p. 52. Le texte cité ici reproduit la traduction de G. Jean-Aubry et A. Ruyters, *Jeunesse, suivi du Cœur des ténèbres*, Paris, Gallimard, 1928, p. 89 ; c'est aussi le cas de l'exergue à cette partie du livre (p. 87 *sq.*).
2. Pour des extraits exemplaires de l'œuvre de Vattel, voir *Imperialism*, éd. Philip D. Curtin, *op. cit.*, p. 42-45.

conquête grâce à une idée, de transformer l'appétit pour plus d'espace géographique en une théorie sur la relation toute particulière existant entre la géographie, d'une part, et les peuples civilisés, de l'autre. Mais la France a, elle aussi, contribué à ces rationalisations d'une manière particulière.

À la fin du dix-neuvième siècle, les conditions politiques et intellectuelles ont suffisamment coïncidé, en France, pour faire de la géographie et de la spéculation (dans les deux sens du mot) géographique un passe-temps national. Le climat général de l'opinion en Europe s'y prêtait ; les succès de l'impérialisme britannique parlaient certainement assez fort par eux-mêmes. Cependant, pour la France, pour ceux qui, en France, réfléchissaient à la question, l'Angleterre a toujours paru faire obstacle à tout rôle impérial que la France pourrait assumer en Orient, même avec un succès relatif. Avant la guerre de 1870, la politique orientale donnait lieu à une grande abondance de vœux pieux à propos de l'Orient, qui n'étaient pas seulement le fait de poètes et de romanciers. Voici par exemple Saint-Marc Girardin, dans *la Revue des Deux Mondes* du 15 mars 1862 :

> La France a beaucoup à faire en Orient, parce que l'Orient attend beaucoup d'elle. Il lui demande même plus qu'elle ne peut faire ; il lui remettrait volontiers le soin entier de son avenir, ce qui serait pour la France et pour l'Orient un grand danger : pour la France, parce que, disposée à prendre en main la cause des populations souffrantes, elle se charge le plus souvent de plus d'obligations qu'elle n'en peut remplir ; pour l'Orient, parce que tout peuple qui attend sa destinée de l'étranger n'a jamais qu'une condition précaire et qu'il n'y a de salut pour les nations que celui qu'elles se font elles-mêmes [1].

1. Cité par M. de Caix, *La Syrie*, in Gabriel Hanotaux, *Histoire des colonies françaises*, Paris, Société de l'histoire nationale, 1929-1933 (6 vol.), 3, p. 481.

Cela aurait sans doute fait dire à Disraeli, comme il l'a fait souvent, que la France n'avait que des « intérêts sentimentaux en Syrie » (laquelle est « l'Orient » de Saint-Marc Girardin). Bonaparte s'était naturellement servi de la fiction des « populations souffrantes » quand il avait fait appel aux Égyptiens contre les Turcs et pour l'islam. Entre 1830 et 1870, les populations souffrantes de l'Orient ne comptaient que les minorités chrétiennes de Syrie. Et il n'y avait aucune trace de « l'Orient » attendant son salut de la France. Il aurait été bien plus juste de dire que l'Angleterre barrait la voie à la France en Orient, car, même si la France avait eu un sentiment d'obligation véritable à l'égard de l'Orient (c'était le cas pour quelques Français), elle n'avait guère de possibilités pour se glisser entre l'Angleterre et l'énorme masse de territoires dominés par celle-ci, de l'Inde à la Méditerranée.

Conséquences remarquables de la guerre de 1870 : une floraison extraordinaire, en France, de sociétés de géographie et une exigence, réitérée avec force, pour des acquisitions territoriales. À la fin de 1871, la Société de géographie de Paris déclare qu'elle ne se confine plus à la « spéculation scientifique ». Elle exhorte les citoyens à « ne pas oublier que notre ancienne prépondérance a été contestée du jour où nous avons cessé d'être sur les rangs [...] dans les conquêtes de la civilisation sur la barbarie ». Guillaume Depping, l'un des chefs de ce qui en était venu à être appelé le mouvement géographique, affirmait en 1881 que, pendant la guerre de 1870, « c'était le maître d'école qui avait triomphé » ; il voulait dire que les vrais triomphes étaient ceux de la géographie scientifique prussienne sur l'incompétence stratégique française. Le *Journal officiel* du gouvernement publiait numéro après numéro centré sur les vertus (et les avantages) de l'exploration géographique et de l'aventure coloniale ; dans un

numéro, Ferdinand de Lesseps exposait quelles étaient
« les occasions offertes par l'Afrique », et Garnier décrivait « l'exploration de la rivière Bleue ».

La géographie scientifique céda bientôt le pas à la
« géographie commerciale », tandis que la fierté nationale
pour les résultats scientifiques et culturels et les motifs
de profit assez rudimentaires étaient encouragés tout
ensemble, pour être canalisés dans le soutien à l'acquisition coloniale. Selon l'expression d'un enthousiaste :
« Les sociétés géographiques sont formées pour briser le
charme fatal qui nous tient enchaînés à nos rivages. »
Pour contribuer à cette libération, toutes sortes de combinaisons étaient ourdies : l'enrôlement de Jules Verne
– dont le « succès incroyable », comme on disait, montrait ostensiblement l'esprit scientifique à un très haut
niveau de ratiocination – pour diriger « une campagne
d'exploration scientifique tout autour du monde », et un
plan pour créer une vaste mer nouvelle juste au sud de la
côte d'Afrique du Nord, ainsi qu'un projet pour « relier »
l'Algérie au Sénégal par chemin de fer : « un véritable
ruban d'acier », disaient les auteurs du projet [1].

Une grande partie de la ferveur expansionniste de la
France, pendant le dernier tiers du dix-neuvième siècle, a
été engendrée par un désir explicite de compensation pour
la victoire prussienne en 1870-1871, et par l'envie d'égaler les succès impériaux britanniques. Cette envie était si
forte, et sortait d'une si longue tradition de rivalité anglo-
française en Orient, que la France semblait littéralement
hantée par l'Angleterre, dans son souci de rattraper et
d'égaler les Anglais pour tout ce qui concernait l'Orient.
Quand, vers la fin des années 1870, la Société académique

1. On trouve ces détails dans Vernon MacKay, « Colonialism in the
French Geographical Movement », *Geographical Review* 33, nº 2 (avr.
1943), p. 214-232.

indo-chinoise reformula ses buts, elle estima qu'il important de « faire entrer l'Indochine dans le domaine de l'orientalisme ». Pourquoi ? Pour faire de la Cochinchine une « Inde française ». Pour les militaires, l'absence de possessions coloniales substantielles était responsable de cette faiblesse à la fois militaire et commerciale que la France avait montrée dans la guerre contre la Prusse, sans parler de son infériorité coloniale de longue date, et très nette, comparée à l'Angleterre. Le « pouvoir d'expansion des races occidentales », disait un éminent géographe, La Roncière Le Noury, « ses causes supérieures, ses éléments, son influence sur les destinées humaines, seront un beau sujet d'étude pour les historiens de l'avenir ». Mais c'est seulement si les races blanches cèdent à leur goût de voyager – marque de leur supériorité intellectuelle – que peut se produire l'expansion coloniale[1].

C'est de thèses comme celle-ci que vient l'idée courante de l'Orient espace géographique à cultiver, à moissonner et à garder. On voit proliférer des images tirées de l'agriculture et de l'attention franchement sexuelle. Voici une effusion typique de Gabriel Charmes, écrite en 1880 :

> Le jour où nous ne serons plus en Orient et où les autres grandes puissances européennes y seront, tout sera fini pour notre commerce en Méditerranée, pour notre avenir en Asie, pour le trafic de nos ports méridionaux. *L'une des sources les plus fertiles de notre richesse nationale sera tarie.* [C'est nous qui soulignons.]

Un autre penseur, Leroy-Beaulieu, va plus loin dans l'élaboration de cette philosophie :

1. Agnes Murphy, *The Ideology of French Imperialism, 1817-1881*, Washington, Catholic Univ. of America Press, 1948, p. 46, 54, 36, 45.

Une société colonise, quand, parvenue elle-même à un haut degré de maturité et de force, elle procrée, elle protège, elle place dans de bonnes conditions de développement et elle mène à la virilité une société nouvelle sortie de ses entrailles. La colonisation est un des phénomènes les plus complexes et les plus délicats de la physiologie sociale.

Cette équivalence entre l'autoreproduction et la colonisation conduit Leroy-Beaulieu à l'idée, un peu sinistre, que tout ce qui est vivant dans la société moderne est « magnifié par le déversement de son activité exubérante ». Ainsi donc :

La colonisation est la force d'expansion d'un peuple ; c'est son pouvoir de reproduction, c'est sa croissance et sa multiplication dans l'espace ; c'est la sujétion de l'univers ou d'une grande partie de l'univers à la langue, aux usages, aux idées et aux lois de ce peuple [1].

Chose intéressante, l'espace de régions plus faibles ou sous-développées comme l'Orient est considéré ici comme quelque chose qui invite l'intérêt, la pénétration, l'insémination de la France – bref, la colonisation. Les concepts géographiques abolissent de manière littérale et figurée les entités discrètes contenues par des frontières. Tout autant que des entrepreneurs visionnaires comme Ferdinand de Lesseps, dont le plan était de libérer l'Orient et l'Occident de leurs liens géographiques, des savants, des administrateurs, des géographes et des agents de commerce français déversaient leur activité exubérante sur l'Orient alangui et féminin. Il y avait les sociétés de géographie, deux fois plus importantes par leur nombre et

1. *Ibid.*, p. 189, 110, 136.

celui de leurs membres que celles de toute l'Europe, il y avait de puissants organismes comme le Comité de l'Asie française et le Comité d'Orient, il y avait les sociétés savantes, tout d'abord la Société asiatique, avec son organisation et ses membres fortement insérés dans les universités, les instituts et le gouvernement. Chacune à sa manière rendait les intérêts français en Orient plus vrais, plus substantiels. Un siècle presque de ce qui semblait maintenant une étude passive de l'Orient avait dû se terminer, alors que la France affrontait ses responsabilités transnationales pendant les vingt dernières années du dix-neuvième siècle.

Dans l'unique partie de l'Orient où les intérêts français et anglais se chevauchaient littéralement, le territoire de l'Empire ottoman, qui maintenant était agonisant, les deux antagonistes manœuvraient dans leur conflit avec une cohérence caractéristique et presque parfaite. L'Angleterre était *en* Égypte et *en* Mésopotamie ; grâce à une série de traités quasi imaginaires avec des chefs locaux (et dénués de pouvoir), elle avait la mainmise sur la mer Rouge, le golfe Persique et le canal de Suez, ainsi que sur la plus grande partie du territoire s'étendant entre la Méditerranée et l'Inde. Le destin de la France, d'autre part, semblait être de planer au-dessus de l'Orient, en descendant de temps à autre pour exécuter des projets qui répétaient la réussite de ceux de Ferdinand de Lesseps pour le canal ; pour la plupart, c'étaient des projets de chemins de fer, comme celui qui était prévu sur un territoire plus ou moins britannique, la ligne Syrie-Mésopotamie. En outre, la France se considérait comme la protectrice des minorités chrétiennes : maronites, chaldéens, nestoriens.

La France et l'Angleterre s'étaient pourtant mises d'accord, en principe, sur la nécessité d'un partage de la Turquie d'Asie, le moment venu. Avant la Première

Guerre mondiale aussi bien que durant celle-ci, la diplomatie secrète s'était appliquée à découper le Proche-Orient, d'abord en sphères d'influence, puis en territoires sous mandat (ou occupés). En France, une bonne partie du sentiment expansionniste qui s'était formé pendant les beaux jours du mouvement géographique se concentra sur le partage de la Turquie d'Asie, tant et si bien qu'« une spectaculaire campagne de presse fut lancée » à cet effet à Paris, en 1914 [1]. En Angleterre, de nombreux comités avaient pleins pouvoirs pour étudier et recommander la politique à suivre pour diviser au mieux l'Orient. De commissions telles que le comité Bunsen allaient sortir les équipes franco-anglaises, dont la plus fameuse est celle dirigée par Mark Sykes et Georges Picot. Ces plans avaient pour règle une division équitable de l'espace géographique : ils s'efforçaient aussi, délibérément, de calmer la rivalité franco-britannique. Car, comme l'a dit Sykes dans un mémorandum,

> il était clair [...] qu'un soulèvement arabe aurait lieu tôt ou tard et qu'il fallait que les Français et nous-mêmes soyons en meilleurs termes si ce soulèvement ne devait pas être une malédiction au lieu d'une bénédiction [...] [2].

L'animosité persistait. Il s'y ajoutait l'irritation causée par le programme d'autodétermination nationale de Wilson, qui, comme Sykes devait lui-même le remarquer, semblait invalider tout le squelette des plans coloniaux et des plans de partage auxquels étaient parvenues ensemble les Puissances. Ce n'est pas le lieu ici d'examiner l'histoire du Proche-Orient au début du vingtième siècle, avec

---

1. Jukka Nevakivi, *Britain, France, and the Arab Middle East, 1914-1920*, Londres, Athlone Press, 1969, p. 13.
2. *Ibid.*, p. 24.

tous ses dédales et les controverses qu'elle a soulevées, car son sort se décidait entre les Puissances, les dynasties indigènes, les différents partis et mouvements nationalistes, et les sionistes. Ce qui nous importe plus immédiatement, c'est le cadre épistémologique particulier qui déterminait la perception de l'Orient par les Puissances et leur action. En effet, malgré leurs différends, les Anglais et les Français voyaient l'Orient comme une entité géographique – et culturelle, politique, démographique, sociologique et historique – sur le destin de laquelle ils croyaient avoir eux-mêmes des titres traditionnels. L'Orient, pour eux, n'était pas une découverte subite, un pur et simple accident de l'histoire, mais une zone située à l'est de l'Europe dont la valeur principale était uniformément définie en fonction de l'Europe, plus particulièrement en accordant spécifiquement à l'Europe – à la science, à l'érudition, à l'intelligence et à l'administration européennes – le crédit d'avoir fait de l'Orient ce qu'il était aujourd'hui. Et cela, c'est l'orientalisme moderne qui l'avait accompli, que ce soit par inadvertance ou non n'entre pas en ligne de compte.

C'est en se servant principalement de deux méthodes que l'orientalisme a livré l'Orient à l'Occident, au début du vingtième siècle. La première fait usage des possibilités de se propager que possède la science moderne : son appareil de diffusion auprès des savants, des universités, des sociétés de spécialistes, des organismes se consacrant à l'exploration et à la géographie, des maisons d'édition. Tout cela, comme nous l'avons vu, reposant sur l'autorité prestigieuse de pionniers : savants, voyageurs et poètes, dont la vision cumulative a donné forme à un Orient quintessentiel ; la manifestation doctrinale ou doxologique de celui-ci est ce que j'appelle ici l'orientalisme latent. À celui qui souhaitait faire une déclaration de quelque poids sur l'Orient, l'orientalisme latent donnait une capacité d'énonciation qui pouvait être utilisée, ou plutôt mobilisée et transformée en discours raisonnable pour l'occasion concrète qui se présentait. Ainsi, quand Balfour parle de l'Oriental à la Chambre des communes, en 1910, il doit sûrement avoir en tête ces capacités d'énonciation dans le langage courant et assez rationnel de son temps, permettant de nommer quelque chose qu'on appelle un « Oriental » et d'en parler sans risquer d'être trop obscur.

Mais, de même que toutes les capacités d'énonciation et les discours qu'elles permettent, l'orientalisme latent était profondément conservateur – c'est-à-dire qu'il se consacrait à se conserver. Transmis de génération en génération, il faisait tout autant partie de la culture qu'un langage portant sur une partie de la réalité tel que la géométrie ou la physique. L'orientalisme mettait en jeu son existence, non sur son ouverture, sa réceptivité à l'Orient, mais plutôt sur sa cohérence interne, répétitive en ce qui concernait sa volonté de puissance constitutive sur l'Orient. De cette manière, l'orientalisme pouvait survivre aux révolutions, aux guerres mondiales et au démembrement littéral des empires.

La seconde méthode par laquelle l'orientalisme livrait l'Orient à l'Occident est le résultat d'une convergence remarquable. Pendant des dizaines d'années, les orientalistes avaient parlé de l'Orient, ils avaient traduit des textes, ils avaient expliqué des civilisations, des religions, des dynasties, des cultures, des mentalités, comme des sujets universitaires, dérobés à la vue de l'Europe par leur étrangeté inimitable. L'Orientaliste était un spécialiste, comme Renan ou Lane, dont la tâche, dans la société, était d'interpréter l'Orient pour ses compatriotes. La relation entre orientaliste et Orient était pour l'essentiel herméneutique : devant une civilisation ou un monument culturel distant, à peine intelligible, le savant orientaliste réduisait l'obscurité en traduisant, en décrivant avec sympathie, en comprenant de l'intérieur l'objet difficile à atteindre. L'orientaliste restait, cependant, en dehors de l'Orient, et celui-ci, si intelligible qu'on le rendît, restait au-delà de l'Occident. Cette distance culturelle, temporelle et géographique s'exprimait par des métaphores de profondeur, de secret et de promesse sexuelle : des phrases comme « les voiles d'une fiancée orientale » ou « l'Orient impénétrable » passaient dans la langue courante.

Cependant, la distance entre l'Orient et l'Occident était, presque paradoxalement, en cours de réduction pendant tout le dix-neuvième siècle. Alors que les rencontres commerciales, politiques et existentielles d'autres manières entre l'Est et l'Ouest devenaient plus nombreuses (des façons que nous avons étudiées tout du long), il s'est développé une tension entre les dogmes de l'orientalisme latent, avec son support, l'étude de l'Orient « classique », et les descriptions d'un Orient présent, moderne, manifeste, articulées par des voyageurs, des pèlerins, des hommes d'État, etc. À un certain moment impossible à déterminer avec précision, cette tension a causé une convergence des deux types d'orientalisme. Elle s'est probablement produite – ce n'est qu'une hypothèse – quand des orientalistes, à commencer par Silvestre de Sacy, ont entrepris de conseiller les gouvernements sur ce qu'était l'Orient moderne. Ici, le rôle du spécialiste, avec sa formation et son bagage particuliers, a pris une autre dimension : l'orientaliste a pu être considéré comme l'agent secret de la puissance occidentale dans ses tentatives pour établir une politique vis-à-vis de l'Orient. Tout voyageur européen savant (et pas si savant) en Orient se sentait comme un témoin occidental qui avait réussi à passer sous les couches d'obscurité. C'est évident pour Burton, Lane, Doughty, Flaubert et les autres personnalités majeures que j'ai étudiées.

Les découvertes des Occidentaux sur l'Orient manifeste et moderne ont acquis une urgence pressante quand les acquisitions territoriales de l'Occident en Orient se sont accrues. Ainsi, ce que l'orientaliste érudit définissait comme l'Orient « essentiel » a été quelquefois contredit, mais, dans bien des cas, confirmé quand l'Orient est devenu une obligation administrative réelle. Il est certain que les théories de Cromer sur l'Oriental – théories tirées de l'archive orientaliste traditionnelle – étaient amplement justifiées tandis qu'il gouvernait des millions d'Orientaux dans la réalité. Ce n'est pas moins vrai de l'expérience française en Syrie, en Afrique du Nord et partout ailleurs dans les colonies françaises, moins nombreuses. Mais cette convergence entre la doctrine orientaliste latente et l'expérience orientaliste manifeste ne s'est jamais produite de manière plus spectaculaire que lorsque – conséquence de la Première Guerre mondiale – l'Angleterre et la France ont fait le relevé de la Turquie en vue de la démembrer. Là, couché sur une table d'opération, il y avait l'Homme Malade de l'Europe, révélé dans toute sa faiblesse, ses traits caractéristiques et topographiques.

L'orientaliste, avec ses connaissances particulières, a joué dans cette chirurgie un rôle d'une importance inestimable. Ce rôle crucial d'espèce d'agent secret *à l'intérieur* de l'Orient avait déjà été suggéré quand le savant anglais Edward Henry Palmer avait été envoyé, en 1882, dans le Sinaï pour estimer le sentiment anti-anglais et la possibilité qu'il fût utilisé en faveur de la révolte d'Arabi. Palmer fut tué au cours de cette opération, mais il n'a été que le plus malchanceux de tous ceux qui ont accompli les mêmes services pour l'Empire, ce qui était maintenant un travail sérieux et difficile confié en partie à l'« expert » régional. Ce n'est pas sans raison qu'un autre orientaliste, D. G. Hogarth, l'auteur du fameux récit de l'exploration de l'Arabie intitulé avec à-propos *The Penetration of*

Arabia (1904)[1], avait été mis à la tête du Bureau arabe du Caire pendant la Première Guerre mondiale. Et ce n'est pas par hasard non plus si des hommes et des femmes comme Gertrude Bell, T. E. Lawrence et Saint John Philby, qui étaient tous des « experts » sur les questions orientales, avaient des postes en Orient comme agents de l'Empire, amis de l'Orient et chargés de formuler des politiques de rechange, parce que ces experts avaient une connaissance intime et spécialisée de l'Orient et des Orientaux. Ils formaient une « bande » – comme l'a un jour appelée Lawrence –, que liaient des notions contradictoires et des ressemblances personnelles : forte individualité, sympathie et identification intuitive avec l'Orient, sens jalousement préservé de leur mission personnelle en Orient, originalité soigneusement cultivée et, en fin de compte, condamnation de l'Orient. Pour les uns et les autres, l'Orient était l'expérience directe, particulière qu'ils en avaient. C'est chez eux que l'orientalisme et l'art de manipuler l'Orient avec efficacité ont reçu leur forme européenne ultime, avant que l'Empire ne disparaisse et ne transmette son héritage à d'autres candidats au rôle de puissance dominante.

Ces individualistes n'étaient pas des universitaires. Nous allons bientôt voir qu'ils avaient bénéficié des études orientales universitaires, sans appartenir en aucune manière à la communauté officielle et professionnelle des orientalistes. Leur rôle, pourtant, n'était pas de mépriser l'orientalisme universitaire ni de le subvertir, mais plutôt de le rendre efficace. Ils comptaient dans leurs ancêtres

---

1. D. G. Hogarth, *The Penetration of Arabia : A Record of the Development of Western Knowledge concerning the Arabian Peninsula*, New York, Frederick A. Stokes, 1904. Bon ouvrage récent sur le même sujet : Robin Bidwell, *Travellers in Arabia*, Londres, Paul Hamlyn, 1976.

Lane et Burton, non seulement parce que c'était en auto-didactes qu'ils avaient acquis leur savoir encyclopédique, mais encore pour la connaissance presque érudite de l'Orient dont ils avaient fait montre dans leurs rapports avec les Orientaux. À l'étude dans le cadre universitaire de l'Orient, ils ont substitué une sorte d'élaboration de l'orientalisme latent, qui leur était facilement accessible dans la culture impériale de leur époque. Leur cadre de référence érudit avait été façonné par des gens comme William Muir, Anthony Bevan, D. S. Margoliouth, Charles Lyall, E. G. Browne, R. A. Nicholson, Guy Le Strange, E. D. Ross et Thomas Arnold, eux aussi descendants directs de Lane. Leurs perspectives imaginaires leur étaient principalement fournies par leur illustre contemporain Rudyard Kipling, qui avait si mémorablement chanté « la domination sur le palmier et le pin ».

La différence entre l'Angleterre et la France, dans ces matières, était parfaitement dans la ligne de l'histoire des deux pays en Orient : l'Angleterre était là, la France se lamentait d'avoir perdu l'Inde et les territoires qui l'en séparent. À la fin du siècle, c'est surtout sur la Syrie que s'était concentrée son activité, mais, même là, on s'accordait à dire que les Français ne pouvaient égaler les Anglais, ni par la qualité de leur personnel, ni par le niveau de leur influence politique. La compétition franco-anglaise pour les dépouilles ottomanes s'est fait sentir jusque sur le champ de bataille au Hedjaz, en Syrie, en Mésopotamie – mais partout, ainsi que le remarquaient des hommes astucieux comme Edmond Bremond, les orientalistes français et les spécialistes locaux étaient surclassés par l'éclat et l'habileté tactique de leurs équivalents britanniques[1].

---

1. Edmond Bremond, *Le Hedjaz dans la guerre mondiale*, Paris, Payot, 1931, p. 342 *sq.*

Exception faite de rares génies tels que Louis Massignon, il n'y a pas eu de Lawrence ni de Sykes ni de Gertrude Bell français. Mais il y a eu des impérialistes très déterminés, comme Étienne Flandin et Franklin-Bouillon. Dans une conférence faite à l'Alliance française de Paris, un impérialiste tonitruant, le comte de Cressaty, proclamait, en 1913, que la Syrie était l'Orient propre à la France, le site d'intérêts politiques, moraux et économiques de la France, intérêts, ajoutait-il, qui devaient être défendus en cet « âge des envahissants impérialistes » ; Cressaty remarquait cependant que, malgré la présence de firmes commerciales et industrielles en Orient, malgré le plus grand nombre d'élèves indigènes inscrits dans les écoles françaises, la France était invariablement bousculée, menacée, non seulement par l'Angleterre, mais par l'Autriche, l'Allemagne et la Russie. Si la France devait continuer à empêcher « le retour de l'islam », elle ferait mieux de prendre l'Orient en main, c'était l'argument proposé par Cressaty et appuyé par Paul Doumer, sénateur[1]. Ces positions ont été reprises en de nombreuses occasions, et la France s'est en fait bien débrouillée en Afrique du Nord et en Syrie après la Première Guerre mondiale, mais les Français ont toujours eu l'impression que l'administration particulière, concrète, de populations orientales rentrant dans l'histoire et de territoires théoriquement indépendants était quelque chose qui leur avait échappé, alors que les Anglais avaient toujours pu s'en prévaloir.

En fin de compte, peut-être que la différence que l'on sent toujours entre l'orientalisme moderne anglais et l'orientalisme moderne français est d'ordre stylistique ; la portée des généralisations sur l'Orient et les Orientaux, le

---

1. Comte de Cressaty, *Les Intérêts de la France en Syrie*, Paris, Floury, 1913.

sentiment de la distinction à préserver entre l'Orient et l'Occident, le souhait d'une domination occidentale sur l'Orient sont les mêmes dans les deux traditions. En effet, parmi les nombreux traits caractéristiques de l'expert, l'un des plus évidents est le style, qui résulte de circonstances extérieures spécifiques, prises dans le moule de la tradition des institutions, de la volonté et de l'intelligence, de façon à recevoir une forme articulée. C'est vers cette détermination, ce raffinement de modernisation que l'on perçoit dans l'orientalisme du début du vingtième siècle en Angleterre et en France, que nous allons maintenant nous tourner.

II

Le style, la compétence, la vision de l'expert : l'orientalisme dans-le-monde

L'homme blanc de Kipling figure dans trop de formules et de slogans pour n'être qu'un personnage de fiction ironique lorsqu'il apparaît dans de nombreux poèmes et dans des romans comme *Kim* ; il semble avoir été utile à bien des Anglais au cours de leurs séjours à l'étranger. La couleur de leur peau les distinguait, de façon spectaculaire et rassurante, de la mer des indigènes ; mais l'Anglais qui circulait au milieu d'Indiens, d'Africains ou d'Arabes savait aussi, de connaissance certaine, qu'il appartenait à une longue tradition de responsabilité à l'égard des races de couleur, et qu'il pouvait faire appel aux réserves empiriques et spirituelles de cette tradition. C'est de celle-ci, de ses gloires et de ses difficultés, que Kipling parle quand il célèbre la « route » prise par l'homme blanc dans les colonies :

Now, this is the road that the White Men tread
When they go to clean a land –
Iron underfoot and the vine overhead
And the deep on either hand.
We have trod that road – and a wet and windy road –
Our chosen star for guide.
Oh, well for the world when the White Men tread
Their highway side by side !

Et voici donc la route que foulent les hommes blancs
Quand ils s'en vont nettoyer un pays :
Sous leurs pieds, le fer ; sur leurs têtes, les feuilles,
À gauche, à droite, l'abîme.
Nous avons foulé cette route, dans la pluie et le vent –
Notre étoile pour guide.
Ah ! c'est tant mieux pour le monde, quand les hommes
   blancs s'avancent,
Sur leur grand-route, marchant côte à côte[1] !

« Nettoyer un pays » : les hommes blancs le font mieux
de concert, délicatement, allusion aux dangers d'une rivalité entre Européens dans les colonies ; car, s'ils n'arrivent
pas à coordonner leurs politiques, les hommes blancs de
Kipling sont prêts à se faire la guerre : *Freedom for our-
selves and freedom for our sons / And, failing freedom,
War* (« La liberté pour nous et la liberté pour nos fils / Et,
faute de liberté, la guerre »). Derrière son masque de chef
plein de bonhomie, l'homme blanc est toujours disposé à
user de la force, à tuer et à être tué. Ce qui donne de la
dignité à cette mission, c'est un certain dévouement intellectuel : il est un homme blanc, mais pas en vue du simple
profit, puisque son « étoile » se place probablement bien
au-dessus des biens terrestres. Beaucoup d'hommes
blancs se sont sûrement demandé à maintes reprises pour
quoi ils se battaient sur cette « route dans la pluie et le
vent » ; ils étaient troublés de voir que la couleur de leur
peau leur donnait un statut ontologique supérieur, accompagné d'un grand pouvoir sur une bonne partie du monde
habité. En fin de compte, cependant, être un homme
blanc, pour Kipling et pour ceux dont il a influencé les
perceptions et la rhétorique, était une question d'auto-

1. Rudyard Kipling, *Verse*, Garden City, N.Y., Doubleday and Co.,
1954, p. 280.

confirmation. On devenait un homme blanc parce qu'on *était* un homme blanc ; qui plus est, « boire cette coupe » *(drinking that cup)*, vivre cette destinée inaltérable « aux jours de l'homme blanc » *(the White Man's day)* ne laissait guère le temps de faire des spéculations oiseuses sur les origines, les causes, la logique de l'histoire. [...]

Puisque l'homme blanc, comme l'orientaliste, vivait très près de la barrière qui permettait de contenir les hommes de couleur, il avait l'impression qu'il lui incombait de définir et de redéfinir le domaine qu'il avait sous les yeux. Des passages de description narrative, alternant avec des passages de définition et de jugement reformulés qui interrompent le récit : tel est le style d'écriture caractéristique des experts orientaux, qui opéraient en se servant de l'homme blanc de Kipling comme d'un masque. Ainsi, T. E. Lawrence écrivait à V. W. Richards, en 1918 :

> [...] les Arabes séduisaient mon imagination. C'est la vieille, vieille civilisation, qui s'est affinée en se débarrassant des dieux domestiques et de la moitié des falbalas que la nôtre a hâte de s'approprier. L'évangile du dénuement à l'égard des choses matérielles est salutaire, et il semble impliquer aussi une sorte de dénuement moral. Ces gens n'ont que la pensée du moment, et ils s'efforcent de traverser aisément la vie, sans avoir rien à contourner ou à escalader. C'est en partie une fatigue mentale et morale, une race épuisée, et pour éviter les difficultés il leur faut s'alléger de tant de choses que nous jugeons honorables et importantes ; et pourtant, sans partager aucunement leur point de vue, je crois que je puis le comprendre suffisamment pour nous voir – moi et les autres étrangers – sous l'angle où ils nous voient, et sans le condamner. Je sais que je suis pour eux d'un autre monde, et le serai toujours : mais je ne puis les juger inférieurs, pas plus que je ne pourrais me faire à leur manière de vivre [1].

---

1. *The Letters of T. E. Lawrence of Arabia*, éd. David Garnett, 1938 ; rééd. Londres, Spring Books, 1964, p. 244 (la trad. est

On trouve une perspective semblable, bien que le sujet traité semble différent, dans ces remarques de Gertrude Bell :

> Combien de milliers d'années cet état de choses a-t-il duré [à savoir, que les Arabes vivent « en état de guerre »], ceux qui étudient les données les plus anciennes que nous livre le désert intérieur nous le diront, parce que cet état est attesté dès l'origine, mais, au cours de tous ces siècles, l'Arabe n'a rien appris de l'expérience. Il n'est jamais en sécurité, et pourtant il se comporte comme si la sécurité était son pain quotidien [1].

À quoi, comme une glose, nous pourrions ajouter l'observation qu'elle fait encore, cette fois-ci à propos de la vie à Damas :

> Je commence à voir vaguement ce que signifie la civilisation d'une grande ville orientale, comment ils vivent, ce qu'ils pensent ; et je me suis accommodée avec eux. Je crois que le fait d'être une Anglaise m'aide beaucoup [...]. Nous nous sommes élevés dans le monde depuis cinq ans. La différence est très marquée. Je crois que c'est dû en grande partie au succès de notre gouvernement en Égypte [...]. La défaite de la Russie compte beaucoup, et j'ai l'impression que la politique vigoureuse de lord Curzon dans le golfe Persique et à la frontière de l'Inde compte encore plus. Seul celui qui connaît l'Orient peut bien comprendre comment tout cela se tient. Il est à peine exagéré de dire que si la mission anglaise avait été mise à la porte de Kaboul, on aurait fait mauvais visage au touriste anglais dans les rues de Damas [2].

---

empruntée à *Les Textes essentiels de T. E. Lawrence*, Paris, Gallimard, 1965, p. 165).

1. Gertrude Bell, *The Desert and the Sown*, Londres, William Heinemann, 1907, p. 244.

2. Gertrude Bell, *From her Personal Papers, 1889-1914*, éd. Elizabeth Burgoyne, Londres, Ernest Benn, 1958, p. 204.

Ici, nous remarquons immédiatement que les expressions « l'Arabe » ou « les Arabes » ont une aura qui les met à part, les définit et leur donne une cohérence collective, de telle sorte qu'elle efface toute trace d'Arabe individuel ayant une histoire personnelle qu'on peut raconter. Ce qui excite l'imagination de Lawrence, c'est la clarté de l'Arabe, à la fois comme une image et comme une philosophie (ou attitude) supposée devant la vie : dans les deux cas, Lawrence s'attache à l'Arabe du point de vue décapant de quelqu'un qui n'est pas un Arabe, de quelqu'un pour qui cette simplicité naïve et primitive que possède l'Arabe est quelque chose de défini par l'observateur, ici le Blanc. Le raffinement arabe, cependant, correspond pour l'essentiel à la vision de Byzance de Yeats, où :

Flames that no faggot feeds, flint nor steel has lit,
Nor storm disturbs, flames begotten of flame,
Where blood-begotten spirits come
And all complexities of fury leave

[Des] feux qui n'ont besoin ni d'acier ni de bois,
Que n'agite aucun vent, flammes filles de flamme,
Où viennent les esprits engendrés par le sang,
Qui laissent leurs fureurs et leurs complexités[1].

Il s'associe à la permanence arabe comme si l'Arabe n'avait pas subi le déroulement ordinaire de l'histoire. De manière paradoxale, celui-ci semble, pour Lawrence, s'être épuisé dans sa persistance temporelle ; le très grand

---

1. William Butler Yeats, « Byzantium », in *The Collected Poems*, New York, Macmillan Co., 1959, p. 244 (la trad. est empruntée à *Choix de poèmes*, introd., choix, commentaire et trad. par René Fréchet, Paris, Aubier-Montaigne, 1975).

âge de sa civilisation a ainsi servi à affiner l'Arabe jusqu'à ce qu'il n'ait que ses attributs quintessentiels et, ce
faisant, à le fatiguer moralement. Ce qui nous reste, ce
sont les Arabes de Gertrude Bell : des siècles d'expérience, aucune sagesse. Donc, comme entité collective,
les Arabes n'accumulent ni épaisseur existentielle ni
même épaisseur sémantique. Ils restent les mêmes, à
l'exception des raffinements épuisants mentionnés par
Lawrence, d'un bout à l'autre des « données que nous
livre le désert intérieur ». Nous devons supposer que si *un*
Arabe est joyeux, ou s'il ressent de la tristesse à la mort
de son enfant ou de son père, s'il ressent les injustices ou
la tyrannie politique, ces sentiments sont nécessairement
subordonnés au simple fait, nu et persistant, qu'il est un
Arabe.

La primitivité de cet état existe simultanément sur deux
plans au moins : *celui de la définition*, qui est réductrice ;
et (selon Lawrence et Gertrude Bell), *celui de la réalité*.
Cette coïncidence absolue n'est pas une simple coïncidence. D'abord, elle n'a pu être effectuée que de l'extérieur, par la vertu d'un vocabulaire et d'instruments
épistémologiques destinés, l'un comme les autres, à
atteindre le cœur des choses et à éviter les distractions
causées par l'accidentel, les circonstances ou l'expérience. Ensuite, la coïncidence est un fait résultant uniquement de la méthode, de la tradition et de la politique à
l'œuvre toutes ensemble. Chacune oblitère d'une certaine
manière les distinctions entre le type – *l'*Oriental, *le*
Sémite, *l'*Arabe, *l'*Orient – et la réalité humaine ordinaire,
« le mystère ingouvernable sur le sol bestial » *(uncontrol-
lable mystery on the bestial floor)* de Yeats, dans lequel
vivent tous les êtres humains. Pour le chercheur, un type
marqué « Oriental » est la même chose que n'importe quel
individu oriental qu'il peut rencontrer. Des années de tradition ont donné un certain vernis de légitimité au dis-

cours sur des questions comme l'esprit sémitique ou oriental. Et le bon sens politique enseigne, dans la merveilleuse phrase de Gertrude Bell, qu'en Orient « tout se tient ». La primitivité est donc inhérente à l'Orient, *est* l'Orient, une idée à laquelle tous ceux qui traitent de l'Orient doivent revenir comme à une pierre de touche plus durable que le temps ou l'expérience. [...]

L'efficacité d'un système de référence de ce genre, par lequel tout exemple discret de comportement réel pouvait être ramené à un petit nombre de catégories explicatives « originelles », était considérable vers la fin du dix-neuvième siècle. Pour l'orientalisme, il était l'équivalent de la bureaucratie dans l'administration publique. Le département était plus utile que le dossier individuel, et l'être humain avait certainement pour principale signification d'être l'occasion d'un dossier. Il nous faut imaginer l'orientaliste au travail sous la forme d'un employé de bureau qui range tout un assortiment de dossiers dans une armoire marquée « les Sémites ». Avec l'aide de découvertes récentes faites en anthropologie des populations primitives et en anthropologie comparée, un savant comme William Robertson Smith pouvait faire un seul groupe des habitants du Proche-Orient, et décrire leur système de parenté et leurs coutumes de mariage, la forme et le contenu de leurs pratiques religieuses. Le travail de Smith tire sa force de sa démythologisation franche et brutale des Sémites. Les barrières nominales que présentent au monde l'islam ou le judaïsme sont balayées ; Smith utilise la philologie et la mythologie sémitiques, l'érudition orientaliste « pour construire [...] une image hypothétique du développement des systèmes sociaux qui soit cohérente avec tous les faits arabes ». Si cette image parvient à révéler que les racines du monothéisme, appartenant au passé, mais conservant leur influence, se trouvent dans le totémisme ou le culte des animaux, le savant aura réussi. Et cela, dit Smith, en dépit du fait que « nos sources mahométanes tirent le voile, autant qu'elles le peuvent, sur tous les détails du paganisme ancien[1] ».

Dans son ouvrage sur les Sémites, Smith couvre des domaines tels que la théologie, la littérature et l'histoire ; il l'a écrit en pleine connaissance des travaux des orientalistes (voyez, par exemple, avec quelle sauvagerie il attaque, en 1887, l'*Histoire du peuple d'Israël* de Renan), et, ce qui est plus important, il l'a conçu pour aider à comprendre les Sémites modernes. Car Smith a été, je crois, un maillon capital dans la chaîne intellectuelle qui relie le Blanc-comme-expert à l'Orient moderne. La science compartimentée que fournissent Lawrence, Hogarth, Gertrude Bell et les autres en tant qu'experts sur les questions orientales n'aurait pas été possible sans Smith. Et même le savant archéologue Smith n'aurait pas eu moitié autant d'autorité s'il n'avait eu cette expérience supplémentaire, et directe, des « faits arabes ». Smith a « saisi » les catégories primitives, en même temps qu'il a été capable de voir les vérités générales derrière les errements empiriques du comportement oriental de son temps : cette combinaison a donné du poids à ses écrits. En outre, elle a été l'esquisse du style sur lequel Lawrence, Gertrude Bell et Philby ont bâti leurs réputations d'experts.

Smith a voyagé dans le Hedjaz entre 1880 et 1881, comme Burton et Charles Doughty l'avaient fait avant lui. L'Arabie avait été un endroit particulièrement privilégié pour l'orientaliste, non seulement parce que les musulmans traitent l'islam comme le *genius loci* de l'Arabie,

---

1. William Robertson Smith, *Kinship and Marriage in Early Arabia*, éd. Stanley Cook, 1907 ; réimpr. Oesterhout, N.B., Anthropological Publications, 1966, p. XIII, 241.

mais aussi parce que le Hedjaz apparaît historiquement comme aussi dénudé et arriéré qu'il l'est géographiquement ; le désert d'Arabie est ainsi considéré comme un décor sur lequel on peut affirmer des choses concernant le passé sous la même forme exactement (et avec le même contenu) qu'on le fait concernant le présent. Au Hedjaz on peut parler de musulmans, d'islam moderne et d'islam primitif sans se préoccuper de faire des distinctions. À ce vocabulaire dénué de fondement historique, Smith a été capable d'apporter le cachet de l'autorité supplémentaire que lui donnaient ses études sémitiques. Ses commentaires montrent le point de vue d'un savant ayant à sa disposition *tous* les antécédents pour l'islam, les Arabes et l'Arabie :

> Il est caractéristique du mahométisme que tout sentiment national prend un aspect religieux, dans la mesure où la politique tout entière et les formes sociales d'un pays musulman sont revêtues d'un habit religieux. Mais ce serait une erreur de supposer que cet authentique sentiment religieux est au fond de tout ce qui se justifie en prenant une forme religieuse. Les préjugés de l'Arabe ont leurs racines dans un conservatisme qui est plus profond que leur croyance en l'islam. C'est, en réalité, un grand défaut de la religion du Prophète que de s'être prêtée si facilement aux préjugés de la race au milieu de laquelle elle a d'abord été promulguée, et d'avoir pris sous sa protection tant d'idées barbares et dépassées, dont même Mahomet devait avoir vu qu'elles n'avaient aucune valeur religieuse, mais qu'il transporta dans son système pour faciliter la propagation de ses doctrines réformées. Pourtant, beaucoup des préjugés qui nous semblent les plus nettement mahométans n'ont pas de base dans le Coran [1].

1. William Robertson Smith, *Lectures and Essays*, éd. John Sutherland, Black and George Chrystal, Londres, Adam and Charles Black, 1912, p. 492-493.

Le « nous » de la dernière phrase de cet étonnant morceau de logique définit de manière explicite le point de vue du Blanc. Cela « nous » permet de dire, dans la première phrase, que toute la vie politique et sociale est « revêtue » d'habits religieux (l'islam peut ainsi être défini comme totalitaire), puis de dire, dans la deuxième phrase, que la religion n'est qu'une couverture utilisée par les musulmans (autrement dit, que les musulmans sont essentiellement des hypocrites). Dans la troisième phrase, il est soutenu que l'islam – alors même qu'il s'emparait de la foi de l'Arabe – n'a pas réellement réformé son conservatisme préislamique foncier. Ce n'est pas tout. Car si l'islam a réussi comme religion, c'est parce qu'il a maladroitement permis à ces préjugés arabes « authentiques » de se glisser en lui ; cette tactique (maintenant nous voyons que c'était une tactique de la part de l'islam), nous devons en faire reproche à Mahomet, qui était après tout un crypto-jésuite sans scrupule. Mais tout cela est plus ou moins balayé dans la dernière phrase, quand Smith « nous » assure que tout ce qu'il a dit de l'islam n'est pas valable, puisque, après tout, les aspects quintessentiels de l'islam que connaît l'Occident ne sont pas « mahométans ».

Le principe d'identité et le principe de non-contradiction ne lient pas l'orientaliste, on le voit bien. Ils sont dépassés, annulés par la compétence de l'expert orientaliste, qui se fonde sur une vérité collective irréfutable, que la philosophie et la rhétorique de l'orientaliste possèdent complètement. Smith est capable de parler sans la moindre hésitation de « la tournure aride, pratique […] et irreligieuse par constitution de l'esprit arabe », de l'islam comme système d'« hypocrisie organisée », de l'impossibilité d'« éprouver du respect pour la dévotion musulmane, où le formalisme et la répétition sont réduits à l'état de système ». Ses attaques contre l'islam n'ont pas un caractère relativiste, car il est clair pour lui que la supériorité de l'Europe et du christianisme est réelle, et non pas imaginaire. Au fond, la vision du monde de Smith est binaire ; c'est évident dans des passages comme celui-ci :

> Le voyageur arabe est tout à fait différent de nous autres. La peine de se déplacer est pur ennui pour lui, il ne prend aucun plaisir à l'effort [comme « nous »] et se plaint de toutes ses forces de la faim et de la fatigue [ce que « nous » ne faisons pas]. Vous ne persuaderez jamais l'Oriental que vous puissiez avoir envie d'autre chose, quand vous descendez de votre chameau, que de vous accroupir tout de suite sur un tapis pour vous reposer *(isterih)* en fumant et en buvant. Bien plus, l'Arabe est très peu touché par le paysage [mais « nous » le sommes] [1].

« Nous » sommes ceci, « ils » sont cela. Quel Arabe, quel islam, quand, comment, selon quels critères : il semble que ces distinctions ne comptent pas dans l'étude minutieuse que fait Smith du Hedjaz où il a vécu. Le point crucial est que tout ce qu'on peut connaître ou apprendre sur les « Sémites » et les « Orientaux » reçoit une confirmation immédiate, non seulement dans les archives, mais directement sur le terrain.

L'œuvre des grands experts sur les questions orientales du vingtième siècle, en France et en Angleterre, est issue de cette structure contraignante qui renferme tout homme « de couleur » moderne, en sorte qu'il soit attaché irrévocablement aux vérités générales formulées par un savant blanc européen au sujet de ses ancêtres, du point de vue linguistique, anthropologique ou doctrinal. Ces experts y ont ajouté leur mythologie et leurs obsessions

---

1. *Ibid.*, p. 492, 493, 511, 500, 498 *sq.*

personnelles, que des écrivains comme Doughty et Lawrence ont étudiées avec une grande énergie. Chacun d'entre eux – Wilfrid Scawen Blunt, Doughty, Lawrence, Gertrude Bell, Hogarth, Philby, Sykes, Storrs – croyait que sa vision des choses de l'Orient était individuelle, sa propre création à partir de certains contacts intensément personnels avec l'Orient, l'islam ou les Arabes ; chacun d'entre eux exprimait un mépris très général pour la science officielle sur l'Orient. « Le soleil a fait de moi un Arabe, écrivait Doughty dans *Arabia Deserta*, mais ne m'a jamais faussé dans le sens de l'orientalisme. » Mais, en dernière analyse, ils expriment tous (sauf Blunt) l'hostilité et la peur que l'Occident éprouve traditionnellement à l'égard de l'Orient. Leurs idées ont raffiné et donné une tournure personnelle au style académique de l'orientalisme moderne, avec son répertoire de grandioses généralisations, de science tendancieuse contre laquelle il n'y a pas d'appel possible, et de formules réductrices. (Doughty dit encore : « Les Sémites sont comparables à un homme dans un cloaque jusqu'aux yeux et dont le front touche les cieux[1]. ») Ils agissaient, ils faisaient des promesses, ils proposaient la politique à suivre à partir de généralisations de cet ordre ; et, ironie remarquable, ils acquéraient l'identité d'Orientaux blancs dans la culture de leur pays – même si, comme dans le cas de Doughty, Lawrence, Hogarth et Gertrude Bell, leur implication professionnelle vis-à-vis de l'Orient (comme celle de Smith) ne les empêchait pas de mépriser totalement celui-ci. Il s'agissait principalement, pour eux, de préserver le contrôle du Blanc sur l'Orient et l'islam.

---

1. Charles M. Doughty, *Travels in Arabia Deserta*, 2ᵉ éd., New York, Random House, s.d. (2 vol.), 1, p. 95. Voir aussi l'excellent article de Richard Bevis, « Spiritual Geology : C. M. Doughty and the Land of the Arabs », *Victorian Studies* 1 (déc. 1972), p. 163-181.

Une dialectique nouvelle ressort de ce projet. Ce qu'on demande à l'expert oriental n'est plus simplement de « comprendre » : maintenant il faut faire entrer en action l'Orient, sa puissance doit être enrôlée du côté de « nos » valeurs, de « notre » civilisation, de « nos » intérêts, de « nos » buts. La connaissance de l'Orient est directement traduite en activité, dont les résultats sont de nouveaux courants de pensée et d'action en Orient. Mais, à leur tour, ceux-ci vont exiger du Blanc qu'il affirme à nouveau sa mainmise, cette fois-ci non en tant qu'auteur d'un ouvrage savant sur l'Orient, mais en tant que créateur de l'histoire contemporaine, de l'Orient comme actualité brûlante (puisque c'est lui qui l'a commencée, seul l'expert peut la comprendre convenablement). L'orientaliste est mainte-nant devenu une figure de l'histoire de l'Orient, que l'on ne peut distinguer de celle-ci, celui qui lui donne forme, son *signe* caractéristique pour l'Occident. Voici cette dia-lectique rapidement exposée :

Quelques Anglais, dont Kitchener était le principal, crurent qu'une révolte des Arabes contre les Turcs permettrait à l'Angleterre, tout en luttant contre l'Allemagne, de battre son alliée la Turquie. Leur connaissance de la nature et de la puissance du pays habité par les populations de langue arabe leur fit penser que cette révolte pourrait réussir et leur indiqua le caractère et les méthodes à lui donner. Ils la laissèrent donc débuter, après avoir reçu du gouvernement britannique l'assurance formelle d'un secours. La révolte du chérif de La Mecque n'en fut pas moins une surprise pour beaucoup, et prit les Alliés au dépourvu. Elle suscita des sentiments mélan-gés, créa de fortes amitiés et des inimitiés non moins fortes, et, dans le choc de ces jalousies, ses affaires commencèrent à mal tourner[1].

1. Thomas Edward Lawrence, *The Seven Pillars of Wisdom : A Triumph*, 1926 ; rééd. Garden City, N.Y., Doubleday, Doran and Co.,

Tel est le tableau synoptique fait par Lawrence du chapitre 1 de son livre *Les Sept Piliers de la sagesse*. La
« connaissance » de « quelques Anglais » crée un mouvement en Orient, dont les « affaires » produisent des conséquences mélangées ; les ambiguïtés, les résultats tragi-
comiques, à demi imaginaires de ce nouvel Orient, ressuscité, deviennent le sujet de ce qu'écrivent des experts,
une nouvelle forme de discours orientaliste qui présente
une vision de l'Orient contemporain, non pas sous forme
de récit, mais dans toute sa complexité, sa problématique,
son espoir trompé – avec l'auteur, orientaliste blanc,
comme sa définition articulée et prophétique.

La défaite du récit par la vision que nous constatons
même dans *Les Sept Piliers de la sagesse*, œuvre qui suit
ouvertement le cours des événements, nous l'avons déjà
rencontrée dans le livre de Lane, *Modern Egyptians*. Le
conflit entre une vue holistique de l'Orient (description,
rapport monumental) et un récit des événements d'Orient
se produit sur plusieurs plans, comporte plusieurs dénoue-
ments. Comme il se renouvelle souvent dans le discours
de l'orientalisme, cela vaut la peine de l'analyser rapidement ici. L'orientaliste regarde l'Orient de haut, avec
l'intention de saisir dans sa totalité le panorama qui
s'étale sous ses yeux : culture, religion, esprit, histoire,
société. Pour cela, il doit voir chaque détail à travers le
dispositif d'un ensemble de catégories réductrices (les
Sémites, l'esprit musulman, l'Orient, etc.). Puisque ces
catégories sont avant tout schématiques et visent l'efficacité, et puisque aucun Oriental ne peut se connaître lui-
même comme le connaît un orientaliste, toute vision de
l'Orient en vient à reposer, en fin de compte, pour sa

1935, p. 28 (la trad. est empruntée à *Les Sept Piliers de la sagesse, Un
triomphe*, trad. intégrale par Charles Mauron, Paris, Payot, 1947, p. 9).

cohérence et sa force, sur la personne, l'institution ou le discours dont elle est la propriété. Toute vision globale est fondamentalement conservatrice, et nous avons noté de quelle manière, dans l'histoire des idées de l'Occident sur le Proche-Orient, ces idées se sont maintenues sans tenir compte des témoignages qui les contredisaient. (En réalité, nous pouvons dire que ces idées produisent des témoignages qui prouvent leur validité.)

L'orientaliste est principalement une sorte d'agent de cette vision globale ; Lane présente un exemple typique de la manière dont un individu croit qu'il a subordonné ses idées, ou même ce qu'il voit, aux exigences de quelque vue « scientifique » sur l'ensemble du phénomène connu collectivement comme l'Orient, ou la nation orientale. Une vision est donc statique, tout comme le sont les catégories scientifiques qui inspirent l'orientalisme de la fin du dix-neuvième siècle : il n'y a pas de recours au-delà des « Sémites » ou de l'« esprit oriental » ; ce sont les limites extrêmes qui maintiennent toutes les variétés du comportement oriental à l'intérieur d'une vue générale du domaine tout entier. Comme discipline, comme métier, comme langage ou discours spécialisé, l'orientalisme mise sur la permanence de l'Orient tout entier, car, sans « l'Orient », la connaissance cohérente, intelligible et articulée appelée « orientalisme » ne pourrait exister. L'Orient appartient ainsi à l'orientalisme, de même qu'on suppose qu'il y a de l'information pertinente appartenant (ou se rapportant) à l'Orient.

Une pression s'exerce constamment contre ce système d'« essentialisme chronique [1] », que j'ai appelé vision

---

1. Pour une discussion sur ce point, voir Talal Asad, « Two European Images of Non-European Rule », in *Anthropology and the Colonial Encounter*, éd. Talal Asad, Londres, Ithaca Press, 1975, p. 103-118.

parce qu'il suppose que l'Orient tout entier peut être vu panoptiquement. Cette pression a une source narrative, en ce sens que, si l'on peut montrer qu'un détail oriental quelconque se modifie ou se développe, on introduit la diachronie dans le système. Ce qui semblait stable – et l'Orient est synonyme de stabilité, d'éternité immuable – apparaît maintenant comme instable. Cela fait penser que l'histoire, avec ses particularités dérangeantes, ses courants de transformation, sa tendance à la croissance et au déclin, ou au mouvement dramatique, est possible en Orient et pour l'Orient. L'histoire et la narration qui la représente démontrent que la vision est insuffisante, que « l'Orient », catégorie ontologique inconditionnelle, ne rend pas justice au potentiel de changement de la réalité.

En outre, la narration est la forme spécifique que prend l'histoire écrite pour contrer la permanence de la vision. Lane sentait les dangers de la narration lorsqu'il refusait de donner une forme linéaire à ses informations, préférant la forme monumentale de la vision encyclopédique ou lexicographique. La narration affirme que les hommes naissent, vieillissent et meurent ; que les institutions et les conditions de la vie réelle ont tendance à changer ; qu'il est fort probable que la modernité et la contemporanéité rattraperont les civilisations « classiques » ; et surtout, elle affirme que la domination de la réalité par la vision n'est rien de plus qu'une volonté de puissance, une volonté de vérité et d'interprétation, et non une condition objective de l'histoire. Bref, la narration introduit un point de vue, une perspective, une prise de conscience qui s'opposent dans le tissu unitaire de la vision ; elle viole les fictions apolliniennes et sereines que propose la vision.

Quand la Première Guerre mondiale fit entrer l'Orient dans l'histoire, c'est l'orientaliste-comme-agent qui exécuta le travail. Hannah Arendt a remarqué avec justesse que l'équivalent de la bureaucratie est l'agent impérial[1] ; ce qui veut dire, dans notre cas, que si l'entreprise académique collective appelée orientalisme était une institution bureaucratique fondée sur une certaine vision conservatrice de l'Orient, ceux qui servaient cette vision en Orient étaient des agents de l'empire, comme T. E. Lawrence. Dans son œuvre nous pouvons voir très clairement le conflit entre l'histoire-récit et la vision, alors que – dans ses propres termes – le « nouvel impérialisme » tentait de soulever « une vague d'activité en imposant la responsabilité aux gens du pays » [l'Orient][2]. Parce qu'elles sont en compétition, les puissances européennes aiguillonnent l'Orient pour le faire entrer dans la vie active, le rendre utile, le faire passer d'une passivité « orientale » à une vie moderne militante. Néanmoins, il importerait de ne jamais laisser l'Orient suivre sa propre voie ou s'émanciper, l'opinion canonique étant que les Orientaux n'ont pas de tradition de liberté.

Le grand drame de l'œuvre de Lawrence est qu'elle symbolise la lutte, premièrement, pour stimuler l'Orient (sans vie, sans temps, sans force), le mettre en mouvement ; deuxièmement, pour imposer à ce mouvement une forme essentiellement occidentale ; troisièmement, pour maintenir cet Orient nouveau, éveillé, dans une vision personnelle, dont le mode rétrospectif comporte un puissant sens de l'échec et de la trahison.

J'avais l'intention de faire une nouvelle nation, de restaurer une influence perdue, de donner à vingt millions de Sémites

---

1. Hannah Arendt, *The Origins of Totalitarianism*, New York, Harcourt, Brace, Jovanovich, 1973, p. 218.
2. Thomas Edward Lawrence, *Oriental Assembly*, éd. A. W. Lawrence, New York, E.P. Dutton and Co., 1940, p. 95.

les fondations sur lesquelles bâtir un château en Espagne de leurs pensées nationales [...]. Toutes les provinces sujettes de l'Empire ne valaient pas pour moi autant qu'un Anglais mort. Si j'ai restitué à l'Orient un peu d'amour-propre, un but, un idéal ; si j'ai rendu plus exigeant le modèle d'autorité du blanc sur le rouge, j'ai jusqu'à un certain point adapté ces populations au nouveau type de gouvernement dans lequel les races dominantes vont oublier leurs réalisations grossières, et les blancs et les rouges et les jaunes et les bruns et les noirs vont se tenir ensemble, sans jeter un regard de côté, au service du monde [1].

Rien de tout cela, que ce soit comme intention, comme entreprise réelle ou comme projet raté n'aurait été possible, même vaguement, s'il n'y avait eu au départ le point de vue de l'orientaliste blanc.

Le juif dans la métropole à Brighton, l'avare, l'adorateur d'Adonis, le libidineux de Damas révèlent tous la capacité de jouissance sémite ; en eux s'épanouit la même force qui donne, renversée, l'ardent renoncement des Esséniens, des Chrétiens primitifs ou des premiers califes jugeant l'accès du ciel plus facile aux pauvres d'esprit. Le Sémite a toujours oscillé entre la luxure et la macération.

Pour affirmer ceci, Lawrence a derrière lui une tradition respectable qui traverse tout le dix-neuvième siècle comme le rayon d'un phare ; sa source lumineuse est, bien entendu, « l'Orient », et elle est assez puissante pour éclairer à la fois la topographie grossière et la topographie fine à sa portée. Le juif, l'adorateur d'Adonis, le libidineux de Damas ne sont pas tant des signes d'humanité, peut-on

---

1. Cité dans Stephen Ely Tabachnik, « The Two Veils of T. E. Lawrence », *Studies in the Twentieth Century* 16 (automne 1975), p. 96 *sq.*

dire, que d'un champ sémiotique appelé le sémitique et rendu cohérent par la branche sémitique de l'orientalisme. Dans ce champ, certaines choses sont possibles :

> On peut lier les Arabes à une idée comme à une longe : la libre allégeance de leurs esprits en fait des serviteurs fidèles et soumis. Aucun d'eux n'essaie d'échapper avant le succès. Mais avec lui viennent les responsabilités, les devoirs, les engagements ; l'idée meurt et l'œuvre s'achève – en ruine. On entraînerait les Sémites, il est vrai, aux quatre coins du monde (mais non au ciel) sans croyance, rien qu'en leur montrant les richesses et les plaisirs de la terre. Mais qu'ils rencontrent sur leur route le prophète d'une idée, sans toit pour abriter sa tête et sans autre moyen de subsistance que la chasse ou la charité, ils le suivront aussitôt en abandonnant leurs richesses... Peuple aussi instable que l'eau, mais, précisément, comme l'eau, assuré peut-être, à la fin, de la victoire. Depuis l'aurore de la vie, ses vagues, tour à tour, se brisent sur les falaises de la chair. Chacune d'elles est retombée arrachant cependant un peu du granit qui l'arrête... C'est une de ces vagues (et non la moindre) que j'ai pu soulever en Arabie. Au souffle d'une idée abstraite elle a roulé, grossissant toujours davantage jusqu'au moment où, incurvant sa crête, elle est retombée à Damas. Son reflux écumeux, repoussé par la fixité des puissances matérielles, composera le corps de la vague suivante, lorsque le temps sera venu où la mer doit se soulever une fois de plus.

Lawrence s'insère lui-même dans le tableau sous la forme du « on », du conditionnel. Il prépare ainsi la possibilité de l'avant-dernière phrase où, comme manipulateur des Arabes, il se met à leur tête. De même que le Kurtz de Conrad, Lawrence s'est détaché de la terre pour être identifié à une réalité nouvelle, dans le but d'être capable – dira-t-il plus tard – « de forcer l'Asie, pendant mon existence, à prendre la forme nouvelle qu'inexorablement le temps poussait vers nous[1] ».

La révolte arabe ne prend de sens que lorsque Lawrence lui en assigne un ; ce sens, ainsi communiqué à l'Asie, était un triomphe, « un élargissement triomphal » ; « nous avions l'impression de prendre sur nous la douleur et l'expérience d'un autre, sa personnalité ». L'orientaliste est maintenant devenu l'Oriental représentatif, à la différence des premiers observateurs participant à la vie du pays comme Lane, pour qui l'Orient était quelque chose qu'ils tenaient soigneusement à distance. Mais il y a chez Lawrence un conflit insoluble entre le Blanc et l'Oriental, et, bien qu'il ne le dise pas explicitement, ce conflit remet en scène dans son esprit le conflit historique entre l'Est et l'Ouest. Conscient de son pouvoir sur l'Orient, conscient de sa duplicité, mais non de tout ce qui, en Orient, lui suggérerait que l'histoire, après tout, est l'histoire et que, même sans lui, les Arabes régleront finalement leur querelle avec les Turcs, Lawrence réduit le récit de la révolte tout entier (ses succès passagers et son échec amer) à cette vision qu'il a *de lui-même* : « une guerre civile permanente », et sans solution.

> En réalité c'était par amour pour nous que nous prenions les souffrances d'autrui, ou, du moins, pour un bénéfice futur ; et nous ne pouvions éviter de le savoir qu'en nous dupant nous-mêmes sur notre sentiment et nos motifs [...].
>
> [...] Aucune voie droite n'apparaissait, pour nous autres chefs, dans ces tortuosités de labyrinthe moral, dans cette succession de cercles inconnus où des motifs houleux annulaient ou accentuaient toujours les précédents[2].

1. *Seven Pillars of Wisdom*, op. cit., p. 42 *sq.*, 661 (trad. fr., *Les Sept Piliers de la sagesse*, *op. cit.*, p. 55 *sq.*, 821).
2. *Ibid.*, p. 549, 550-552 (trad. fr., p. 686 *sq.*).

À ce sentiment intime de défaite, Lawrence devait ajouter par la suite une théorie sur « les vieillards » qui lui volèrent son triomphe. En tout cas, ce qui importe à Lawrence, c'est qu'en tant qu'expert blanc, en tant qu'héritier d'années de sagesse académique et populaire à propos de l'Orient, il soit capable de subordonner son style d'existence à celui des Orientaux, puis de jouer le rôle de prophète oriental qui donne forme à un mouvement dans la « nouvelle Asie ». Et quand, pour certaines raisons, le mouvement échoue (il est repris par d'autres, ses objectifs sont trahis, son rêve d'indépendance invalidé), c'est la désillusion de *Lawrence* qui compte. Loin d'être simplement un homme perdu dans la course confuse des événements, Lawrence s'identifie complètement à la lutte de la nouvelle Asie en train de naître.

Alors qu'Eschyle avait représenté l'Asie déplorant ses pertes, et que Nerval avait exprimé son désenchantement devant l'Orient, Lawrence *devient* à la fois le continent en deuil et une conscience subjective exprimant un désenchantement presque comique. Lawrence et sa vision sont finalement devenus – et ce n'est pas seulement grâce à Lowell Thomas et à Robert Graves – le symbole même du trouble oriental : bref, Lawrence a assumé la responsabilité de l'Orient en intercalant son expérience savante entre le lecteur et l'histoire. En vérité, ce que Lawrence présente au lecteur est un pouvoir d'expert non médiatisé – le pouvoir d'être, pour une courte période, l'Orient. Tous les événements attribués à la révolte arabe historique sont finalement réduits aux expériences de Lawrence en ce qui la concerne.

Dans ce cas, donc, le style n'est pas seulement le pouvoir de symboliser des généralités aussi énormes que l'Asie, l'Orient ou les Arabes ; c'est aussi une certaine forme de remplacement et d'incorporation par lesquels une unique voix devient une histoire tout entière et – pour l'Occidental blanc, qu'il soit lecteur ou écrivain – la seule espèce d'Orient qu'il soit possible de connaître. Renan avait tracé la carte du champ de possibilités ouvert aux Sémites dans la culture, la pensée et la langue ; Lawrence, lui, met en graphiques l'espace (et, en vérité, s'approprie cet espace) et le temps de l'Asie moderne. Son style a pour effet d'amener l'Asie à portée de main de l'Occident, pour le tenter, mais seulement pour un court instant. À la fin, il nous reste le sentiment de la distance pathétique qui « nous » sépare encore d'un Orient destiné à porter son caractère étranger comme une marque de son altérité permanente vis-à-vis de l'Occident. Cette conclusion décevante est corroborée par la fin de la *Route des Indes*, le roman que E. M. Forster a écrit à la même époque ; Aziz et Fielding essaient de se réconcilier sans y parvenir :

> « Et pourquoi ne pas être amis tout de suite ? dit l'autre en le saisissant affectueusement. C'est ce que je veux, c'est ce que vous voulez. »
> Mais les chevaux ne le voulaient pas, ils se séparèrent d'un bond ; la terre ne le voulait pas, dressant des rocs au travers desquels les cavaliers ne pouvaient passer qu'un à un ; les temples, la citerne, la prison, le palais, les oiseaux, les charognes, la Maison des Hôtes qu'ils aperçurent, en débouchant du défilé, avec Mau à leurs pieds : rien ne le voulait, et tous disaient de leurs cent voix : « Non, pas encore ! » et le ciel disait : « Non, pas ici » [1].

Ce style, cette formulation serrée, l'Orient va toujours s'y heurter.

Malgré leur pessimisme, il y a un message politique positif derrière ces phrases. Comme Cromer et Balfour

---

1. E. M. Forster, *A Passage to India*, 1924 ; rééd. New York, Harcourt Brace and Co., 1952, p. 322 (la trad. fr. est empruntée à *Route des Indes*, trad. Charles Mauron, Paris, Plon, 1947, p. 393).

le savaient bien, le savoir et le pouvoir supérieurs de l'Occident pouvaient aider à franchir le golfe entre l'Est et l'Ouest. La vision de Lawrence a pour complément en France *Une enquête aux pays du Levant*, où Maurice Barrès rend compte d'un voyage qu'il a fait au Proche-Orient en 1914. Comme tant d'ouvrages avant lui, l'*Enquête* est une œuvre récapitulative, où l'auteur ne se contente pas de chercher en Orient les sources et les origines de la culture occidentale, mais encore reproduit Nerval, Flaubert et Lamartine dans leurs voyages en Orient. Pour Barrès, pourtant, il y a une dimension politique supplémentaire à son voyage : il cherche à prouver par des témoignages concluants le rôle constructif de la France en Orient. Mais il reste une différence entre les experts français et les experts anglais : les premiers s'occupent d'une conjonction réelle de territoires et d'habitants, tandis que les seconds traitent d'un domaine de possibilités spirituelles. Pour Barrès, c'est dans les écoles françaises que l'on voit le mieux la présence de la France ; il dit ainsi d'une école d'Alexandrie : « C'est ravissant de voir ces petites filles d'Orient accueillir et reproduire si vivement la fantaisie et la mélodie de l'Ile de France [en parlant français]. » Si la France ne possède pas réellement de colonies, elle n'est pas tout à fait sans possessions :

> Il y a là-bas, autour de la France, un sentiment d'un caractère si religieux et si fort qu'on y accepte et réconcilie toutes nos aspirations les plus diverses. En Orient, nous représentons une spiritualité, la justice, la catégorie de l'idéal. L'Angleterre y est puissante ; l'Allemagne, toute-puissante ; mais nous possédons les âmes.

Argumentant à grands cris avec Jaurès, ce célèbre docteur européen propose de « vacciner l'Asie contre ses propres défauts », d'« occidentaliser les Orientaux », de les mettre au contact salutaire de la France. Pourtant, la vision de Barrès préserve, même dans ces projets, la distinction entre Est et Ouest qu'il prétend atténuer.

> Comment formerons-nous une élite intellectuelle avec qui nous puissions travailler, des Orientaux qui ne soient pas des déracinés, qui continuent d'évoluer dans leur norme, qui restent pénétrés de leurs traditions familiales, et qui forment ainsi un trait d'union entre nous et la masse indigène ? Comment créerons-nous des parentés, en vue de préparer les accords et les ententes qui sont la forme souhaitable de notre future politique ? Il s'agit de susciter dans ces peuples étrangers le goût de maintenir, *quoi qu'il advienne un jour de leurs destinées nationales*, le contact avec notre intelligence [les italiques de la dernière phrase sont de Barrès][1].

Puisqu'il parle, à la différence de Lawrence et de Hogarth (dont le livre, *The Wandering Scholar*, est un compte rendu tout à fait factuel et sans romantisme de deux voyages au Levant, en 1896 et 1910[2]), d'un monde de probabilités éloignées, il est mieux préparé qu'eux à imaginer l'Orient suivant sa propre voie. Pourtant, le lien (la longe) entre l'Est et l'Ouest qu'il prône est conçu pour permettre toute une espèce de pression intellectuelle, constante, de l'Occident sur l'Orient. Barrès voit les choses, non en termes de vagues, de batailles, d'aventures spirituelles, mais dans ceux d'un impérialisme intellectuel, aussi indéracinable qu'il est subtil. La vision britannique, dont Lawrence donne un exemple, est celle du

---

1. Maurice Barrès, *Une enquête aux pays du Levant*, Paris, Plon, 1923, 1, p. 20 ; 2, p. 181, 192 *sq.*, 197.
2. D. G. Hogarth, *The Wandering Scholar*, Londres, Oxford Univ. Press, 1924. Hogarth décrit ainsi son style : « D'abord l'explorateur, ensuite le savant » (p. 4).

grand courant de l'Orient, de peuples, d'organisations et de mouvements politiques guidés et tenus en bride par la tutelle experte du Blanc ; l'Orient est « notre » Orient, « notre » peuple, « nos » dominions. Les Anglais font probablement moins de différence entre les élites et les masses que les Français, dont les perceptions et la politique ont toujours été fondées sur des minorités et sur les pressions insidieuses exercées par la communauté spirituelle entre la France et ses enfants coloniaux.

L'agent-orientaliste anglais – Lawrence, Gertrude Bell, Philby, Storrs, Hogarth – reprit, pendant et après la Première Guerre mondiale, le rôle de l'expert-aventurier-excentrique (créé au dix-neuvième siècle par Lane, Burton, Hester Stanhope) et celui de l'autorité coloniale, dont la position est centrale, juste à côté du souverain indigène : Lawrence avec les Hachémites, Philby avec la maison de Saoud en fournissent les exemples les plus connus. La doctrine des experts anglais sur les questions orientales s'est formée autour du consensus de l'orthodoxie et de l'autorité du souverain ; les Français se sont occupés entre les deux guerres d'hétérodoxie, de liens spirituels, d'originaux. Ce n'est donc pas un hasard si les deux plus importantes carrières universitaires de cette période, l'une anglaise, l'autre française, sont celles de H.A.R. Gibb et de Louis Massignon : l'intérêt du premier étant défini par la notion de Sunna (ou orthodoxie dans l'islam), celui du second ayant pour centre le personnage soufi théosophique, presque christique, de Mansur al-Hallaj. Je reviendrai un peu plus loin sur ces deux grands orientalistes.

Si, dans ce chapitre, je me suis plus occupé d'agents impériaux et de politiques que de savants, c'est pour mettre l'accent sur le changement majeur de l'orientalisme, de la connaissance de l'Orient, des contacts avec celui-ci, qui sont passés d'une attitude universitaire à une attitude *instrumentale*. En même temps, l'orientaliste ne se considère plus lui-même – ainsi que le faisaient Lane, Silvestre de Sacy, Renan, Caussin de Perceval, Max Müller et d'autres – comme un membre d'une sorte de communauté, de guilde ayant ses traditions propres et ses rituels internes. Il est maintenant devenu le représentant de sa culture occidentale, un homme qui concentre dans son œuvre une intention double dont cette œuvre est l'expression symbolique : d'un côté le savoir, de l'autre les étendues de l'Orient dans leurs détails les plus infimes. Formellement, l'orientaliste se voit comme réalisant l'union entre l'Orient et l'Occident, mais il le fait, pour l'essentiel, en réaffirmant la suprématie technologique, politique et culturelle de l'Occident. Dans une union de ce genre, l'histoire est tout à fait affadie, si ce n'est éliminée. Considérée comme un courant de développement, comme le fil directeur d'un récit, ou comme une force se déployant systématiquement et matériellement dans le temps et l'espace, l'histoire des hommes – ou de l'Est et de l'Ouest – est subordonnée à une conception essentialiste, idéaliste de l'Occident et de l'Orient. Parce qu'il se sent sur l'arête même qui sépare Est et Ouest, l'orientaliste ne se contente pas d'exprimer des idées très générales, il cherche aussi à convertir chacun des aspects de la vie orientale ou occidentale en un signe non médiatisé de l'une ou l'autre de ces moitiés du monde géographique.

Cette alternance, dans l'écriture de l'orientaliste, entre sa personnalité d'expert et sa personnalité de témoin et de spectateur en tant que représentant de l'Occident, est élaborée en termes visuels. Voici un passage typique (cité par Gibb) de l'ouvrage classique de Duncan Macdonald, *The Religious Attitude and Life in islam* (1909) :

Les Arabes ne se montrent pas comme particulièrement faciles à convaincre, mais comme des hommes positifs, matérialistes, posant des questions, se moquant de leurs propres superstitions et usages, aimant à mettre à l'épreuve le surnaturel – en tout cas d'une manière curieusement étourdie, presque enfantine [1].

Le verbe qui gouverne cette phrase est *montrer*, qui nous donne ici à comprendre que les Arabes s'exposent eux-mêmes (volontairement ou non) à l'examen de l'expert. Le nombre d'attributs qui leur sont prêtés, par sa foule de simples appositions, fait que « les Arabes » acquièrent une sorte de légèreté existentielle ; ils sont ainsi renvoyés à la désignation très large, courante dans la pensée anthropologique moderne, de « primitifs enfantins ». Macdonald suggère aussi que, pour faire ce type de descriptions, l'orientaliste occidental occupe une position privilégiée ; sa fonction représentative est précisément de *montrer* ce qu'il est nécessaire de voir. Toute histoire spécifique peut être vue à la pointe, ou à la frontière sensible, de l'Orient et l'Occident ensemble. La dynamique complexe de la vie humaine – ce que j'ai appelé l'histoire-récit – devient soit hors du sujet, soit triviale comparée à la vision circulaire grâce à laquelle les détails de la vie orientale servent, purement et simplement, à réaffirmer l'orientalité du sujet et l'occidentalité de l'observateur.

Si ce genre de vision rappelle d'une certaine manière celle de Dante, il faut bien voir quelle énorme différence il y a entre cet Orient et le sien. La preuve a pour but ici d'être scientifique (et elle est probablement considérée comme telle) ; elle a ses ancêtres, du point de vue généalogique, dans la science européenne, intellectuelle et

1. Cité par H. A. R. Gibb, « Structure of Religious Thought in Islam », dans ses *Studies on the Civilization of Islam*, éd. Stanford J. Shaw et William R. Polk, Boston, Beacon Press, 1962, p. 180.

humaine, du dix-neuvième siècle. De plus, l'Orient n'est pas simplement une merveille, ou un ennemi, ou une branche de l'exotisme ; c'est une réalité politique lourde de conséquences. Pas plus que Lawrence, Macdonald ne peut vraiment détacher ses caractères représentatifs d'Occidental de son rôle de savant. Ainsi, sa vision de l'islam, tout autant que la manière dont Lawrence voit les Arabes, entremêle la *définition* de l'objet avec l'*identité* de celui qui définit. Tous les Orientaux arabes doivent être accommodés pour être vus à travers la vision d'un type oriental tel que le construit le savant occidental ; ils doivent aussi être accommodés pour figurer dans une rencontre spécifique avec l'Orient dans laquelle l'Occidental ressaisit l'essence de l'Orient comme une conséquence de son dépaysement intime. Pour Lawrence comme pour Forster, ce sentiment de dépaysement provoque encore le découragement dû à l'échec personnel ; pour des savants comme Macdonald, il donne plus de force au discours orientaliste lui-même.

Et il répand plus largement ce discours dans le monde de la culture, de la politique et de l'actualité. Dans l'entre-deux-guerres, comme nous pouvons facilement en juger à partir des romans de Malraux, par exemple, les relations entre l'Est et l'Ouest sont l'objet d'une circulation à la fois très large et inquiète. Les signes des revendications d'indépendance politique des Orientaux sont partout ; il est certain que ces revendications ont été encouragées par les Alliés dans l'Empire ottoman démembré, et, comme c'est parfaitement clair pour la révolte arabe et ses répercussions, elles sont rapidement devenues un problème. L'Orient semble maintenant constituer un défi, non seulement à l'Occident en général, mais à l'esprit, au savoir et à la domination de l'Occident. Après un bon siècle d'intervention constante en Orient (et d'étude de celui-ci), le rôle de l'Occident dans un Orient touché lui-même par la crise de la modernité semble considérablement plus délicat. Il y a la question de l'occupation totale ; il y a celle des territoires sous mandat ; il y a celle de la compétition entre Européens en Orient ; il y a celle des rapports avec les élites autochtones, avec les mouvements populaires indigènes, et les exigences de *self-government* et d'indépendance ; il y a celle des contacts culturels entre l'Orient et l'Occident. Un savant d'aussi grande valeur que Sylvain Lévi, président de la Société asiatique entre 1928 et 1935, professeur de sanscrit au Collège de France, réfléchissait sérieusement en 1925 à l'urgence du problème Est-Ouest :

Notre devoir, c'est de comprendre la civilisation orientale. Le problème de l'humanisme qui consiste, sur le plan intellectuel, dans un effort de sympathie et d'intelligence pour comprendre les civilisations étrangères dans leur passé et leur présent, se pose pour nous, Français, dans l'ordre pratique, à l'égard de nos grandes colonies d'Asie [un Anglais aurait pu exprimer les mêmes sentiments : il s'agit d'un problème *européen*] […].

Ces populations sont les héritières d'un long passé d'histoire, d'art, de religion, dont elles n'ont pas entièrement perdu la conscience et qu'elles étaient probablement susceptibles de prolonger. Nous avons assumé la responsabilité d'intervenir dans leur développement, parfois sans les consulter, parfois sur leur requête comme dans le cas du Cambodge qui nous a appelés à son aide pour défendre son existence. Nous prétendons, à tort ou à raison, représenter une civilisation supérieure, et du droit de cette supériorité que nous avons affirmée avec tant d'assurance qu'elle avait paru incontestable aux indigènes, nous avons mis en question toutes leurs traditions […]. Nous avons cru, et de très bonne foi, les élever dans l'ordre humain sans nous poser la question de savoir si nous leur assurions plus de bonheur. Or, la hiérarchie, dans l'ordre humain, se mesure difficilement, et quant au bonheur seul, il n'y en a pas d'autre mesure que le jugement de chaque individu.

D'une manière générale, partout où l'Européen était intervenu, l'indigène s'aperçoit avec une sorte de désespoir vraiment poignant que la somme de son bonheur, dans l'ordre moral plus encore que dans l'ordre matériel, loin de s'accroître, a diminué. Tout ce qui faisait l'assiette de la vie sociale vacille et croule sous lui, et les piliers d'or sur lesquels il croyait bâtir à nouveau ne lui apparaissent plus que comme du carton doré.

Cette déception se traduit en rancune d'un bout à l'autre de l'Orient et la rancune est tout près de se convertir en haine et la haine n'attend que l'heure propice pour passer à l'action.

Si l'Europe, par paresse ou par incompréhension, ne fait pas l'effort que ses intérêts seuls suffiraient à lui commander, *le drame asiatique approche de sa crise.*

C'est ici que la science qui est une forme de vie et un instrument de politique – c'est-à-dire en ce qui nous concerne – se doit de faire effort pour pénétrer la civilisation indigène et la vie indigène dans leur esprit intime, pour en discerner les valeurs fondamentales et les facteurs durables au lieu de l'étouffer sous la menace incohérente des apports européens. Il nous faut offrir cette civilisation comme nos autres marchandises sur le marché des échanges locaux. Sachons la faire valoir pour ce qu'elle vaut réellement. N'essayons point de coup de surprise. Laissons à l'indigène la faculté d'y choisir à son goût, à son heure et à sa convenance.

Tâchons de l'assister dans ce choix délicat en le guidant avec tact sans essayer de l'éblouir, en nous efforçant de comprendre par nous-mêmes ce qu'il lui importe de sauver de ses traditions propres, s'il désire les combiner avec les nôtres [les italiques sont de Sylvain Lévi][1].

---

1. Frédéric Lefèvre, « Une heure avec Sylvain Lévi », in *Mémorial Sylvain Lévi*, éd. Jacques Bacot, Paris, Paul Hartmann, 1937, p. 123 *sq.*

Sylvain Lévi n'a pas de peine à relier l'orientalisme à la politique, car l'intervention longue (ou plutôt prolongée) de l'Occident en Orient ne peut être niée, que ce soit dans ses conséquences pour le savoir ou dans ses effets sur le malheureux indigène ; ils s'additionnent pour former ce qui pourrait bien être un avenir menaçant. Malgré tout l'humanisme qu'il exprime, toute l'admirable sollicitude qu'il a pour les autres, Sylvain Lévi conçoit le moment présent en des termes désagréablement étriqués. Il imagine que les Orientaux sentent la menace exercée sur le monde par une civilisation supérieure, mais qu'ils sont poussés par des motifs qui ne sont pas quelque désir positif de liberté, d'indépendance politique ou de réalisation culturelle selon des critères qui leur sont propres, mais la rancune ou la méchanceté jalouse. Par son œuvre, Sylvain Lévi a, naturellement, donné un exemple de véritable érudition attentive à son sujet et on ne peut douter de son authentique préoccupation pour ses étudiants orientaux. Mais son activité d'enseignant s'est toujours déroulée dans le contexte politique général qu'il indique par cette phrase menaçante : « le drame asiatique approche de sa crise ».

L'Asie souffre, mais sa souffrance menace l'Europe : l'éternelle frontière tout hérissée persiste entre l'Est et l'Ouest, presque sans changement depuis l'Antiquité classique. Ce que dit Sylvain Lévi, lui le plus auguste des orientalistes modernes, trouve un écho moins subtil chez les humanistes de la culture. Exemple : en 1925, la revue française *Les Cahiers du mois* mène une « Enquête » auprès des notables du monde intellectuel ; les écrivains sollicités comprennent des orientalistes (Sylvain Lévi, Émile Senart) ainsi que des hommes de lettres comme André Gide, Paul Valéry et Edmond Jaloux. Les questions posées concernent les relations entre l'Orient et l'Occident, avec à-propos et même avec une certaine impudence provocante : cela donne quelque indication sur le climat culturel de l'époque, et permet de voir comment les idées comme celles que promulgue l'orientalisme atteignent maintenant le niveau de la vérité acceptée.

1° Pensez-vous que l'Occident et l'Orient soient complètement impénétrables l'un à l'autre ou tout au moins que, selon le mot de Maeterlinck, il y ait dans le cerveau humain un lobe occidental et un lobe oriental qui ont toujours mutuellement paralysé leurs efforts ? [...].

3° Êtes-vous d'avis, avec Henri Massis, que cette influence de l'Orient puisse constituer pour la pensée et les arts français un péril grave et qu'il serait urgent de combattre [...] ?

5° Quelles sont, à votre sentiment, les valeurs occidentales qui font la supériorité de l'Occident sur l'Orient [...] ?

La réponse de Valéry me paraît digne d'être citée, tant les lignes de son argumentation sont nettes et consacrées par l'usage, au moins celui du début du vingtième siècle.

[...] Au point de vue de la culture, je ne crois pas que nous ayons beaucoup à craindre *actuellement* de l'influence orientale. Elle ne nous est pas inconnue. Nous lui devons tous les commencements de nos arts et de nos connaissances. Nous pourrions bien accueillir ce qui nous viendrait de l'Orient, si quelque chose de neuf pouvait en venir, – dont je doute. Ce doute est précisément notre garantie et notre arme européenne.

D'ailleurs, la question, en ces matières, n'est que de *digérer*. Mais ce fut là précisément la grande affaire et la spécialité même de l'esprit européen à travers les âges. Notre rôle est de maintenir cette puissance de choix, de compréhension universelle et de transformation en substance nôtre, qui nous a faits ce que nous sommes. Les Grecs et les Romains nous ont montré comment l'on opère avec les monstres de l'Asie, comme on les traite par l'analyse, quels sucs l'on en retire… Le bassin de la Méditerranée me semble un vase clos où les essences du vaste Orient sont venues de tout temps se condenser [les italiques et les points de suspension sont dans l'original][1].

Si la culture européenne a, d'une manière générale, digéré l'Orient, Valéry se rend certainement compte qu'un des agents spécifiques pour exécuter cette tâche a été l'orientalisme. Dans le monde des principes d'autodétermination nationale de Wilson, Valéry fait confiance à l'analyse pour écarter la menace de l'Orient. La « puissance de choix » consiste essentiellement, pour l'Europe, d'abord à reconnaître l'Orient comme l'origine de la science européenne, puis à le traiter comme une origine périmée. C'est ainsi que, dans un contexte différent, Balfour peut considérer que les habitants autochtones de la Palestine ont un droit prioritaire sur le pays, mais sont loin d'avoir, pour le conserver, l'autorité qui en découle ; les simples désirs de sept cent mille Arabes, dit-il, sont sans conséquence en face du destin d'un mouvement essentiellement colonial et européen[2].

L'Asie représente donc la probabilité déplaisante d'une éruption soudaine qui va détruire « notre » monde ; comme l'écrit John Buchan, en 1922 :

La terre est bouillonnante de puissance incohérente et d'intelligence inorganisée. Avez-vous jamais réfléchi au cas de la Chine ? Là, vous avez des millions d'esprits vifs qui étouffent à fabriquer de la pacotille. Ils n'ont pas de

1. Paul Valéry, *Œuvres*, éd. Jean Hytier, Paris, Gallimard, 1960, 2, p. 1556 *sq.*
2. Cité dans Christopher Sykes, *Crossroads to Israel*, 1965 ; rééd. Bloomington, Indiana Univ. Press, 1973, p. 5.

direction, pas de pouvoir qui les conduise : tous leurs efforts sont donc vains, et le monde se rit de la Chine [1].

Mais si la Chine s'organisait (comme elle le fera), il ne serait plus question de rire. L'Europe s'efforce donc de se maintenir comme ce que Valéry appelait « une machine puissante [2] », absorbant ce qu'elle peut du monde extérieur, convertissant tout à son usage, intellectuellement et matériellement, maintenant l'Orient dans une forme sélective d'organisation (ou de désorganisation). Mais ceci ne peut se faire que grâce à la clarté de la vision et de l'analyse. À moins de prendre l'Orient pour ce qu'il est, sa puissance – militaire, matérielle, spirituelle – submergera tôt ou tard l'Europe. Les grands empires coloniaux, les grands systèmes de répression systématique existent pour parer à cette éventualité redoutée. Les sujets coloniaux tels que George Orwell les a vus à Marrakech, en 1939, ne doivent être vus que comme une espèce d'émanation continentale, africaine, asiatique, orientale :

> Lorsque vous vous promenez dans une ville comme celle-ci – deux cent mille habitants dont au moins vingt mille ne possèdent strictement rien d'autre que les haillons qui les entourent – quand vous voyez comment vivent les gens, plus encore comment ils meurent facilement, il est toujours difficile de croire que vous marchez au milieu d'êtres humains. En réalité, tous les empires coloniaux sont fondés sur cela. Les gens ont des figures brunes – d'ailleurs ils en ont tellement ! Sont-ils réellement de la même chair que vous ? Ou

---

1. Cité dans Alan Sandison, *The Wheel of Empire : A Study of the Imperial Idea in Some Late Nineteenth and Early Twentieth Century Fiction*, New York, St. Martin's Press, 1967, p. 158. Une excellente étude des équivalents français : Martine Astier Loutfi, *Littérature et Colonialisme, l'expansion coloniale vue dans la littérature romanesque française, 1871-1914*, La Haye, Mouton, 1971.

2. Paul Valéry, *Variété*, Paris, Gallimard, 1924, p. 43.

bien sont-ils simplement une espèce de matière brune indifférenciée, à peu près aussi individualisée que des abeilles ou des coralliaires ? Ils sortent de la terre, ils suent et ont faim pendant quelques années et puis ils replongent dans les tas sans nom du cimetière et personne ne remarque qu'ils sont partis. Et même les tombes elles-mêmes s'effacent bientôt dans le sol [1].

En dehors des caractères pittoresques proposés aux lecteurs européens par les romans exotiques d'écrivains mineurs (Pierre Loti, Marmaduke Pickthall, etc.), le non-Européen que connaît l'Européen est exactement ce qu'en dit Orwell. Il est soit un personnage comique, soit un atome dans une vaste collectivité désignée dans le discours courant ou dans le discours cultivé comme un type indifférencié appelé Oriental. L'orientalisme a contribué à créer ce type d'abstractions par son pouvoir de généralisation, qui convertit des exemplaires d'une civilisation en porteurs de ses valeurs, de ses idées et de ses positions, que les orientalistes, pour leur part, avaient trouvées dans « l'Orient » et transformées en monnaie courante culturelle.

En 1934, Raymond Schwab a publié sa belle biographie d'Anquetil-Duperron, et a entamé ces études qui devaient placer l'orientalisme dans son contexte culturel ; nous devons remarquer qu'il s'oppose nettement à ses collègues, artistes et intellectuels, pour qui l'Orient et l'Occident sont toujours des abstractions de deuxième main, comme pour Valéry. On ne peut pas dire que Pound, Eliot, Yeats, Arthur Waley, Fenollosa, Claudel (dans *Connaissance de l'Est*), Victor Segalen, entre

---

1. George Orwell, « Marrakech », in *A Collection of Essays*, New York, Doubleday Anchor Books, 1954, p. 187 (trad. fr. : *Essais choisis*, Paris, Gallimard, 1960).

autres, aient ignoré la « sagesse de l'Orient », selon l'expression de Max Müller, quelques générations auparavant ; mais, plutôt, que le monde de la culture a considéré l'Orient, et l'islam en particulier, avec cette méfiance qui a toujours pesé sur son attitude savante vis-à-vis de l'Orient.

On peut en trouver un bon exemple, et des plus explicites, dans une série de conférences prononcées, en 1924, à l'université de Chicago sur « L'Occident et l'Orient » par le célèbre journaliste européen Valentine Chirol, qui avait une grande expérience de l'Orient ; son objet était de démontrer aux Américains cultivés que l'Orient n'était pas aussi loin qu'ils le croyaient peut-être. La ligne de sa pensée est simple : l'Orient et l'Occident sont opposés l'un à l'autre de manière irréductible, et l'Orient – en particulier le « mahométisme » – est l'une des « grandes, forces mondiales » responsables des « lignes de clivage les plus profondes » du monde[1]. Il me semble que les titres de ses six conférences donnent une bonne idée des généralisations à l'emporte-pièce de Chirol : « Leur ancien champ de bataille » ; « Disparition de l'Empire ottoman, avec le cas particulier de l'Égypte » ; « La grande expérience britannique en Égypte » ; « Protectorats et mandats » ; « Un nouveau facteur : le bolchévisme », et « Quelques conclusions générales ».

À des exposés sur l'Orient destinés à un public relativement large, comme ceux de Chirol, nous pouvons ajouter un témoignage d'Élie Faure qui, dans ses ruminations, fait appel, comme Chirol, à l'histoire, à ses connaissances particulières sur la culture et à l'opposition familière entre occidentalisme blanc et orientalisme de couleur. Il émet des paradoxes comme « le carnage permanent de l'indif-

1. Valentine Chirol, *The Occident and the Orient*, Chicago, Univ. of Chicago Press, 1924, p. 6.

férence orientale » (car « ils » n'ont pas de conception de la paix, comme « nous » l'avons), il continue à montrer que les corps des Orientaux sont paresseux et affirme qu'il n'y a « pas de patrie proprement dite, pas d'histoire, pas de nation en Orient », que l'Orient est essentiellement mystique, etc. Faure prétend que, à moins que l'Orient n'apprenne à être rationnel et à mettre en œuvre les techniques de la science et de la positivité, « une conciliation n'est pas possible » entre l'Est et l'Ouest[1].

Dans l'essai de Fernand Baldensperger : « Où s'affrontent l'Orient et l'Occident intellectuels », le dilemme Est-Ouest est exposé beaucoup plus subtilement et plus savamment ; mais il dit lui aussi :

> Il peut sembler qu'un dédain pareil pour l'idée, pour une discipline imposée par l'esprit au défilé des sensations, pour leur interprétation rationnelle et leur fixation sur des plans respectifs, reste inhérent à la conception orientale des lettrés[2].

Tirés du plus profond de la culture européenne, exprimés par des écrivains qui croyaient vraiment parler au nom de cette culture, ces lieux communs (car ce sont de parfaites « idées reçues ») ne peuvent se comprendre simplement comme des manifestations de chauvinisme provincial. Non, et – c'est évident pour qui connaît quelque peu les autres œuvres de Faure et de Baldensperger – ils sont d'autant plus paradoxaux. Ils ont pour arrière-plan la transformation de la science professionnelle et exigeante qu'est l'orientalisme ; celui-ci avait eu pour fonction, dans

1. Élie Faure, « Orient et Occident », *Mercure de France* 229 (1er juillet-1er août 1931), p. 263, 264, 269, 270, 272.
2. Fernand Baldensperger, « Où s'affrontent l'Orient et l'Occident intellectuels », in *Études d'histoire littéraire*, 3e série, Paris, Droz, 1939, p. 230.

la culture du dix-neuvième siècle, de restituer à l'Europe une portion de l'humanité, mais, au vingtième siècle, il est devenu à la fois un instrument de la politique et, ce qui est plus important, un code permettant à l'Europe d'interpréter à son profit et elle-même et l'Orient. Pour des raisons que j'ai déjà exposées dans ce livre, l'orientalisme moderne portait déjà l'empreinte de la grande peur de l'Europe vis-à-vis de l'islam, que vont aggraver les défis politiques de l'entre-deux-guerres. Je veux dire ceci : ce qui était une spécialité, relativement innocente, de la philologie est devenu une discipline capable de diriger des mouvements politiques, d'administrer des colonies, de faire des déclarations presque apocalyptiques présentant la difficile mission civilisatrice du Blanc ; cette métamorphose est à l'œuvre à l'intérieur d'une culture se prétendant libérale, soucieuse de ses critères si vantés de catholicité, de pluralité et d'ouverture d'esprit. En réalité, il s'est produit quelque chose qui est l'inverse même de libéral : le durcissement de la doctrine et de la signification, communiquées par la « science », en « vérités ». Car si cette vérité se réserve le droit de juger que l'Orient est inaltérablement oriental, comme je l'ai indiqué, le libéralisme n'est alors rien de plus qu'une forme d'oppression et de préjugé.

De l'intérieur de la culture, on n'a pas souvent reconnu jusqu'où allait ce non-libéralisme (et on ne le fait toujours pas). À l'occasion, pourtant, il a été mis en question, ce qui est réconfortant. Voici un exemple tiré de l'avant-propos de I. A. Richards à son livre *Mencius on the Mind* (1932) ; nous pouvons facilement remplacer « chinois » par « oriental » dans les lignes suivantes :

Pour ce qui est de l'effet sur l'Occident d'une plus grande connaissance de la Chine, il est intéressant de remarquer qu'un écrivain, qu'on hésiterait à qualifier d'ignorant ou de léger, comme M. Étienne Gilson, peut pourtant parler, dans sa préface anglaise à *The Philosophy of St. Thomas Aquinas*, de la philosophie thomiste qui « accepte et réunit la totalité de la tradition humaine ». C'est ainsi que, tous, nous raisonnons ; pour nous, le monde occidental est toujours le Monde [ou la partie du monde qui compte] ; mais un observateur impartial dirait peut-être que ce genre de provincialisme est dangereux. Et nous ne sommes pas encore si heureux en Occident, pour être sûrs de ne pas en souffrir[1].

Richards demande dans son livre que l'on exerce ce qu'il appelle la « définition multiple », un type authentique de pluralisme, éliminant la combativité des systèmes de définition. Que nous acceptions ou non son attaque contre le provincialisme de Gilson, nous pouvons accepter sa proposition : l'humanisme libéral, dont l'orientalisme, historiquement, a été l'un des départements, *retarde* l'apparition d'une signification élargie, en train de s'élargir, qui permette d'arriver à une compréhension véritable. Ce qui a pris la place de la signification élargie dans, l'orientalisme du vingtième siècle, c'est-à-dire à l'intérieur du domaine technique, voilà ce qui va nous occuper à présent.

---

1. I. A. Richards, *Mencius on the Mind : Experiments in Multiple Definitions*, Londres, Routledge and Kegan Paul, 1932, p. XIV.

III

L'orientalisme franco-anglais moderne en plein épanouissement

De nos jours, nous avons pris l'habitude de voir en celui qui a une compétence particulière sur certains domaines de l'Orient, sur certains aspects de sa vie, un spécialiste des « aires culturelles » *(area studies)* ; or, jusqu'aux alentours de la Seconde Guerre mondiale, l'orientaliste était considéré comme un généraliste (ayant naturellement de grandes connaissances spécifiques) doué d'un talent très développé pour faire des affirmations totalisantes. Je veux dire par là que, lorsqu'il formulait une idée sans grande complexité, par exemple à propos de grammaire arabe ou de religion de l'Inde, l'orientaliste était compris (et se comprenait) comme affirmant aussi quelque chose sur l'Orient dans son entier, par là même le totalisant. Ainsi, toute étude séparée d'un élément du matériau oriental allait aussi confirmer d'une façon résumée la profonde « orientalité » de ce matériau. Et, puisqu'on croyait généralement que l'Orient présentait une profonde cohésion organique, cela avait un sens parfaitement correct, pour le savant orientaliste, de considérer que le témoignage matériel dont il s'occupait devait l'amener, en fin de compte, à une meilleure compréhension du caractère, de l'esprit, de l'éthos ou de la conception du monde des Orientaux.

Dans les deux premières parties de ce livre, j'ai souvent exposé des arguments comparables à propos de périodes plus anciennes de l'histoire de la pensée orientaliste. Dans son histoire récente, je m'intéresse ici à la différence entre la période qui précède immédiatement la Première Guerre mondiale et celle qui la suit. Pour toutes les deux, tout comme pour les périodes plus anciennes, l'Orient est oriental, quelle que soit la question spécifique et quels que soient le style et la technique employés pour en parler ; la différence entre les deux périodes en question réside dans la *raison* donnée par l'orientaliste pour voir l'orientalité essentielle de l'Orient. On trouve un bon exemple de justification d'avant-guerre dans ce passage de Snouck Hurgronje, tiré de son compte rendu (1899) du livre d'Eduard Sachau, *Muhammedanisches Recht* :

> [...] le droit, qui, en pratique, devait faire des concessions encore plus grandes aux us et coutumes des pays et à l'arbitraire de leurs dirigeants, a néanmoins conservé une influence considérable sur la vie intellectuelle des musulmans. C'est pourquoi il a toujours été un important sujet d'étude – il l'est encore pour nous – non seulement pour des raisons abstraites liées à l'histoire du droit, de la civilisation et de la religion, mais aussi dans un but pratique. Il nous importe d'autant plus, à nous autres Européens, de bien connaître la vie intellectuelle, la loi religieuse et l'arrière-plan conceptuel de l'islam que les rapports entre l'Europe et l'Orient musulman se resserrent, et que des pays musulmans tombent sous la suzeraineté de l'Europe [1].

Snouck Hurgronje concède bien que quelque chose d'aussi abstrait que le « droit islamique » subit parfois l'influence de l'histoire et de la société, mais cela l'intéresse beaucoup plus de conserver l'abstraction pour l'utilisation intellectuelle, parce que, dans ses grandes lignes, le « droit islamique » confirme la disparité entre Est et Ouest. La distinction entre Orient et Occident n'est pour lui ni

---

1. *Selected Works of C. Snouck Hurgronje*, éd. G. H. Bousquet et I. Schacht, Leyde, E. J. Brill, 1957, p. 267.

purement académique, ni un cliché populaire, bien au contraire : elle concerne la relation de pouvoir historique, essentielle, existant entre les deux. La connaissance de l'Orient, ou bien met en lumière la différence sur la base de laquelle la suzeraineté européenne (cette expression a des ancêtres vénérables au dix-neuvième siècle) s'étend effectivement sur l'Asie, ou bien la fait ressortir et l'accentue. Connaître l'Orient comme un tout est donc le connaître parce qu'il vous est confié, si vous êtes un Occidental.

On trouve un passage presque symétrique à celui de Snouck Hurgronje dans le paragraphe qui conclut l'article « Littérature » écrit par Gibb dans *The Legacy of Islam*, paru en 1931. Après avoir décrit les contacts entre l'Est et l'Ouest qui remontent au dix-huitième siècle, Gibb passe au dix-neuvième :

> À la suite de ces trois moments de contact fortuit, les romantiques allemands se sont à nouveau tournés vers l'est et, pour la première fois, ont délibérément cherché à ouvrir la voie au véritable héritage de la poésie orientale pour qu'elle pénètre dans la poésie européenne. Le dix-neuvième siècle, avec son sentiment nouveau de puissance et de supériorité, semblait leur fermer la porte au nez. Aujourd'hui, d'autre part, il y a des signes de changement. On a commencé à étudier à nouveau la littérature orientale pour elle-même et on est en train d'acquérir une compréhension nouvelle de l'Est. Alors que cette connaissance se répand et que l'Orient retrouve sa place légitime dans la vie de l'humanité, la littérature orientale peut une fois de plus jouer sa fonction historique et nous aider à nous libérer des conceptions étroites et oppressantes qui limiteraient tout ce qui, dans la littérature, la pensée et l'histoire, est important pour notre propre morceau du globe [1].

1. H. A. R. Gibb, « Literature », in *The Legacy of Islam*, éd. Thomas Arnold et Alfred Guillaume, Oxford, Clarendon Press, 1931, p. 209.

L'expression de Gibb « pour elle-même » est diamétralement opposée à la chaîne de raisons subordonnées à la déclaration de Snouck Hurgronje sur la suzeraineté européenne sur l'Orient. Ce qui persiste, néanmoins, est cette identité globale, inviolable, semble-t-il, d'une chose appelée « l'Est » et d'une autre chose appelée « l'Ouest ». Ces entités ont une utilité l'une pour l'autre, et Gibb a évidemment l'intention louable de montrer que l'influence de la littérature orientale sur la littérature occidentale n'est pas nécessairement (par ses conséquences) ce que Brunetière a appelé « une honte pour la nation ». Gibb veut dire, au contraire, qu'il peut y avoir une confrontation avec l'Orient dans une sorte de défi humaniste aux confins de l'ethnocentrisme occidental.

Bien que Gibb ait sollicité un peu auparavant l'idée de *Weltliteratur* de Goethe, son appel à une animation humaniste réciproque entre l'Est et l'Ouest répond aux nouvelles réalités politiques et culturelles de l'après-guerre. La suzeraineté de l'Europe sur l'Orient n'est pas terminée, mais elle a évolué, dans l'Égypte britannique par exemple, d'une acceptation plus ou moins morne de la part des indigènes à une situation politique de plus en plus contestée par une revendication maussade d'indépendance des indigènes. Ce sont des années de troubles continuels pour les Britanniques, avec Zaghlul, le parti Wafd, etc.[1]. De plus, la crise économique mondiale, depuis 1925, a aussi accentué le sentiment de tension que reflète la prose de Gibb. Mais le message spécifiquement culturel y est le plus fort : intéressez-vous à l'Orient, semble-t-il dire à ses lecteurs, parce qu'il est utile à l'esprit occidental dans son

---

1. On trouvera le meilleur exposé général sur cette période du point de vue politique, social, économique et culturel dans Jacques Berque, *L'Égypte, Impérialisme et révolution*, Paris, Gallimard, 1967.

combat pour triompher de l'étroitesse d'esprit, de la spécialisation oppressive et des points de vue limités.

De Snouck Hurgronje à Gibb, le terrain a considérablement changé, comme l'ont fait les priorités. On n'admet plus sans bien des controverses que la domination de l'Europe soit presque un fait de nature, et on ne suppose plus que l'Orient ait besoin des lumières occidentales Ce qui a eu de l'importance entre les deux guerres, c'est une autodéfinition culturelle qui transcende le provincial et le xénophobe. Pour Gibb, l'Occident a besoin de l'Orient comme de quelque chose à étudier parce qu'il débarrasse l'esprit d'une spécialisation stérile, qu'il calme l'affliction causée par un ethnocentrisme de clocher excessif, qu'il aide à saisir les questions vraiment centrales dans l'étude de la culture. Si l'Orient prend plus figure de partenaire dans cette dialectique naissante de la conscience de soi culturelle, c'est, d'abord, parce qu'il est plus un défi qu'autrefois et, ensuite, parce que l'Occident entre dans une phase relativement nouvelle de crise culturelle, dont l'une des causes est l'affaiblissement de sa suzeraineté sur le reste du monde.

Nous allons donc trouver des éléments communs entre les grandes œuvres orientalistes de l'entre-deux-guerres – représentées par les carrières remarquables de Massignon et de Gibb lui-même – et ce qu'il y a de meilleur dans l'érudition humaniste de cette période. L'attitude totalisante dont j'ai parlé plus haut peut, ainsi, être considérée comme l'équivalent orientaliste des tentatives faites par les sciences humaines purement occidentales pour comprendre la culture *comme un tout*, de manière antipositiviste, intuitive et par sympathie. L'orientaliste et le non-orientaliste commencent, l'un et l'autre, à sentir que la culture occidentale passe par la crise que lui imposent des menaces telles que la barbarie, les intérêts étroitement techniques, l'aridité morale, les criailleries nationalistes, etc. L'idée d'utiliser des textes spécifiques, par exemple, pour travailler du spécifique au général (pour comprendre la vie tout entière d'une période, et par conséquent d'une culture) est aussi bien celle de chercheurs en sciences humaines occidentaux qui s'inspirent de l'œuvre de Wilhelm Dilthey, que de savants orientalistes de grande stature tels que Massignon et Gibb. Le projet de redonner vie à la philologie – qu'on trouve dans l'œuvre de Curtius, de Vossler, d'Auerbach, de Spitzer, de Gundolf, de Hofmannsthal[1] – a donc sa contrepartie dans la nouvelle vigueur qu'insufflent à la philologie orientaliste strictement technique les études de Massignon sur ce qu'il a appelé le lexicon mystique, le vocabulaire de la dévotion islamique, etc.

Mais il y a une conjonction plus intéressante entre l'orientalisme, dans cette phase de son histoire, et les sciences de l'homme européennes *(Geisteswissenschaften)* qui lui sont contemporaines. Celles-ci ont forcément été les premières sensibles aux menaces d'une spécialisation technique, amorale, portée à exagérer son importance, menaces représentées au moins en partie par la montée du fascisme en Europe. Cette sensibilité a prolongé les préoccupations de l'entre-deux-guerres jusqu'après la Seconde Guerre mondiale. On en trouvera un témoignage érudit et personnel très éloquent dans l'œuvre magistrale d'Erich Auerbach, *Mimesis*, et dans ses dernières réflexions méthodologiques de *Philolog*[2]. Il nous dit qu'il a écrit *Mimesis* pendant son

---

1. Exposé fort utile du projet intellectuel qui inspire leur travail dans *On Four Modern Humonists : Hofmannsthal, Gundolf, Curtius, Kantorowicz*, éd. Arthur R. Evans Jr., Princeton, N. J., Princeton Univ. Press, 1970.

2. Erich Auerbach, *Mimesis : The Representation of Reality in Western Literature*, 1946 ; réed. Princeton, N. J., Princeton Univ. Press, 1968 (original : *Mimesis, dargestellte Wirklichkeit in der abendländischen Literatur*, 2e éd., Berne, Francke Verlag, 1959 ; trad. fr. : *Mimesis, La représentation de la réalité dans la littérature occiden-*

exil en Turquie et qu'il a tenté de voir le développement de la culture occidentale presque à son dernier moment, alors que cette culture avait encore son intégrité et sa cohérence de civilisation ; il s'est donc donné pour tâche d'écrire un ouvrage général fondé sur des analyses de textes particuliers, de manière à déployer les principes des réalisations littéraires occidentales dans toute leur variété, leur richesse et leur fécondité. Son but était de faire une synthèse de la culture occidentale dans laquelle la synthèse avait la même importance que le geste même de la faire ; ce qui le rend possible, pense Auerbach, c'est ce qu'il appelle « l'humanisme bourgeois tardif [1] ». Le détail discret est ainsi converti en un symbole fortement médiatisé du processus de l'histoire mondiale.

Non moins importante pour Auerbach – et cela s'applique immédiatement à l'orientalisme – était la tradition humaniste d'engagement dans une culture ou une littérature nationale qui n'est pas la sienne. Auerbach avait pour exemple Curtius ; la production prodigieuse de celui-ci montre qu'il avait délibérément choisi, lui, un Allemand, de se consacrer par métier aux littératures romanes. Ce n'est donc pas sans raison qu'Auerbach termine ses réflexions automnales par une citation significative du *Didascalion* de Hugues de Saint-Victor : « L'homme qui trouve douce sa patrie est encore un tendre débutant ; celui pour lequel tout sol est comme son sol natal est déjà fort ; mais celui-ci est parfait pour qui le monde entier est comme un pays étranger [2]. » Plus

---

tale, Paris, Gallimard, 1968) ; Erich Auerbach, *Literary Language and its Public in Late Latin Antiquity and in the Middle Ages*, New York, Bollingen Books, 1965.

1. Erich Auerbach, « Philology and *Weltliteratur* », *Centennial Review* 13, n° 1 (hiver 1969) p. 11.

2. *Ibid.*, p. 17.

on est capable de quitter sa patrie culturelle, plus on a de facilité à la juger, et le monde entier aussi bien, avec le détachement spirituel et la générosité nécessaires pour les voir tels qu'ils sont. Et plus on a de facilité, aussi, à se juger, soi et les autres cultures, avec la même combinaison d'intimité et de distance.

Non moins importante pour la formation méthodologique : l'utilisation par les sciences humaines de « types », à la fois comme procédé analytique et comme une manière de voir les objets familiers sous un jour nouveau. L'histoire du « type » tel qu'on le trouve chez des penseurs du début du vingtième siècle, Weber, Durkheim, Lukács, Mannheim et d'autres sociologues de la connaissance, a été étudiée à de nombreuses reprises [1] ; je crois pourtant qu'on n'a pas remarqué que, lorsque Weber analyse le protestantisme, le judaïsme et le bouddhisme, il est ainsi poussé (peut-être à son insu) sur le territoire même qu'à l'origine les orientalistes avaient défriché et conquis. Il trouve des encouragements chez tous ces penseurs du dix-neuvième siècle qui croyaient à une sorte de différence ontologique entre les « mentalités » économiques (et religieuses aussi bien) de l'Oriental et de l'Occidental. Quoiqu'il n'ait jamais étudié sérieusement l'islam, Weber a cependant eu une grande influence sur les études islamiques, principalement parce que son idée de type ne fait que confirmer « de l'extérieur » bien des thèses canoniques soutenues par les orientalistes, dont les idées sur l'économie ne sont jamais allées plus loin que d'affirmer l'incapacité fondamentale des Orientaux pour l'industrie, le commerce et la rationalité économique. Dans le domaine islamique, ces clichés ont tenu bon pendant des

---

1. Par exemple dans H. Stuart Hughes, *Consciousness and Society : The Reconstruction of European Social Thought, 1890-1930*, 1958 ; rééd., New York, Vintage Books, 1961.

centaines d'années – jusqu'à la publication, en 1966, de l'importante étude de Maxime Rodinson, *Islam et Capitalisme*. La notion de type – oriental, islamique, arabe, que sais-je encore – persiste et se nourrit d'abstractions ou de paradigmes ou de types tels qu'ils apparaissent dans les sciences humaines modernes.

Dans ce livre, j'ai souvent dit combien les orientalistes se sentaient dépaysés par une culture si différente de la leur. Dans les autres disciplines des sciences humaines, les idées d'Auerbach sur le dépaysement s'appliquent, mais les orientalistes islamisants n'ont jamais, pour leur part, considéré leur dépaysement à l'égard de l'islam comme quelque chose de salutaire ou comme une attitude entraînant une meilleure compréhension de leur propre culture. Au contraire, cette distance a simplement renforcé leur sentiment de la supériorité de la culture européenne ; leur antipathie s'étendait à tout l'Orient, dont l'islam était considéré comme un représentant dégradé (et d'ordinaire très dangereux). J'ai aussi montré que ces tendances sont entrées dans l'édification même de la tradition des études orientales pendant tout le dix-neuvième siècle, et ont fini par devenir un élément classique de la formation orientaliste, passant de génération en génération. En outre, je crois qu'il y avait une forte probabilité pour que les savants européens continuent à voir le Proche-Orient dans la perspective de ses « origines » bibliques, à savoir comme un lieu d'une primauté religieuse immuable. Étant donné sa relation particulière à la fois au christianisme et au judaïsme, l'islam demeurait pour toujours, pour l'orientaliste, l'idée (ou le type) de l'effronterie culturelle *originelle*, qu'exagérait naturellement la peur que la civilisation islamique ne reste, d'une certaine manière, opposée à l'Occident chrétien.

Parce que l'orientaliste islamisant a conservé cette attitude religieuse particulièrement polémique qui était la sienne dès le début, il est resté dans certaines ornières méthodologiques, pour ainsi dire. Son aliénation culturelle devait, d'abord, se préserver de l'histoire et du contexte socio-politique modernes, aussi bien que des révisions nécessaires qu'imposent des données nouvelles à chaque « type » théorique ou historique. Et puis, les abstractions qu'offrait l'orientalisme (ou plutôt, les occasions de faire des abstractions) dans le cas de la civilisation islamique ont pris une validité nouvelle ; puisqu'on présumait que l'islam fonctionnait ainsi que le disait l'orientaliste (sans se référer à la réalité, mais seulement à un ensemble de principes « classiques »), on présumait aussi que l'islam moderne ne serait rien de plus qu'une version répétée de l'ancien, en particulier parce qu'on supposait aussi que la modernité était moins un défi qu'une insulte pour l'islam. (Le grand nombre de présomptions et de suppositions que contient cette description a pour objet de décrire les tours et détours assez excentriques qui ont été nécessaires à l'orientalisme pour conserver sa manière particulière de voir la réalité humaine.) En fin de compte, si l'ambition synthétisante en philologie (telle que la comprenaient Auerbach ou Curtius) devait conduire à un élargissement de la prise de conscience, par le savant, de son sentiment de fraternité humaine, de l'universalité de certains principes du comportement humain, pour l'orientalisme islamisant la synthèse a conduit à aviver le sentiment de différence entre l'Orient et l'Occident que reflète l'islam.

Je suis en train de décrire quelque chose qui caractérise l'orientalisme islamisant jusqu'aujourd'hui : sa position réactionnaire quand on le compare aux autres sciences de l'homme (et même à d'autres branches de l'orientalisme), son retard général du point de vue méthodologique et idéologique, et sa relative insularité vis-à-vis des développements qui se produisent à la fois dans les autres sciences humaines et dans le monde réel des conditions historiques, économiques, sociales et politiques[1]. Vers la fin du dix-neuvième siècle, certains observateurs commençaient à remarquer tout ce que l'orientalisme sémitique ou islamisant conservait de l'arrière-plan religieux d'où il tirait ses origines. Le premier congrès des orientalistes eut lieu à Paris en 1873, et, presque d'emblée, il apparut avec évidence aux autres érudits que les sémitisants et les islamisants avaient un certain retard intellectuel, d'un point de vue général. Dans un tour d'horizon sur tous les congrès tenus entre 1873 et 1897, le savant anglais R. N. Cust dit du domaine sémitique-islamique :

Des réunions comme celles-ci [dans le domaine sémitique ancien] font vraiment progresser la science orientale.

Il est bien dommage qu'on ne puisse dire la même chose de la section sémitique moderne ; il y avait foule, mais les sujets discutés étaient, du point de vue littéraire, de l'intérêt le plus mince, susceptibles d'occuper l'esprit des érudits dilettantes de la vieille école, mais pas ceux de la grande classe des *indicatores* du dix-neuvième siècle. Il me faut remonter jusqu'à Pline pour trouver un terme. De cette section étaient absents et l'esprit philologique et l'esprit archéologique modernes, et le compte rendu ressemble plutôt à celui d'un congrès de professeurs d'université du siècle dernier qui se sont réunis pour discuter comment lire un passage d'une pièce grecque ou accentuer une voyelle, avant que l'aube de la philologie comparative ait dissipé les toiles d'araignée des scoliastes. Cela valait-il vraiment la peine de se demander si Mahomet pouvait tenir une plume ou écrire[2] ?

1. Voir Anouar Abdel-Malek, « L'orientalisme en crise », *loc. cit.*, p. 113.
2. R. N. Cust, « The International Congresses of Orientalists », *Hellas* 6, n° 4 (1897), p. 349.

L'archéologisme polémique que décrit Cust est, dans une certaine mesure, une version érudite de l'antisémitisme européen. L'expression « Sémites modernes », qui devait comprendre à la fois les musulmans et les juifs (et qui a son origine dans le domaine dit sémitique ancien, dont Renan a été le pionnier), porte sa bannière raciste avec ce qui voulait sans doute être une ostentation décente. Un peu plus loin dans ce rapport, Cust commente le fait que, dans la même réunion, « "les Aryens" ont fourni beaucoup de matière à réflexion ». Il est clair que « les Aryens » est une abstraction qui s'oppose à « les Sémites », mais, pour certaines des raisons que j'ai données plus haut, on avait l'impression que les étiquettes de ce genre qui font mention de l'atavisme étaient tout particulièrement pertinentes pour les Sémites – avec les coûteuses conséquences morales et humaines pour la communauté entière que l'histoire du vingtième siècle a amplement démontrées. Cependant, on n'a pas encore assez insisté, dans les histoires de l'antisémitisme moderne, sur la légitimation donnée par l'orientalisme à ces désignations qui font mention de l'atavisme et – ce qui compte plus pour ma thèse – sur la manière dont cette légitimation universitaire et intellectuelle a persisté à notre époque lorsqu'on parle de l'islam, des Arabes ou du Proche-Orient. En effet, alors qu'il n'est plus possible d'écrire des dissertations savantes (ou même de vulgarisation) soit sur l'« esprit des nègres » soit sur la « personnalité juive », il est parfaitement possible d'entreprendre des recherches sur des sujets tels que l'« esprit de l'islam » ou le « caractère arabe » – mais je reviendrai plus loin sur ce sujet.

La crise intellectuelle de l'orientalisme islamisant n'est qu'un des aspects de la crise spirituelle de l'« humanisme bourgeois tardif » ; mais la forme, le style de cet orientalisme indiquent que, pour lui, l'humanité peut se partager en deux catégories : « l'Oriental » et « l'Occidental » ; la libération, l'expression, la réalisation de soi-même ne représentent donc pas pour l'Oriental la même chose que pour l'Occidental. L'orientaliste islamisant exprime ses idées sur l'islam de telle manière qu'il met en évidence sa propre *résistance* – ainsi que celle attribuée aux musulmans – au changement, à la compréhension mutuelle entre l'Est et l'Ouest, au développement des hommes et des femmes qui les fait sortir des institutions classiques, archaïques et primitives pour entrer dans la modernité. En fait, cette résistance est un sentiment si fort, la puissance qui lui est assignée est si universelle que l'on comprend, en lisant les orientalistes, que l'apocalypse à redouter n'est pas la destruction de la civilisation occidentale, mais plutôt la destruction des barrières séparant l'Est de l'Ouest. Quand Gibb s'oppose au nationalisme dans les États islamiques modernes, il le fait parce qu'il a l'impression que le nationalisme attaquera les structures internes qui conservent le caractère oriental de l'islam ; le résultat net du nationalisme séculier sera que l'Orient ne différera pas de l'Occident. Il faut, pourtant, rendre ce tribut aux facultés d'identification extraordinairement sympathique de Gibb avec une religion autre ; il a exprimé son désaccord de façon à paraître *parler pour* la communauté islamique orthodoxe. Ce plaidoyer est-il un retour à la vieille habitude orientaliste de parler pour les indigènes, ou bien est-il une tentative sincère pour parler dans l'intérêt bien compris de l'islam ? L'un et l'autre, ou plutôt entre l'un et l'autre.

Aucun savant, aucun penseur n'est évidemment le représentant parfait de quelque type idéal ou de quelque école auxquels il appartient par son origine nationale ou à cause des accidents de l'histoire. Pourtant, dans une tradition qui est relativement très isolée et très spécialisée comme l'orientalisme, je crois que chaque savant se rend compte, en partie consciemment, en partie inconsciemment, de sa tradition

nationale, sinon de son idéologie nationale. C'est particulièrement vrai de l'orientalisme, parce que les nations européennes sont politiquement engagées dans les affaires de
l'un ou l'autre des pays d'Orient : nous pensons immédiatement au cas de Snouck Hurgronje, pour citer un exemple
qui n'est ni anglais ni français, et où le sentiment d'identité
nationale du savant est simple et clair[1]. Même après avoir
fait toutes les réserves convenables sur la différence entre
un individu et un type (ou entre un individu et une tradition),
il est néanmoins frappant de voir jusqu'à quel point Gibb et
Massignon ont été des types représentatifs. Peut-être
vaudrait-il mieux dire que Gibb et Massignon ont répondu à
toutes les attentes créées pour eux par leurs traditions nationales, par la politique de leur pays et par l'histoire interne de
leur « école » nationale d'orientalisme.

Sylvain Lévi fait une distinction tranchée entre les
deux écoles :

> L'intérêt politique qui lie l'Angleterre à l'Inde retient le
> travail britannique au contact des réalités concrètes, et main-
> tient la cohésion entre les représentations du passé et le spec-
> tacle du présent.
> La France, nourrie de la tradition classique, cherche
> l'esprit humain à travers l'espace et le temps. Elle s'intéresse
> à l'Inde comme elle s'intéresse à la Chine [...][2].

Il serait trop facile de dire que cette polarité donne,
d'une part, un travail qui est sobre, efficace, concret, et,
de l'autre, un travail universaliste, spéculatif, brillant. Elle

---

1. Voir W. F. Wertheim, « Counter-insurgency Research at the Turn
of the Century – Snouck Hurgronje and the Acheh War », *Sociolo-
gisches Gids* 19 (sept.-déc. 1972).
2. Sylvain Lévi, « Les parts respectives des nations occidentales
dans les progrès de l'indianisme », in *Mémorial Sylvain Lévi, op. cit.*,
p. 116.

peut cependant servir à éclairer deux carrières longues et extrêmement distinguées qui, à elles deux, ont dominé l'orientalisme islamisant français et anglo-américain jusqu'aux années 1960 ; si, d'ailleurs, on peut parler de domination, c'est parce que chacun de ces savants venait d'une tradition consciente et continuait à y travailler, tradition dont les contraintes (ou les limites, intellectuellement et politiquement parlant) peuvent être décrites comme l'a fait Sylvain Lévi.

Gibb est né en Égypte, Massignon en France. Ils devaient l'un et l'autre devenir des hommes profondément religieux dont l'étude allait porter, plutôt que sur la société, sur la vie religieuse en société. Ils étaient l'un et l'autre engagés dans le monde ; une de leurs grandes réussites a été de rendre l'érudition traditionnelle utile pour le monde politique moderne. Pourtant, leurs œuvres ont une portée – presque une texture – fort différente, même si l'on tient compte de disparités évidentes dans leur formation et leur éducation religieuse.

Massignon a consacré toute sa vie à étudier l'œuvre d'al-Hallaj, « dont il n'a jamais cessé de rechercher les traces dans la littérature et la dévotion islamiques plus tardives », comme le dit Gibb en 1962 dans son article de nécrologie ; l'étendue presque illimitée de ses travaux devait le conduire pratiquement partout, trouvant des témoignages de « l'esprit humain à travers l'espace et le temps ». Dans une œuvre qui englobait « tous les aspects et toutes les régions de la vie et de la pensée musulmanes contemporaines », la présence de Massignon dans l'orientalisme était un défi constant à tous ses collègues. Il est certain que Gibb tout le premier admirait – tout en prenant ses distances – la manière dont Massignon poursuivait des thèmes qui, d'une certaine manière, faisaient le lien entre la vie spirituelle des musulmans et des catholiques [et lui permettaient de trouver] un élément familier dans le culte de Fatima, et, par conséquent, un domaine particulier d'intérêt dans l'étude de la pensée shi'ite dans beaucoup de ses manifestations, ou encore dans la communauté des origines abrahamiques et dans des thèmes comme celui des Sept Dormants. Sur ces sujets, ses écrits ont pris, grâce à la qualité qu'il leur a donnée, une signification permanente pour les études islamiques. Mais, justement à cause de cette qualité, on dirait qu'ils ont été composés sur deux registres. L'un au niveau ordinaire de l'érudition objective, cherchant à élucider la nature d'un phénomène donné par la maîtrise des outils classiques de la recherche universitaire. L'autre à un niveau où les données objectives et la compréhension sont absorbées et transformées par une intuition individuelle de dimensions spirituelles. Il n'a pas toujours été facile de tracer une ligne de démarcation entre celui-ci et la transfiguration provenant de l'épanchement des richesses de sa propre personnalité.

Gibb donne à entendre ici qu'il est plus probable que les catholiques soient attirés par l'étude du « culte de Fatima » que les protestants ; mais il montre nettement ses réticences à l'égard de quelqu'un qui estompe la distinction entre l'érudition « objective » et une érudition fondée sur une « intuition individuelle de dimensions spirituelles ». Gibb a néanmoins raison de reconnaître, dans le paragraphe suivant de son article nécrologique, la « fécondité » de l'esprit de Massignon dans des domaines aussi divers que « le symbolisme de l'art musulman, la structure de la logique musulmane, les complexités des finances du Moyen Âge et l'organisation des corporations d'artisans » ; et pourtant il n'a pas tort non plus de définir l'intérêt précoce de Massignon pour les langues sémitiques comme ayant donné naissance à « des études elliptiques, qui, pour le non-initié, rivalisaient presque avec les

mystères des anciens Hermetica ». Gibb conclut cependant sur une note plus généreuse, en remarquant que,

> pour nous, la leçon qu'il a imprimée par son exemple aux
> orientalistes de sa génération est que l'orientalisme classique
> lui-même n'est plus adapté sans un certain degré d'engage-
> ment envers les forces vitales qui ont donné du sens et de la
> valeur aux différents aspects des cultures orientales [1].

Telle a bien été la contribution la plus importante de
Massignon, et il est vrai que, dans l'islamologie française
contemporaine (comme on l'appelle parfois), s'est développée une tradition d'identification aux « forces vitales »
qui inspirent « la culture orientale » ; il suffit de citer les
travaux remarquables de savants tels que Jacques Berque,
Maxime Rodinson, Yves Lacoste, Roger Arnaldez – très
différents les uns des autres, et par leur manière d'aborder
le sujet et par leurs intentions – pour être frappé par
l'effet fécondant de l'exemple de Massignon, qui a laissé
une indéniable empreinte intellectuelle sur chacun d'eux.

En centrant ses commentaires, d'une manière quelque
peu anecdotique, sur différents points forts et points
faibles de l'œuvre de Massignon, Gibb passe à côté de
certaines choses évidentes qui, prises globalement, font
de Massignon le symbole accompli de ce développement
crucial de l'orientalisme français – tout en rendant les
deux savants si différents l'un de l'autre. Ainsi, l'arrière-
plan personnel de Massignon illustre bien la description
de l'orientalisme français que fait Sylvain Lévi ; l'idée
même d'« un esprit humain » est plus ou moins étrangère
à la formation intellectuelle et religieuse de Gibb et de
tant d'autres orientalistes anglais modernes, alors que

---

1. H. A. R. Gibb, « Louis Massignon (1882-1962) », *Journal of the
Royal Asiatic Society* (1962), p. 120 *sq.*

Massignon semble avoir été nourri depuis l'enfance de la notion d'«esprit», réalité aussi bien esthétique que religieuse, morale et historique. Sa famille était en relation d'amitié avec des hommes comme J. K. Huysmans; le climat intellectuel de sa première éducation, les idées du symbolisme tardif apparaissent à l'évidence dans tout ce qu'il a écrit, et même dans la variété particulière de catholicisme (et de mysticisme soufi) qui l'a intéressé. Il n'y a pas trace d'austérité dans l'œuvre de Massignon, ni dans son grand style d'écriture; il a largement puisé dans les œuvres de ses contemporains, penseurs et artistes, et cette ampleur culturelle et stylistique le place dans une tout autre catégorie que Gibb. Ses premières idées se sont formées pendant la période dite de la décadence esthétique, mais il a aussi subi l'influence de Bergson, de Durkheim et de Mauss. C'est par Renan, dont il a suivi les cours dans sa jeunesse, qu'il a été introduit à l'orientalisme; il a aussi été l'élève de Sylvain Lévi; il a compté parmi ses amis Paul Claudel, Gabriel Bounoure, Jacques et Raïssa Maritain, et Charles de Foucauld. Massignon a, par la suite, été capable d'assimiler les travaux faits dans des domaines relativement nouveaux: la sociologie urbaine, la linguistique structurale, la psychanalyse, l'ethnologie contemporaine et la nouvelle histoire.

Ses essais, sans parler de sa monumentale étude sur al-Hallaj, puisent sans effort dans le corpus entier de la littérature islamique; son érudition époustouflante et sa personnalité presque familière font qu'il ressemble parfois à un érudit inventé par Jorge Luis Borges. Il a été très sensible aux thèmes «orientaux» dans les littératures européennes, qui ont aussi intéressé Gibb, mais celui-ci était attiré par les écrivains européens qui «comprennent» l'Orient, par les textes européens qui sont par avance des corroborations artistiques de ce que des savants révéleront par la suite (ainsi W. Scott comme source pour étudier

Saladin), ce qui n'était pas le cas de Massignon. Son « Orient » est en totale harmonie avec le monde des Sept Dormants ou des prières abrahamiques (les deux thèmes relevés par Gibb comme signes distinctifs des opinions non orthodoxes de Massignon sur l'islam) : hors du commun, un peu bizarre, répondant totalement aux éclatants dons d'interprétation de Massignon (qui, d'une certaine manière, fabriquent leur sujet). Si Gibb aime le Saladin de Walter Scott, la prédilection de Massignon va à Nerval, suicidé, poète maudit et curiosité psychologique. Cela ne veut pas dire que Massignon s'est surtout consacré à l'étude du passé ; au contraire, il a été une présence de taille dans les relations franco-islamiques, aussi bien dans la politique que dans la culture. Cet homme passionné a cru évidemment que l'on ne pouvait pas pénétrer dans le monde de l'islam par la seule érudition, mais qu'il fallait y consacrer toutes ses activités ; ainsi – ce n'est pas la moindre – Massignon a chaudement encouragé la sodalité Badaliyya, l'un des sous-groupes de la chrétienté orientale subsumée à l'intérieur de l'islam.

Les grands dons littéraires de Massignon donnent parfois à son travail d'érudition l'apparence d'une spéculation capricieuse, cosmopolite à l'excès et souvent réservée à des initiés, mais cette apparence est trompeuse. Il a délibérément voulu éviter ce qu'il appelait « l'exégèse analytique et statique de l'orientalisme[1] », une sorte d'entassement sans vie, sur des textes ou des problèmes supposés islamiques, de sources, d'origines, de preuves, de démonstrations, etc. ; il a partout essayé d'introduire autant que possible le contexte d'un texte ou d'un

---

1. Louis Massignon, *Opera Minora*, éd. Y. Moubarac, Beyrouth, Dar-el-Maaref, 1963, 3, p. 114. Je me suis servi de la bibliographie complète des œuvres de Massignon réunie par Y. Moubarac : *L'Œuvre de Louis Massignon*, Beyrouth, Éd. du Cénacle libanais, 1972-1973.

problème, de l'animer, de surprendre presque son lecteur par les vues pénétrantes que peuvent avoir ceux qui, comme lui, aiment à pousser les barrières des disciplines ou de la tradition pour pénétrer le cœur humain d'un texte. Aucun orientaliste moderne – certainement pas Gibb, qui a été presque son égal par le talent et le rayonnement – ne pouvait se référer aussi facilement (et aussi précisément) dans le même travail à une foule de mystiques islamiques et à Jung, à Heisenberg, à Mallarmé et à Kierkegaard ; aucun n'avait cette largeur de vue combinée à l'expérience politique concrète dont il parle, en 1952, dans « L'Occident devant l'Orient : primauté d'une solution culturelle[1] ». Son univers culturel était cependant bien défini, il avait une structure ferme qui est restée intacte du début à la fin de sa carrière, et il était corseté, malgré la richesse presque inégalée de son domaine et de ses références, dans un ensemble d'idées foncièrement immuables. Décrivons rapidement cette structure et énumérons sommairement ces idées.

Massignon prend comme point de départ l'existence des trois religions abrahamiques ; l'islam est la religion d'Ismaël, le monothéisme d'un peuple exclu de la promesse faite par Dieu à Isaac, donc une religion de protestation (contre Dieu le Père, contre le Christ son incarnation), qui pourtant conserve en elle la tristesse qui a commencé avec les larmes d'Agar. Cela fait que l'arabe est la langue même des larmes ; de même, toute la notion de *jihād*, dans l'islam (Massignon dit explicitement que c'est la forme épique dans l'islam que Renan était incapable de voir ou de comprendre), a une grande dimension intellectuelle dont la mission est la guerre contre le christianisme et le judaïsme, ennemis extérieurs, et contre l'hérésie, ennemi

---

1. Massignon, « L'Occident devant l'Orient : primauté d'une solution culturelle », in *Opera Minora*, *op. cit.*, p. 208-223.

intérieur. Pourtant, à l'intérieur de l'islam, Massignon croit qu'il est capable de discerner un certain type de contre-courant, que sa principale mission intellectuelle, à lui Massignon, est d'étudier, incarné dans le mysticisme, une voie vers la grâce divine. Le trait principal du mysticisme est naturellement son caractère subjectif, dont les tendances non rationnelles, et même inexplicables, vont vers l'expérience singulière, individuelle et momentanée de la participation au divin. Tout le travail extraordinaire que Massignon a consacré au mysticisme est ainsi une tentative de description de l'itinéraire des âmes pour sortir du consensus limitatif que leur impose la communauté islamique orthodoxe, ou Sunna. Un mystique iranien est plus intrépide qu'un mystique arabe, en partie parce qu'il est aryen (les vieilles étiquettes du dix-neuvième siècle, « aryen » et « sémite », sont contraignantes pour Massignon, de même que l'opposition binaire faite par Schlegel entre les deux familles de langues[1]) et en partie parce qu'il est un homme à la recherche de la perfection ; selon Massignon, le mystique arabe est enclin à ce que Waardenburg appelle un monisme testimonial. La figure exemplaire, pour Massignon, est celle d'al-Hallaj, qui cherchait sa libération à l'extérieur de la communauté en demandant, et finalement en obtenant, la crucifixion que refusait l'islam comme un tout ; Mahomet, selon Massignon, avait délibérément rejeté l'occasion qui lui était offerte de combler l'écart qui le séparait de Dieu. Al-Hallaj est parvenu à réaliser une union mystique avec Dieu à contre-fil de l'islam.

Le reste de la communauté orthodoxe vit dans ce que Massignon appelle une condition de « soif ontologique ». Dieu se présente à l'homme comme une espèce d'absence,

1. *Ibid.*, p. 169.

de refus d'être présent, et, pourtant, la conscience qu'a un musulman dévot de sa soumission à la volonté de Dieu (islam) donne naissance à un sens jaloux de la transcendance de Dieu et à une intolérance à l'égard de l'idolâtrie quelle qu'elle soit. Le siège de ces idées, selon Massignon, est le « cœur circoncis » qui, tandis qu'il est saisi par sa ferveur testimoniale musulmane, peut aussi, comme dans le cas de mystiques tels qu'al-Hallaj, s'enflammer d'une passion divine ou d'amour de Dieu. Dans un cas comme dans l'autre, l'unité transcendant aie de Dieu *(tawhid)* est une chose qui doit être réalisée et comprise à de nombreuses reprises par le musulman dévot, soit en en portant témoignage, soit par l'amour mystique de Dieu ; et cela, comme l'écrit Massignon dans une étude complexe, définit l'« intention » de l'islam[1]. Il est clair que les sympathies de Massignon vont vers la vocation mystique de l'islam, aussi bien parce qu'elle est proche de son propre tempérament de catholique dévot que parce qu'elle a une influence dérangeante à l'intérieur du corps orthodoxe de croyances. L'image que Massignon se fait, de l'islam est celle d'une religion sans cesse impliquée dans des refus, sa venue tardive (par référence aux autres fois abrahamiques), son sens relativement nu des réalités du monde, ses structures massives de défense à l'égard des « commotions psychiques » du genre de celles pratiquées par al-Hallaj et d'autres mystiques soufi, sa solitude en tant que seule religion restée « orientale » parmi les trois grands monothéismes[2].

Mais cette opinion d'une sévérité si évidente sur l'islam, avec ses « invariants simples[3] » (en particulier pour une pensée luxuriante comme celle de Massignon), ne com-

---

1. Voir Jacques Waardenburg, *L'Islam dans le miroir de l'Occident, op. cit.*, p. 147, 183, 186, 192, 211, 213.

2. Louis Massignon, *Opera Minora, op. cit.*, 1, p. 227.

3. *Ibid.*, p. 355.

porte aucune hostilité profonde à son égard. En lisant Massignon, on est frappé par son insistance répétée sur la nécessité d'une lecture complexe : il est impossible de douter de la sincérité de ces conseils. Il écrit, en 1951, que son genre d'orientalisme n'est « ni une manie d'exotisme ni un reniement de l'Europe, mais une mise au niveau entre nos méthodes de recherches et les traditions vécues d'antiques civilisations [1] ». Lorsqu'il est mis en pratique pour lire un texte arabe ou islamique, ce type d'orientalisme a produit des interprétations d'une intelligence presque écrasante ; on aurait bien tort de ne pas respecter le véritable génie, la grande nouveauté de l'esprit de Massignon. Cependant, nous devons faire attention, dans sa définition de l'orientalisme, à deux membres de phrase : « nos méthodes de recherches » et « les traditions vécues d'antiques civilisations ». Massignon voit ce qu'il fait comme la synthèse de deux quantités qui, grossièrement, s'opposent, mais c'est cette asymétrie particulière qui est troublante, et non le simple fait de l'opposition entre l'Europe et l'Orient. Et de fait, celle-ci apparaît sous une forme bien particulière dans ce qu'écrit Massignon sur les problèmes politiques contemporains ; c'est là que l'on peut constater le plus directement les limites de sa méthode.

Au mieux, Massignon a une vision de la rencontre entre l'Est et l'Ouest qui attribue à ce dernier une lourde responsabilité parce qu'il a envahi l'Est, à cause de son colonialisme, de ses attaques contre l'islam. Massignon a combattu infatigablement en faveur de la civilisation musulmane et, comme en témoignent de nombreux essais et lettres écrits après 1948, pour soutenir les réfugiés palestiniens, pour défendre les droits des Arabes musulmans et chrétiens de Palestine contre le sionisme, contre

---

1. Extrait de l'essai de Massignon sur Biruni cité dans Jacques Waardenburg, *L'Islam dans le miroir de l'Occident, op. cit.*, p. 225.

ce qu'il a appelé, de manière caustique, le « colonialisme bourgeois » des Israéliens, se référant à ce qu'avait dit Abba Eban[1]. Pourtant, Massignon place implicitement l'Orient islamique dans une période ancienne pour l'essentiel, et l'Occident dans la modernité. Comme Robertson Smith, il considère que l'Oriental n'est pas un homme moderne, mais un Sémite ; cette catégorie réductrice a une puissante emprise sur sa pensée. Par exemple, son dialogue sur « Les Arabes » avec Jacques Berque, son collègue au Collège de France (publié en 1960 dans *Esprit*), consiste pendant un long moment à se demander si la meilleure manière de voir les problèmes des Arabes d'aujourd'hui n'est pas simplement de dire que, pour l'essentiel, le conflit israélo-arabe est en réalité un problème *sémite*. Berque essaie gentiment d'élargir la question et de faire admettre à Massignon que, comme le reste du monde, les Arabes ont subi ce qu'il appelle une « variation anthropologique », idée que Massignon refuse sur-le-champ[2]. Ses efforts répétés pour comprendre le conflit palestinien et en rendre compte, malgré son profond humanisme, n'ont jamais dépassé la querelle entre Isaac et Ismaël, ou, dans la mesure où il était question de sa propre querelle avec Israël, la tension entre judaïsme et christianisme. Quand des sionistes se sont emparés de villes et de villages arabes, c'est la sensibilité religieuse de Massignon qui s'est trouvée blessée.

L'Europe et, en particulier, la France sont considérées comme des réalités *contemporaines*. En partie à cause de son premier contact politique avec les Anglais pendant la Première Guerre mondiale, Massignon a toujours détesté profondément l'Angleterre et la politique anglaise ; Lawrence et les hommes de ce genre représentent une

---

1. Louis Massignon, *Opera Minora*, *op. cit.*, 3, p. 526.
2. *Ibid.*, p. 610 *sq.*

politique trop complexe à laquelle lui, Massignon, s'opposait dans ses rapports avec Fayçal. « Je cherchais avec Fayçal […] à pénétrer dans le sens même de sa tradition à lui. » Les Anglais paraissaient représenter « l'expansion » en Orient, une politique économique amorale et une philosophie dépassée de l'influence politique[1]. Les Français étaient des hommes plus modernes, obligés de recevoir de l'Orient ce qu'ils avaient perdu en spiritualité, en valeurs traditionnelles et autres choses du même ordre. L'investissement de Massignon à ce propos passe, je crois, par toute la tradition du dix-neuvième siècle : l'Orient thérapeutique de l'Occident, tradition dont on trouve la première esquisse chez Quinet. Il s'y joint, chez Massignon, de la compassion chrétienne :

> […] nous recourons, vis-à-vis des Orientaux, à cette science de la compassion, à cette « participation » à la construction même de leur langue et de leur structure mentale, à quoi nous devons participer : parce que, ou bien elle témoigne de vérités qui sont aussi les nôtres, ou bien ce sont des vérités que nous avons perdues et qu'il nous faut récupérer. Enfin, parce que, dans un sens profond, tout ce qui existe est bon en quelque manière et que ces colonisés ne sont pas bons seulement pour notre usage, mais en soi[2].

L'Oriental « en soi » est néanmoins incapable de s'apprécier ou de se comprendre lui-même. Pour une part à cause de ce que l'Europe lui a fait :

> Nous avons tout ruiné en eux, leur philosophie, leur religion. Ils ne croient plus à rien. Un vide immense est en eux. Ils sont mûrs pour l'anarchie ou le suicide […].

1. *Ibid.*, p. 212. Voir aussi, p. 211, une autre attaque contre les Britanniques, et, p. 423-427, son opinion sur Lawrence.
2. Cité dans Jacques Waardenburg, *L'Islam dans le miroir de l'Occident, op. cit.*, p. 219.

Le moment est venu, en France surtout, d'aller plus avant. Une politique musulmane vraiment réalisatrice doit se résoudre à envisager, *hic et nunc*, l'adaptation prochaine au monde moderne de formes spécifiques de la société musulmane, puisqu'elle ne veut pas mourir ; considérer jusqu'à quel point la défense de l'ordre social occidental peut s'associer aux musulmans dans la défense sociale de leur culture traditionnelle, de leur règle de vie commune, de leur patrimoine de croyants[1].

Aucun savant, pas même un Massignon, ne peut résister aux pressions qu'exerce sur lui son pays ou la tradition érudite dans laquelle il travaille. Dans une bonne partie de ce qu'il dit de l'Orient et de ses relations avec l'Occident, Massignon semble reprendre en les élaborant les idées des autres orientalistes français. Nous devons cependant admettre que la subtilité, le style personnel, le génie individuel peuvent, en fin de compte, supplanter les contraintes politiques qui agissent de manière impersonnelle par l'intermédiaire de la tradition et de l'ambiance nationales. Même ainsi, il nous faut aussi reconnaître, dans le cas de Massignon, que, suivant une certaine direction, ses idées sur l'Orient sont restées de bout en bout traditionnelles et orientalistes, malgré leur caractère personnel et leur remarquable originalité. Selon lui, l'Orient islamique est spirituel, sémitique, tribal, radicalement monothéiste, non aryen : ces adjectifs ont l'air d'un catalogue de descriptions ethnologiques de la fin du dix-neuvième siècle. Les expériences relativement terre à terre de la guerre, du colonialisme, de l'impérialisme, de l'oppression économique, de l'amour, de la mort et des échanges culturels semblent toujours, aux yeux de Massignon, avoir été filtrées par des lentilles

1. *Ibid.*, p. 218 *sq.*

métaphysiques et, en fin de compte, déshumanisées ; elles sont sémitiques, européennes, orientales, occidentales, aryennes, etc. Les catégories ont structuré son monde et donné à ce qu'il dit une espèce de « sens profond » – du moins pour lui.

De l'autre côté, Massignon s'est acquis une position particulière au milieu des idées individuelles de détail du monde savant. Il a reconstruit et défendu l'islam contre l'Europe, d'une part, et contre sa propre orthodoxie, de l'autre. Cette intervention – c'est bien de cela qu'il s'agit – en Orient comme animateur et comme champion symbolise sa propre acceptation de la différence de l'Orient, aussi bien que ses efforts pour le transformer en ce qu'il désire. Les deux ensemble, la volonté de connaissance sur l'Orient et la volonté de connaissance à son profit, sont très fortes chez Massignon. Son al-Hallaj représente parfaitement cette double volonté. Massignon lui accorde une importance disproportionnée, d'abord parce que le savant a décidé de mettre un personnage en valeur au-dessus de la culture qui le nourrit, et ensuite parce que al-Hallaj représente un défi constant, irritant même, pour le chrétien occidental pour lequel la foi n'est pas (ne peut pas être) un sacrifice de soi poussé à l'extrême comme pour le soufi. Dans un cas comme dans l'autre, Massignon donne littéralement pour objet à al-Hallaj d'incarner des valeurs mises essentiellement hors la loi par le système de doctrine central de l'islam, système que Massignon lui-même décrit surtout pour le circonvenir avec al-Hallaj.

Nous ne devons néanmoins pas dire sans ambages de l'œuvre de Massignon qu'elle est perverse ou que sa principale faiblesse est de mal représenter l'islam, de sorte qu'un musulman « moyen » ne peut pas y adhérer. Un savant musulman distingué a précisément soutenu cette position, mais sans citer le nom de Massignon[1]. Même si nous sommes très portés à approuver ces thèses – puisque, comme ce livre a tenté de le démontrer, l'Occident a, fondamentalement, mal représenté l'islam –, la vraie question est celle-ci : peut-il y avoir une représentation fidèle de quoi que ce soit ? Ou encore, une certaine représentation, toutes les représentations, parce qu'elles sont des représentations, ne sont-elles pas d'abord enchâssées dans la langue, puis dans la culture, les institutions, tout le climat politique de celui qui les formule ? Si c'est bien le cas (ce que je crois), nous devons alors être prêts à accepter le fait qu'une représentation est *ipso facto* impliquée, entrelacée, enchâssée dans beaucoup d'autres choses en dehors de la « vérité », qui est elle-même une représentation. Cela doit nous amener à considérer méthodologiquement les représentations (vraies ou fausses, la distinction n'est, au mieux, qu'une question de degré) comme occupant un domaine commun que définit pour elles, non un unique sujet commun qui leur est inhérent, mais un certain univers du discours, une histoire, une tradition communs. Dans ce domaine qu'aucun savant isolé ne peut créer, mais que tout savant reçoit et dans lequel il doit alors trouver sa place, le chercheur individuel donne sa contribution. Ces contributions, même pour l'être d'exception, le génie, sont des stratégies servant à redistribuer le matériau à l'intérieur du domaine ; le savant qui découvre un manuscrit perdu produit le texte « trouvé » dans un contexte déjà préparé, car c'est cela que veut vraiment dire *trouver* un nouveau texte. Ainsi,

1. Voir A. L. Tibawi, « English-Speaking Orientalists : A Critique of their Approach to Islam and Arab Nationalism ; Part I », *Islamic Quarterly* 8, n°s 1-2 (janv.-juin 1964), p. 25-44 ; « Part II », *Islamic Quarterly* 8, n°s 3-4 (juill.-déc. 1964), p. 73-88.

toute contribution individuelle provoque d'abord des changements à l'intérieur du domaine, puis une nouvelle stabilité.

Les représentations de l'orientalisme dans la culture européenne reviennent à ce que nous pouvons appeler une cohérence discursive, qui a non seulement pour elle l'histoire, mais une présence matérielle (et institution-nelle). Comme je l'ai dit à propos de Renan, cette cohé-rence est une forme de praxis culturelle, un système d'occasions d'affirmer des choses sur l'Orient. Tout ce que je veux dire sur ce système n'est pas que c'est une représentation fausse de quelque essence orientale – à laquelle je ne crois pas un instant –, mais qu'il opère comme le font d'ordinaire les représentations, dans un but, selon une tendance, dans un environnement histo-rique, intellectuel et même économique spécifique. En d'autres termes, les représentations ont des fins, elles fonctionnent la plupart du temps, elles accomplissent une tâche, ou de nombreuses tâches. Les représentations sont des formations, ou, comme l'a dit Roland Barthes de toutes les opérations du langage, elles sont des déforma-tions. L'Orient, en tant que représentation en Europe, est formé – ou déformé – à partir d'une sensibilité de plus en plus spécifique envers une région géographique appelée « l'Orient ». Les spécialistes de cette région font leur tra-vail sur elle, pour ainsi dire, parce que tôt ou tard leur métier d'orientaliste demande qu'ils offrent à leur société des images de l'Orient, un savoir le concernant, et des idées sur lui. Et, dans une très grande mesure, l'orienta-liste fournit à sa propre société des représentations de l'Orient a) qui portent son empreinte distinctive, b) qui illustrent sa conception de ce que l'Orient peut ou devrait être, c) qui discutent consciemment les opinions de quel-qu'un d'autre sur l'Orient, d) qui donnent au discours orientaliste ce dont il semble avoir le plus besoin à ce moment, et e) qui répondent à certaines demandes culturelles, professionnelles, nationales, politiques et économiques de l'époque. Il est bien évident que, quoique jamais absent, le rôle du savoir positif est loin d'être absolu. Au contraire, le « savoir » – qui n'est jamais brut, immédiat ou simplement objectif – est ce que *distribuent* et redistribuent les cinq attributs de la représentation orientaliste que je viens d'énumérer.

De ce point de vue, Massignon est moins un « génie » mythique qu'une sorte de système pour produire certains types d'affirmations, disséminées dans la grande masse de formations discursives qui, ensemble, constituent l'archive ou le matériau culturel de son temps. Je ne crois pas qu'en reconnaissant ce fait nous déshumanisions Massignon, ni que nous le réduisions à n'être que le sujet d'un déterminisme vulgaire. Au contraire, nous voyons, d'une certaine manière, comment un être humain a eu une capacité culturelle et productive dotée d'une dimension institutionnelle ou extra-humaine et a pu l'accroître : c'est sûrement à cela que doit aspirer l'être humain fini, s'il ne doit pas se contenter de sa présence purement mortelle dans l'espace et le temps. Quand Massignon a dit : « Nous sommes tous des Sémites », il a indiqué la portée de ses idées sur la société, montrant jusqu'à quel point ses idées sur l'Orient pouvaient transcender la condition locale, anecdotique d'un Français et de la société française. La catégorie « Sémite » tirait sa substance de l'orientalisme de Massignon, et sa force de sa tendance à sortir des limites de la discipline pour s'étendre dans une histoire et une anthropologie plus vastes, où elle semble avoir une certaine validité, un certain pouvoir[1].

---

1. « Une figure domine tous les genres du travail orientaliste, celle de Louis Massignon », Claude Cahen et Charles Pellat, « Les études

Les formulations de Massignon et ses représentations de l'Orient ont eu au moins une influence directe, sinon une validité indiscutable, chez les orientalistes de métier. Comme je l'ai dit plus haut, lorsque Gibb rend hommage à Massignon, il reconnaît ainsi (implicitement) qu'il y a une autre voie que la sienne. Bien sûr, j'attribue à l'article nécrologique écrit par Gibb des choses qui ne s'y trouvent que sous forme de traces, sans y être réellement affirmées, mais elles sont d'une importance évidente si nous regardons maintenant la carrière de Gibb comme un repoussoir à celle de Massignon. L'article commémoratif sur Gibb écrit par Albert Hourani pour la British Academy résume admirablement sa carrière, ses idées dominantes et l'importance de son œuvre : je suis d'accord avec l'exposé de Hourani dans ses grandes lignes. Il lui manque pourtant quelque chose, que l'on trouve en partie dans un texte plus bref, « Sir Hamilton Gibb between Orientalism and History », de William Polk[1]. Hourani a tendance à voir dans Gibb le produit de rencontres personnelles, d'influences personnelles, etc., alors que Polk, qui est en général bien moins subtil que Hourani dans sa manière de comprendre Gibb, voit dans celui-ci le point culminant d'une tradition universitaire spécifique que – pour utiliser une expression qui ne figure pas dans la prose de Polk – nous pouvons appeler un paradigme ou un consensus de recherche universitaire.

---

arabes et islamiques », *Journal asiatique* 261, nᵒ 1, 4 (1973), p. 104. Panorama très détaillé du domaine islamo-orientaliste dans Jean Sauvaget, *Introduction à l'histoire de l'Orient musulman, Éléments de bibliographie*, éd. Claude Cahen, Paris, Adrien Maisonneuve, 1961.

1. William Polk, « Sir Hamilton Gibb between Orientalism and History », *International Journal of Middle East Studies* 6, nᵒ 2 (avr. 1975), p. 131-139. J'ai utilisé la bibliographie de l'œuvre de Gibb qui se trouve dans *Arabic and Islamic Studies in Honor of Hamilton A. R. Gibb*, éd. George Makdisi, Cambridge, Mass., Harvard Univ. Press, 1965, p. 1-20.

Cette idée, empruntée un peu cavalièrement à Thomas Kuhn, s'applique particulièrement bien à Gibb, qui, comme nous le rappelle Hourani, était de bien des façons une figure institutionnelle. Tout ce qu'a fait ou dit Gibb, du début de sa carrière à Londres aux années passées à Oxford et au moment où il a été le puissant directeur du Center for Middle Eastern Studies à Harvard, porte la marque indiscutable d'un esprit qui opère à l'aise à l'intérieur des institutions établies. Massignon était irrémédiablement l'homme du dehors, Gibb celui du dedans. De toute façon, les deux hommes ont eu le plus grand prestige et le plus grand rayonnement dans l'orientalisme français et anglo-américain respectivement. [...] Comme Massignon, Gibb se vantait d'avoir des amis musulmans, mais il semble que, comme pour Lane, ç'aient été des amitiés utiles, non des amitiés déterminantes. Gibb est, par conséquent, une figure dynastique à l'intérieur du cadre académique de l'orientalisme britannique (puis américain), un savant dont le travail a montré de manière tout à fait consciente les tendances nationales d'une tradition académique à l'intérieur d'universités, de gouvernements et de fondations de recherche.

Ce qui l'indique bien, c'est qu'on trouve souvent Gibb, homme mûr, en train de parler et d'écrire pour des organismes qui déterminent la politique. En 1951, par exemple, il rédige une contribution pour un volume intitulé, ce qui est significatif, *The Near East and the Great Powers*, contribution dans laquelle il tente d'expliquer la nécessité de développer les programmes anglo-américains d'études orientales :

> [...] dans son ensemble, la situation des pays occidentaux en face des pays d'Asie et d'Afrique a changé. Nous ne pouvons plus nous appuyer sur ce facteur de prestige qui semble avoir joué un grand rôle dans la pensée d'avant-guerre, nous ne

pouvons plus attendre des pays d'Asie, d'Afrique ou d'Europe de l'Est qu'ils viennent à nous, pour apprendre, tandis que nous nous reposons. Il nous faut apprendre ce qui les concerne de façon à pouvoir apprendre à travailler avec eux dans des termes qui se rapprochent de la réciprocité[1].

Ces termes nouveaux, il les a explicités plus récemment dans « Area Studies Reconsidered ». Selon lui, il ne faut pas considérer les études orientales comme des activités savantes, mais plutôt comme des instruments de la politique nationale envers les États du monde postcolonial qui viennent d'accéder à l'indépendance, et qui sont peut-être bien intraitables ; l'orientaliste, qui a pris une conscience refocalisée de son importance pour la communauté atlantique, doit être un guide pour des hommes qui déterminent la politique, des hommes d'affaires, des savants de la nouvelle génération.

Ainsi, suivant cette vision plus récente de Gibb, l'important pour l'orientaliste n'est pas de faire un travail positif comme savant (par exemple, le type de savant que Gibb a été dans sa jeunesse, quand il étudiait les invasions musulmanes en Asie centrale), mais de pouvoir s'adapter pour l'usage public. Hourani l'explique bien :

[...] il lui est apparu clairement que les élites et les gouvernements actuels agissaient en ignorant ou en rejetant leurs propres traditions de vie sociale et de morale, et que telle était la cause de leurs échecs. C'est pourquoi il a consacré ses principaux efforts à élucider, par une étude attentive du passé, la nature spécifique de la société musulmane, les croyances et la culture qui en sont le cœur. Même ce

---

1. H. A. R. Gibb, « Oriental Studies in the United Kingdom », in *The Near East and the Great Powers*, éd. Richard N. Frye, Cambridge, Mass., Harvard Univ. Press, 1951, p. 86 *sq.*

problème, il avait tendance à le voir d'abord sous un jour surtout politique [1].

Mais cette vision récente n'aurait pas été possible si elle n'avait été préparée assez rigoureusement par les œuvres plus anciennes de Gibb, et c'est là que nous devons tout d'abord chercher à comprendre ses idées. L'une des premières influences qui se sont exercées sur Gibb a été celle de Duncan Macdonald ; il est clair que c'est de son travail que Gibb a tiré l'idée que l'islam est un système de vie cohérent ; cette cohérence est due, plutôt qu'aux populations qui mènent cette vie, à un certain type de doctrine, une certaine méthode pour pratiquer la religion, une certaine idée de l'ordre auxquels participent tous les peuples musulmans. Entre le peuple et l'« islam », il y a évidemment une sorte de rencontre dynamique, mais ce qui compte pour l'Occidental qui l'étudie, c'est le pouvoir que possède l'islam de rendre intelligibles les expériences des peuples islamiques, et non le contraire.

Macdonald et, plus tard, Gibb n'ont jamais abordé les difficultés épistémologiques et méthodologiques de l'« islam » comme objet (à propos duquel on peut faire des affirmations extrêmement générales). Macdonald croyait, pour sa part, que dans l'islam on pouvait percevoir des aspects d'une abstraction d'une portée encore plus grande : la mentalité orientale. Tout le premier chapitre de celui de ses livres qui a eu le plus d'influence, *The Religious Attitude and Life in Islam* (dont on ne peut sous-estimer l'importance pour Gibb) est une anthologie de déclarations indiscutables sur l'esprit des Orientaux. Il commence par dire : « Il est clair, je crois, et généralement admis, que la conception de l'invisible est bien plus immédiate et réelle pour l'Oriental que pour les Occidentaux. » Les « grands éléments de modifica-

---

1. « Sir Hamilton Gibb, 1895-1971 », *loc. cit.*, p. 504.

tion qui semblent, de temps en temps, bouleverser presque la loi générale » ne la bouleversent pas, ils ne bouleversent pas non plus les autres lois tout aussi générales qui gouvernent l'esprit des Orientaux. « La différence essentielle dans l'esprit des Orientaux n'est pas une crédulité dont ils témoignent à l'égard des choses invisibles, mais une impuissance à construire un système en ce qui concerne les choses visibles. » Un autre aspect de cette difficulté – à laquelle Gibb devait, par la suite, attribuer l'absence de forme de la littérature arabe et l'image essentiellement atomistique de la réalité que se font les musulmans – est que « la différence chez l'Oriental n'est pas pour l'essentiel la religiosité, mais l'absence d'un sens de la loi. Pour lui, il n'y a pas d'ordre immuable de la nature ». Si un « fait » de ce genre semble ne pas rendre compte des résultats de la science islamique, sur lesquels est fondée en grande partie la science occidentale moderne, alors Macdonald n'en parle pas. Il continue son catalogue : « Il est évident que tout est possible pour l'Oriental. Le surnaturel est si proche qu'il peut le toucher à tout instant. » Une *occasion* – à savoir que le monothéisme ait pris naissance historiquement et géographiquement en Orient – devient, dans le raisonnement de Macdonald, toute une théorie de la différence entre l'Est et l'Ouest : cela montre combien Macdonald s'est fortement engagé dans l'orientalisme. Voici son résumé :

> Une *incapacité* donc d'envisager la vie fermement et comme un tout, de comprendre qu'une théorie de la vie doit couvrir tous les faits, et une *aptitude* à être emporté par une seule idée et à être aveuglé à toute autre chose : là, je crois, réside la différence entre l'Orient et l'Occident [1].

1. Duncan Black Macdonald, *The Religious Attitude and Life in Islam*, 1909 ; réimpr., Beyrouth, Khayats Publishers, 1965, p. 2-11.

Il n'y a bien sûr rien de particulièrement neuf dans tout cela. De Schlegel à Renan, de Robertson Smith à T.E. Lawrence, ces idées ont été répétées à de nombreuses reprises. Il s'agit là d'une décision à propos de l'Orient, pas le moins du monde d'un fait de nature. Quelqu'un qui entre consciemment, comme Macdonald ou Gibb, dans la profession d'orientaliste, le fait après avoir pris une décision, à savoir que l'Orient est l'Orient, qu'il est différent, etc. Les élaborations, les raffinements dans ce domaine, les articulations qui en découlent ne font que soutenir et prolonger la décision d'« enfermer » l'Orient. On ne peut déceler aucune ironie dans les idées de Macdonald (ou de Gibb) sur l'Oriental qui est susceptible d'être emporté par une seule idée ; ni l'un ni l'autre ne semble capable de reconnaître dans quelle mesure l'orientalisme peut être emporté par la seule idée de la différence orientale. Ils emploient l'un et l'autre, sans y penser, des désignations à l'emporte-pièce, « islam » ou « Orient », comme des noms propres, avec des adjectifs attributs et des verbes qui en dérivent, comme s'ils se référaient à des personnes et non à des idées platoniciennes.

Ce n'est donc pas un hasard si l'idée maîtresse de Gibb, dans presque tout ce qu'il a écrit sur l'islam et les Arabes, est la tension entre un « islam », fait oriental transcendant et contraignant, et les réalités de l'expérience quotidienne. Comme savant et comme chrétien dévot, il place son intérêt dans l'« islam » ; mais les complications introduites par le nationalisme, la lutte des classes, les expériences individualisantes de l'amour, de la colère ou du travail sont relativement triviales pour lui. Le caractère appauvrissant de cet investissement est particulièrement évident dans *Whither Islam ?*, volume dont Gibb a été l'éditeur et auquel il a confié l'essai qui donne son titre au livre (1932 ; ce livre comprend aussi un remarquable article de

Massignon sur l'islam nord-africain). La tâche de Gibb, telle qu'il la comprend, est d'estimer l'islam, sa situation présente, son avenir possible. Pour cette tâche, les régions distinctes et manifestement différentes du monde islamique doivent être, plutôt que des réfutations de l'unité de l'islam, des exemples de celle-ci. Gibb lui-même propose en guise d'introduction une définition de l'islam ; ensuite, dans l'article qui sert de conclusion, il cherche à se prononcer sur sa réalité actuelle et sur son véritable avenir. Comme Macdonald, Gibb semble tout à fait à l'aise dans l'idée d'un Orient monolithique, dont les conditions d'existence ne peuvent pas se réduire facilement à la race ou à la théorie raciale ; en déniant résolument toute valeur à la généralisation raciale, Gibb est bien au-dessus de ce qui a été le plus répréhensible chez les générations précédentes d'orientalistes. Il a, de ce fait, une opinion généreuse et sympathique de l'universalisme de l'islam et de sa tolérance, qui permettent à différentes communautés ethniques et religieuses de coexister en paix et de façon démocratique sous son empire. Il y a une note de prophétisme menaçant chez Gibb quand il distingue les sionistes et les chrétiens maronites comme les seules communautés ethniques du monde islamique qui soient incapables d'accepter la coexistence [1].

Mais l'argument central de Gibb est que l'islam, peut-être parce qu'il représente finalement le souci exclusif de l'Oriental, non pour la nature, mais pour l'invisible, a une préséance et domination ultimes sur la vie tout entière de l'Orient islamique. Pour Gibb, l'islam *est* l'orthodoxie islamique, il *est* aussi la communauté des croyants, il *est* la vie, l'unité, l'intelligibilité, les valeurs. Il *est* la loi et

---

1. H. A. R. Gibb, « Whither Islam ? », in *Whither Islam ? A Survey of Modern Movements in the Moslem World*, éd. H. A. R. Gibb, Londres, Victor Gollancz, 1932, p. 328, 387.

l'ordre, aussi, malgré les interruptions de mauvais goût des jihadistes et des agitateurs communistes. En lisant page après page la prose de Gibb dans *Whither Islam ?*, nous apprenons que les nouvelles banques commerciales en Égypte et en Syrie sont des faits de l'islam, ou une initiative islamique ; que les écoles et le niveau d'alphabétisation qui s'élève sont des faits de l'islam, tout comme le journalisme, l'occidentalisation et les sociétés intellectuelles. Gibb ne parle à aucun moment du colonialisme européen quand il étudie la montée du nationalisme et ses « toxines ». Il ne vient jamais à l'esprit de Gibb que l'histoire de l'islam moderne pourrait être plus intelligible si l'on tenait compte de sa résistance, politique ou non, au colonialisme, de même qu'il lui paraît au fond hors du sujet d'indiquer si les gouvernements « islamiques » dont il parle sont républicains, féodaux ou monarchiques.

L'« islam », pour Gibb, est une espèce de superstructure que mettent en péril à la fois les politiques (nationalisme, agitation communiste, occidentalisation) et les tentatives musulmanes qui interfèrent avec sa souveraineté intellectuelle. Dans le passage suivant, remarquez comment le mot *religion* et les mots de la même famille donnent le ton à la prose de Gibb, si bien que nous ressentons une contrariété bienséante à propos des pressions mondaines exercées sur l'« islam » :

> L'islam, en tant que religion, n'a guère perdu de sa force, mais l'islam, en tant qu'arbitre de la vie sociale [dans le monde moderne], est en train d'être détrôné ; à côté de cela, ou au-dessus, de nouvelles forces exercent une autorité qui est quelquefois en contradiction avec ses traditions et ses prescriptions sociales mais qui, néanmoins, se fraie son chemin [malgré elles]. Pour le dire simplement, voici ce qui s'est passé. Jusqu'à une période récente, le musulman, citadin ou villageois, ne s'intéressait pas à la politique et n'y

avait pas de rôle, n'avait pas de littérature facile d'accès en dehors de la littérature religieuse, n'avait pas de fêtes ni de vie communautaire, sauf en relation avec la religion, ne voyait rien, ou presque, du monde extérieur, sauf à travers des verres religieux. *Pour lui, par conséquent, la religion voulait tout dire.* Aujourd'hui, pourtant, surtout dans les pays les plus avancés, la gamme de ses intérêts s'est élargie et ses activités ne sont plus limitées par la religion. Des questions politiques s'imposent à son attention ; il lit, ou il se fait lire, une masse d'articles sur des sujets de toute espèce qui n'ont rien à voir avec la religion, dans lesquels il se peut que le point de vue religieux ne soit pas du tout mentionné et que le verdict dépende de principes tout différents […]. [C'est nous qui soulignons][1].

Il faut dire que cette image est un peu difficile à voir, puisque, à la différence de toutes les autres religions, *l'islam est ou signifie toute chose.* Comme description des phénomènes humains, l'hyperbole n'apparaît, je crois, que dans l'orientalisme. La vie elle-même – la politique, la littérature, l'énergie, l'activité, la croissance – est une intrusion dans cette totalité orientale inimaginable (pour un Occidental). Mais, en tant que « complément et contre-poids à la civilisation européenne », l'islam, sous sa forme moderne, est tout de même un objet utile : tel est le noyau de la proposition de Gibb au sujet de l'islam moderne. En effet, « sous l'aspect le plus large de l'histoire, ce qui se passe maintenant entre l'Europe et l'islam est la réintégra-tion de la civilisation occidentale, artificiellement brisée par la Renaissance et qui réaffirme maintenant son unité avec une force surprenante[2] ».

Massignon ne faisait aucun effort pour dissimuler ses spéculations métaphysiques ; Gibb, lui, énonce des

1. *Ibid.*, p. 335.
2. *Ibid.*, p. 377.

observations telles que celle-ci comme si elles étaient de la connaissance objective (une catégorie qui faisait défaut à Massignon, selon lui). Pourtant, selon presque tous les critères, la plus grande partie des ouvrages généraux de Gibb sur l'islam est métaphysique, non seulement parce qu'il utilise des abstractions telles que l'« islam » comme si elles avaient un sens clair et net, mais aussi parce qu'on ne voit jamais bien où, dans l'espace et le temps, se situe l'« islam » de Gibb. Si, d'une part, suivant en cela Macdonald, il place l'islam nettement à l'extérieur de l'Occident, d'autre part, dans la majeure partie de son œuvre, on le trouve en train de le « réintégrer » dans l'Occident. En 1955, il a donné quelques éclaircissements sur cette question d'intérieur et d'extérieur : l'Occident n'a pris à l'islam que ces éléments non scientifiques que celui-ci avait à l'origine tirés de l'Occident, alors que, en empruntant à la science islamique, l'Occident ne faisait que suivre la loi qui rend « la science naturelle et la technologie [...] indéfiniment transmissibles[1] ». Conséquence : l'islam, dans « l'art, l'esthétique, la philosophie et la pensée religieuse », est un phénomène de second ordre (puisque ceux-ci venaient de l'Occident), et, dans la mesure où il s'agit de science et de technologie, un simple chenal pour des éléments qui ne sont pas islamiques par nature.

Toute lumière sur ce qu'est l'islam dans la pensée de Gibb devrait se trouver *à l'intérieur* de ces contraintes métaphysiques ; ses deux livres importants publiés dans les années 1940, *Modern Trends in Islam*, et *Mohammedanism : An Historical Survey*, fournissent en effet assez de matière. Dans ces livres, Gibb se donne beaucoup de mal pour étudier la crise présente de l'islam, opposant son

---

1. H. A. R. Gibb, « The Influence of Islamic Culture on Medieval Europe », *John Rylands Library Bulletin* 38, n⁰ 1 (sept. 1955), p. 98.

être inhérent, essentiel, aux tentatives modernes faites pour le modifier. J'ai déjà mentionné que Gibb était hostile aux courants de modernisation dans l'islam et qu'il s'était engagé avec obstination pour l'orthodoxie islamique. Il faut signaler ici qu'il préfère le terme de « mahométisme » *(mohammedanism)* à celui d'islam (puisqu'il dit que l'islam est fondé en réalité sur une idée de succession apostolique qui a culminé en Mahomet) et que, selon lui, la science maîtresse de l'islam est le droit, qui, très tôt, a remplacé la théologie. Fait curieux, ces affirmations sur l'islam sont énoncées, non à partir d'une évidence interne à celui-ci, mais plutôt à partir d'une logique située délibérément en dehors de lui. Aucun musulman ne se désignera jamais comme mahométan, ni, à ce qu'on peut savoir, ne ressentira nécessairement que le droit est plus important que la théologie. Mais ce que fait Gibb, c'est de se situer comme savant à l'intérieur de contradictions qu'il discerne lui-même, à ce point dans « l'islam » où « il y a une certaine dislocation inexprimée entre le processus formel extérieur et les réalités intérieures [1] ».

L'orientaliste considère donc que sa tâche est d'exprimer cette dislocation et, par conséquent, de dire la vérité sur l'islam qui, par définition – puisque ses contradictions inhibent son pouvoir d'autodiscernement –, ne peut l'exprimer. La majeure partie des affirmations de Gibb sur l'islam fournit à celui-ci des concepts que la religion ou la culture, par sa définition une fois de plus, est incapable de saisir : « La philosophie orientale n'a jamais apprécié l'idée fondamentale de justice dans la philosophie grecque. » Quant aux sociétés orientales, « à la différence de la plupart des sociétés occidentales, [elles se] sont en général consacrées à construire des organisations

---

1. H. A. R. Gibb, *Mohammedanism : An Historical Survey*, Londres, Oxford Univ. Press, 1949, p. 2, 9, 84.

sociales stables [plutôt que de] construire des systèmes idéaux de pensée philosophique ». La principale faiblesse interne de l'islam est qu'« il a rompu l'association entre les ordres religieux et les classes supérieures et moyennes des musulmans[1] ». Mais Gibb se rend compte aussi que l'islam n'est jamais resté isolé du reste du monde, et qu'il doit donc être sujet à une série de dislocations extérieures, d'insuffisances et de disjonctions entre lui et le monde. Ainsi, il dit que l'islam moderne est le résultat d'une religion classique qui entre dans un contact asynchrone avec les idées romantiques de l'Occident. Pour réagir contre cet assaut, l'islam a formé une école de modernistes dont les idées révèlent partout le désespoir, des idées qui ne sont pas adaptées au monde moderne : le mahdisme, le nationalisme, le renouvellement du califat. La réaction conservatrice contre le modernisme n'est pas moins inadaptée à la modernité, car elle a produit une sorte de luddisme buté. Alors qu'est l'islam, en fin de compte, s'il ne peut avoir raison de ses dislocations internes ni s'accommoder de ce qui l'entoure ? On peut trouver la réponse dans ce passage de *Modern Trends* :

> L'islam est une religion vivante et vitale, faisant appel aux cœurs, aux intelligences, aux consciences de dizaines, de centaines de millions d'êtres, leur donnant une norme selon laquelle vivre dans l'honnêteté, la sobriété et la crainte de Dieu. Ce n'est pas l'islam qui est pétrifié, mais ses formulations orthodoxes, sa théologie systématique, son apologétique sociale. C'est là que se trouve la dislocation, là qu'est ressenti le mécontentement chez beaucoup de ses adhérents les plus instruits et les plus intelligents, là que le danger pour l'avenir est le plus évident. Aucune religion ne peut finalement résister à la désintégration si un fossé sépare perpétuellement ses exigences sur la volonté et son attrait pour

---

1. *Ibid.*, p. 111, 88, 189.

l'intellect de ses fidèles. Le fait que le problème de la dislocation n'a pas encore été soulevé pour la grande majorité des musulmans justifie le refus des ulémas de se laisser pousser à prendre les mesures hâtives que prescrivent les modernistes ; mais l'extension du modernisme est un avertissement : on ne peut indéfiniment reporter la reformulation.

En essayant de déterminer les origines et les causes de la pétrification des formules de l'islam, nous pouvons peut-être trouver aussi quelque indice pour répondre à la question que posent les modernistes, mais sans être parvenus jusqu'ici à la résoudre : de quelle manière peut-on reformuler les principes fondamentaux de l'islam sans affecter leurs éléments essentiels [1] ?

La dernière partie de ce passage nous est assez familière : elle fait penser à la capacité, maintenant traditionnelle, qu'a l'orientaliste de reconstruire et de reformuler l'Orient, étant donné l'incapacité de l'Orient à le faire pour lui-même. L'islam de Gibb existe *en avant* de l'islam tel qu'il est pratiqué, étudié ou prêché en Orient. Mais cet islam prospectif n'est plus une pure et simple fiction de l'orientaliste : il est fondé sur un « islam » qui – puisqu'il ne peut vraiment exister – a de l'attrait pour toute une communauté de croyants. Si l'« islam » peut exister dans la formulation plus ou moins future qu'en donnent les orientalistes, c'est parce que en Orient il est usurpé et traduit par le langage de son clergé, qui se réclame de l'esprit de la communauté. Tant que l'attrait reste silencieux, l'islam est sauf ; dès que le clergé réformateur reprend son rôle (légitime) de reformuler l'islam pour le rendre capable d'entrer dans la modernité, les ennuis commencent. Et ces ennuis, naturellement, c'est la dislocation.

1. *Modern Trends in Islam*, *op. cit.*, p. 108, 113, 123.

Dans l'œuvre de Gibb, la dislocation désigne quelque chose de bien plus significatif qu'une difficulté intellectuelle supposée, interne à l'islam. Ce mot désigne, je crois, le privilège même de l'orientaliste, la position même sur laquelle il se place de manière à écrire sur l'islam, à légiférer pour lui, et à le reformuler. Gibb n'a pas discerné par hasard cette dislocation, loin de là : elle a constitué la voie épistémologique vers son sujet et, partant, le point d'où il a pu avoir une vue d'ensemble sur l'islam, dans tous ses écrits et dans chacun des postes importants qu'il a occupés. Entre l'attrait silencieux de l'islam pour une communauté monolithique de croyants orthodoxes et une articulation totalement verbale de l'islam faite par un corps d'activistes qui s'abusent, de bureaucrates désespérés et de réformateurs opportunistes : c'est là que se tient Gibb, de là qu'il écrit et qu'il reformule. Il écrit soit ce que l'islam ne peut dire, soit ce que ses clercs ne veulent pas dire. Ce qu'il écrit est, d'une certaine manière, en avance dans le temps sur l'islam : il reconnaît que, à un certain moment dans l'avenir, l'islam sera capable de dire ce qu'il ne peut dire actuellement. D'une autre manière, les écrits de Gibb sur l'islam ont devancé la religion comme un corpus cohérent de croyances « vivantes », puisqu'ils ont été capables de se saisir de l'islam comme d'un attrait, d'un appel silencieux fait aux musulmans avant que leur foi devienne un objet de discussion, de pratique ou de débat dans le monde.

Il y a un paradoxe dans l'œuvre de Gibb : il ne parle pas de l'« islam » comme le fait le clergé de cette religion, ni comme le feraient ses fidèles laïcs, s'ils le pouvaient ; ce paradoxe est atténué par l'attitude métaphysique qui domine chez lui et qui, de fait, domine toute l'histoire de l'orientalisme moderne dont il a hérité à travers des mentors comme Macdonald. L'Orient et l'islam ont une espèce de statut extra-réel, réduit au sens phénoménologique, qui les place hors d'atteinte de tous, sauf de l'expert occidental. Dès le début des spéculations occidentales au sujet de l'Orient, la seule chose que celui-ci n'a pu faire a été de se représenter lui-même. Le témoignage de l'Orient n'était crédible qu'après avoir passé par le feu du travail orientaliste et que celui-ci l'eut rendu solide. L'« œuvre » de Gibb prétend être l'islam (ou le mahométisme) à la fois *comme il est* et *comme il pourrait être*. Du point de vue métaphysique – seulement –, il fait de l'essence et de la potentialité une seule et même chose. Seule une attitude métaphysique a pu produire ces essais fameux de Gibb : « The Structure of Religious Thought » ou « An Interpretation of Islamic History », sans se laisser troubler par la distinction entre connaissance objective et subjective faite par Gibb dans sa critique de Massignon[1]. Les affirmations sur l'« islam » sont énoncées avec une confiance et une sérénité vraiment olympiennes. Il n'y a aucune dislocation, aucune discontinuité ressentie entre la page de Gibb et le phénomène qu'elle décrit, car chacun d'eux, selon Gibb lui-même, peut en dernier ressort se réduire à l'autre. Ainsi, l'« islam » et la description qu'en fait Gibb ont une simplicité calme et discursive, avec comme élément commun la page bien ordonnée de l'érudit anglais.

J'attache une grande signification à l'aspect et au modèle choisi de la page de l'orientaliste considérée comme un objet imprimé. Dans ce livre, j'ai parlé de l'encyclopédie alphabétique de d'Herbelot, des feuillets gigantesques de la *Description de l'Égypte*, du cahier de laboratoire-musée de Renan, des ellipses et des brefs épisodes des *Modern Egyptians* de Lane, des extraits anthologiques de Silvestre de Sacy, etc. Ces pages sont des signes d'un certain Orient et d'un certain orientaliste *présentés* au

---

1. On trouvera ces deux essais dans H. A. R. Gibb, *Studies on the Civilization of Islam*, *op. cit.*, p. 176-208 et 3-33.

lecteur. Il y a un ordre à ces pages, par lesquelles le lecteur n'appréhende pas seulement l'« Orient », mais aussi l'orientaliste, comme expert, interprète, démonstrateur, personnalité, médiateur, représentant. D'une manière remarquable, Gibb et Massignon ont rédigé des pages qui récapitulent l'histoire de l'écriture orientaliste en Occident comme cette histoire a été incarnée dans divers styles génériques et topographiques, et réduite finalement à l'uniformité des monographies scolaires. Le spécimen oriental ; l'excès oriental ; l'unité lexicographique orientale ; la série orientale ; l'exemple oriental : tous ont été subordonnés, chez Gibb et Massignon, à l'autorité linéaire et prosaïque de l'analyse discursive, présentés sous forme d'essais, de courts articles, de livres érudits universitaires. À leur époque, de la fin de la Première Guerre mondiale au début des années 1960, trois des principales formes d'écrits orientalistes se sont radicalement transformées : l'encyclopédie, l'anthologie, le rapport personnel. Leur autorité s'est redistribuée, ou dissipée, pour passer à un comité d'experts (*The Encyclopedia of Islam, The Cambridge History of Islam*), à un service de niveau moins élevé (enseignement élémentaire des langues, qui ne prépare pas seulement à la diplomatie, comme c'était le cas pour la *Chrestomathie* de Silvestre de Sacy, mais à l'étude de la sociologie, de l'économie ou de l'histoire), au domaine des révélations sensationnelles (qui ont plus à faire avec des personnalités ou des gouvernements qu'avec la science : Lawrence en est l'exemple évident). Gibb écrit sobrement, Massignon avec le flair d'un artiste pour qui aucune référence n'est trop extravagante tant qu'elle est dominée par un don d'interprétation original : ces deux savants ont mené l'autorité *œcuménique* de l'orientalisme européen aussi loin qu'elle pouvait aller. Après eux, la nouvelle réalité – le nouveau style de spécialiste – a été, de manière générale, anglo-américaine et, plus strictement, celle des sciences sociales américaines. Le vieil orientalisme s'est brisé en mille morceaux ; chacun d'eux, pourtant, continue à servir les dogmes orientalistes traditionnels.

IV

La phase récente

L'Arabe musulman est devenu une figure de la culture populaire américaine depuis la Seconde Guerre mondiale, et plus nettement encore après chacune des guerres israélo-arabes, de même que, dans le monde de l'université, le monde de la politique, le monde des affaires, on fait grande attention aux Arabes. Cela symbolise le changement majeur de la configuration internationale des forces. La France et la Grande-Bretagne ne sont plus sur le devant de la scène de la politique mondiale : l'empire américain les a délogées. Toutes les parties du monde qui furent colonisées sont maintenant liées aux États-Unis par un vaste réseau d'intérêts, tout comme la prolifération de sous-spécialités universitaires sépare (et cependant met en rapport) toutes les anciennes disciplines philologiques créées en Europe, telles que l'orientalisme. Le « spécialiste en aires culturelles » (*area specialist*, comme on l'appelle aujourd'hui) revendique la compétence d'un expert régional, mise au service du gouvernement ou des affaires, ou de l'un et des autres.

La masse de connaissance quasi matérielle, emmagasinée dans les annales de l'orientalisme moderne européen – telle qu'elle est rapportée par Jules Mohl, par exemple, dans son registre du dix-neuvième siècle –, a été fondue, puis remise en circulation sous de nouvelles formes. Toutes sortes de représentations hybrides de l'Orient habitent maintenant la culture. Le Japon, l'Inde, le Pakistan : leurs représentations ont eu, ont encore de grandes répercussions, qui ont été étudiées et discutées en tous lieux pour des raisons évidentes. L'islam et les Arabes ont eux aussi leurs représentations propres ; nous allons voir qu'elles apparaissent avec une persistance fragmentaire (et pourtant d'une forte cohérence idéologique), une persistance bien plus rarement discutée, dans laquelle l'orientalisme européen traditionnel s'est reconverti aux États-Unis.

1. Images populaires et représentations scientifiques.

Je vais donner quelques exemples de la manière dont l'Arabe est fréquemment représenté aujourd'hui. Remarquons combien « l'Arabe » semble prêt à s'adapter aux transformations et réductions – toutes d'une espèce simplement tendancieuse – auxquelles on le force constamment. Pour la dixième réunion de classe à l'université de Princeton, le déguisement avait été imaginé en 1967, avant la guerre de juin. Le thème choisi – il ne s'agissait que d'une évocation – était d'être un Arabe : robe, coiffure, sandales. Juste après la guerre, on s'est aperçu que le thème arabe était embarrassant et on a décidé de changer le programme. Le plan original avait prévu de porter le déguisement pour la réunion, maintenant la classe devait marcher en procession, les mains sur la tête dans un geste abject de défaite. Les Arabes étaient ainsi passés d'un vague stéréotype de nomades montés sur des chameaux, à une caricature classique les montrant comme l'image même de l'incompétence et de la défaite : c'est toute la latitude qui leur était laissée.

Mais, après la guerre de 1973, les Arabes ont partout paru plus menaçants. On rencontre constamment des dessins humoristiques représentant un cheikh arabe debout à côté d'une pompe à essence. Pourtant, ces Arabes sont clairement des « Sémites » : leur nez nettement crochu, leur mauvais sourire moustachu rappellent à l'évidence (à des gens qui, dans l'ensemble, ne sont pas sémites) que les « Sémites » sont à l'origine de toutes « nos » difficultés, qui, dans le cas présent, consistent dans la pénurie de pétrole. L'animosité antisémite populaire est passée en douceur du juif à l'Arabe, puisque l'image est presque la même.

Ainsi, si on fait attention à l'Arabe, c'est comme à une valeur négative. On le voit comme l'élément perturbateur de l'existence d'Israël et de l'Occident, ou, sous un autre aspect de la même chose, comme un obstacle, qui a pu être surmonté, à la création de l'État d'Israël en 1948. Dans la mesure où cet Arabe a une histoire, celle-ci fait partie de l'histoire que lui ont donnée (ou prise : la différence n'est pas grande) la tradition orientaliste et, plus tard, la tradition sioniste. La Palestine était considérée – par Lamartine et les premiers sionistes – comme un désert vide qui attendait de fleurir ; les habitants qu'il pouvait avoir n'étaient, pensait-on, que des nomades sans importance, sans véritable droit sur la terre et, par conséquent, sans réalité culturelle ou nationale. L'Arabe est ainsi conçu à partir de maintenant comme une ombre qui suit le juif. Dans cette ombre – parce que les Arabes et les juifs sont des Sémites orientaux –, on peut placer toute la méfiance traditionnelle et latente qu'un Occidental éprouve à l'égard de l'Oriental. En effet, le juif de l'Europe prénazie a bifurqué : ce que nous avons maintenant, c'est un héros juif, construit à partir d'un culte reconstruit de l'orientaliste-aventurier-pionnier (Burton, Lane, Renan) et de son ombre rampante, mystérieusement redoutable, l'Arabe oriental. Isolé de tout sauf du passé qu'a créé pour lui la polémique orientaliste, l'Arabe est enchaîné à une destinée qui le fixe et le condamne à une

série de réactions périodiquement châtiées par ce que
Barbara Tuchman appelle, d'un nom théologique, « l'épée
terrible et rapide d'Israël ».

En dehors de son antisionisme, l'Arabe est un fournis-
seur de pétrole. C'est une autre caractéristique négative,
puisque la plupart des exposés sur le pétrole arabe mettent
en parallèle le boycottage de 1973-1974 (qui a principalement bénéficié aux compagnies pétrolières occidentales et
à une petite élite de dirigeants arabes) avec l'absence de
toute qualification morale des Arabes à posséder de si
grandes réserves de pétrole. Si on la débarrasse des cir-
conlocutions habituelles, voici la question que l'on pose
le plus souvent : pourquoi des gens comme les Arabes
ont-ils le droit de tenir sous leur menace le monde développé (libre, démocratique, moral) ? De ce genre de questions, on passe souvent à l'idée que les *marines* pourraient
envahir les champs de pétrole arabes.

Le cinéma et la télévision associent l'Arabe soit à la
débauche, soit à une malhonnêteté sanguinaire. Il apparaît sous la forme d'un dégénéré hypersexué, assez intelligent, il est vrai, pour tramer des intrigues tortueuses,
mais essentiellement sadique, traître, bas. Marchand
d'esclaves, conducteur de chameaux, trafiquant, ruffian
haut en couleur, voilà quelques-uns des rôles traditionnels des Arabes au cinéma. On peut voir le chef arabe
(chef de maraudeurs, de pirates, d'insurgés « indigènes »)
grogner en direction de ses prisonniers, le héros occidental et la blonde jeune fille (l'un et l'autre pétris de santé) :
« Mes hommes vont vous tuer, mais ils veulent d'abord
s'amuser. » En parlant, il fait une grimace suggestive :
c'est cette image dégradée du cheikh de Valentino qui est
en circulation. Les bandes d'actualité et les photographies
de presse montrent toujours les Arabes en grand nombre :
rien d'individuel, pas de caractéristique personnelle, la
plupart des images représentent la rage et la misère de la

masse ou des gestes irrationnels (donc désespérément excentriques). Derrière toutes ces images se cache la menace du *jihād*. Conséquence : la crainte que les musulmans (ou les Arabes) ne s'emparent du monde.

Régulièrement sont publiés des livres et des articles traitant de l'islam et des Arabes, qui ne diffèrent en rien des virulentes polémiques anti-islamiques du Moyen Âge ou de la Renaissance. Sur ce seul groupe ethnique ou religieux on peut dire ou écrire pratiquement n'importe quoi, sans se heurter à la moindre objection ou à la moindre protestation. Le guide des études de l'année 1975 publié par les *undergraduates* de Columbia College écrit, à propos des cours d'arabe, qu'un mot sur deux de cette langue concerne la violence et que l'esprit arabe qu'elle « reflète » est toujours plein d'emphase. Dans un article récent d'Emmett Tyrrell paru dans *Harper's Magazine*, la calomnie raciste est encore plus marquée : selon lui, les Arabes sont foncièrement des assassins, et leurs gènes portent la violence et la fraude[1]. Une étude sur les Arabes dans les manuels américains *(The Arabs in American Textbooks)* révèle des erreurs étonnantes, ou plutôt des représentations d'un groupe ethno-religieux qui font preuve de dureté et d'insensibilité. L'un des manuels affirme que « peu de gens dans cette zone arabe savent même qu'il existe un mode de vie meilleur », et se demande ensuite, de manière désarmante : « Qu'est-ce qui lie entre eux les peuples du Moyen-Orient ? » La réponse, donnée sans hésitation, est : « Leur lien le plus fort est l'hostilité des Arabes – leur haine – à l'égard des juifs et d'Israël. » Dans un autre livre, on trouve ceci sur l'islam : « La religion musulmane, appelée islam, a commencé au septième siècle. Elle a été lancée par un riche homme d'affaires d'Arabie qui

1. R. Emmett Tyrrell, Jr., « Chimera in the Middle East », *Harper's* (nov. 1976), p. 35-38.

s'appelait Mohammed. Il se disait prophète. Il trouva des fidèles chez d'autres Arabes. Il leur dit qu'ils étaient choisis pour dominer le monde.» Ce morceau de science est suivi d'un autre, tout aussi exact : «Peu après la mort de Mohammed, son enseignement fut noté dans un livre appelé le Coran. Il devint le livre saint de l'islam[1].»

Ces idées grossières sont soutenues, et non contredites, par les universitaires dont le travail est d'étudier le Proche-Orient arabe. (Remarquons en passant que la cérémonie dont j'ai parlé a eu lieu à Princeton, dans une université qui est fière de son département des études du Proche-Orient, fondé en 1927, le plus ancien département de ce genre aux États-Unis.) Prenons, par exemple, le rapport rédigé en 1967, à la demande du département de la Santé, de l'Éducation et de l'Assistance sociale, par Morroe Berger, professeur de sociologie et d'étude du Proche-Orient à Princeton ; il présidait alors la Middle East Studies Association (MESA), association professionnelle des savants qui s'occupent de tous les aspects du Proche-Orient, «en premier lieu depuis la naissance de l'islam et du point de vue des humanités et des sciences sociales[2]», et qui a été fondée en 1967. Il a appelé son article «Middle Eastern and North African Studies : Developments and Needs» (Études sur le Moyen-Orient et l'Afrique du Nord : développements et besoins), et l'a fait paraître dans le deuxième numéro du *MESA Bulletin*. Après avoir considéré l'importance stratégique, économique et politique de cette région pour les États-Unis, et approuvé les différents projets du gouvernement des

---

1. Cité dans Ayad al-Qazzaz, Ruth Afiyo *et al.*, *The Arabs in American Textbooks*, California State Board of Education, juin 1975, p. 10, 15.

2. «Statement of Purpose», *MESA Bulletin 1*, n° 1 (mai 1967), p. 33.

États-Unis et de fondations privées pour encourager les programmes dans les universités – le National Defense Education Act de 1958 (une initiative directement inspirée par le spoutnik), l'établissement de liens entre le Social Sciences Research Council et les études sur le Moyen-Orient, etc. –, Berger en arrive aux conclusions suivantes :

> Le Moyen-Orient et l'Afrique du Nord d'aujourd'hui ne sont pas le foyer de grandes réalisations culturelles, et il ne semble pas que cette région le devienne dans un proche avenir. L'étude de cette région et de ses langues ne récompense pas le chercheur dans la mesure où il s'intéresse à la culture moderne.
>
> [...] Notre région n'est pas un foyer de grande puissance politique et n'a pas la possibilité de le devenir [...]. Le Moyen-Orient (c'est moins vrai de l'Afrique du Nord) a cédé le pas, du point de vue de l'importance politique (et même du point de vue « gros titres » ou « difficultés ») pour les États-Unis, à l'Afrique, l'Amérique latine et l'Extrême-Orient.
>
> [...] Ainsi, le Moyen-Orient d'aujourd'hui ne présente qu'à un faible degré les traits qui semblent dignes de l'attention des savants. Cela ne diminue pas la validité des études sur cette région ni leur valeur intellectuelle, et cela n'influence pas la qualité du travail fait par les savants. Mais cela fixe des limites, que nous devrions reconnaître, aux possibilités qu'a ce domaine d'accroître le nombre de ses enseignants et de ses chercheurs [1].

Comme prophétie, naturellement, ce texte est lamentable ; ce qui le rend encore plus mal venu, c'est que Berger avait été choisi, non seulement parce qu'il était un expert sur les questions du Proche-Orient moderne, mais aussi – ce qu'indique clairement la conclusion de son

1. Morroe Berger, « Middle Eastern and North African Studies : Developments and Needs », *MESA Bulletin 1*, n° 2 (nov. 1967), p. 16.

rapport – parce qu'on le croyait bien placé pour prédire son avenir et la politique future à adopter à son égard. Je crois que, s'il a été incapable de voir que le Moyen-Orient a une grande signification politique et, potentiellement, une grande puissance politique, ce n'est pas par une aberration fortuite. Ses erreurs principales, dans le premier et le dernier paragraphe, descendent généalogiquement de l'histoire de l'orientalisme telle que nous l'avons exposée. Dans ce que Berger trouve à dire sur l'absence de grande réalisation culturelle, et dans ce qu'il en conclut pour l'avenir des études – à savoir que le Moyen-Orient n'est pas digne de l'attention des savants à cause de ses faiblesses intrinsèques –, nous avons un duplicata presque exact de l'opinion orientaliste canonique : les Sémites n'ont jamais créé de grande culture et, comme le disait souvent Renan, le monde sémitique est trop appauvri pour jamais attirer l'attention universelle. De surcroît, lorsque Berger formulait ces jugements consacrés par l'usage et qu'il était complètement aveugle à ce qu'il avait sous les yeux – après tout, il n'écrivait pas il y a cinquante ans, mais à un moment où les États-Unis importaient déjà près de 10 % de leur pétrole du Moyen-Orient, et où leurs investissements stratégiques et économiques dans cette zone étaient énormes –, il s'assurait que sa propre position d'orientaliste était centrale. En effet, ce qu'il dit, c'est que, s'il n'existait pas des gens comme lui, le Moyen-Orient serait négligé ; et que, sans son rôle de médiateur et d'interprète, ce lieu ne serait pas compris, en partie parce que le peu qu'il y a à comprendre est très spécial, et en partie parce que seul l'orientaliste peut interpréter l'Orient, puisque l'Orient est radicalement incapable de s'interpréter soi-même.

Quand il écrivait cela, Berger n'était pas un orientaliste classique (il ne l'était pas et il ne l'est pas aujourd'hui), mais plutôt un sociologue professionnel ; cela ne diminue pas l'ampleur de sa dette envers l'orientalisme et ses idées, entre autres l'antipathie particulièrement légitimée envers la matière de son étude, antipathie qui dégrade cette matière. Ce sentiment est si fort chez Berger qu'il lui cache les réalités qu'il a sous les yeux, et l'empêche même de se demander pourquoi, si le Moyen-Orient « n'est pas le foyer de grandes réalisations culturelles », il doit recommander à qui que ce soit de consacrer sa vie, comme il l'a fait, lui, à étudier cette culture. Les savants étudient ce qui leur plaît et ce qui les intéresse ; seul, un sens exagéré du devoir culturel peut pousser un savant à étudier ce dont il n'a pas une bonne opinion. Mais c'est justement cette sorte de sens du devoir que l'orientalisme a nourri parce que, pendant des générations, la culture dans son ensemble a mis l'orientaliste sur la barricade ; là, dans son travail professionnel, il affrontait l'Orient – sa barbarie, ses excentricités, son désordre – et le tenait en échec pour le compte de l'Occident.

Je cite Berger comme un exemple de l'attitude universitaire à l'égard de l'Orient islamique, pour montrer comment une perspective savante peut encourager les caricatures que propage la culture populaire. Mais Berger représente aussi ce qui arrive le plus couramment à l'orientalisme, qui se transforme d'une discipline fondamentalement philologique et d'une appréhension vague et générale de l'Orient en une science sociale spécialisée. L'orientaliste ne débute plus dans sa carrière en essayant de connaître les langues ésotériques de l'Orient ; il commence par acquérir une formation en sciences sociales, puis il « applique » sa science à l'Orient, ou à un autre lieu. Voilà la contribution spécifique de l'Amérique à l'histoire de l'orientalisme, et on peut la dater, en gros, du début de l'immédiat après-guerre, quand les États-Unis se sont trouvés dans la position dominante que venaient d'évacuer la Grande-Bretagne et la France.

Avant ce moment exceptionnel, l'expérience américaine de l'Orient était limitée. Des solitaires dans la culture, comme Melville, s'y étaient intéressés ; des cyniques, comme Mark Twain, l'avaient visité et décrit ; les transcendantalistes américains avaient remarqué des affinités entre la pensée indienne et la leur ; quelques étudiants en théologie apprenaient les langues orientales de la Bible ; des rencontres occasionnelles, diplomatiques et militaires, avaient lieu avec des pirates de Barbarie et gens du même acabit ; et naturellement il y avait les missionnaires que l'on rencontrait partout en Orient. Mais il n'y avait pas de tradition profondément sentie de l'orientalisme, et, par conséquent, aux États-Unis, la connaissance de l'Orient n'est jamais passée, comme elle l'a fait en Europe, par les processus d'affinage, de quadrillage et de reconstruction qui commencent avec l'étude philologique. Bien plus, l'imagination ne s'est jamais fixée sur l'Orient, peut-être parce que la frontière américaine, celle qui comptait, était celle de l'Ouest. Juste après la Seconde Guerre mondiale, l'Orient est donc devenu, non une grande question universelle, ce qu'il avait été des siècles durant pour l'Europe, mais une question administrative, une question de politique. C'est l'entrée du *social scientist* et de l'expert nouvelle manière ; sur leurs épaules un peu plus étroites va tomber le manteau de l'orientalisme. À leur tour, comme nous allons le voir, ils vont le transformer au point qu'il est devenu difficile de le reconnaître. En tout cas, le nouvel orientaliste a repris à son compte l'hostilité culturelle de l'ancien.

Un aspect frappant de l'attention portée par la nouvelle science sociale américaine à l'Orient est qu'elle passe à côté de la littérature. On peut parcourir des pages et des pages écrites par des experts sur le Proche-Orient moderne, sans rencontrer la moindre référence à la littérature. Ce qui semble compter beaucoup plus, pour l'expert régional, ce sont les « faits », pour lesquels un texte littéraire pourrait être un élément perturbateur. Pour la conscience que l'Amérique a actuellement de l'Orient arabe ou islamique, le résultat de cette remarquable omission est de maintenir cette région et ses habitants dans des concepts qui les châtrent, de les réduire à des « attitudes », à des « tendances », à des statistiques : bref, de les déshumaniser. Puisqu'un poète ou un romancier arabe – et ils sont nombreux – parle de ses expériences, de ce qui compte pour lui, de son humanité (aussi étrange que cela paraisse), il perturbe effectivement les divers schémas (images, clichés, abstractions) par lesquels on représente l'Orient. Un texte littéraire parle plus ou moins directement d'une réalité vivante. Sa force ne vient pas de ce qu'il est arabe, ou français, ou anglais ; elle réside dans la puissance et la vitalité de mots qui (pour introduire une métaphore tirée de *La Tentation de saint Antoine* de Flaubert) enlèvent les idoles des bras des orientalistes et leur font lâcher ces grands enfants paralytiques – leurs idées de l'Orient – qui essaient de passer pour l'Orient.

La littérature ne fait pas partie, aujourd'hui, aux États-Unis, des études sur le Proche-Orient, la philologie y occupe une position relativement faible : cela illustre une autre originalité de l'orientalisme – et vraiment mon emploi de ce terme sort de la norme. En effet, dans ce que font aujourd'hui les experts universitaires sur le Proche-Orient, il y a peu de chose qui ressemble à l'orientalisme traditionnel, celui qui s'est terminé avec Gibb et Massignon ; les principales choses qu'il reproduit sont, comme je l'ai dit, une certaine hostilité culturelle et un sentiment fondé plus sur la compétence de l'expert que sur celle du philologue. Du point de vue généalogique, l'orientalisme américain d'aujourd'hui est issu des écoles de langues de l'armée installées pendant et après la guerre, de l'intérêt soudain porté par le gouvernement et par certains groupements corporatifs au monde non occidental pendant l'après-guerre, de la compétition avec l'URSS pendant la période de la guerre froide, et d'un reste d'attitude missionnaire à l'égard d'Orientaux considérés comme mûrs pour être réformés et rééduqués. L'étude non philologique de langues orientales ésotériques est utile pour des raisons de stratégie rudimentaire qui sont évidentes ; mais elle l'est aussi pour donner un cachet d'autorité, presque une mystique, à l'« expert » qui semble capable de s'occuper de matières d'une obscurité désespérante avec une habileté de première main.

Dans la hiérarchie des sciences sociales, l'étude des langues n'est qu'un outil pour atteindre des buts plus élevés, elle n'est certainement pas destinée à lire des textes littéraires. En 1958, par exemple, le Middle East Institute – organisme quasi gouvernemental, créé pour encourager et superviser des recherches sur le Proche-Orient – a publié un *Report on Current Research*. La contribution sur « L'état actuel des études arabes aux États-Unis » (rédigée, chose intéressante, par un professeur d'hébreu) est préfacée par une épigraphe qui annonce que « la connaissance de langues étrangères n'est plus du seul domaine des études littéraires. C'est un outil de travail pour l'ingénieur, l'économiste, le *social scientist* et bien d'autres spécialistes ». Le rapport tout entier insiste sur l'importance de l'arabe pour les cadres de direction des compagnies pétrolières, les techniciens et le personnel militaire. Son argument principal tient dans ce trio de phrases : « Les universités russes forment maintenant des personnes qui parlent couramment l'arabe. La Russie a compris combien il est important de s'adresser à l'intelligence des hommes en utilisant leur propre langue. Les États-Unis n'ont aucune raison d'attendre plus longtemps pour développer leur programme d'enseignement des langues étrangères[1]. » Les langues orientales font donc partie d'un certain objectif politique – comme elles l'ont toujours fait, dans une certaine mesure – ou d'un effort soutenu de propagande. Dans les deux cas, l'étude des langues orientales devient un instrument des thèses de Harold Lasswell sur la propagande : ce qui compte, ce n'est pas ce que sont ou ce que pensent les gens, mais ce qu'on peut les faire être ou penser.

Le point de vue du propagandiste combine en réalité le respect de l'individualité et l'indifférence pour la démocratie formelle. Le respect de l'individualité provient du fait que des opérations à grande échelle dépendent du soutien de la masse et de l'expérience de la diversité des préférences humaines […]. Cet intérêt pour des hommes dans la masse ne repose sur aucun dogmatisme démocratique considérant les hommes comme les meilleurs juges de leurs propres intérêts. Le propagandiste moderne, comme le psychologue moderne, reconnaît que les hommes sont souvent mauvais juges de leurs propres intérêts, voltigeant d'un choix à l'autre sans raison solide ou se raccrochant craintivement à des fragments de quelque antique rocher moussu. Calculer la possibilité de transformer de manière durable les habitudes et les opinions, cela implique bien plus que d'évaluer quelles sont, en général, les préférences des hommes. Cela veut dire tenir compte du tissu de relations dans lesquelles les hommes sont pris, rechercher des signes de préférence qui peuvent ne refléter aucune délibération et diriger un programme vers une solution qui convient en réalité. En ce qui concerne les ajustements que nécessite une action de masse, la tâche du propagandiste est d'inventer des symboles objectifs qui ont le double rôle de faciliter l'adoption et l'adaptation. Ces symboles doivent entraîner spontanément l'acceptation […].

1. Menachem Mansoor, « Present State of Arabic Studies in the United States », in *Report on Current Research 1958*, éd. Kathleen H. Brown, Washington, Middle East Institute, 1958, p. 55 *sq.*

Il s'ensuit que l'idéal du *management* est d'avoir en main la situation, non de manière imposée, mais par divination [...]. Le propagandiste admet sans discussion que le monde est entièrement causal, mais qu'il n'est que partiellement prévisible [...][1].

L'acquisition d'une langue étrangère est donc un élément d'un assaut subtil contre des populations, tout comme l'étude d'une région étrangère devient un programme de mainmise par divination.

Ce programme doit pourtant conserver un vernis libéral, qui est d'ordinaire laissé à des érudits, hommes de bonne volonté, enthousiastes. L'idée est qu'en étudiant les Orientaux, les musulmans ou les Arabes, « nous » pouvons apprendre à connaître d'autres gens, leur manière de vivre et de penser, etc. Dans ce but, il vaut toujours mieux les laisser parler pour eux-mêmes, se représenter (même si, sous cette fiction, il y a la phrase de Marx – avec laquelle Lasswell est d'accord – sur Louis-Napoléon : « Ils ne peuvent se représenter eux-mêmes, ils doivent être représentés »). Mais seulement jusqu'à un certain point, et d'une manière particulière. En 1973, pendant la guerre arabo-israélienne, le *New York Times Magazine* avait demandé deux articles, l'un pour représenter le côté israélien, à un juriste d'Israël ; l'autre pour le côté arabe, à quelqu'un qui avait été ambassadeur des États-Unis dans un pays arabe, mais qui n'avait aucune formation en études orientales. À moins de sauter à cette simple conclusion qu'on croyait les Arabes incapables de se représenter eux-mêmes, nous ferions bien de nous rappeler que les Arabes et les juifs, dans ce cas, étaient les uns et les autres des Sémites (au sens large dont j'ai parlé) et qu'ils ont été les uns et les autres

---

1. Harold Lasswell, « Propaganda », *Encyclopedia of the Social Sciences*, 1934, 12, p. 257. Je dois cette référence au Pr Noam Chomsky.

représentés pour un public occidental. Il vaut la peine de rappeler ce passage de Proust, qui décrit ainsi l'entrée d'un juif dans un salon de l'aristocratie :

> Les Roumains, les Égyptiens et les Turcs peuvent détester les Juifs. Mais dans un salon français les différences entre ces peuples ne sont pas si perceptibles, et un Israélite faisant son entrée comme s'il sortait du fond du désert, le corps penché comme une hyène, la nuque obliquement inclinée et se répandant en grands « salams », contente parfaitement un goût d'orientalisme [1].

2. *La politique des relations culturelles.*

Il est vrai que les États-Unis ne sont devenus un empire mondial qu'au vingtième siècle, mais il est vrai aussi que la manière dont ils se sont intéressés à l'Orient pendant le dix-neuvième siècle en a été la préparation. Laissons de côté les campagnes contre les pirates de Barbarie en 1801 et 1815, et considérons la fondation de l'American Oriental Society en 1842. Voici le résumé d'une allocution prononcée par son président, qui explique très clairement que l'Amérique se propose d'étudier l'Orient pour suivre l'exemple des puissances coloniales européennes. Son message est que la structure des études orientales était – alors comme aujourd'hui – politique, et non simplement savante. On peut remarquer que les arguments en faveur de l'orientalisme laissent peu de place au doute en ce qui concerne leurs intentions :

1. Marcel Proust, *À la recherche du temps perdu*, 2, *Le Côté de Guermantes*, Paris, Gallimard, 1954, p. 190.

À la première réunion annuelle de l'American Oriental Society en 1843, le président Pickering commença sa remarquable esquisse du domaine qu'elle se proposait de cultiver en attirant l'attention sur les circonstances particulièrement favorables du moment, sur la paix qui régnait partout, l'accès plus libre aux pays d'Orient et les plus grandes facilités de communication. La terre paraissait calme au temps de Metternich et de Louis-Philippe. Le traité de Nankin avait ouvert les ports chinois. Les vaisseaux naviguant sur l'océan avaient adopté la propulsion à hélice ; Morse avait établi son télégraphe et il avait déjà proposé que l'on posât un cable transatlantique sous-marin. La Société avait pour but de cultiver l'apprentissage des langues asiatiques, africaines et polynésiennes, et, dans tout ce qui concerne l'Orient, de créer dans ce pays un goût pour les études orientales, de publier des textes, des traductions et des communications et de réunir une bibliothèque et un cabinet. La plus grande partie du travail a été effectuée dans le domaine asiatique, et en particulier en sanscrit et dans les langues sémitiques [1].

Metternich, Louis-Philippe, le traité de Nankin, l'hélice : cela nous donne une idée de la constellation impériale encourageant la pénétration euro-américaine en Orient, qui ne s'est jamais arrêtée. Même les légendaires missionnaires américains du dix-neuvième et du vingtième siècle au Proche-Orient ont considéré que leur rôle était fixé, plutôt que par Dieu, par *leur* Dieu, *leur* culture, *leur* destinée [2]. Les premières institutions missionnaires – imprimeries, écoles, universités, hôpitaux – ont, natu-

1. Nathaniel Schmidt, « Early Oriental Studies in Europe and the Work of the American Oriental Society, 1842-1922 », *Journal of the American Oriental Society* 43 (1923), p. 11. Voir aussi E. A. Speiser, « Near Eastern Studies in America, 1939-1945 », *Archiv Orientalni* 16 (1948), p. 76-88.

2. Exemple : Henry Jessup, *Fifty-Three Years in Syria*, New York, Fleming H. Revell, 1910 (2 vol.).

rellement, contribué au bien-être de la région, mais, du fait de leur caractère spécifiquement impérial, et parce qu'elles étaient soutenues par le gouvernement des États-Unis, ces institutions n'étaient pas différentes de leurs symétriques anglaises et françaises en Orient. Dans les raisons qui ont entraîné les États-Unis à entrer dans la Première Guerre mondiale, l'intérêt politique qu'ils prenaient au sionisme et à la colonisation de la Palestine (et qui allait devenir pour eux un intérêt politique majeur) a joué un rôle non négligeable ; les discussions avec les Britanniques avant et après la déclaration Balfour (novembre 1917) reflètent avec quel sérieux la déclaration a été prise aux États-Unis[1]. Pendant et après la Seconde Guerre mondiale, les intérêts des États-Unis au Moyen-Orient se sont accrus avec une rapidité remarquable. Pendant la guerre, des scènes importantes se sont jouées au Caire, à Téhéran et en Afrique du Nord, et, dans ce décor, avec l'exploitation de ses ressources pétrolières, stratégiques et humaines commencée par la Grande-Bretagne et la France, les États-Unis se sont préparés au nouveau rôle impérial qu'ils joueront après la guerre.

Mortimer Graves a défini, en 1950, l'un des aspects de ce rôle, et non le moindre : « une politique de relations culturelles ». Selon lui, celle-ci comporte, entre autres, que l'on tente de se procurer « toutes les publications intéressantes publiées dans chacune des langues importantes du Moyen-Orient depuis 1900 », tentative que « notre Congrès devrait reconnaître comme l'une des mesures à prendre pour assurer la sécurité de notre pays ». Car ce qui est réellement en cause, selon Graves (parlant à des

---

1. Pour les relations entre la déclaration Balfour et la politique de guerre américaine, voir Doreen Ingrams, *Palestine Papers, 1917-1922 : Seeds of Conflict*, Londres, Cox and Syman, 1972, p. 10 *sq.*

oreilles très réceptives, il faut le dire), c'est la nécessité que « les Américains comprennent beaucoup mieux les forces qui sont en compétition avec les idées américaines au Proche-Orient. Les plus importantes de ces forces sont, évidemment, le communisme et l'islam[1] ». De ce type d'intérêt, et comme une adjonction contemporaine faite à l'American Oriental Society, plus tournée vers le passé, est né tout un vaste appareil de recherches sur le Moyen-Orient. Il s'est modelé, à la fois par son attitude franchement stratégique et par sa sensibilité à la sécurité publique et à la politique (et non, comme on le prétend souvent, à l'érudition pure), sur le Middle East Institute, fondé en mai 1946 à Washington sous l'égide du gouvernement fédéral, si ce n'est totalement en son sein, ou par lui[2]. D'organisations de ce genre sont issus la Middle East Studies Association, le puissant appui de la fondation Ford et d'autres fondations, les divers programmes fédéraux d'aide aux universités, les divers projets de recherches fédéraux, projets de recherches établis par des entités telles que le département de la Défense, la RAND Corporation et le Hudson Institute, et les efforts faits par les banques, les compagnies pétrolières, les multinationales et autres compagnies du même genre, pour donner leur avis et exercer leur influence. Ce n'est pas minimiser les choses que de dire que tout cela conserve, aussi bien dans son fonctionnement général que dans ses détails, le point de vue orientaliste traditionnel qui s'était développé en Europe.

1. Mortimer Graves, « A Cultural Relations Policy in the Near East », in *The Near East and the Great Powers*, éd. Frye, *op. cit.*, p. 76, 78.
2. George Camp Keiser, « The Middle East Institute : its Inception and its Place in American International Studies », in *The Near East and the Great Powers*, éd. Frye, *op. cit.*, p. 80, 84.

Le parallélisme entre les visées impériales de l'Europe et celles de l'Amérique sur l'Orient (Extrême-Orient et Proche-Orient) est évident. Ce qui l'est peut-être moins, c'est : a) jusqu'à quel point la tradition européenne d'érudition orientaliste a été, sinon reprise, du moins accommodée, normalisée, domestiquée, puis vulgarisée et versée dans l'efflorescence des études sur le Proche-Orient qui s'est produite aux États-Unis après la guerre ; b) jusqu'à quel point la tradition européenne a donné naissance, aux États-Unis, à une attitude cohérente chez la plupart des savants, des institutions, des styles de discours et des orientations, quoique soient apparus au même moment dans les sciences sociales des raffinements aussi bien que des techniques paraissant (encore une fois) extrêmement élaborées. J'ai déjà exposé les idées de Gibb ; il faut rappeler qu'il a dirigé, à partir du milieu des années 1950, le Harvard Center of Middle East Studies : ses idées et son style ont ainsi exercé une puissante influence. La présence de Gibb aux États-Unis n'a pas eu, pour le domaine, le même effet que celle de Philip Hitti à Princeton à partir de la fin des années 1920 : le département de Princeton a formé un large groupe de savants de valeur, et la qualité particulière de ses études orientales a stimulé l'intérêt érudit pour ce domaine, tandis que Gibb a eu un contact plus réel avec les aspects politiques de l'orientalisme ; sa position à Harvard, bien plus que celle de Hitti à Princeton, a focalisé l'orientalisme sur une attitude de guerre froide pour aborder les études d'aires culturelles.

Néanmoins, l'œuvre personnelle de Gibb n'a pas utilisé ouvertement le langage du discours culturel dans la tradition de Renan, de Becker et de Massignon ; on rencontre ce discours, son appareil intellectuel et ses dogmes avec une présence impressionnante, principalement (mais pas exclusivement) dans le travail et l'autorité institutionnelle de Gustave von Grunebaum, à Chicago puis à UCLA. Arrivé aux États-Unis avec le courant de l'immigration des savants européens fuyant le fascisme[1], Gustave von Grunebaum a produit une œuvre orientaliste solide, centrée sur l'islam en tant que culture holistique, au sujet de laquelle il a continué à faire, tout au long de sa carrière, les mêmes généralisations négatives et essentiellement réductrices. Son style, où l'on trouve souvent des traces chaotiques de sa polymathie austro-germanique et des préjugés canoniques pseudo-scientifiques de l'orientalisme français, anglais et italien qu'il a absorbés, ainsi que d'un effort presque désespéré pour rester le savant-observateur impartial, est difficile à lire. Ainsi, il fourre ensemble, dans une page caractéristique traitant de l'image que l'islam se fait de lui-même, une demi-douzaine de références à des textes islamiques tirés de périodes aussi nombreuses que possible, et, aussi bien, des références à Husserl et aux présocratiques, des références à Lévi-Strauss et à différents chercheurs en sciences humaines américains. Il n'a pas de peine à supposer que l'islam est un phénomène unitaire, à la différence de toutes les autres religions et civilisations, et, à partir de là, il montre qu'il n'est pas humain, qu'il est incapable de se développer, de se connaître lui-même et d'être objectif, tout autant que non créateur, non scientifique et autoritaire. Voici deux extraits caractéristiques de son œuvre – et il faut se rappeler que von Grunebaum écrivait avec l'autorité unique dont dispose un savant européen aux États-Unis, enseignant, administrant, accordant des bourses à tout un réseau de savants dans sa discipline :

> Il est essentiel de se rendre compte que la civilisation musulmane est une entité culturelle qui ne partage pas nos aspirations premières. Elle n'a pas d'intérêt vital pour faire

1. Compte rendu de cette migration dans *The Intellectual Migration : Europe and America, 1930-1960*, éd. Donald Fleming et Bernard Bailyn, Cambridge, Mass., Harvard Univ. Press, 1969.

l'étude structurée d'autres cultures, soit comme une fin en soi, soit comme un moyen de comprendre plus clairement son caractère et son histoire propres. Si cette observation ne valait que pour l'islam contemporain, on pourrait être porté à la mettre en relation avec l'état profondément troublé de l'islam, qui ne lui permet pas de regarder au-delà de lui-même s'il n'est pas forcé à le faire. Mais comme elle vaut aussi pour le passé, peut-être peut-on chercher à la mettre en relation avec l'antihumanisme fondamental de cette civilisation [islamique], c'est-à-dire le refus déterminé d'accepter que l'homme soit le moins du monde l'arbitre ou la mesure des choses, et la tendance à se satisfaire de la vérité considérée comme description de structures mentales, en d'autres termes, de la vérité psychologique.

[Au nationalisme arabe ou islamique] fait défaut – bien qu'il l'utilise à l'occasion comme slogan – le concept de droits divins d'une nation, une éthique formatrice et aussi, semble-t-il, la croyance au progrès mécanique caractéristique de la fin du dix-neuvième siècle ; et surtout, lui fait défaut la vigueur intellectuelle que possède un phénomène primaire. Et la puissance et la volonté de puissance sont des fins en elles-mêmes [cette phrase semble n'avoir aucune utilité dans le raisonnement ; mais elle donne sans aucun doute à von Grunebaum la sécurité d'une non-phrase à résonance philosophique, comme pour lui donner l'assurance qu'il parle de l'islam avec sagesse et non avec malveillance]. Le ressentiment à l'égard des affronts politiques qu'éprouve l'islam engendre l'impatience et empêche les sphères intellectuelles de faire des analyses à long terme et des plans[1].

Dans la plupart des contextes, ce genre d'écrit serait poliment qualifié de polémique. Pour l'orientalisme,

---

1. Gustave von Grunebaum, *Modern Islam : The Search for Cultural Identity*, New York, Vintage Books, 1964, p. 55, 261 (trad. fr. : *L'Identité culturelle de l'islam*, Paris, Gallimard, 1973).

évidemment, il est relativement orthodoxe, et il passait pour de la sagesse canonique dans les études américaines sur le Moyen-Orient après la Seconde Guerre mondiale, en partie à cause du prestige culturel associé aux savants européens. Cependant, il faut bien dire que le travail de von Grunebaum est accepté sans être critiqué par la discipline, alors même que cette discipline n'est plus capable, aujourd'hui, de produire des hommes comme lui. Un seul érudit a pourtant entrepris une critique sérieuse des idées de von Grunebaum : il s'agit d'un Marocain, qui s'occupe d'histoire et de théorie politique, Abdallah Laroui.

Laroui se sert du motif de la répétition réductrice dans l'œuvre de von Grunebaum comme d'un outil pratique pour l'étude critique anti-orientaliste, et, dans l'ensemble, il fait ce travail de manière remarquable. Il se demande pourquoi l'œuvre de von Grunebaum reste réductrice en dépit de l'énorme masse de ses détails et sa portée apparente. Voici ce qu'il dit : « Les adjectifs que von Grunebaum accole au mot Islam (médiéval, classique, moderne) sont neutres ou même superfétatoires : il n'y a pas de différence entre Islam classique et Islam médiéval ou Islam tout court [...]. Il n'y a donc qu'un seul Islam qui se change en lui-même [...][1]. » L'islam d'aujourd'hui [selon von Grunebaum] refuse l'Occident parce qu'il reste fidèle à son aspiration fondamentale, mais il ne peut se moderniser qu'en se réinterprétant à partir du point de vue de l'Occident moderne, ce qui, naturellement, est impossible, comme le montre von Grunebaum. En exposant les conclusions de von Grunebaum, qui s'accumulent pour former un portrait de l'islam comme culture incapable d'innova-

1. Abdallah Laroui, « Pour une méthodologie des études islamiques : l'Islam au miroir de Gustave von Grunebaum », *Diogène* 38 (sept. 1973), p. 16.

tion, Laroui ne mentionne pas le fait que la nécessité, pour l'islam, d'employer les méthodes occidentales pour progresser est devenue, en tant qu'idée, à cause peut-être de la grande influence de von Grunebaum, presque un truisme dans les études sur le Moyen-Orient. (Par exemple, David Gordon, dans son livre *Self-Determination and History in the Third World*[1], incite les Arabes, les Africains et les Asiatiques à la « maturité » ; il démontre qu'ils ne l'atteindront qu'en prenant des leçons de l'objectivité occidentale.)

L'analyse de Laroui montre aussi comment von Grunebaum a utilisé la théorie culturaliste de A. L. Kroeber pour comprendre l'islam, et comment cet outil a nécessairement entraîné une série de réductions et d'éliminations par lesquelles l'islam peut être représenté comme un système clos. Ainsi, chacun des nombreux aspects dissemblables de la culture islamique a pu être considéré par von Grunebaum comme réfléchi directement dans une matrice invariante, une théorie particulière de Dieu, qui les contraint tous au sens et à l'ordre : développement, histoire, tradition, réalité, dans l'islam, sont donc interchangeables. Laroui soutient, à juste titre, que l'histoire, ordre complexe d'événements, de temporalités et de significations, ne peut se réduire à ce type de notion de culture, de même que la culture ne peut se réduire à l'idéologie, ni l'idéologie à la théologie. Von Grunebaum est devenu la proie, à la fois, des dogmes orientalistes dont il a hérité, et d'un trait particulier de l'islam qu'il a choisi d'interpréter comme un défaut : qu'on peut trouver dans l'islam « une théorie de la religion et peu de témoignages sur la religion vécue, une théorie de la politique et peu de documents politiques précis, une théorie de l'histoire et peu

1. David Gordon, *Self-Determination and History in the Third World*, Princeton, N. J., Princeton Univ. Press, 1971.

d'événements datés, une théorie de la structure sociale et peu d'"actes" individualisés, une théorie de l'économie et peu de séries chiffrées, etc.[1] ». Cela a pour conséquence une vision historique de l'islam entièrement entravée par la théorie d'une culture incapable de rendre justice à sa réalité existentielle dans l'expérience de ses membres – ou même de l'examiner. L'islam de von Grunebaum, après tout, est l'islam des orientalistes européens qui l'ont précédé – monolithique, méprisant l'expérience humaine ordinaire, grossier, réducteur, immuable.

Au fond, cette idée de l'islam est politique, on ne peut même pas dire par euphémisme qu'elle est impartiale. Sa forte emprise sur les nouveaux orientalistes (c'est-à-dire ceux qui sont plus jeunes que von Grunebaum) est due, pour une part, à son autorité traditionnelle et, pour une part, à sa valeur d'usage pour saisir une vaste région du monde et proclamer qu'elle est un phénomène totalement cohérent. Politiquement, l'Occident a toujours eu de la peine à contenir l'islam – et il est certain que, depuis la Seconde Guerre mondiale, le nationalisme arabe a été un mouvement manifestant son hostilité à l'impérialisme occidental ; son désir d'affirmer, par représailles, des choses qui le satisfont intellectuellement sur l'islam augmente donc. Une personne faisant autorité a dit de l'islam (sans spécifier *quel* islam ou quel aspect de l'islam) : c'est « un prototype des sociétés traditionnelles fermées ». Remarquons ici l'usage édifiant fait du mot *islam* pour signifier tout à la fois une société, une religion, un prototype, et une réalité. Mais ce même savant va subordonner tout cela à l'idée que, à la différence des sociétés normales (« les nôtres »), les sociétés de l'islam et du Moyen-Orient sont entièrement « politiques »,

---

1. Abdallah Laroui, « Pour une méthodologie des études isla-miques », *loc. cit.*, p. 41.

adjectif destiné à reprocher à l'islam de n'être pas « libéral », d'être incapable de séparer (comme « nous ») la politique de la culture. Cela donne ce portrait idéologiquement malveillant de « nous » et d'« eux » :

> Notre but principal doit rester de comprendre la société du Moyen-Orient comme un tout. Seule une société [comme « la nôtre »] qui a déjà atteint une stabilité dynamique peut se permettre de penser à la politique, à l'économie ou à la culture comme à des domaines de l'existence authentiquement indépendants et non comme à de simples divisions commodes pour l'étude. Dans une société traditionnelle, qui ne sépare pas les affaires de César de celles de Dieu, ou qui est en changement perpétuel, la relation entre la politique et tous les autres aspects de la vie, dirons-nous, est au cœur des problèmes. Aujourd'hui, par exemple, le fait qu'un homme ait quatre femmes ou une seule, le fait qu'il jeûne ou qu'il mange, qu'il obtienne ou qu'il perde des terres, qu'il s'en remette à la révélation ou à la raison, sont tous devenus au Moyen-Orient des problèmes politiques […]. Tout autant que le musulman lui-même, le nouvel orientaliste doit se demander à nouveau ce que peuvent être les structures et les relations significatives de la société islamique [1].

Le caractère trivial de la plupart des exemples (avoir quatre femmes, jeûner ou manger, etc.) est là pour montrer comment l'islam englobe tout, et avec tyrannie. On ne nous dit pas *où* tout cela est supposé se passer ; mais on nous rappelle ce fait qui, sans aucun doute, n'est pas politique : les orientalistes « sont dans une grande mesure responsables d'avoir fourni aux Moyen-Orientaux eux-mêmes une appréciation exacte de leur passé [2] », pour le

1. Manfred Halpern, « Middle East Studies : A Review of the State of the Field with a Few Examples », *World Politics* 15 (oct. 1962), p. 121 *sq.*
2. *Ibid.*, p. 117.

cas où nous aurions oublié que, par définition, les orientalistes savent des choses que les Orientaux ne peuvent pas savoir d'eux-mêmes.

Si cela résume l'école « dure » du nouvel orientalisme américain, l'école « douce » souligne le fait que les orientalistes traditionnels nous ont donné les traits fondamentaux de l'histoire, de la religion et de la société islamiques, mais se sont « trop souvent contentés de résumer le sens d'une civilisation à partir de quelques manuscrits[1] ». Voici donc les arguments, exposés de manière philosophique, du nouveau spécialiste des aires culturelles contre l'orientaliste traditionnel :

> La méthodologie de la recherche et les paradigmes de la discipline ne sont pas là pour déterminer ce qu'on choisit d'étudier, ni pour limiter l'observation. Les études d'aires culturelles, de ce point de vue, posent qu'il n'est de connaissance vraie que de choses qui existent, alors que les méthodes et les théories sont des abstractions qui ordonnent les observations et offrent des explications selon des critères qui ne sont pas empiriques[2].

Bon. Mais *comment* connaît-on « les choses qui existent », et dans quelle mesure « les choses qui existent » sont-elles *constituées* par celui qui les connaît ? Cela reste à discuter, alors que l'appréhension nouvelle (qui ne fait pas appel à des valeurs) de l'Orient en tant que quelque chose qui existe est institutionnalisée dans des programmes d'études des aires. Sans théorisation tendancieuse, l'islam est *rarement* objet d'études, *rarement* objet de recherches, *rarement* connu : la naïveté de cette idée cache à peine ce qu'elle signifie idéologiquement,

1. Leonard Binder, « 1974 Presidential Address », *MESA Bulletin* 9, nº 1 (févr. 1975), p. 2.

2. *Ibid.*, p. 5.

ces thèses absurdes : que l'homme ne joue aucun rôle en définissant à la fois le matériau et les processus de connaissance, que la réalité orientale est statique et qu'elle « existe », que seul un révolutionnaire messianique (dans la terminologie du Dr Kissinger) refusera d'admettre la différence entre la réalité extérieure et celle qu'il a dans la tête. [...]

3. L'islam, rien que l'islam.

La théorie de la simplicité sémite, telle qu'on la rencontre dans l'orientalisme moderne, est si profondément ancrée qu'il n'y a guère de différences entre sa manière d'opérer dans des textes antisémites européens, comme le *Protocole des Anciens de Sion*, et dans des remarques comme celles que Chaïm Weizmann a envoyées, le 30 mai 1918, à Arthur Balfour :

> Les Arabes, qui, superficiellement, sont intelligents et d'esprit vif, respectent une chose et une seule : le pouvoir et la réussite [...]. Les autorités britanniques, [...] connaissant comme elles le font la nature traîtresse des Arabes [...], doivent être constamment sur leurs gardes [...]. Plus le régime anglais cherche à être juste, plus l'Arabe devient arrogant [...]. Les conditions actuelles tendraient nécessairement vers la création d'une Palestine arabe s'il y avait un peuple arabe en Palestine. Elles ne donneront pas ce résultat, parce que le fellah a au moins quatre siècles de retard et que l'effendi [...] est malhonnête, sans éducation, avide et aussi peu patriote qu'il est peu efficace [1].

1. Cité dans Doreen Ingrams, *Palestine Papers, 1917-1922, op. cit.*, p. 31 *sq.*

Le dénominateur commun à Weizmann et aux antisémites européens est le point de vue orientaliste, qui considère les Sémites (ou des subdivisions de ceux-ci) comme privés par nature des qualités désirables des Occidentaux. Cependant, il y a une différence entre Renan et Weizmann : ce dernier pouvait déjà appuyer sa rhétorique sur des institutions solides alors que Renan ne le pouvait pas encore. N'y a-t-il pas dans l'orientalisme du vingtième siècle cette même « gracieuse enfance » qui ne vieillit pas – s'alliant sans y prendre garde tantôt à l'érudition, tantôt à l'État et à toutes ses institutions – que Renan voyait comme la manière d'être invariable des Sémites ?

Mais la version sous laquelle ce mythe s'est maintenu au vingtième siècle a causé beaucoup plus de mal. Elle a produit une image de l'Arabe tel qu'il est vu par une société quasi occidentale « avancée ». Dans sa résistance aux colonialistes étrangers, le Palestinien arabe est, ou bien un sauvage stupide, ou bien une quantité négligeable, du point de vue moral et même du point de vue existentiel. Selon la loi israélienne, seul un juif possède tous les droits civiques, et il a le privilège d'immigrer sans restriction ; bien qu'ils soient des habitants du pays, on n'a accordé aux Arabes que des droits plus limités : ils ne peuvent immigrer, et s'ils paraissent ne pas avoir les mêmes droits, c'est parce qu'ils sont « moins développés ». L'orientalisme gouverne de bout en bout la politique israélienne à l'égard des Arabes, comme le démontre amplement le rapport Koenig publié récemment. Il y a de bons Arabes (ceux qui font ce qu'on leur dit) et de mauvais Arabes (qui ne le font pas, et sont donc des terroristes). Mais surtout il y a ces Arabes qui, une fois vaincus, se tiendront avec obéissance de l'autre côté d'une ligne fortifiée imprenable, gardée par le plus petit nombre d'hommes possible, selon la théorie que les Arabes ont dû accepter le mythe de la supériorité des Israéliens et n'oseront jamais attaquer. Il suffit de jeter un coup d'œil au livre du général Yehoshafat Harkabi, *Arab Attitudes to Israel*, pour voir que – comme l'expose Robert Alter avec admiration dans *Commentary*[1] – l'esprit arabe, dépravé, antisémite jusqu'au fond du cœur, violent, déséquilibré, ne peut produire que de la rhétorique, et guère plus. Un mythe en soutient et en crée un autre. Ils se répondent l'un à l'autre, tendant vers des symétries et des schémas que l'on s'attend à voir créer par les Arabes eux-mêmes en tant qu'Orientaux, mais qu'en tant qu'être humain aucun Arabe ne peut vraiment admettre.

De lui-même, en lui-même, comme ensemble de croyances, comme méthode d'analyse, l'orientalisme ne peut se développer. En fait, il est par sa doctrine l'antithèse du développement, son argument central est le mythe du développement interrompu des Sémites. De cette matrice sortent d'autres mythes, chacun montrant le Sémite comme le contraire de l'Occidental et la victime, irrémédiablement, de ses propres faiblesses. Par tout un enchaînement de circonstances, le mythe sémitique a bifurqué dans le mouvement sioniste ; l'un des Sémites a suivi la voie de l'orientalisme, l'autre, l'Arabe, a été forcé de suivre celle de l'Oriental. Chaque fois qu'on invoque la tente et la tribu, on utilise le mythe ; chaque fois qu'on évoque le caractère national arabe, on utilise le mythe. Les institutions construites autour de ces instruments augmentent leur emprise sur l'esprit. Chaque orientaliste s'appuie, littéralement, sur un système dont

1. Robert Alter, « Rhetoric and the Arab Mind », *Commentary* (oct. 1968), p. 61-85. L'article est un compte rendu très louangeur de : général Yehoshafat Harkabi, *Arab Attitudes to Israel*, Jérusalem, Keter Press, 1972 (trad. fr. : *Palestine et Israël*, Genève, Éd. de l'Avenir, 1972).

le pouvoir est chancelant, étant donné que les mythes que propage l'orientalisme sont éphémères. Ce système culmine aujourd'hui dans les institutions d'État elles-mêmes. Lorsqu'on écrit sur le monde oriental arabe, on le fait donc avec l'autorité d'une nation, on ne le fait pas pour affirmer une idéologie tapageuse, mais avec la certitude indiscutée de posséder la vérité appuyée par la force absolue.

Dans son numéro de février 1974, *Commentary* offrait à ses lecteurs un article du Pr Gil Carl Alroy intitulé « Les Arabes veulent-ils la paix ? » (« Do the Arabs Want Peace ? »). Alroy enseigne la science politique, et il est l'auteur de deux ouvrages, *Attitudes towards Jewish Statehood in the Arab World* et *Images of Middle East Conflict* ; c'est un homme qui professe « connaître » les Arabes et qui est, évidemment, un expert dans l'art de fabriquer des images. Sa thèse n'a rien d'inattendu : que les Arabes veulent détruire Israël, que les Arabes disent vraiment ce qu'ils pensent (et Alroy se sert, avec ostentation, du fait qu'il est capable de citer des témoignages tirés de journaux égyptiens, témoignages qu'il identifie partout avec « les Arabes » comme si les journaux arabes et les journaux égyptiens étaient une seule et même chose), etc., avec un zèle inlassable et partial. Au centre même de son article, comme au centre d'ouvrages plus anciens d'autres « arabisants » (synonyme d'orientalistes), tel le général Harkabi, dont le domaine est « l'esprit arabe », se trouve une hypothèse de travail sur ce que les Arabes sont en réalité, si on les dépouille de toutes leurs absurdités extérieures. Autrement dit, Alroy doit prouver que, parce que les Arabes sont, premièrement, unanimes dans leur penchant pour une vengeance par le sang, deuxièmement, inadaptés psychologiquement à la paix, et, troisièmement ; liés congénitalement à une conception de la justice qui veut dire le contraire de cela, il ne faut pas leur faire confiance, mais les combattre sans cesse comme on combat les autres maladies mortelles. La principale pièce à conviction d'Alroy est un passage de l'essai de Harold W. Glidden, « The Arab World » (dont j'ai parlé dans la première partie, au premier chapitre). Alroy estime que Glidden a su « très bien capter les différences culturelles entre le point de vue occidental et le point de vue arabe ». La thèse d'Alroy est donc confirmée : les Arabes sont des sauvages inéducables ; c'est ainsi qu'un spécialiste de l'esprit arabe faisant autorité expose à un vaste public de juifs, qui probablement s'intéressent à la question, qu'ils doivent rester sur leurs gardes. Et cela de manière académique, sans passion, honnêtement, en utilisant des témoignages pris chez les Arabes eux-mêmes – qui, dit-il avec une assurance olympienne, ont « carrément écarté […] la paix véritable » – et en se servant de la psychanalyse[1].

Les affirmations de ce genre peuvent s'expliquer si l'on reconnaît que l'orientaliste avance comme argument contre l'Oriental une différence encore plus implicite et puissante : le premier *écrit*, tandis que le second *est décrit*. À ce dernier, on attribue un rôle passif ; au premier, le pouvoir d'observer, d'étudier, etc. ; comme l'a dit Roland Barthes, un mythe peut sans cesse s'inventer lui-même (ceux qui le perpétuent peuvent sans cesse s'inventer eux-mêmes)[2]. L'Oriental est donné comme fixé, stable, ayant besoin d'investigation, ayant même besoin de connaissances sur lui-même. Il y a une source d'informations (l'Oriental) et une source de connaissances (l'orientaliste), bref un écrivain et son sujet, inerte sans cela. Leur relation est foncièrement une question de

1. Gil Carl Alroy, « Do the Arabs want Peace ? », *Commentary* (févr. 1947), p. 109-159.
2. Roland Barthes, *Mythologies*, Paris, Éd. du Seuil, 1970.

pouvoir, qui est représenté par de nombreuses images. Voici un exemple, tiré de *Golden River to Golden Road*, de Raphael Patai :

Pour pouvoir estimer correctement ce que la culture du Moyen-Orient *acceptera de bon gré* dans les réserves de la civilisation occidentale, qui sont d'une richesse embarrassante, *on doit d'abord acquérir* une meilleure compréhension, une compréhension plus saine, de la culture du Moyen-Orient. La même condition préalable est nécessaire pour *jauger* les effets probables *de traits que l'on vient d'introduire* dans le contexte culturel de populations vivant suivant la tradition. Il faut aussi étudier bien plus à fond qu'on ne l'a fait jusqu'à présent de quelle manière *rendre agréables les nouvelles offres culturelles*. Bref, la seule manière de *dénouer le nœud gordien de la résistance* à l'occidentalisation au Moyen-Orient est d'étudier ce dernier, de *se faire une image plus complète* de sa culture traditionnelle, de mieux comprendre les *processus de transformation qui sont à l'œuvre* actuellement, d'avoir *une vue plus pénétrante* sur la psychologie de groupes élevés dans la culture du Moyen-Orient. *C'est une tâche éprouvante, mais sa récompense* en vaut bien la peine : *l'harmonie entre l'Occident* et une région du monde voisine, qui est d'une importance capitale[1].

Les figures métaphoriques sur lesquelles ce passage est étayé (je les ai indiquées par des italiques) proviennent de toutes sortes d'activités humaines, commerciales, horticoles, religieuses, vétérinaires, historiques. Mais, dans chaque cas, le rapport entre le Moyen-Orient et l'Occident est, en réalité, défini comme sexuel : comme je l'ai dit plus haut à propos de Flaubert, l'association entre l'Orient et le sexe est remarquablement persistante. Le Moyen-

---

1. Raphael Patai, *Golden River to Golden Road : Society, Culture, and Change in the Middle East*, Philadelphie, Univ. of Pennsylvania Press, 1962 ; 3ᵉ éd. revue, 1969, p. 406.

Orient résiste, comme le ferait n'importe quelle vierge, mais l'érudit mâle gagne la récompense en ouvrant brutalement, en pénétrant le nœud gordien, bien que ce soit une « tâche éprouvante ». Le résultat de la victoire sur la modestie virginale est l'« harmonie » ; ce n'est d'aucune manière la coexistence d'égaux. Le rapport de forces sous-jacent entre le savant et son sujet n'est pas un instant altéré : il est uniformément en faveur de l'orientaliste. L'étude, la compréhension, la connaissance, l'évaluation sous le masque flatteur de l'« harmonie » sont des instruments de conquête. [...]

Et il en est ainsi d'un bout à l'autre des travaux des orientalistes d'aujourd'hui : des affirmations de l'espèce la plus incongrue parsèment leurs pages, que ce soit celles d'un Manfred Halpern soutenant que, alors que tous les processus de la pensée humaine puissent se réduire à huit, l'esprit arabe ne peut en maîtriser que quatre[1], ou d'un Morroe Berger présumant que, puisque la langue arabe est très portée à la rhétorique, les Arabes sont incapables de pensée vraie[2]. On peut qualifier ces assertions de

---

1. La thèse de Manfred Halpern est exposée dans « Four Contrasting Repertories of Human Relations in Islam : Two Pre-Modern and Two Modern Ways of Dealing with Continuity and Change, Collaboration and Conflict and the Achieving of Justice », communication présentée à la 22e conférence sur le Proche-Orient, qui s'est tenue le 8 mai 1973, à l'université de Princeton, sur la psychologie et les études proche-orientales. Ce texte avait été préparé par l'article de Halpern : « A Redefinition of the Revolutionary Situation », *Journal of International Affairs* 23, no 1 (1969), p. 54-75.

2. Morroe Berger, *The Arab World Today*, New York, Doubleday Anchor Books, 1964, p. 140. La même sorte d'implication est à la base du travail maladroit de quasi-arabisants comme Joel Carmichael et Daniel Lerner ; on la trouve, plus subtilement, chez des érudits dans le domaine de la politique et de l'histoire comme Theodore Draper, Walter Laqueur et Élie Kedourie. Elle est très en évidence dans des ouvrages qui ont une grande réputation, tels que Gabriel Baer, *Population and*

mythes dans leur fonction et dans leur structure, mais il faut tout de même essayer de comprendre quels sont les autres impératifs qui gouvernent leur utilisation. On ne peut que faire des hypothèses, naturellement. Les affirmations sur les Arabes que formulent les orientalistes sont très détaillées quand elles critiquent point par point leurs caractéristiques, beaucoup moins quand elles analysent ce qui fait leur force. La famille arabe, la rhétorique arabe, le caractère arabe, malgré les abondantes descriptions qu'en donnent les orientalistes, apparaissent comme privés de nature, sans épaisseur humaine, même lorsque ces descriptions sont capables d'embrasser avec ampleur et profondeur le domaine auquel elles s'appliquent. Voici ce que dit Sania Hamady, dans son livre *Temperament and Character of the Arabs* :

L'Arabe vit ainsi dans un environnement dur et frustrant. Il n'a guère de chances de réaliser ses possibilités et

---

Society in the Arab East, New York, Frederick A. Praeger, 1964, et Alfred Bonné, *State and Economics in the Middle East : A Society in Transition*, Londres, Routledge and Kegan Paul, 1955. Le consensus semble être que, dans la mesure où ils pensent, les Arabes pensent autrement – c'est-à-dire qu'ils ne pensent pas nécessairement avec raison, et souvent sans raison. Voir aussi Abdel Daher, RAND Study, *Current Trends in Arab Intellectual Thought* (RM-5979-FF, déc. 1969), et sa conclusion caractéristique : « Le mode d'approche concret pour résoudre des problèmes est manifestement absent de la pensée arabe » (p. 29). Dans une étude critique écrite pour le *Journal of Interdisciplinary History* (4, n° 2 (automne 1973), p. 287-298), Roger Owen attaque la notion même d'« islam » en tant que concept servant à l'étude de l'histoire. Il critique surtout *The Cambridge History of Islam*, qui, à son avis, perpétue de certaines façons une idée de l'islam (qu'on peut trouver chez des auteurs comme Carl Becker et Max Weber) « défini essentiellement comme un système religieux, féodal et antirationnel, auquel font défaut les caractéristiques nécessaires qui ont permis le progrès en Europe ». Pour une démonstration suivie de l'inexactitude totale de Max Weber, voir Maxime Rodinson, *Islam et Capitalisme (op. cit.)*.

de définir sa place dans la société, ne croit guère au progrès et au changement et ne trouve le salut que dans l'au-delà[1].

Ce que l'Arabe ne peut accomplir par lui-même, on le trouvera dans ce qui est écrit à son sujet. L'orientaliste est suprêmement sûr de ses possibilités, n'est pas pessimiste, est capable de définir sa position, la sienne propre et celle de l'Arabe. L'image de l'Oriental arabe qui ressort de ce texte est résolument négative ; mais alors, demandons-nous, pourquoi toute cette série d'ouvrages qui lui sont consacrés ? Qu'est-ce qui passionne les orientalistes, sinon – ce qui n'est certainement pas le cas – l'amour pour la science arabe, l'esprit arabe, la société arabe, les créations arabes ? En d'autres termes, dans le discours mythique qui la concerne, de quelle nature est la présence arabe ?

Il y a deux choses : le nombre et le pouvoir reproducteur. Ces deux qualités peuvent, en fin de compte, être réduites l'une à l'autre, mais nous devons les séparer pour les besoins de l'analyse. Les travaux d'érudition orientalistes, presque sans exception (en particulier dans les sciences sociales), ont beaucoup à dire sur la famille, sa structure dominée par l'homme, son influence universelle sur la société. L'ouvrage de Patai en est un exemple typique. Un paradoxe muet se présente immédiatement : si la famille est une institution dont les échecs généralisés ne peuvent trouver de remède que dans le placebo de la « modernisation », il faut reconnaître qu'elle continue à

1. Sania Hamady, *Temperament and Character of the Arabs*, New York, Twayne Publishers, 1960, p. 100. Ce livre a beaucoup de succès chez les Israéliens et leurs partisans ; Alroy la cite avec approbation, ainsi qu'Amos Elon dans *The Israelis : Founders and Sons*, New York, Holt Rinehart and Winston, 1971. Morroe Berger (*Arab World*, *op. cit.*) la cite aussi fréquemment. Son modèle est *Manners and Customs of the Modern Egyptians de Lane*, dont elle n'a ni la familiarité avec l'arabe ni les vastes connaissances.

se reproduire, qu'elle est féconde et qu'elle est la source de l'existence des Arabes dans le monde. Ce que Berger désigne comme « la grande valeur que les hommes attribuent à leurs propres prouesses sexuelles[1] » nous donne une idée de ce qu'est la puissance cachée derrière la présence arabe dans le monde. La société arabe est représentée en termes presque totalement négatifs et, en général, passifs, elle est ravie et gagnée par le héros orientaliste : nous pouvons dire que c'est une manière d'aborder la diversité arabe si variée et si puissante, dont la source, si elle n'est pas intellectuelle et sociale, est sexuelle et biologique.

Tabou absolument inviolable, cependant, dans le discours orientaliste : cette sexualité ne doit jamais être prise au sérieux. On ne peut jamais lui imputer explicitement l'absence de réalisations et de « véritable » raffinement rationnel que l'orientaliste constate partout chez les Arabes. Et pourtant il y a ici, à mon avis, une lacune dans les thèses dont l'objet principal est de critiquer la société arabe « traditionnelle », comme celles de Hamady, de Berger et de Lerner. Ils reconnaissent la puissance de la famille, notent la faiblesse de l'esprit arabe et remarquent l'« importance » du monde oriental pour l'Occident, mais ne disent jamais ce qu'implique leur discours : il reste en réalité aux Arabes, quand tout est dit, une pulsion sexuelle indifférenciée. On ne trouve qu'en de rares occasions – comme dans le travail de Leon Mugniery – l'implicite exposé clairement ; à savoir qu'il y a un « puissant appétit sexuel [...] caractéristique de ces Méridionaux au sang chaud[2] ». La plupart du temps, cependant, il y a un courant souterrain d'exagération sexuelle sous cette manière

1. Morroe Berger, *Arab World*, *op. cit.*, p. 102.
2. Cité par Irene Gendzier dans *Frantz Fanon : A Critical Study*, New York, Pantheon Books, 1973, p. 94.

de minimiser la société arabe et de la réduire à des plati-tudes, inconcevables, sauf pour des inférieurs du point de vue racial : l'Arabe se produit lui-même indéfiniment, sexuellement, et ne produit rien d'autre. L'orientaliste ne dit rien à ce sujet, bien que sa thèse en dépende : « Mais la coopération, au Proche-Orient, est encore dans une grande mesure une affaire de famille, et on n'en trouve guère en dehors du groupe de parents consanguins ou du village[1]. » C'est-à-dire que les Arabes ne comptent que comme des êtres purement et simplement biologiques : institutionnel-lement, politiquement, culturellement, ils ne sont rien, ou presque rien ; numériquement, et en tant que producteurs de familles, les Arabes sont réels.

L'ennui, c'est que ce point de vue complique la passi-vité des Arabes affirmée par des orientalistes comme Patai, Hamady même, et d'autres. Mais il est de la logique des mythes, comme de celle des rêves, justement, d'accueillir des antithèses absolues. En effet, un mythe n'analyse pas, ne résout pas les problèmes : il les repré-sente comme déjà analysés et résolus ; c'est-à-dire qu'il les présente comme des images déjà tout assemblées, de la même manière qu'un épouvantail est assemblé à partir de tout un bric-à-brac d'objets, puis dressé pour avoir l'air d'un homme. Puisque l'image *utilise* à ses propres fins tout le matériau et puisque, par définition, le mythe remplace la vie, l'antithèse entre un Arabe trop fécond et une poupée passive n'est pas fonctionnelle. Le discours recouvre l'antithèse. L'Oriental arabe est cet être impos-sible que son énergie libidinale pousse à un paroxysme d'hyperstimulation – et pourtant il est comme une marionnette aux yeux du monde, regardant d'un œil vide un paysage moderne qu'il ne peut comprendre, auquel il ne peut faire face.

1. Morroe Berger, *Arab World*, *op. cit.*, p. 151.

Cette image de l'Arabe semble pertinente dans des études récentes sur le comportement politique des Orientaux, et elle est exprimée à l'occasion de discussions savantes sur les deux nouveaux sujets favoris des experts orientalistes, la révolution et la modernisation. Sous les auspices de la School for Oriental and African Studies a paru, en 1972, un volume intitulé *Revolution in the Middle East and Other Case Studies*, composé de textes réunis par P. J. Vatikiotis [1]. Le titre est délibérément médical, car nous devons penser que les orientalistes disposent finalement de ce qu'évitait d'ordinaire l'orientalisme « traditionnel », l'attention psychoclinique. Vatikiotis donne le ton de ce recueil avec une définition quasi médicale de la révolution ; mais, puisque lui et ses lecteurs ont à l'esprit la révolution arabe, ce qu'il y a de malveillant dans cette définition semble acceptable. […]

La pièce d'érudition centrale du recueil est l'essai de Bernard Lewis, « Islamic Concepts of Revolution ». Nous avons ici une stratégie qui a l'air très raffinée. Beaucoup de mes lecteurs savent déjà que, pour les locuteurs arabes d'aujourd'hui, le mot *thawra* et ceux qui sont de la même famille signifient révolution ; ils auront aussi pu l'apprendre dans l'introduction de Vatikiotis. Pourtant, Lewis ne définit le sens de *thawra* que tout à la fin de son article, après avoir étudié des concepts tels que *dawla*, *fitna* et *bughat* dans leur contexte historique et surtout religieux. Ce qu'il veut montrer est essentiellement que « la doctrine occidentale sur le droit de résister à un mauvais gouvernement est étrangère à la pensée islamique », ce qui conduit comme attitude politique au « défaitisme » et au « quiétisme ». En lisant cet article, on

1. *Revolution in the Middle East and Other Case Studies. Proceedings of a Seminar*, éd. P. J. Vatikiotis, Londres, George Allen and Unwin, 1972.

ne sait jamais avec certitude où tous ces termes sont supposés trouver leur place, sauf quelque part dans l'histoire des mots. Puis, vers la fin de l'article, nous avons ceci :

> Dans les pays de langue arabe un mot différent était utilisé [pour révolution] *thawra*. La racine *th-w-r* en arabe classique signifie se lever (par exemple pour un chameau), être ému ou excité, d'où, en particulier dans l'usage maghrébin, se rebeller. Elle est souvent employée dans le contexte de l'établissement d'une souveraineté indépendante mineure ; ainsi, les rois dits de région qui ont gouverné l'Espagne au onzième siècle après le démantèlement du califat de Cordoue étaient appelés *thuwwar* (sg. *tha'ir*). Le nom *thawra* veut d'abord dire agitation, comme dans la phrase, citée dans le Sihah, un dictionnaire arabe médiéval classique, *intazir hatta taskun hadhihi'lthawra*, attends que cette agitation se calme, un très bon conseil. Le verbe est employé par al-Iji sous la forme *thawaran* ou *itharat fitna*, fomenter la sédition, comme l'un des dangers qui doivent détourner un homme de remplir le devoir de résister à un mauvais gouvernement. *Thawra* est le terme utilisé par les écrivains arabes du dix-neuvième siècle pour désigner la Révolution française et par leurs successeurs pour désigner les révolutions de notre propre époque, intérieures ou étrangères, qu'ils approuvent[1].

Tout ce passage est rempli de condescendance et de mauvaise foi. Pourquoi introduire l'idée du chameau qui se lève comme étymologie pour la révolution arabe moderne, sinon comme manière astucieuse de la discréditer ? La

1. Bernard Lewis, « Islamic Concepts of Revolution », in *Revolution in the Middle East*, éd. P. J. Vatikiotis, *op. cit.*, p. 33, 38 *sq.* L'étude de Lewis, *Race and Color in Islam*, New York, Harper and Row, 1971, exprime la même désaffection avec un air très savant ; son livre *Islam in History : Ideas, Men and Events in the Middle East*, Londres, Alcove Press, 1973, est politique de manière plus explicite, mais non moins acide.

raison de Lewis est, évidemment, de ramener la révolution de l'estime où on la tient à quelque chose qui n'est pas plus noble (ou plus beau) qu'un chameau sur le point de se lever. La révolution est l'agitation, la sédition, la mise en place d'une souveraineté mineure, rien de plus ; le meilleur conseil à donner (que seul, probablement, un savant occidental, un gentleman, peut donner) est d'« attendre que l'agitation se calme ». Ce n'est pas cet exposé méprisant sur *thawra* qui nous apprendra qu'un nombre incalculable d'hommes sont concernés activement par ce mot, et cela de façons qui sont trop complexes même pour l'érudition sarcastique de Lewis. Mais c'est cette sorte de description essentialisée qui est naturelle pour les étudiants et les politiciens qui s'intéressent au Moyen-Orient ; l'agitation révolutionnaire chez « les Arabes » a à peu près autant de conséquence qu'un chameau qui se lève, demande autant d'attention que des bavardages de rustres. Pour la même raison idéologique, toute la littérature orientaliste canonique sera incapable d'expliquer le soulèvement révolutionnaire qui s'affirme dans le monde arabe du vingtième siècle, ou de nous y préparer.

L'association que fait Lewis entre *thawra* et un chameau qui se lève et, plus généralement, l'agitation (et non la lutte pour des idées) suggère, bien plus largement qu'il n'est habituel chez lui, que l'Arabe n'est guère plus qu'un névrosé sexuel. Chacun des mots ou expressions qu'il utilise pour définir la révolution est teinté de sexualité : *être ému, excité, se (sou)lever*. Mais il s'agit en grande partie d'une « mauvaise » sexualité. Finalement, comme les Arabes ne sont vraiment pas armés pour une action sérieuse, leur excitation sexuelle n'a pas plus de noblesse qu'un chameau qui se lève. Au lieu de révolution, c'est la sédition, l'instauration d'une souveraineté mineure et encore de l'agitation : autant dire qu'au lieu de copulation l'Arabe ne peut arriver qu'aux jeux préli-

minaires, à la masturbation, au coïtus interruptus. Je
pense que c'est ce qu'implique Lewis, malgré l'air innocent de son savoir et son langage de bon ton. En effet,
puisqu'il est si sensible aux nuances des mots, il doit
bien se rendre compte que *ses* mots ont eux aussi des
nuances. [...]

Toute l'histoire de l'orientalisme montre qu'il s'est
employé à faire, d'insinuations et d'hypothèses, des
« vérités » indiscutables. La plus indiscutable et la plus
bizarre de ces idées (puisqu'il est difficile de croire qu'on
puisse la soutenir pour n'importe quelle autre langue) est
peut-être que l'arabe, en tant que langue, est une idéologie
dangereuse. Le texte classique contemporain où trouver
ce jugement sur l'arabe est le travail de E. Shouby, « The
Influence of the Arabic Language on the Psychology of
the Arabs [1] ». L'auteur est décrit comme « un psychologue
qui possède une formation à la fois en psychologie sociale
et en psychologie clinique », et on peut supposer que la
principale raison de la large diffusion de ses idées est
qu'il est un Arabe (un Arabe qui s'accuse lui-même, par-
dessus le marché). La thèse qu'il propose est lamentablement simpliste, peut-être parce qu'il ne sait pas le moins
du monde ce qu'est une langue ni comment elle fonctionne. Néanmoins, les différentes parties de son travail
portent des titres très révélateurs : « Imprécision générale
de la pensée », « Insistance exagérée sur les signes linguistiques », « Assurance excessive et exagération ».
Shouby est cité souvent comme une autorité : en effet, il
parle avec autorité et il hypostasie une espèce d'Arabe
muet qui a, en même temps, une grande maîtrise des

---

1. Publié tout d'abord dans *Middle East Journal* 5 (1951). Repris
dans *Readings in Arab Middle Eastern Societies and Cultures*, éd.
Abdulla Lutfiyye et Charles W. Churchill, La Haye, Mouton, 1970,
p. 688-703.

mots, jouant à des jeux qui n'ont guère de sérieux ni d'intérêt. Le mutisme tient un grand rôle dans ce dont parle Shouby, puisqu'il ne fait pas une seule citation tirée de la littérature, cette littérature dont les Arabes sont si fiers. Où donc l'influence de la langue arabe se manifeste-t-elle sur l'esprit arabe ? Exclusivement à l'intérieur du monde mythologique créé pour l'Arabe par l'orientalisme. L'Arabe est symbole de mutisme combiné à la surabondance de l'expression, de pauvreté combinée à l'excès. Qu'on puisse arriver à un résultat de ce genre par le moyen de la philologie témoigne de la triste fin d'une tradition qui fut complexe, et qui ne se retrouve à présent que chez de très rares personnes. Cette manière qu'a l'orientaliste d'aujourd'hui de se reposer sur la « philologie » est la dernière infirmité d'une discipline savante complètement transformée et passée aux mains des experts en idéologie.

Dans tout ce que j'ai étudié, le langage de l'orientalisme joue un rôle dominant. Il met dans le même sac des contraires en tant que « naturel », il présente des types humains avec des jargons et des méthodologies scolaires, il attribue réalité et référence à des objets (d'autres mots) de sa propre fabrication. Le langage du mythe est un *discours*, c'est-à-dire qu'il ne peut être que systématique ; on ne fabrique pas vraiment du discours à volonté, sans appartenir tout d'abord – dans certains cas, inconsciemment, mais, de toute façon, involontairement – à l'idéologie et aux institutions qui garantissent l'existence de celle-ci. Ces institutions sont toujours celles d'une société avancée qui traite d'une société moins avancée, d'une culture forte rencontrant une culture faible. Le trait principal du discours du mythe est qu'il dissimule ses propres origines aussi bien que celles de ce qu'il décrit. « Les Arabes » sont présentés avec des clichés de types statiques, presque idéaux, ils ne sont présentés ni comme des êtres ayant des potentialités en train de se réaliser ni comme histoire en train de se faire. La valeur exagérée amoncelée sur l'arabe en tant que langue autorise l'orientaliste à faire de la langue l'équivalent de la société, de l'histoire et de la nature. Pour l'orientaliste, la langue parle l'Oriental arabe et non l'inverse.

4. Orientaux Orientaux Orientaux.

Le système de fictions idéologiques que j'ai appelées orientalisme a de sérieuses implications, et ce n'est pas seulement parce que, intellectuellement, il est peu honorable. En effet, les États-Unis sont aujourd'hui lourdement engagés au Moyen-Orient, plus lourdement que partout ailleurs : les experts qui conseillent les hommes politiques sur les questions du Moyen-Orient sont, presque jusqu'au dernier, imbus d'orientalisme. Pour la plus grande partie, cet engagement est bâti, c'est le cas de le dire, sur le sable, puisque les experts donnent des directives fondées sur des abstractions qui se vendent bien : ce sont, pour la plupart, de vieux stéréotypes orientalistes habillés de jargon politique, et, pour la plupart aussi, elles ont été complètement inadéquates pour décrire ce qui s'est produit ces derniers temps au Liban ou, auparavant, dans la résistance populaire palestinienne à Israël. L'orientaliste cherche maintenant à voir l'Orient comme une imitation de l'Occident qui, selon Bernard Lewis, ne peut que s'améliorer quand son nationalisme « se prépare à s'accommoder de l'Occident[1] ». Si, entre-temps, les Arabes, les musulmans ou le tiers et le quart monde suivent après tout des voies inattendues, nous ne

---

1. Bernard Lewis, « The Revolt of Islam », in *The Middle East and the West*, Bloomington, Indiana Univ. Press, 1964, p. 140.

nous étonnerons pas de trouver un orientaliste pour nous expliquer que cela démontre que les Orientaux sont incorrigibles, et prouve donc qu'on ne peut avoir confiance en eux.

On ne peut rendre compte des échecs méthodologiques de l'orientalisme en disant, soit que l'Orient *véritable* est différent des portraits qu'en font les orientalistes, soit que, puisque les orientalistes sont en majorité des Occidentaux, on ne peut attendre d'eux qu'ils aient un sentiment intime de ce qu'est vraiment l'Orient. Ces deux propositions sont fausses. La thèse de mon livre n'est pas de donner à penser qu'il y a quelque chose comme un Orient réel ou véritable (islamique, arabe, que sais-je encore) ; ce n'est pas non plus d'affirmer le privilège du point de vue de l'« intérieur » sur celui de l'« extérieur », pour reprendre l'utile distinction de Robert K. Merton[1]. Au contraire, ce que j'ai dit, c'est que l'Orient est par lui-même une entité constituée ; l'idée qu'il existe des espaces géographiques avec des habitants autochtones foncièrement différents qu'on peut définir à partir de quelque religion, de quelque culture ou de quelque essence raciale qui leur soit propre est extrêmement discutable. Je ne crois certainement pas à la proposition limitée que seul un Noir peut écrire sur les Noirs, un musulman sur les musulmans, et ainsi de suite.

Et pourtant, malgré ses échecs, son jargon déplorable, son racisme à peine caché, son appareil intellectuel sans épaisseur, l'orientalisme fleurit aujourd'hui sous les formes que j'ai essayé de décrire. En fait, on a des raisons de s'inquiéter quand on voit son influence s'étendre à « l'Orient » lui-même : des pages entières de livres et de

1. Robert K. Merton, « The Perspectives of Insiders and Outsiders », in *The Sociology of Science : Theoretical and Empirical Investigations*, éd. Norman W. Storer, Chicago, Univ. of Chicago Press, 1973, p. 99-136.

journaux imprimés en arabe (et sans aucun doute en japonais, dans différentes langues locales de l'Inde, et dans d'autres langues orientales) sont remplies d'analyses de deuxième ordre écrites par des Arabes sur « l'esprit arabe », « l'islam » et autres mythes. L'orientalisme a aussi pris de l'extension aux États-Unis, maintenant que l'argent des Arabes et leurs ressources ont ajouté un prestige considérable à l'« intérêt » traditionnel ressenti pour l'Orient qui a une importance stratégique. Le fait est que l'orientalisme a été adapté avec succès au nouvel impérialisme, où ses paradigmes directeurs ne contestent pas, mais bien confirment le dessein impérial ininterrompu de domination sur l'Asie.

Dans la partie de l'Orient dont je puis parler avec une certaine expérience directe, on peut très bien compter cette adaptation de la classe intellectuelle au nouvel impérialisme comme un triomphe de l'orientalisme. Le monde arabe est aujourd'hui un satellite des États-Unis du point de vue intellectuel, politique et culturel. Ce n'est pas quelque chose de regrettable en soi ; en revanche, la forme spécifique de la relation de satellite l'est. Il faut avant tout comprendre que les universités du monde arabe sont, en général, organisées selon un modèle hérité d'une ancienne puissance coloniale, ou imposé par celle-ci. Les conditions actuelles rendent presque grotesque la réalité des programmes : des classes de centaines d'étudiants, des enseignants mal formés, surmenés et sous-payés, nommés pour des raisons politiques, l'absence presque complète de recherche fondamentale et même de possibilités de recherche, et, plus grave, le fait qu'il n'existe pas une seule bibliothèque convenable dans toute la région. La Grande-Bretagne et la France dominaient autrefois l'horizon intellectuel de l'Orient par leur prépondérance et leur richesse ; maintenant, ce sont les États-Unis qui occupent cette place, avec pour résultat que les quelques étudiants bien doués qui font leur chemin dans ce système d'enseignement sont encouragés à poursuivre leurs études aux États-Unis. Il est vrai que certains étudiants du monde arabe continuent à se rendre en Europe pour y étudier, mais le plus grand nombre d'entre eux va aux États-Unis, aussi bien ceux qui viennent des États dits progressistes que ceux qui viennent d'États plus conservateurs, comme l'Arabie Saoudite et Koweït. D'ailleurs, le système de clientèle qui règne dans les études, les emplois et la recherche fait que les États-Unis ont pratiquement l'hégémonie sur les affaires ; on considère que la source, même si ce n'est pas tellement une vraie source, se trouve aux États-Unis.

Deux facteurs rendent le triomphe de l'orientalisme encore plus évident. Dans la mesure où l'on peut généraliser, les tendances de la culture contemporaine du Proche-Orient suivent des modèles européens et américains. Quand Taha Hussein disait, en 1936, de la culture arabe moderne qu'elle était européenne, et non pas orientale, il ne faisait qu'enregistrer l'identité de l'élite naturelle égyptienne, dont il était un membre distingué. Il en est de même de l'élite culturelle arabe d'aujourd'hui, bien que le puissant courant des idées anti-impérialistes du tiers monde qui ont saisi la région, depuis le début des années 1950, ait émoussé le tranchant occidental de la culture dominante. De surcroît, le monde arabe et islamique reste une puissance de deuxième ordre par sa production de culture, de savoir et d'érudition. Il faut être ici d'un réalisme total en utilisant la terminologie de la politique de puissance pour décrire la situation qu'elle crée. Aucun savant arabe ou islamique ne peut se permettre d'ignorer ce qui se fait dans les périodiques, les instituts et les universités des États-Unis et d'Europe ; l'inverse n'est pas vrai. Par exemple, aucun des grands périodiques consacrés aux études arabes n'est publié actuellement

dans le monde arabe, aucune des institutions d'enseignement arabe n'est capable de rivaliser avec des centres
comme Oxford, Harvard, UCLA dans l'étude du monde
arabe, moins encore dans n'importe quel domaine non
oriental. Résultat à prévoir : les étudiants orientaux (et les
professeurs orientaux) souhaitent toujours venir s'asseoir
aux pieds des orientalistes américains, avant de répéter
devant le public local les clichés que j'ai décrits comme
des dogmes de l'orientalisme. Avec un système de reproduction comme celui-ci, il est inévitable que le savant
oriental se serve de sa formation américaine pour se sentir
supérieur à ses compatriotes, du fait qu'il est capable de
maîtriser le système orientaliste ; dans ses relations avec
ses supérieurs, les orientalistes européens ou américains,
il ne sera qu'un « informateur indigène ». Et c'est bien en
cela que consiste son rôle en Occident, s'il a la chance d'y
rester une fois ses études supérieures terminées. La plupart des cours élémentaires de langues orientales sont faits
aujourd'hui, dans les universités américaines, par des
« informateurs indigènes » ; le pouvoir, dans le système
(les universités, les fondations, etc.), est presque exclusivement aux mains des non-Orientaux, bien que le rapport
du nombre du personnel oriental en poste au nombre des
non-Orientaux ne soit pas d'une manière si écrasante en
faveur de ces derniers.

Toutes sortes d'autres indications montrent comment
la domination culturelle se maintient, tout autant par le
consentement des Orientaux que par une pression économique directe et brutale des États-Unis. Par exemple,
voici qui peut nous faire réfléchir : alors qu'il existe des
douzaines d'organisations aux États-Unis qui étudient
l'Orient arabe et islamique, il n'y en a aucune en Orient
qui étudie les États-Unis ; ceux-ci représentent pourtant la
principale influence économique et politique dans la
région. Pire encore, il n'y a en Orient pour ainsi dire

aucun institut, même modeste, qui soit consacré à l'étude de l'Orient.

Mais tout cela n'est rien, à mon avis, comparé au second facteur qui contribue au triomphe de l'orientalisme : l'idéologie de la consommation en Orient. Le monde arabe et islamique dans son entier est accroché à l'économie de marché occidentale. Il n'est pas besoin de rappeler que le pétrole, principale ressource de la région, a été totalement absorbé dans l'économie des États-Unis. Je ne veux pas seulement dire que les grandes compagnies pétrolières sont sous le contrôle du système économique américain, mais encore que les revenus pétroliers des Arabes, sans parler du marketing, de la recherche et de l'organisation industrielle, ont leur siège aux États-Unis. Les Arabes enrichis par le pétrole sont ainsi devenus de très importants clients pour les exportations américaines : c'est vrai aussi bien des États du Golfe que de la Libye, de l'Iraq, de l'Algérie, États progressistes. Il s'agit d'une relation à sens unique, les États-Unis acheteurs d'un très petit nombre de produits choisis (pétrole et main-d'œuvre peu payée pour l'essentiel), les Arabes consommateurs d'une grande gamme de produits américains, matériels et idéologiques.

Cela a de nombreuses conséquences. Ainsi, dans la région, une grande uniformisation des goûts s'est produite, symbolisée non seulement par les transistors, les blue-jeans et le Coca-Cola, mais aussi par les images culturelles de l'Orient que donnent les mass média américains et que consomme sans réflexion la foule des spectateurs de la télévision. Première conséquence : le paradoxe de l'Arabe qui se voit comme un « Arabe » du type de ceux que montre Hollywood. Autre conséquence : l'économie de marché occidentale, tournée vers la consommation, a produit (et continue à produire à une vitesse accélérée) une classe instruite dont la formation intellectuelle est dirigée de façon à satisfaire les besoins du marché. L'accent est mis, très évidemment, sur les études d'ingénieur, de commerce et d'économie ; mais l'intelligentsia se fait elle-même l'auxiliaire de ce qu'elle considère comme les principales tendances qui ressortent en Occident. Le rôle qui lui a été prescrit est celui de « moderniser », ce qui veut dire qu'elle accorde légitimité et autorité à des idées concernant la modernisation, le progrès et la culture qu'elle reçoit en majeure partie des États-Unis. On en trouve un témoignage frappant dans les sciences sociales et, chose assez étonnante, chez des intellectuels progressistes dont le marxisme est pris en gros chez Marx, dans ses idées qui font du tiers monde un tout homogène (j'en ai parlé plus haut dans ce livre). Ainsi, après tout, s'il y a un acquiescement intellectuel aux images et aux doctrines de l'orientalisme, celui-ci est aussi puissamment renforcé par les échanges économiques, politiques et culturels ; bref, l'Orient moderne participe à sa propre orientalisation.

Mais, pour conclure, quelle est l'alternative ? Ce livre ne présente-t-il que des arguments *contre*, et non *pour* quelque chose de positif ? Il m'est arrivé de parler de nouveaux départs « décolonialisants » dans ce qu'on appelle les études d'aires culturelles *(area studies)* : le travail d'Anouar Abdel-Malek, les recherches publiées par des membres du groupe Hull qui étudie le Moyen-Orient, les analyses et les propositions très novatrices de différents savants en Europe, aux États-Unis et au Proche-Orient [1], mais je n'ai pas cherché à faire plus que de les

1. Voir, par exemple, les travaux récents d'Anouar Abdel-Malek, Yves Lacoste et des auteurs d'essais publiés dans *Review of Middle East Studies* 1 and 2 (Londres, Ithaca Press, 1975, 1976), différentes analyses de la politique au Moyen-Orient faites par Noam Chomsky, et le travail du *Middle East Research and Information Project*

citer au passage. Mon projet était de décrire un certain système d'idées, il n'était pas du tout de le remplacer par un autre. En outre, j'ai essayé de soulever tout un ensemble de questions qui se posent à bon droit quand on parle des problèmes de l'expérience humaine : comment représente-t-on d'autres cultures ? Qu'est-ce qu'une autre culture ? Le concept de culture (ou de race, de religion, de civilisation) distincte est-il utile, ou bien se trouve-t-il lié soit à de l'autosatisfaction (quand on parle de sa propre culture), soit à de l'hostilité et à de l'agressivité (quand on parle de l'« autre ») ? Les différences culturelles, religieuses et raciales comptent-elles plus que les catégories socio-économiques, ou politico-historiques ? Comment les idées acquièrent-elles de l'autorité, de la « normalité » et même le statut de vérité « naturelle » ? Quel est le rôle de l'intellectuel ? Est-ce de valider la culture et l'État auxquels il appartient ? Quelle importance doit-il donner à une prise de conscience critique et indépendante, une prise de conscience critique *d'opposition* ?

J'espère avoir déjà donné implicitement certaines réponses à ces questions dans ce qui précède, mais peut-être pourrais-je être plus explicite à propos de quelques-unes d'entre elles. L'orientalisme tel que je l'ai caractérisé dans cette étude met en cause, non seulement la possibilité d'une érudition qui ne soit pas politique, mais encore l'opportunité d'un lien trop étroit entre le savant et l'État. Il me semble tout aussi évident que les circonstances qui font de l'orientalisme un type de pensée continuellement destinée à persuader vont durer : c'est une image d'ensemble plutôt déprimante. Pour ma part, j'ai pourtant quelque espoir raisonnable : il n'est pas inévi-

---

(MERIP). Bonne perspective dans : Gabriel Ardant, Kostas Axelos, Jacques Berque *et al.*, *De l'impérialisme à la décolonisation*, Paris, Éd. de Minuit, 1965.

table que l'orientalisme soit toujours aussi peu remis en question que par le passé, sur le plan intellectuel, idéologique ou politique.

Si je n'avais pas cru en l'existence d'une science moins corrompue ou, du moins, moins aveugle à la réalité humaine que celle que j'ai dépeinte, je n'aurais pas entrepris d'écrire ce livre. Aujourd'hui, de nombreux savants font un travail personnel de grande valeur dans des domaines tels que l'histoire, la religion, la civilisation, la sociologie et l'ethnologie de l'islam. Les ennuis commencent quand la tradition corporatiste de l'orientalisme emporte le savant qui n'est pas vigilant, quand sa conscience professionnelle n'est pas sur ses gardes vis-à-vis d'« idées reçues » que lui transmet trop facilement sa profession. Il est ainsi plus vraisemblable que les travaux intéressants soient ceux d'érudits qui relèvent d'une discipline délimitée d'un point de vue intellectuel, et non d'un « domaine » tel que l'orientalisme défini de manière soit canonique, soit impériale, soit géographique. Un excellent exemple récent : l'anthropologie de Clifford Geertz s'intéresse assez discrètement et assez concrètement à l'islam pour que ce soient les sociétés et les problèmes spécifiques étudiés qui l'animent, et non les rituels, les idées préconçues et les doctrines de l'orientalisme.

D'ailleurs, des érudits et des critiques qui ont reçu une formation orientaliste traditionnelle sont parfaitement capables de se libérer de l'ancienne camisole de force idéologique. La formation de Jacques Berque, celle de Maxime Rodinson se classent parmi les plus rigoureuses, mais ce qui vivifie leurs recherches, même sur des problèmes traditionnels, est leur prise de conscience méthodologique. Car, si l'orientalisme a été, historiquement, trop satisfait de lui-même, trop isolé, plein d'une confiance positiviste en ses méthodes et en ses prémisses, l'ouverture à ce qu'il étudie en Orient ou à propos de lui peut être obtenue en soumettant sa propre méthode à la critique. C'est ce qui caractérise Berque et Rodinson, chacun à sa manière. Leurs œuvres font toujours preuve, d'abord d'une sensibilité directe à la matière qui s'offre à eux, puis d'un examen continuel de leur propre méthodologie et de leur propre pratique, d'une tentative constante pour que leur travail réponde à la matière et non à des doctrines préconçues. Berque et Rodinson, ainsi qu'Abdel-Malek et Roger Owen, se rendent certainement compte qu'il vaut mieux faire l'étude de l'homme et de la société – qu'ils soient orientaux ou non – dans tout le champ des sciences humaines ; ces savants lisent donc d'un œil critique et étudient ce qui se fait dans d'autres domaines que le leur. L'attention que porte Berque aux découvertes récentes de l'anthropologie structurale, celle de Rodinson pour la sociologie et la théorie politique, celle d'Owen pour l'histoire économique : voilà des correctifs instructifs que les sciences humaines actuelles apportent à l'étude des problèmes dits orientaux.

Mais on ne peut esquiver le fait que, même si nous ne tenons pas compte des distinctions orientalistes entre « eux » et « nous », une très puissante série de réalités politiques et, en fin de compte, idéologiques inspirent la science d'aujourd'hui. Nul ne peut échapper à la division Est/Ouest, ou alors à la division Nord/Sud, riches/pauvres, impérialistes/anti-impérialistes, Blancs/hommes de couleur. On ne peut les tourner toutes en prétendant qu'elles n'existent pas ; au contraire, l'orientalisme d'aujourd'hui nous apprend beaucoup sur la malhonnêteté intellectuelle qui consiste à les dissimuler, ce qui ne fait qu'accentuer ces divisions et les rendre à la fois haineuses et permanentes. Pourtant, une science ouvertement polémique et « progressiste » qui pense juste peut très facilement dégénérer et tomber dans un assoupissement scolastique, perspective qui n'est pas non plus réjouissante.

Les questions que j'ai formulées montrent assez bien quel est mon sentiment sur ce problème. La pensée, l'expérience actuelles nous ont sensibilisés à ce qu'impliquent la représentation, l'étude de l'Autre, la pensée raciste, l'acceptation sans réflexion ni critique de l'autorité et des idées qui font autorité, le rôle sociopolitique des intellectuels, la grande valeur d'une conscience critique et sceptique. Si nous nous rappelons qu'étudier l'expérience humaine a d'ordinaire des conséquences éthiques, pour ne pas dire politiques dans le meilleur ou le pire sens du terme, nous ne serons peut-être pas indifférents à ce que nous faisons en tant que savants. Et quelles meilleures normes pour le savant que la liberté et la connaissance humaines ? Peut-être devons-nous aussi nous rappeler que l'étude de l'homme en société est fondée sur l'histoire et l'expérience concrète des hommes, et non sur des abstractions pédantes ou sur des lois obscures ou des systèmes arbitraires. Le problème consiste alors à adapter l'étude à l'expérience (à lui donner forme, d'une certaine manière, d'après elle), expérience qui sera éclairée et peut-être modifiée par l'étude. Si l'on évite à tout prix d'avoir pour objectif d'orientaliser sans cesse l'Orient, cela aura pour conséquence d'approfondir la connaissance et de limiter la suffisance des savants. Sans l'« Orient », il y aurait des savants, des critiques, des intellectuels, des êtres humains pour lesquels les distinctions raciales, ethniques et nationales auraient moins d'importance que l'entreprise commune pour faire progresser la communauté des hommes.

Je crois absolument – et j'ai essayé de le montrer dans mes autres ouvrages – qu'assez de choses se font aujourd'hui dans les sciences humaines pour proposer aux savants des intuitions, des méthodes et des idées leur permettant de se passer des stéréotypes raciaux, idéologiques et impérialistes du genre de ceux que l'orientalisme a fournis pendant sa phase historique ascendante. Je considère que l'échec de l'orientalisme a été un échec humain tout autant qu'un échec intellectuel ; en effet, en ayant à s'opposer irréductiblement à une région du monde qu'il considérait comme « autre » que la sienne, l'orientalisme n'a pas été capable de s'identifier à l'expérience humaine, ni même de la considérer comme une expérience. Nous pouvons maintenant contester l'hégémonie mondiale de l'orientalisme et tout ce qu'elle représente, si nous parvenons à mettre convenablement à profit la prise de conscience politique et historique d'un grand nombre des peuples de la terre qui s'est produite de manière générale au vingtième siècle. Si ce livre doit avoir quelque utilité à l'avenir, ce sera comme modeste contribution à ce défi et comme un avertissement : il n'est que trop facile de fabriquer, d'appliquer, de conserver des systèmes de pensée tels que l'orientalisme, des discours de pouvoir, des fictions idéologiques – menottes forgées par l'esprit. J'espère par-dessus tout avoir montré à mes lecteurs que la réponse à l'orientalisme n'est pas l'occidentalisme. Aucun ancien « Oriental » ne trouvera de réconfort dans l'idée que, puisqu'il a lui-même été un Oriental, il est susceptible – il n'est que trop susceptible – d'étudier de nouveaux « Orientaux » – ou « Occidentaux » – de sa fabrication. La connaissance de l'orientalisme peut avoir un sens, qui est de rappeler comment, de quelle manière séduisante, peut se dégrader la connaissance, n'importe quelle connaissance, n'importe où, n'importe quand. Et peut-être plus aujourd'hui qu'hier.

Postface

I

J'ai terminé *L'Orientalisme* à la fin de 1977, et l'ouvrage a été publié un an plus tard. Ce fut (et reste) le seul livre que j'ai écrit pratiquement d'une traite, depuis mes recherches jusqu'à sa version finale en passant par plusieurs ébauches, toutes ces étapes se succédant sans interruptions ni distractions majeures. Sauf durant une année merveilleusement confortable et relativement sans soucis en tant que *fellow* au *Center for Advanced Study in the Behavioral Sciences** (1975-1976) de l'université de Stanford, je ne reçus que très peu de marques de soutien ou d'intérêt du monde extérieur. Je fus encouragé par un ou deux amis et par ma famille proche, mais sans avoir la moindre idée de l'intérêt que pourrait susciter une telle étude sur les voies et moyens qui avaient permis à l'Europe et l'Amérique, à grands renforts d'érudition et d'imagination, de forger et entretenir durant deux cents ans une image devenue traditionnelle du Moyen-Orient, des Arabes et de l'islam. Je me souviens par exemple qu'il fut très difficile au début d'intéresser une maison d'édition

---

* NdT : Centre d'études approfondies des sciences du comportement.

sérieuse à ce projet. Les perspectives paraissaient si minces et si peu prometteuses que seules les presses d'une université m'offrirent à tout hasard un modeste contrat pour une courte monographie. Mais heureusement, la chance m'a souri avec mon premier éditeur et les choses changèrent très rapidement dès que l'ouvrage fut terminé.

Tant en Amérique qu'en Angleterre (une édition anglaise a paru en 1979), le livre attira une attention considérable, rencontrant parfois une vive hostilité (comme on pouvait s'y attendre), parfois une totale incompréhension, mais la plupart du temps les réactions furent positives, voire enthousiastes. Après la première traduction en français en 1980, toute une série d'autres traductions commencèrent à paraître, dont le nombre va augmentant jusqu'à ce jour, et dont beaucoup ont provoqué des controverses et des discussions, dans des langues que je ne connais pas, et dont je ne puis juger la portée. Il y eut entre autres une traduction remarquable, mais toujours controversée, du talentueux poète et critique syrien Kamal Abu Deeb ; j'en dirai davantage un peu plus loin. Ensuite parurent des traductions en japonais, en allemand, en portugais, en italien, en polonais, en espagnol, en catalan, en turc, en serbo-croate, et en suédois (cette dernière s'avéra un succès de librairie en Suède, ce qui mystifia l'éditeur autant que moi-même). Plusieurs traductions (grecque, russe, norvégienne et chinoise) sont en cours ou sur le point d'être publiées. On parle de traductions dans d'autres langues européennes, ainsi que d'une traduction en Israël, selon différentes sources. Des versions partielles et piratées ont été éditées en Iran et au Pakistan. De nombreuses traductions dont j'ai eu directement connaissance (en particulier au Japon) ont fait l'objet de plusieurs éditions ; elles sont toujours disponibles et suscitent à l'occasion des discussions qui vont beaucoup plus loin que tout ce que je pouvais supposer quand j'écrivais ce livre.

Le résultat de tout ceci est que *L'Orientalisme* est devenu, presque à la manière d'un conte de Borges, toute une série de livres différents. Et, dans la mesure où j'ai pu suivre et comprendre ces versions successives, c'est de cette étrange et souvent inquiétante prolifération polymorphe – à laquelle je ne m'attendais pas – que je voudrais discuter ici, en relisant ce livre, qui est bien mon œuvre, à la lumière de ce que d'autres ont dit à son sujet, et de ce que j'ai moi-même publié après *L'Orientalisme* (huit ou neuf livres et de nombreux articles). Bien entendu, j'essaierai de rectifier des interprétations erronées, et dans certains cas, malintentionnées.

Mais je voudrais aussi passer en revue l'argumentation et les exégèses qui reconnaissent que *L'Orientalisme* est un livre utile à des points de vue dont je n'avais eu que très partiellement conscience à l'époque. Il ne s'agit ici ni de régler des comptes ni de recenser des éloges, mais de cerner et fixer le sentiment diffus que j'éprouve en tant qu'auteur, bien au-delà de l'égocentrisme des êtres solitaires que nous sommes quand nous entreprenons un travail. Car, à bien des égards, *L'Orientalisme* me semble être devenu un ouvrage collectif qui me dépasse en tant qu'auteur, bien plus que je ne pouvais le pressentir quand je l'écrivais.

Permettez-moi de commencer par un des aspects de la réception accordée à ce livre que je regrette le plus et dont je m'efforce le plus ardemment aujourd'hui (en 1994) de surmonter l'impact sur moi-même. C'est l'anti-occidentalisme dont je suis taxé abusivement, par des commentateurs plutôt exubérants, qu'ils soient hostiles ou sympathiques à mon endroit. Cette notion comporte deux facettes, parfois combinées, parfois distinctes. La première est la thèse qu'on m'impute selon laquelle le phénomène de l'orientalisme est une synecdoque, ou un symbole miniaturisé de l'Occident tout entier, et qui serait censé représenter l'Occident en tant qu'entité. Ceci étant avéré, selon ces commentateurs, l'Occident dans son ensemble doit être considéré comme l'ennemi des Arabes et des musulmans, et partant, des Iraniens, des Chinois, et de beaucoup d'autres peuples non européens qui ont souffert du colonialisme et des préjugés occidentaux.

La seconde facette de l'argumentation qu'on m'attribue n'est pas moins lourde de conséquences. Elle consiste à dire que l'Occident et l'orientalisme ont violé l'islam et les Arabes (notons l'amalgame entre les termes « Occident » et « orientalisme »). Ceci étant avéré, l'existence même de l'orientalisme et des orientalistes est utilisée comme prétexte pour soutenir précisément l'inverse, à savoir que l'islam est parfait, qu'il est la seule voie (*al-hal al-wahid*), et ainsi de suite. En bref, critiquer l'orientalisme, comme je l'ai fait dans mon livre, revient à soutenir l'islamisme et le fondamentalisme musulman.

On ne sait que faire de ces extrapolations caricaturales d'un livre qui, pour son auteur et dans son argumentation, est explicitement opposé à toute catégorisation, radicalement sceptique à l'égard de notions figées telles qu'Orient et Occident, et qui s'efforce avec soin de ne pas « défendre », ni même de discuter de l'Orient et de l'islam. Et pourtant, *L'Orientalisme* a été perçu et commenté dans le monde arabe comme une défense et une illustration systématique de l'islam et des Arabes, bien que j'y aie dit sans ambiguïté que je n'avais ni l'intention, et encore moins la capacité, de montrer ce qu'étaient le véritable Orient et le véritable islam. En fait, je vais bien plus loin quand tout au début du livre je dis que des mots comme « Orient » et « Occident » ne correspondent à aucune réalité stable découlant d'un fait naturel. De plus, toutes les appellations géographiques de cette sorte ne sont que de bizarres combinaisons d'empirisme et d'imagination. L'idée qu'on se fait habituellement de l'Orient, en Grande-Bretagne, en France, et en

Amérique, procède dans une large mesure non pas tellement d'un simple besoin de décrire, mais plutôt aussi
d'une volonté de le dominer et de s'en protéger. Comme
j'ai essayé de le démontrer, ceci est particulièrement vrai
en ce qui concerne l'islam perçu comme une incarnation
singulièrement dangereuse de l'Orient.

La leçon à tirer est celle que Vico nous a enseignée, à
savoir que l'histoire de l'humanité est faite par des
hommes. Font partie de cette histoire aussi bien les luttes
pour le contrôle d'un territoire que celles qui ont pour
enjeu d'établir leur signification historique et sociale.
La tâche qui incombe au chercheur doué de sens critique
est non pas d'envisager séparément ces luttes, mais de les
relier entre elles, en dépit du contraste entre la réalité
impressionnante des premières et l'apparence purement
intellectuelle des secondes. Ma manière de procéder a été
de démontrer que le développement et le maintien de toute
culture requièrent l'existence d'une autre culture, différente, en compétition avec un *alter ego*. La construction
d'une identité, qu'il s'agisse de l'Orient ou de l'Occident,
de la France ou de la Grande-Bretagne, tout en étant le
résultat d'expériences collectives distinctes, se réduit finalement à mon avis à l'élaboration d'oppositions et de différences avec « nous » qui restent sujettes à une continuelle
interprétation et réinterprétation. Chaque époque et chaque
société recréent ses propres « autres ». Loin d'être un
concept statique, notre identité ou celle de « l'autre »
résultent d'un processus historique, social, intellectuel et
politique très élaboré qui se présente comme un conflit
impliquant les individus et les institutions dans toutes les
sociétés. Les débats contemporains en France et en Angleterre au sujet des Anglais et des Français, ou à propos de
l'islam dans des pays comme l'Égypte ou le Pakistan, font
partie de ce même processus interprétatif, qui implique les
identités de plusieurs « autres », qu'il s'agisse d'étrangers

ou de réfugiés, d'apostats ou d'infidèles. Il paraît évident dans tous ces cas que les processus en question ne sont pas de simples exercices mentaux, mais des conflits sociaux à résoudre d'urgence qui recouvrent des problèmes politiques concrets tels que les lois sur l'immigration, la législation sur le comportement des individus, l'élaboration d'une orthodoxie, la légitimation de la violence et de l'insurrection, le caractère et le contenu de l'enseignement, et la conduite de la politique étrangère, tous sujets qui ont très souvent un rapport direct avec la désignation d'ennemis officiels. En bref, la construction d'une identité est liée à l'exercice du pouvoir dans chaque société, et n'a rien d'un débat purement académique.

Ce qui rend difficile à accepter toutes ces réalités aussi fluides qu'extraordinairement riches, c'est que la plupart des gens répugnent à admettre la notion qui les soustend : c'est-à-dire que l'identité humaine est non seulement ni naturelle ni stable, mais résulte d'une construction intellectuelle, quand elle n'est pas inventée de toutes pièces. Pour une part, la répugnance et l'hostilité provoquées par des livres comme *L'Orientalisme*, et par la suite *The Invention of Tradition* (l'Invention de la tradition) et *Black Athena* (Athènes noire) [1], proviennent du fait qu'ils semblent saper la croyance naïve dans l'historicité positive et immuable d'une culture, d'un moi, d'une identité nationale*. *L'Orientalisme* ne peut être compris comme une défense de l'islam qu'en supprimant la moitié de mon argumentation, dans laquelle je dis – comme je le fais

---

1. Martin Bernal, *Black Athena* (New Brunswick, NJ : Rutgers University Press, Volume I, 1987 ; Volume II, 1991) ; sous la direction d'Eric L. Hobsbawm et Terence Rangers, *The Invention of Tradition* (Cambridge, Cambridge University Press, 1984).

* Ce dernier ouvrage, dont l'auteur est Martin Bernal, vient d'être traduit en français sous le titre *Black Athena : les racines afro-asiatiques de la civilisation classique* (PUF, 1996). [*NdT*]

aussi dans un livre postérieur, *Covering Islam*, (Comprendre l'islam) –, que même la communauté originelle à laquelle nous appartenons de naissance n'est pas à l'abri de conflits d'interprétation, et que ce qui semble pour l'Occident être l'émergence, le retour ou la résurgence de l'islam est en fait la lutte en cours dans les sociétés musulmanes pour définir l'islam. Aucune personnalité, aucune autorité, aucune institution n'exerce un contrôle total sur cette définition ; d'où, bien sûr, les conflits à ce sujet. L'erreur épistémologique du fondamentalisme est de croire que les « fondements » sont des catégories a-historiques, échappant de ce fait à l'examen critique des vrais croyants, qui doivent les accepter dans un acte de foi. Pour les adeptes d'une version restaurée ou revivifiée de l'islam primitif, les orientalistes sont considérés (par exemple Salman Rushdie) comme dangereux parce qu'ils altèrent cette version primitive, jettent le doute sur sa validité, la présentent comme étant frauduleuse et d'essence non divine. Pour eux, en conséquence, les vertus de mon livre étaient qu'il désignait la dangereuse malfaisance des orientalistes et en quelque sorte arrachait l'islam de leurs griffes.

Or, je n'ai guère eu l'impression de poursuivre pareil but en écrivant mon livre, mais cette opinion persiste. Il y a deux raisons à cela. La première est qu'il n'est facile pour personne de vivre sans se plaindre et sans crainte avec l'idée que la réalité humaine est constamment modifiable et modifiée, et que tout ce qui paraît de nature stable est constamment menacé. Le patriotisme, l'ultra-nationalisme xénophobe et un chauvinisme absolument déplaisant sont les réponses habituelles à cette menace. Nous avons tous besoin de fondations sur lesquelles nous appuyer ; la question est de savoir jusqu'à quel point notre conception de la nature de ces fondations est définitive et inchangeable. Mon opinion, pour le cas d'un

Orient ou d'un islam considérés dans leur essence, est que ces images ne sont rien de plus que des images, et sont considérées comme telles, à la fois par la communauté des croyants musulmans et (la corrélation est significative) par la communauté des orientalistes. Ma critique de ce que j'ai appelé l'orientalisme ne porte pas sur sa réduction à l'étude érudite des langues, des sociétés et des peuples de l'Orient, mais qu'en tant que système de pensée l'orientalisme aborde une réalité humaine hétérogène, dynamique et complexe à partir d'un point de vue essentialiste dépourvu de sens critique ; ceci présuppose une réalité orientale permanente et une essence occidentale non moins permanente, qui contemple l'Orient de loin, et pour ainsi dire de haut. Cette attitude erronée cache le changement historique. Ce qui est encore plus important, à mon avis, c'est qu'elle cache les *intérêts* des orientalistes. Ces intérêts, en dépit de tentatives pour établir de subtiles distinctions entre un orientalisme qui ne serait qu'un exercice innocent d'érudition et un orientalisme complice d'un impérialisme, ne peuvent en aucun cas être détachés unilatéralement du contexte impérialiste plus général qui a débuté dans sa phase moderne avec l'invasion de l'Égypte par Napoléon en 1798.

J'ai présent à l'esprit le contraste frappant entre le faible et le fort qui est évident depuis le début de la rencontre entre l'Europe moderne et ce qui est désigné sous le nom d'Orient. La solennité studieuse et les accents grandioses de la *Description de l'Égypte* de Napoléon – ses épais volumes témoignant des travaux systématiques de tout un corps de savants épaulés par une armée moderne de conquête coloniale – écrase le témoignage individuel de gens comme Abdal-Rahman al-Jabarti, qui décrit l'invasion française en trois volumes du point de vue de ceux qui furent envahis. On peut prétendre que la *Description* n'est qu'une relation scientifique, et donc objective, de l'Égypte au début du XIXe siècle, mais le témoignage de Jabarti suggère autre chose. La relation napoléonienne est « objective » du point de vue d'un homme puissant qui tente de placer l'Égypte dans l'orbite impérial de la France ; la relation de Jabarti est celle d'un homme qui a payé le tribut imposé aux captifs et aux vaincus.

En d'autres termes, au lieu de rester des documents inertes qui témoignent d'une opposition éternelle entre l'Occident et l'Orient, la *Description* et les chroniques de Jabarti constituent ensemble une expérience historique, qu'ont précédée ou suivie d'autres expériences. Étudier la dynamique historique de cet ensemble d'expériences exige plus d'efforts que d'en revenir à des stéréotypes tels que « le conflit entre l'Est et l'Ouest ». Ceci est une des raisons pour lesquelles *L'Orientalisme* est perçu comme un ouvrage subrepticement anti-occidental, et que, rétrospectivement, par une interprétation délibérément irresponsable, sa lecture (comme celle de tout ouvrage fondé sur une opposition binaire stable) offre l'image d'un islam innocent et agressé.

La seconde raison, pour laquelle l'anti-essentialisme de mon argumentation s'est révélé difficile à accepter, est politiquement et fortement idéologique. Je n'avais aucun moyen de savoir qu'un an après la parution du livre l'Iran serait le théâtre d'une révolution islamique extraordinairement lourde de conséquences et que la lutte entre Israël et les Palestiniens révêtirait durablement un aspect aussi sauvage, depuis l'invasion du Liban en 1982 jusqu'à l'explosion de l'*intifada* à la fin de 1987. La fin de la guerre froide n'apaisa pas le conflit apparemment interminable entre l'Est et l'Ouest représentés d'un côté par les Arabes et l'islam et de l'autre par l'Occident chrétien, et fut loin d'y mettre fin. Plus récents, mais non moins aigus, d'autres conflits naquirent à la suite de l'invasion de l'Afghanistan par l'Union soviétique ; le défi au *statu quo* lancé durant les années 80 et 90 par des groupes islamiques dans des pays aussi divers que l'Algérie, la Jordanie, le Liban, l'Égypte et les territoires occupés, et les diverses réactions américaines et européennes ; la création de brigades islamiques pour combattre les Russes à partir de bases situées au Pakistan ; la guerre du Golfe ; la poursuite de l'aide américaine à Israël ; et l'émergence de « l'islam » comme un sujet de prédilection inquiète, mais pas toujours précise et bien informée, pour les chercheurs et les journalistes. Tout ceci aviva le sentiment d'être persécutés chez des gens forcés, presque quotidiennement, de se déclarer soit occidentaux, soit orientaux. Personne ne semblait pouvoir se dégager de cette opposition entre « nous » et « eux », ce qui eut pour résultat de renforcer et de durcir un sentiment identitaire qui n'a pas toujours été très édifiant.

Dans un tel contexte de turbulence, *L'Orientalisme* connut un sort à la fois fortuné et infortuné. Pour ceux, dans le monde arabe et islamique, qui ressentaient avec anxiété et angoisse l'irruption occidentale, il apparut comme le premier livre à donner une réponse sérieuse à un Occident qui n'avait jamais écouté l'Oriental, et lui avait encore moins pardonné d'être un Oriental. Je me souviens d'un des premiers comptes rendus arabes du livre qui me décrivait, moi son auteur, comme un champion de l'arabisme, un défenseur des faibles et des opprimés, dont la mission était d'engager avec les autorités occidentales une sorte de corps à corps aussi épique que romantique. Malgré son exagération, ce compte rendu reflétait en partie le sentiment réel des Arabes que l'Occident nourrissait à leur égard une hostilité tenace, et il exprimait aussi la réponse qu'une bonne partie de l'élite arabe estimait appropriée.

Je ne nierai pas que j'avais présente à l'esprit, lorsque j'écrivais le livre, la vérité subjective insinuée par Marx dans la petite phrase que je cite en exergue (« Ils ne peuvent se représenter eux-mêmes ; ils doivent être représentés »), ce qui signifie que si vous avez le sentiment de ne pas avoir pu défendre votre cas, vous essaierez à tout prix de saisir toute chance de le faire. Car, en vérité, le subalterne *peut* parler, comme en atteste éloquemment l'histoire des mouvements de libération au vingtième siècle. Mais je n'ai jamais eu l'impression que je perpétuais l'hostilité entre deux groupes monolithiques politiques et culturels rivaux, dont je décrivais l'élaboration et dont je m'efforçais de réduire les terribles conséquences. Au contraire, comme je l'ai dit plus haut, l'opposition entre l'Orient et l'Occident était à la fois erronée et hautement indésirable ; moins on lui ferait confiance pour mieux décrire une histoire fascinante d'interprétations et d'intérêts contradictoires, mieux ce serait. Je suis heureux de dire que de nombreux lecteurs en Angleterre et en Amérique, ainsi qu'en Afrique anglophone, en Asie, en Australie, et dans les Caraïbes, ont considéré que, bien plus qu'un nationalisme raciste, agressif et xénophobe, l'ouvrage soulignait les réalités de ce qui sera appelé plus tard le multiculturalisme.

Néanmoins, *L'Orientalisme* a été reçu plutôt comme une sorte de témoignage sur le statut des opprimés – les damnés de la terre répliquent à leurs oppresseurs – que comme une critique multiculturelle d'un pouvoir utilisant le savoir pour promouvoir ses propres intérêts. Et, de la sorte, en tant que son auteur, j'ai été perçu comme jouant un rôle prédéterminé : celui d'une conscience autoproclamée de ce qui avait été précédemment supprimé et déformé dans les textes érudits d'un discours spécifiquement conçu pour être lu non pas par les Orientaux, mais par les Occidentaux. Ceci est un point important, et donne du poids à l'idée d'identités figées, engagées dans un combat sur une ligne de partage permanente, une idée que mon livre rejette, mais que paradoxalement il présuppose et sur laquelle il s'appuie. Aucun des orientalistes sur lesquels j'écris ne semble avoir songé à rechercher un public de lecteurs orientaux. Le discours de l'orientalisme, sa consistance interne, et sa procédure rigoureuse étaient tous destinés à des lecteurs et des consommateurs de la métropole occidentale. Ceci vaut aussi bien pour des gens que j'admire sincèrement, comme Edward Lane et Gustave Flaubert, que l'Égypte fascina, que pour des administrateurs coloniaux hautains comme lord Cromer, des érudits brillants comme Ernest Renan, et des barons de l'aristocratie comme Arthur Balfour, lesquels affichaient leur animosité et leur condescendance envers les Orientaux qu'ils gouvernaient ou étudiaient. Je dois avouer que j'ai pris un certain plaisir à écouter, sans y être invité, leurs divers jugements et leurs discussions d'orientalistes patentés, et que j'ai pris un égal plaisir en faisant connaître mes découvertes à la fois aux Européens et aux non-Européens. Je ne doute pas que cela soit dû au fait que j'ai franchi la ligne impériale de partage entre l'Est et l'Ouest, que je suis entré dans la vie de l'Occident, et que j'ai malgré tout conservé une sorte de lien organique avec le lieu dont je suis originaire. Je tiens à répéter que ceci est bien plus une manière de traverser les frontières que de les maintenir ; je crois que *L'Orientalisme* en tant que livre le démontre amplement, en particulier quand je parle de la recherche humaniste comme d'une recherche qui tend idéalement à dépasser les limites coercitives imposées à la pensée, pour atteindre une connaissance exempte d'esprit dominateur et d'essentialisme.

Ces réflexions ont en fait ajouté aux pressions et fait que mon livre a été présenté comme une sorte de testament de mes blessures et de mémoire de mes souffrances, dont la récitation était ressentie comme une riposte à l'Ouest trop longtemps attendue. Je déplore une interprétation aussi simple d'un livre – et là je ne vais pas jouer les faussement modestes – qui s'efforce au discernement et à la nuance dans ce qu'il dit sur les différentes populations, les différentes époques et les différents styles d'orientalisme. Je fais varier les points de vue pour chaque analyse, je distingue et souligne les différences, je sépare auteurs et époques, bien que les uns et les autres appartiennent tous à l'orientalisme. Lire mes études sur Chateaubriand et Flaubert, ou sur Burton et Lane, sans changer de perspective, en tirer un message identique se réduisant à la formule banale « une attaque contre la civilisation occidentale », est, je crois, aussi simpliste que faux. Mais je crois aussi qu'il est parfaitement légitime de lire les ouvrages récents d'orientalistes faisant autorité, tel Bernard Lewis, dont l'obstination est quasiment comique, comme ceux de témoins qui cherchent à cacher leurs motivations politiques et leur hostilité par leurs manières doucereuses et leur vain étalage d'érudition.

Une fois de plus, nous voilà revenus au contexte politique et historique du livre, dont je ne prétends pas qu'il soit hors de propos. L'un des jugements les plus généreusement perspicaces et les plus intelligemment nuancés est celui qui a été formulé par Basim Musallam (MERIP, 1979). Il commence par comparer mon livre avec un ouvrage qui démystifiait l'orientalisme, dû au chercheur libanais Michael Rustum et datant de 1895 (*Kitab al-Gharib fi al-Gharb*), pour dire ensuite que la plus grande différence entre nous est que mon livre traite d'une déprivation, à l'inverse de Rustum :

> Rustum écrit en homme libre et membre d'une société libre : un Syrien, de langue arabe, citoyen d'un État ottoman encore indépendant… contrairement à Michael Rustum, Edward Said n'a pas d'identité généralement acceptée, on ne sait à quel peuple il appartient. Il est possible qu'Edward Said

et sa génération éprouvent le sentiment qu'ils s'appuient sur quelque chose d'aussi peu solide que les restes et la mémoire de la société détruite de la Syrie de Michael Rustum. D'autres en Asie et en Afrique ont connu la réussite en cette époque de libération nationale ; ici, à l'inverse, il n'y a eu qu'une résistance désespérée contre des forces écrasantes, et jusqu'à ce jour, que la défaite. Ce n'est pas un quelconque Arabe qui a écrit ce livre, mais un Arabe avec une origine et une expérience particulières.

Musallam note avec justesse qu'un Algérien n'aurait pas écrit le même genre de livre généralement pessimiste, comme le mien en particulier, qui n'aborde guère l'histoire des relations de la France avec l'Afrique du Nord, et notamment l'Algérie. Aussi bien, j'accepte que *L'Orientalisme* donne l'impression d'avoir été écrit à partir d'une très concrète expérience de déprivation personnelle et de désintégration nationale – quelques années seulement avant que je n'écrive *L'Orientalisme*, Golda Meir avait fait ce commentaire fameux et profondément orientaliste selon lequel il n'y avait pas de peuple palestinien. Mais je voudrais ajouter que ni dans ce livre, ni dans les deux qui suivirent, *The Question of Palestine* (1980 – la Question palestinienne) et *Covering Islam* (1981 – Comprendre l'islam), je n'ai voulu suggérer un programme politique de restauration identitaire et de renaissance nationaliste. Bien entendu, dans ces deux derniers livres, j'essayais d'apporter ce qui manquait dans *L'Orientalisme*, à savoir une idée de ce que pourrait être une image différente de l'Orient – particulièrement de la Palestine et de l'islam – à partir d'un point de vue personnel.

Mais dans tous mes ouvrages je suis resté fondamentalement critique envers le nationalisme exultant et sans nuances. L'image de l'islam que je présentais n'était pas celle d'un discours péremptoire et dogmatiquement orthodoxe, mais était basée à l'inverse sur l'idée que des communautés l'interprétaient chacune à leur manière – à l'intérieur comme à l'extérieur du monde islamique –, communiquant entre elles sur un pied d'égalité. Mon opinion sur la Palestine, formulée au départ dans *The Question of Palestine*, est demeurée la même jusqu'à aujourd'hui : je faisais toutes sortes de réserves sur l'indigénisme insouciant et le militarisme militant du consensus national ; je suggérais au contraire de jeter un regard critique sur l'environnement arabe, l'histoire palestinienne, et les réalités israéliennes, en concluant de manière explicite que seul un règlement négocié entre les deux communautés souffrantes, les Arabes et les juifs, pourrait leur offrir un répit dans leur guerre interminable. (Je dois mentionner en passant que mon livre sur la Palestine a bénéficié d'une remarquable traduction en hébreu au début des années 80 par une petite maison d'édition israélienne, Mifras, mais qu'il n'a pas été traduit en arabe jusqu'à ce jour. Tous les éditeurs arabes qui s'y étaient intéressés voulaient que je modifie ou que je supprime les passages qui critiquaient l'un ou l'autre des régimes arabes – y compris l'Organisation de Libération de la Palestine –, une requête que j'ai constamment rejetée.)

Je regrette de dire que l'accueil fait à *L'Orientalisme* dans les milieux arabes, en dépit de la remarquable traduction de Kamal Abu Deeb, parvenait à ignorer cet aspect de mon livre qui minimisait la ferveur nationaliste (découlant pour certains de ma critique de l'orientalisme), que j'associais à ces pulsions de domination et de contrôle que l'on décèle aussi dans l'impérialisme. La traduction pointilleuse d'Abu Deeb évitait presque totalement toutes les expressions occidentales arabisées : des mots techniques comme *discours*, *simulacre*, *paradigme* ou *code* étaient rendus par des expressions tirées de la rhétorique classique de la tradition arabe. Son idée était de replacer mon ouvrage dans une tradition pleinement formée, dans une perspective d'égalitarisme culturel approprié. De cette manière, pensait-il, on était en mesure de montrer que, tout comme il était possible de proposer une critique épistémologique à partir de la tradition occidentale, il était tout aussi possible de le faire à partir de la tradition arabe.

Pourtant, le sentiment d'une pesante confrontation entre un monde arabe souvent défini émotionnellement et un monde occidental ressenti encore plus émotionnelle-ment obscurcissait le fait que *L'Orientalisme* était conçu comme une étude critique, et non pas comme l'affirma-tion d'identités antithétiques et désespérément antago-nistes. De plus, l'actualité que j'évoquais dans les dernières pages du livre, celle d'un puissant système dis-cursif maintenant son hégémonie sur un autre, visait dans mon esprit à déclencher un débat qui pousserait les lec-teurs et critiques arabes à s'en prendre avec détermination au système orientaliste. Je fus soit attaqué pour n'avoir pas prêté assez d'attention à Marx – les passages de mon livre sur l'orientalisme de Marx furent les plus fustigés par des critiques dogmatiques dans le monde arabe et en Inde, par exemple – dont on affirmait que le système de pensée s'était élevé au-dessus de ses préjugés évidents, soit critiqué pour n'avoir pas apprécié les grands mérites de l'orientalisme, de l'Occident, etc. Comme pour la défense de l'islam, le recours au marxisme ou à l'Occident perçus comme des systèmes cohérents me semble illustrer un cas d'utilisation d'une orthodoxie pour en démolir une autre.

La différence entre les réactions arabes et les autres à *L'Orientalisme* révèle clairement la mesure dans laquelle des décennies de défaites, de frustrations et d'absence de démocratie ont affecté la vie intellectuelle et culturelle dans les pays arabes. J'avais conçu ce livre comme faisant partie d'un courant de pensée préexistant dont l'intention était de libérer les intellectuels des entraves de systèmes tels que l'orientalisme. Je voulais que mes lecteurs utilisent mon livre pour produire de nouvelles études qui éclaireraient de manière généreuse et bénéfique l'expérience historique des Arabes et des autres. C'est à coup sûr ce qui est arrivé en Europe, aux États-Unis, en Australie, dans le sous-continent indien, aux Caraïbes, en Amérique latine et dans une partie de l'Afrique. Je suis heureux et flatté à l'idée que *L'Orientalisme* ait souvent contribué au renouvellement des études des africanistes et des spécialistes de l'Inde, des analyses de l'histoire des masses opprimées, à la reconfiguration de l'anthropologie post-coloniale, des sciences politiques, de l'histoire de l'art, de la critique littéraire, de la musicologie, et aussi à l'ample développement de nouveaux discours sur les minorités et le féminisme. Ce qui ne semble pas avoir été le cas (autant que je puisse en juger) dans le monde arabe, où, en partie parce que mon œuvre est correctement perçue comme eurocentrique dans sa texture, et en partie parce que, comme le dit Musallam, la lutte pour survivre culturellement est trop absorbante, des ouvrages comme le mien sont interprétés de manière moins constructive, moins utile, et sont compris comme des actes de défense contre ou pour l'Occident.

Mais *L'Orientalisme* (et en fait tous mes autres livres) a été attaqué et désapprouvé par ce type d'universitaires américains et britanniques farouchement rigoristes et intransigeants à cause de son humanisme « résiduel », ses inconsistances théoriques, et son traitement insuffisant, voire sentimental, du sujet. J'en suis heureux ! *L'Orientalisme* est un livre partisan et non une machine théorique. Un effort individuel est toujours, à un niveau qui échappe à tout enseignement, à la fois excentrique et *original* (dans le sens, emprunté à Duns Scot, où l'entend Gerard Manley Hopkins), et personne n'a jamais démontré le contraire de manière convaincante; et ceci en dépit de l'existence de systèmes de pensée et de dissertations hégémoniques (bien qu'aucun ne soit en fait sans failles, parfait ou inévitable). L'intérêt que j'ai éprouvé pour l'orientalisme en tant que phénomène culturel (comme la culture de l'impérialisme dont je parle dans *Culture and Imperialism*, un livre qui lui fait suite, datant de 1993) provient de son instabilité et de son imprédictabilité, deux aspects qui donnent leur surprenante force, voire leur attrait, à des auteurs comme Massignon et Burton. Ce que j'ai tenté de préserver dans mon analyse de l'orientalisme, c'est ce mélange de cohérence *et* d'incohérence, ce jeu, si je puis dire, qui ne peut être rendu qu'en se réservant le droit, en tant qu'écrivain et critique, de s'ouvrir à l'émotion, le droit d'être touché, irrité, surpris, et parfois ravi. C'est pourquoi je crois que dans le débat entre Gayan Prakash d'une part, et Rosalind O'Hanlon et David Washbrook de l'autre, il convient de rendre son dû au post-structuralisme plus mobile de Prakash[1]. Selon le même critère, le travail de Homi Bhabha, Gayatri Spivak et Ashis Nandy, basé sur les relations subjectives et parfois floues provoquées par le colonialisme, ne peut être rejeté en raison de la contribution qu'il apporte à notre compréhension des pièges humanistes tendus par des systèmes tels que l'orientalisme.

1. O'Hanlon et Washbrook, « After Orientalism, Culture, Criticism, and Politics in the Third World » (Après l'orientalisme, culture, critique et politique dans le Tiers Monde); Prakash, « Can the Subaltern Ride ? A Reply to O'Hanlon and Washbrook » (Le subalterne peut-il monter à cheval ? Une réponse à O'Hanlon et Washbrook), tous deux dans *Comparative Studies in Society and History*, IV, 9 (Janvier 1992), 141-184.

Permettez-moi de conclure ce survol des transmutations critiques de *L'Orientalisme* en mentionnant le
groupe de gens qui a été, comme on pouvait s'y attendre,
le plus irrité et le plus braillard dans ses réactions à mon
livre, les orientalistes eux-mêmes. Ils ne constituaient
pas le public que je cherchais principalement à atteindre ;
j'avais pour but de jeter quelque lumière sur leurs pratiques pour informer les autres chercheurs en sciences
humaines de la genèse et des procédés de ce groupe
particulier. Le mot « orientalisme » lui-même a trop longtemps été confiné à une profession spécialisée ; je cherchais à montrer l'impact de son existence dans la culture
générale, en littérature, en matière d'idéologie, et dans
les attitudes politiques et sociales. Parler d'un Oriental,
comme le faisaient les orientalistes, n'était pas seulement
désigner cette personne comme quelqu'un dont la
langue, la géographie et l'histoire fournissaient la matière
de savants traités : c'était souvent aussi une expression
péjorative désignant une espèce inférieure d'êtres
humains. Ceci ne veut pas dire que pour des artistes
comme Nerval et Segalen, le mot « Orient » n'était pas
merveilleusement et ingénieusement connecté à l'exotisme, à la splendeur, au mystère prometteur. Mais c'était
aussi une généralisation historique abusive. En plus de
cet usage des mots *Orient*, *Oriental* et *orientalisme*, le
terme *orientaliste* en vint à désigner le spécialiste érudit,
le plus souvent un universitaire, des langues et de l'histoire de l'Orient. Pourtant, comme me l'écrivait quelques
mois avant son décès le très regretté Albert Hourani,
mon livre, en raison de la force de son argumentation
(qu'il estimait ne pouvoir me reprocher), eut pour mal-
heureuse conséquence de rendre quasi impossible d'utiliser le terme « orientalisme » dans un sens neutre, tant il
était devenu insultant. Il concluait en disant qu'il aurait

aimé préserver l'usage du mot pour décrire « une discipline limitée et plutôt ennuyeuse, mais valable ».

En 1979, dans son compte rendu généralement équilibré de *L'Orientalisme*, Hourani formulait une de ses objections qui suggérait qu'à force d'épingler les exagérations, le racisme et l'hostilité d'une grande partie des études islamiques, je négligeais de mentionner ses nombreuses réussites au point de vue de l'humanisme et de la science. Parmi les noms qu'il avançait figuraient Marshall Hodgson, Claude Cohen, et André Raymond, dont les travaux (avec ceux des auteurs allemands qui sont à inclure *de rigueur** dans cette liste) doivent être reconnus comme des contributions importantes à notre connaissance. Ceci n'est pas contradictoire cependant avec ce que je dis dans *L'Orientalisme*, à la différence que j'insiste sur la prévalence dans ce même discours d'attitudes qui ne peuvent pas simplement être passées sous silence ou ne pas être prises en compte. Nulle part je ne prétends que l'orientalisme est malfaisant, ou superficiel, et identique dans le travail de chaque orientaliste. Mais je dis bien que la *guilde*** des orientalistes a été historiquement la complice du pouvoir impérial, et ce serait faire preuve d'une bienveillance béate que de soutenir que cette complicité est sans incidence.

Ainsi, tout en sympathisant avec le plaidoyer d'Hourani, j'ai néanmoins de sérieux doutes sur le point de savoir si la notion d'orientalisme correctement comprise pourra jamais être en fait complètement détachée de ce contexte compliqué et pas toujours flatteur. Je suppose que l'on peut imaginer à la limite qu'un spécialiste des archives ottomanes ou fatimides est un orientaliste au sens où l'entend Hourani, mais nous avons toujours à nous demander où,

* NdT : en français dans le texte.
** NdT : en français dans le texte.

comment et avec le soutien de quelles institutions et organisations de telles études se poursuivent *aujourd'hui*. Beaucoup de ceux qui écrivirent après la parution de mon livre posèrent ces mêmes questions à propos des érudits les plus détachés de ce monde et les plus abscons, avec parfois des résultats dévastateurs.

Cependant, on a essayé avec obstination de construire une argumentation selon laquelle une critique de l'orientalisme (et en particulier la mienne) est sans objet et constitue en quelque sorte une atteinte à l'idée même d'érudition désintéressée. Cette tentative émane de Bernard Lewis, dont j'avais critiqué les travaux dans les quelques pages que je lui consacrais dans mon livre. Quinze ans après la parution de *L'Orientalisme*, Lewis a publié une série d'essais, qu'il a rassemblés en partie dans un ouvrage intitulé *Islam and the West* (l'Islam et l'Occident), dont l'une des parties principales est une attaque contre moi, qu'il entoure de chapitres et d'autres essais qui font appel à des formules floues et caractéristiquement orientalistes – les musulmans sont rendus furieux par la modernité, l'islam n'a jamais séparé l'Église de l'État, etc. ; toutes ces formules sont énoncées comme s'appliquant de manière très générale sans pratiquement faire jamais mention de différence entre les musulmans pris individuellement, entre les sociétés musulmanes, ou entre les traditions et les époques de l'islam. Comme Lewis s'est posé lui-même pour ainsi dire en porte-parole de la guilde des orientalistes auxquels ma critique s'adressait à l'origine, il n'est pas inutile de consacrer quelque temps à ses procédés. Ses idées sont, hélas, courantes parmi ses acolytes et imitateurs, dont le travail semble être d'alerter les consommateurs occidentaux de la menace que représente un monde islamique furieux, violent, et congénitalement antidémocratique.

La verbosité de Lewis masque à peine les bases idéologiques de son attitude et son extraordinaire capacité à se tromper presque à tout moment. Bien sûr, ce sont là les attributs familiers de la branche des orientalistes, dont certains ont au moins cependant le courage d'être honnêtes dans leur dénigrement militant du peuple musulman et d'autres peuples non européens. Mais pas Lewis. Il déforme la vérité, il établit de fausses analogies, et procède par insinuations qu'il recouvre du vernis d'une autorité omnisciente et sereine dont il suppose qu'elle correspond à la manière dont s'expriment les érudits. Prenez à titre d'exemple typique l'analogie qu'il établit entre la critique de l'orientalisme et une hypothétique critique des études de l'Antiquité classique, qui, dit-il, serait une folie. C'en serait une, bien entendu, mais l'orientalisme et l'hellénisme ne sont absolument pas comparables. Le premier est une tentative de description de toute une région du monde qui accompagne la conquête coloniale de cette région, le second n'a rien à voir avec la conquête coloniale de la Grèce aux dix-neuvième et vingtième siècles ; de plus, l'orientalisme exprime une antipathie envers l'islam, et l'hellénisme de la sympathie pour la Grèce antique.

En outre, la période actuelle, politiquement parlant, où les stéréotypes du racisme anti-arabe et anti-musulman remplissent des pages (exemptes en revanche de toute attaque contre la Grèce antique), permet à Lewis d'avancer des affirmations contraires à l'histoire et délibérément politiques sous la forme d'arguments érudits, une pratique tout à fait dans la ligne des aspects les moins recommandables de l'orientalisme colonialiste le plus démodé[1]. Ainsi le

1. Dans un exemple particulièrement révélateur, l'habitude de Lewis à énoncer des généralisations tendancieuses semble lui avoir causé des problèmes judiciaires. Selon *Libération* (1er mars 1994) et le *Guardian* (8 mars 1994), Lewis doit faire face à des poursuites pénales

travail de Lewis s'inscrit-il dans le contexte politique actuel plutôt que dans un contexte strictement intellectuel.

Insinuer, comme il le fait, que la branche de l'orientalisme concernant l'islam et les Arabes est une discipline savante, qui peut en conséquence être comparée avec la philologie classique, est aussi pertinent que de comparer l'un des nombreux arabisants et orientalistes israéliens qui ont travaillé avec les autorités d'occupation de la Palestine et de Gaza avec des érudits comme Wilamowits et Mommsen. D'une part Lewis souhaite réduire l'orientalisme au statut d'une discipline pratiquée par des érudits innocents et enthousiastes ; de l'autre il prétend que l'orientalisme est trop complexe, trop divers, trop technique pour se présenter sous une forme telle que des non-orientalistes (comme moi-même et de nombreux autres) puissent le critiquer. Comme je le suggère, l'intérêt européen pour l'islam ne dérive pas de la curiosité, mais de la crainte de voir la chrétienté exposée à une concurrence monothéiste, culturellement et militairement impressionnante. Les premiers spécialistes européens de l'islam, comme l'ont montré de nombreux historiens, étaient des polémistes médiévaux qui écrivaient pour contenir la menace des hordes musulmanes et de l'apostasie. D'une manière ou d'une autre, ce mélange de peur et d'hostilité a subsisté jusqu'à nos jours, aussi bien parmi les chercheurs que dans le grand public, qui voient l'islam comme faisant partie d'un monde – l'Orient – géographiquement et historiquement transposé dans leur imaginaire *contre* l'Europe et l'Occident.

---

et civiles intentées contre lui en France par des organisations arméniennes et de défense des droits de l'homme. Il est accusé en vertu de la loi qui en France qualifie de crime le fait de nier la réalité de l'Holocauste ; l'accusation portée contre lui est qu'il a nié le génocide du peuple arménien sous l'Empire ottoman.

Les deux problèmes les plus intéressants que pose l'orientalisme islamique ou arabe sont, en premier, les formes revêtues aujourd'hui par les vestiges médiévaux qui persistent si tenacement, et en second, l'histoire et la sociologie des connexions entre l'orientalisme et les sociétés qui l'ont produit. Il existe par exemple de fortes *affiliations*** entre l'orientalisme et l'imagination littéraire, ainsi que la conscience impériale. Ce qui frappe, c'est la constante interpénétration entre ce que les érudits et les spécialistes écrivent sur l'islam et ce qu'en disent alors les poètes, les romanciers, les politiciens et les journalistes. De plus – et ceci est un point crucial que Lewis se refuse à aborder – le parallélisme est remarquable (mais néanmoins intelligible) entre l'essor de la recherche orientaliste moderne et l'acquisition de grands empires orientaux par la Grande-Bretagne et la France.

Bien que les liens entre l'éducation classique habituellement dispensée en Grande-Bretagne et l'extension de l'Empire britannique soient plus complexes que Lewis puisse le supposer, il n'y a pas de parallèle plus éclatant entre la connaissance et le pouvoir, dans l'histoire moderne de la philologie, que dans le cas de l'orientalisme. Une bonne partie de l'information et des connaissances sur l'islam et l'Orient qui ont été utilisées par les puissances coloniales pour justifier leur colonialisme dérive de la recherche orientaliste : une récente étude due à plusieurs collaborateurs, publiée sous la direction de Carol A. Breckenridge et Peter van der Veer, *Orientalism and the Postcolonial Predicament* (L'Orientalisme et les difficultés de la situation post-coloniale)[1], démontre avec une copieuse documentation à l'appui comment les connaissances acquises par les orientalistes ont été utili-

---

* NdT : en français dans le texte.
1. Philadelphia : University of Pennsylvania Press, 1993.

sées par l'administration coloniale de l'Asie méridionale. Les chercheurs, entre autres les orientalistes, et les ministères des Affaires étrangères continuent à entretenir un substantiel courant d'échange d'informations. Bien des clichés sur la sensualité, la fainéantise, le fatalisme, la cruauté, l'avilissement, et aussi la splendeur, des Arabes et des musulmans que l'on trouve en littérature, de John Buchan à V. S. Naipaul, font partie des préjugés sous-jacents qui imprègnent le champ voisin de l'orientalisme universitaire. En revanche, le commerce des stéréotypes entre indologie et sinologie d'une part, et culture générale de l'autre, n'est pas aussi florissant, bien qu'il existe des relations et des emprunts notables. De même, il n'y a pas grande similitude entre les opinions prévalentes chez les experts en sinologie et en indologie et le fait que beaucoup des chercheurs professionnels qui étudient l'islam en Europe et aux États-Unis, et passent leur vie à creuser le sujet, continuent à estimer qu'il s'agit d'une religion et d'une culture impossibles à apprécier, et encore moins à admirer.

Dire, comme le font Lewis et ses imitateurs, que toutes ces opinions ne font qu'épouser des « causes à la mode » ne répond pas à la question de savoir pourquoi, par exemple, tant de spécialistes de l'islam étaient et sont encore régulièrement consultés par des gouvernements, pour lesquels ils travaillent activement, et dont le dessein se résume à l'exploitation, la domination et l'agression ouverte du monde islamique ; ou pourquoi tant de spécialistes de l'islam – comme Lewis lui-même – estiment de leur propre chef qu'il fait partie de leur devoir d'organiser l'attaque contre les peuples musulmans et arabes contemporains tout en prétendant que la culture arabe « classique » peut néanmoins faire l'objet d'études désintéressées. Le spectacle de spécialistes de l'histoire médiévale de l'islam envoyés en mission par le département d'État américain dans les régions d'intérêt stratégique du golfe Persique ne suggère rien qui ressemble à l'amour de la Grèce antique attribué par Lewis dans le domaine supposément voisin de la philologie classique.

Il n'est donc pas surprenant que dans le champ de l'orientalisme arabe et islamique, où l'on est toujours prompt à démentir toute complicité avec le pouvoir étatique, aucune critique des affiliations que je viens de décrire n'ait été énoncée jusqu'à très récemment, et que Lewis puisse formuler la déclaration incroyable qu'une critique de l'orientalisme serait « sans signification ». Il n'est pas davantage surprenant que, à quelques exceptions près, la plupart des critiques négatives que mon livre a suscitées de la part de « spécialistes » ont été, comme celles de Lewis, rien de plus qu'une banale description de l'intrusion d'un grossier maraudeur dans le domaine d'un baron. Les seuls spécialistes (de nouveau à quelques exceptions près) qui ont tenté de traiter du sujet dont je discute – qui n'est pas seulement le contenu de l'orientalisme, mais ses relations, ses affiliations, ses tendances politiques, et sa vision du monde – étaient des sinologues, des indologues et la nouvelle génération de spécialistes du Moyen-Orient, sensibles à de nouvelles influences et aussi à l'argumentation politique qu'entraîne la critique de l'orientalisme. C'est le cas de Benjamin Schwarz, de l'université Harvard, qui saisit en 1982 l'occasion de son allocution présidentielle à l'Association des études asiatiques non pas seulement pour exprimer son désaccord avec certaines de mes critiques, mais aussi pour se féliciter, sur le plan intellectuel, de mon argumentation.

Beaucoup des spécialistes reconnus de l'islam et des Arabes ont réagi à mon livre par des injures blessantes qui pour eux tiennent lieu de réflexions : la plupart emploient des mots tels que « nuisible », « déshonneur », « diffamation », comme si la critique constituait une intolérable violation de leur domaine universitaire réservé. Dans le cas de Lewis, la réaction prend la forme d'un acte de mauvaise foi caractérisé, car davantage encore que la plupart des orientalistes, il s'est avéré un adversaire politique enflammé de la cause arabe (et de quelques autres) aussi bien au Congrès des États-Unis, que dans *Commentary* et ailleurs. Lui répondre de manière appropriée implique de rendre compte de son attitude sur les plans politique et sociologique quand il prétend défendre « l'honneur » de son domaine de recherches, une défense qui de toute évidence n'est qu'un édifice laborieux de demi-vérités destiné à induire en erreur les lecteurs non avertis.

En bref, on peut étudier la relation entre l'orientalisme arabe ou musulman et la culture européenne moderne sans dresser pour autant le catalogue de tous les orientalistes qui ont existé, de toutes les traditions orientalistes ou de tout ce qui a été écrit par des orientalistes pour, ensuite, les considérer en bloc comme l'expression d'un impérialisme corrompu et sans valeur. Ce que de toute façon je n'ai jamais fait. Dire que l'orientalisme est une conspiration ou suggérer que « l'Occident » est mauvais, c'est faire preuve d'ignorance : ce sont là quelques-unes des énormes sottises que Lewis et un de ses épigones, le journaliste irakien K. Makiya, ont le front de m'attribuer. Par ailleurs, il est hypocrite de supprimer les contextes culturel, politique, idéologique et institutionnel dans lesquels les gens écrivent, pensent et parlent de l'Orient, qu'ils soient ou non des spécialistes. Comme je l'ai dit plus haut, il est extrêmement important de comprendre que la raison pour laquelle l'orientalisme est rejeté par tant de non-Occidentaux qui réfléchissent, est que son expression moderne est correctement perçue comme un discours du pouvoir dans une période colonialiste, ce qui a fait l'objet d'un récent et excellent symposium, *Colonialism and culture* (Colonialisme et culture), dont les actes ont été publiés par Nicholas B. Dirks[1]. Dans cette sorte de discours, principalement fondé sur l'hypothèse que l'islam est monolithique, immuable, et en conséquence vendable par des « experts » pour servir de puissants intérêts politiques nationaux, ni les musulmans ni les Arabes, ni aucun des autres peuples déshumanisés, ne se reconnaissent en tant qu'êtres humains, pas plus qu'ils ne reconnaissent leurs observateurs comme de simples chercheurs. La plupart décèlent dans le discours de l'orientalisme moderne et celui des disciplines similaires consacrées aux indigènes américains et aux Africains une tendance chronique à dénier, supprimer ou déformer le contexte culturel de tels systèmes de pensée, dans le but de préserver la fiction d'une recherche désintéressée.

II

Bien que des opinions analogues à celles de Lewis soient courantes, je ne voudrais pas pour autant accréditer l'idée qu'elles sont les seules qui soient apparues ou qui se soient renforcées durant la dernière quinzaine d'années. Il est vrai cependant qu'avec la disparition de l'Union soviétique des chercheurs et des journalistes américains se sont précipités pour découvrir dans un islam orientalisé un nouvel empire du mal. En conséquence, la presse et les autres médias ont été submergés par des stéréotypes dégradants qui font l'amalgame entre islam et terrorisme, ou entre Arabes et violence. On a observé aussi dans diverses régions du Moyen et de l'Extrême-Orient un retour aux religions indigènes et au nationalisme primitif, dont l'un des aspects les plus écœurants est la *fatwa* ira-

1. Ann Arbor : University of Michigan Press, 1992.

nienne, toujours en vigueur, contre Salman Rushdie. Mais ceci n'est qu'une vision partielle, et ce que je veux faire dans la seconde partie de cet essai est de parler des nouvelles tendances, des nouvelles critiques et des nouvelles interprétations qui, tout en acceptant les prémisses fondamentales de mon livre, vont bien au-delà, selon des itinéraires qui, je crois, enrichissent notre compréhension de la complexité de l'expérience historique.

Aucune de ces tendances n'est bien sûr apparue du jour au lendemain ; elles n'ont pas davantage acquis le statut de connaissances et de pratiques établies. Le contexte mondial agité, idéologiquement chargé, insaisissable, tendu, changeant, et même meurtrier, nous laisse perplexes. Bien que l'Union soviétique ait été démembrée et que les pays de l'Europe de l'Est aient accédé à l'indépendance, les modalités du pouvoir et de la domination demeurent à l'évidence inquiétantes. Le Sud dans son ensemble – le Tiers Monde, comme on l'appelait romantiquement et même émotionnellement – est piégé par sa dette, fractionné en entités incohérentes ou fracturées, en proie aux problèmes de la pauvreté, de la maladie et du sous-développement qui se sont accrus durant les dix ou quinze dernières années. Le mouvement des non-alignés et les leaders charismatiques qui avaient mené la lutte pour la décolonisation et l'indépendance ont disparu. Un type de guerres locales et de conflits ethniques (qui n'est pas confiné au Sud, comme l'atteste le cas tragique de la Bosnie) s'est à nouveau partout répandu. Et dans des régions comme l'Amérique centrale, le Moyen-Orient et l'Asie, les États-Unis restent la puissance dominante, devant une Europe anxieuse et toujours non unifiée qui reste à la traîne.

Des explications à la situation actuelle dans le monde et des tentatives pour la comprendre d'un point de vue culturel et politique ont émergé de façon particulièrement dramatique. J'ai déjà mentionné le fondamentalisme. Ses équivalents séculiers sont un retour au nationalisme et aux théories qui soulignent la nécessité radicale de distinguer – une généralisation à mon avis abusive – entre les différentes cultures et civilisations. Récemment, par exemple, le professeur Samuel Huntington, de l'université Harvard, a avancé l'idée, loin d'être convaincante, que le bipolarisme de la guerre froide avait été remplacé par ce qu'il appelle le choc des civilisations, une thèse dont les prémisses sont que les civilisations occidentale, confucéenne et islamique, entre autres, sont comme des compartiments étanches dont les adeptes ont au fond pour principale préoccupation de parer les coups des autres [1].

Ceci est absurde, car l'une des grandes avancées de la théorie moderne en matière de culture est d'avoir réalisé – ce qui est presque universellement reconnu – que les cultures sont hybrides et hétérogènes, et que, comme je l'ai exposé dans *Culture and Imperialism*, les cultures et les civilisations sont si reliées entre elles et si interdépendantes qu'elles défient toute description unitaire ou simplement délimitée de leur individualité. Comment peut-on aujourd'hui parler de « civilisation occidentale » autrement que d'une vague fiction idéologique, attribuant une sorte de supériorité condescendante à une poignée de valeurs et d'idées, dont aucune n'a grande signification en dehors de l'histoire des conquêtes, de l'immigration, des voyages et du brassage des populations qui a donné aux nations occidentales leur identité disparate actuelle ? Ceci est particulièrement vrai des États-Unis, qu'on ne peut décrire sérieusement aujourd'hui que comme un énorme palimpseste de races et de cultures différentes partageant une histoire problématique faite de conquêtes,

---

1. « The Clash of Civilizations » (Le conflit des civilisations), *Foreign Affairs* 71, 3 (Été 1993), 22-49.

d'exterminations, et bien entendu de progrès culturels et politiques majeurs. C'est là un des messages implicites de *L'Orientalisme* : toute tentative d'imposer aux peuples et aux cultures des limites de race ou d'espèce met en évidence non seulement les déformations et falsifications qui peuvent découler d'une telle approche, mais aussi la façon dont la compréhension des problèmes est liée à la production de concepts tels que « l'Orient » ou « l'Occident ».

Huntington, et derrière lui tous les théoriciens et apologistes d'une tradition occidentale exultante, comme Francis Fukuyama, ont pourtant maintenu une bonne part de leur emprise sur l'opinion publique. Il en est ainsi, comme il ressort du cas symptomatique de Paul Johnson, qui fut dans le passé un intellectuel de gauche et qui est devenu aujourd'hui un polémiste politiquement et socialement rétrograde. Dans le numéro du 18 avril 1993 du *New York Times Magazine*, une revue qui n'a rien de marginal, Johnson a publié un essai intitulé « Le colonialisme est de retour – et ce n'est pas trop tôt », dont la thèse principale est que les « nations civilisées » doivent se résoudre à recoloniser les pays du Tiers Monde « où les conditions de base d'une vie civilisée se sont effondrées », et doivent atteindre ce but par un système imposé de mise sous tutelle. Son modèle est explicitement le modèle colonial du dix-neuvième siècle, dit-il, au moyen duquel les Européens imposèrent un ordre politique pour pouvoir exercer un commerce profitable.

L'argumentation de Johnson recueille de nombreux échos sous-jacents dans les travaux des maîtres à penser de la politique des États-Unis, dans les médias, et bien entendu dans la politique américaine elle-même, qui demeure une politique interventionniste au Moyen-Orient, en Amérique latine, et dans l'Europe de l'Est, animée partout ailleurs d'un zèle franchement missionnaire, particulièrement en ce qui concerne la Russie et les anciennes républiques soviétiques. Le point important cependant, c'est qu'un fossé largement ignoré mais sérieux s'est creusé dans l'opinion publique entre d'une part les vieilles idées de l'hégémonie occidentale (dont l'orientalisme faisait partie), et d'autre part les idées plus neuves qui ont pris racine dans les communautés opprimées et désavantagées et se sont répandues dans un vaste secteur d'intellectuels, d'universitaires et d'artistes. Remarquablement, le temps n'est plus où les peuples moins importants – ceux qui ont été colonisés, réduits en esclavage, supprimés – se taisent ou ne sont pas pris en compte, sauf par les mâles d'âge mûr d'Europe ou d'Amérique. Une révolution s'est effectuée dans la conscience des femmes, des minorités, et des marginaux, assez puissante pour affecter les courants de pensée prédominants dans le monde entier. Bien que j'en aie eu le pressentiment dans les années 70 quand je travaillais à *L'Orientalisme*, cette révolution est aujourd'hui devenue si visible qu'elle requiert l'attention de tous ceux qui se sentent sérieusement concernés par l'étude théorique et universitaire de la culture.

On peut distinguer deux courants de pensée : le post-colonialisme et le post-modernisme, qui tous deux, dans leur utilisation du mot « post », suggèrent non pas tellement aller au-delà, mais plutôt, comme le dit Ella Shohat dans un article de philologie sur le terme « post-colonial », des « continuités et des discontinuités, en mettant l'accent sur les nouvelles modalités et les nouvelles formes des vieilles pratiques coloniales, et non pas sur leur dépassement[1] ». Post-colonialisme et postmodernisme ont l'un et l'autre émergé en tant que formes d'engagement et de recherche dans les années 80, et, dans bien des cas, semblent avoir pris en compte et

1. « Notes on the Post-Colonial », *Social Text*, 31/32 (1992), 106.

considéré comme des antécédents des ouvrages tels que *L'Orientalisme*. Il serait impossible ici d'entrer dans les vastes débats terminologiques qui entourent ces deux mots, dont certains s'appesantissent sur le point de savoir s'ils doivent comporter ou non un trait d'union. Il ne s'agit pas ici d'évoquer des exemples isolés de discussions excessives et lisibles sur un jargon, mais de localiser les courants de pensée et les efforts qui, à partir des perspectives ouvertes par un livre datant de 1978, semblent dans une certaine mesure l'impliquer maintenant, en 1994.

Bien des aspects du travail le plus indispensable sur le nouvel ordre politique et économique ont concerné ce que, dans un récent article, Harry Magdof décrit comme la « globalisation », un système par lequel une petite élite financière a étendu son pouvoir sur le monde entier, gonflant les prix des marchandises et des services, redistribuant la richesse des secteurs à faible revenu (habituellement dans le monde non occidental) au profit des secteurs à haut revenu[1]. En même temps, est apparu un nouvel ordre transnational, objet d'une âpre discussion menée par Masao Miyoshi et Arif Dirlik, dans lequel les États n'ont plus de frontières, le travail et le revenu ne dépendent plus que de dirigeants d'affaires de taille mondiale, et dans lequel le colonialisme a refait son apparition sous la forme d'une soumission du Sud par le Nord[2]. Miyoshi et Dirlik poursuivent en montrant que

1. Magdoff, « Globalisation – To What End ? » (La globalisation – dans quel but ?), *Socialist Register 1992 : New World Order ?*, publié sous la direction de Ralph Milliband et Leo Panitch (New York : Monthly Review Press, 1992), 1-32.
2. Miyoshi, « A Borderless World ? From Colonialism to Transnationalism and the Decline of the Nation-State » (Un monde sans frontières ? Du colonialisme au trans-nationalisme et le déclin de l'État-nation), *Critical Enquiry*, 19, 4 (Été 1993), 726-51 ; Dirlik,

l'intérêt manifesté par des universitaires occidentaux pour des sujets tels que le multiculturalisme et la « post-colonialité » signifie en fait qu'ils battent en retraite devant les nouvelles réalités du pouvoir global. « Ce dont nous avons besoin, dit Miyoshi, c'est d'un examen serré en politique et en économie plutôt que de postures pédagogiques opportunistes », dont atteste la « désillusion libérale » qui perce dans l'ouverture de nouveaux champs de recherche tels que l'étude des cultures et le multiculturalisme.

Mais même si nous prenons au sérieux de telles injonctions (comme nous devons le faire), l'expérience historique nous fournit une base solide pour comprendre l'intérêt suscité aujourd'hui à la fois par le post-modernisme et le post-colonialisme qui, bien que très différent, constitue son pendant. Il y a d'abord, dans le premier, une très forte tendance eurocentrique, et une prépondérance de jugements théoriques et esthétiques qui soulignent le local et le contingent, en même temps que l'apesanteur presque décorative de l'histoire, le besoin de pasticher, et par-dessus tout le consumérisme. Les premières études sur le post-colonialisme sont celles de penseurs aussi éminents qu'Anouar Abdel-Malek, Samir Amin et C.L.R. James, qui sont presque toutes fondées sur des essais sur la domination et le contrôle à partir du point de vue soit d'un pays qui a obtenu son indépendance, soit d'un projet de libération encore inachevé. Cependant, alors que le post-modernisme, d'après un de ses manifestes programmatiques les plus connus (celui de Jean-François Lyotard),

---

« The Post-colonial Aura : Third World Criticism in the Age of Global Capitalism » (L'aura post-coloniale : une critique du Tiers Monde à l'âge du capitalisme global), *Critical Enquiry*, 20, 2 (Hiver 1994), 328-56.

souligne la disparition des grands récits de l'émancipation et de la lutte contre l'obscurantisme, l'accent est mis sur exactement l'inverse dans une bonne partie du travail de la première génération d'artistes et de chercheurs post-coloniaux : ces grands récits restent présents, même si leur réalisation et leur concrétisation sont aujourd'hui en attente, retardés ou contournés. Cette différence cruciale entre les impératifs historiquement et politiquement urgents du post-colonialisme et le relatif détachement du post-modernisme conduit à des approches et à des résultats entièrement différents, bien qu'ils se recoupent parfois (par exemple dans la technique du « réalisme magique »).

Je pense qu'il serait inexact de prétendre qu'on ne souligne pas assez l'importance du local, du régional et du contingent dans la majeure part des travaux post-coloniaux qui ont proliféré si spectaculairement depuis le début des années 80 : ce fut le cas, mais de manière très intéressante, en relation, dans leur approche générale, avec un ensemble universel de préoccupations, qui ont toutes à voir avec l'émancipation, les attitudes révisionnistes* concernant l'histoire et la culture, et un abondant usage de modèles et de styles théoriques récurrents. Une critique conséquente de l'eurocentrisme et du paternalisme en a été un des thèmes majeurs. Dans les années 80, dans les universités américaines et européennes, les étudiants et les enseignants ont travaillé assidûment pour étendre le champ des sujets d'étude de manière à inclure la littérature produite par les femmes, les artistes et les penseurs non européens et autres créateurs marginalisés. Cette évolution s'est accompagnée d'importants

---

* NdT : comme l'indique le contexte, Said emploie le mot « révisionniste » dans un sens tout à fait différent de celui qui est actuellement donné en France aux historiens qui minimisent l'Holocauste.

changements dans l'approche des études régionales, longtemps restée aux mains des orientalistes classiques et leurs congénères. L'anthropologie, les sciences politiques, la littérature, la sociologie et surtout l'histoire ont subi l'impact d'une critique approfondie des sources, de l'introduction de considérations théoriques, et d'un rejet des perspectives eurocentriques. Le plus brillant peut-être de ces travaux révisionnistes n'est pas apparu dans le domaine des études du Moyen-Orient, mais dans celui de l'indologie, avec la naissance de *Subaltern Studies*, un groupe de chercheurs et d'érudits réunis sous la direction de Ranajit Guha. Leur but n'était pas moins que de révolutionner l'historiographie, leur objectif immédiat étant de préserver l'écriture de l'histoire de l'Inde de la domination de l'élite nationale et de restaurer le rôle important du prolétariat urbain et des masses rurales. Je crois qu'il serait erroné de dire d'un tel travail, essentiellement universitaire, qu'il pouvait être facilement coopté et compatible avec le néo-colonialisme « transnational ». Nous devons prendre acte et reconnaître la valeur de cette performance, tout en mettant en garde contre ses pièges ultérieurs.

Ce qui m'a plus particulièrement intéressé a été l'extension des préoccupations post-coloniales aux problèmes de la géographie. Après tout, *L'Orientalisme* est une étude qui a pour but de repenser ce qui durant des siècles a été considéré comme un gouffre infranchissable séparant l'Est de l'Ouest. Mon objectif, comme je l'ai dit plus haut, n'était pas tant de réduire la différence entre l'un et l'autre – car qui peut nier le rôle constitutif des différences nationales et culturelles dans les relations humaines – que de remettre en question la notion que la différence implique l'hostilité, un bloc réifié et figé d'essences antagonistes, et une connaissance réciproque, construite sur cette opposition, qui envisage l'autre comme un adversaire. Ce que je cherchais dans *L'Orientalisme*, c'était une nouvelle manière de concevoir les séparations et les conflits qui ont stimulé pendant des générations l'hostilité, la guerre et le contrôle impérialiste. Et en fait, l'une des conséquences les plus intéressantes des études postcoloniales a été une nouvelle lecture des travaux canoniques sur la culture, non pas pour les rabaisser ou les couvrir plus ou moins de boue, mais d'examiner à nouveau certaines de leurs affirmations, en dépassant l'emprise étouffante de la dialectique binaire maître-esclave. Ce qui certainement a été l'effet comparable de romans extraordinairement riches comme *Midnight's Children* (les Enfants de minuit) de Rushdie, des récits de C.L.R. James, de la poésie d'Aimé Césaire et de Derek Walcott, des œuvres dont les audacieuses réussites formelles constituent en fait une réappropriation de l'expérience historique du colonialisme, revitalisée et transformée par une nouvelle esthétique du partage et une reformulation qui souvent le transcende.

On le voit aussi dans le travail du groupe d'éminents écrivains irlandais qui, en 1980, se sont réunis en un collectif appelé *Field Day*. La préface d'un recueil de leurs écrits dit à leur propos :

> [Ces écrivains] croyaient que *Field Day* pouvait et devait contribuer à la solution de la crise actuelle en fournissant des analyses de l'opinion établie, des mythes et des stéréotypes qui sont devenus à la fois le symptôme et la cause de la situation actuelle (entre l'Irlande et le Nord). La recrudescence de la violence, et l'effondrement des arrangements constitutionnels et politiques qui avaient été conçus pour la réprimer ou la contenir, ont rendu cette démarche encore plus urgente dans le Nord que dans la République... Le collectif, en conséquence, décida d'entreprendre une série de publications, en commençant par une suite de pamphlets (en plus d'une impressionnante collection de poèmes de

Seamus Heaney, d'essais de Seamus Deane, de pièces de théâtre de Brian Friel et Tom Paulin) dans lesquels la nature du problème irlandais pouvait être explorée et abordée avec plus de chances de le résoudre que ce ne fut le cas jusqu'ici[1].

L'idée de repenser et de reformuler les expériences historiques qui ont été autrefois fondées sur la séparation géographique des peuples et des cultures est au cœur de tout un ensemble de travaux érudits de critique. On la trouve, pour n'en citer que trois, dans *After Arabs and Jews : Remaking Levantine Culture* (Après les Arabes et les juifs : refaire la culture du Levant) d'Ammiel Alcalay, dans *The Black Atlantic : Modernity and Double-Consciousness* (l'Atlantique noir : modernité et conscience double) de Paul Gilroy, et dans *Subject to Others : British Women and Colonial Slavery – 1670-1834* (Soumis à d'autres : les femmes britanniques et l'esclavage colonial) de Moira Ferguson[2]. Dans ces ouvrages, des domaines dont on croyait qu'ils ne concernaient qu'un peuple, un sexe, une race ou une classe sont soumis à un nouvel examen qui montre que d'autres sont impliqués. Longtemps représenté comme un champ de bataille entre Arabes et juifs, le Levant devient, dans l'ouvrage d'Alcalay, une aire de culture méditerranéenne commune aux deux peuples ; Gilroy, de la même manière, change notre perception de l'Atlantique, perçu jusqu'ici principalement comme un lieu de passage européen. Et, en procédant à un nouvel examen de la relation antagoniste entre les propriétaires anglais d'esclaves et les esclaves africains, Ferguson révèle

---

1. *Ireland's Field Day* (Londres : Hutchinson, 1985), pp. VII-VIII.
2. Alcalay (Minneapolis, University of Minnesota Press, 1993) ; Gilroy (Cambridge : Harvard University Press, 1993) ; Ferguson (Londres : Routledge, 1992).

une relation plus complexe, qui fait la distinction entre la femelle blanche et le mâle blanc, entraînant l'apparition en Afrique de nouvelles infériorisations et dislocations.

Je pourrais continuer en donnant bien d'autres exemples. Je conclurai brièvement en disant que, bien que subsistent les animosités et les iniquités qui ont suscité mon intérêt pour l'orientalisme en tant que phénomène politique et culturel, on accepte maintenant en général qu'elles ne constituent pas un fait immuable, mais une expérience historique dont la fin, ou au moins l'atténuation, est actuellement proche. Considérant *L'Orientalisme* avec le recul de quinze années riches en événements, et compte tenu de la masse des nouvelles interprétations et tentatives pour réduire l'emprise des contraintes impérialistes sur la pensée et les relations humaines, je peux dire que ce livre a eu au moins le mérite de s'engager ouvertement dans le combat qui continue bien entendu dans l'Ouest et l'Est réunis.

New York, mars 1994

Index des noms cités

Table

1

Le domaine de l'orientalisme

2

L'orientalisme structuré et restructuré

3

L'orientalisme aujourd'hui

Du même auteur

Nationalisme, colonialisme et littérature
(en collab. avec Terry Eagleton et Fredric Jameson)
Presses Universitaires de Lille, 1994, 2013

Des intellectuels et du pouvoir
Seuil, 1996

Retour en Palestine
Arléa, 1997

Israël-Palestine : l'égalité ou rien
La Fabrique, 1999

Culture et impérialisme
Fayard, 2000

La Loi du plus fort
Mise au pas des États voyous
(en collab. avec Noam Chomsky et Ramsey Clark)
Le Serpent à plumes, 2002

À contre-voie
Mémoires
Le Serpent à plumes, 2002
et LGF, « Le Livre de poche », 2003

Parallèles et paradoxes
Explorations musicales et politiques
(en collab. avec Daniel Barenboim)
Le Serpent à plumes, 2003

Freud et le monde extra-européen
Le Serpent à plumes, 2004

Culture et résistance
Entretiens avec David Barsamian
Fayard, 2004

D'Oslo à l'Irak
Fayard, 2004

Humanisme et démocratie
Fayard, 2005

Réflexions sur l'exil
Et autres essais
Actes Sud, 2008

La Question de Palestine
Sindbad, 2010

L'Islam dans les médias
Comment les médias et les experts façonnent
notre façon de considérer le reste du monde
Sindbad, 2011

Dans l'ombre de l'Occident
Et autres propos
Suivi de Les Arabes peuvent-ils parler ? *par Seloua Luste Boulbina*
Blackjack éditions, 2011
et Payot, « Petite Bibliothèque Payot », n° 971, 2014

Du style tardif
Musique et littérature à contre-courant
Actes Sud, 2012

Conversations avec Tariq Ali
Galaade éditions, 2014

RÉALISATION : IGS-CP À L'ISLE-D'ESPAGNAC
IMPRESSION : NORMANDIE ROTO IMPRESSION S.A.S. À LONRAI
DÉPÔT LÉGAL : MAI 2015. N° 124320-3 (1505366)
IMPRIMÉ EN FRANCE

Éditions Points

le cercle

Le catalogue complet de nos collections est sur Le Cercle Points, ainsi que des interviews de vos auteurs préférés, des jeux-concours, des conseils de lecture, des extraits en avant-première…

www.lecerclepoints.com

Collection Points Essais

DERNIERS TITRES PARUS